U0924745

百 年 南 开
日本研究文库

日本经济产业解析
改革、创新与演进

张玉来 著

江苏人民出版社

图书在版编目(CIP)数据

日本经济产业解析 ：改革、创新与演进 / 张玉来著 .—南京：江苏人民出版社，2019.7(2020.4 重印)

(百年南开日本研究文库)

ISBN 978-7-214-23337-0

Ⅰ.①日… Ⅱ.①张… Ⅲ.①经济史—研究—日本—现代 Ⅳ.①F131.395.3

中国版本图书馆 CIP 数据核字(2019)第 061922 号

书　　名	日本经济产业解析：改革、创新与演进
著　　者	张玉来
责任编辑	洪　扬
装帧设计	刘葶葶
责任监制	陈晓明
出版发行	江苏人民出版社
出版社地址	南京市湖南路 1 号 A 楼，邮编：210009
出版社网址	http://www.jspph.com
照　　排	江苏凤凰制版有限公司
印　　刷	江苏凤凰数码印务有限公司
开　　本	652 毫米×960 毫米　1/16
印　　张	25　插页 4
字　　数	328 千字
版　　次	2019 年 8 月第 1 版　2020 年 4 月第 2 次印刷
标准书号	ISBN 978-7-214-23337-0
定　　价	88.00 元

“百年南开日本研究文库”出版说明

2019年南开大学建校百年校庆，作为中国教育史上的大事，当然是值得纪念的。

如何使纪念百年南开的活动具有历史意义？我们很早就开始谋划和筹备。早在2015年春节期间，南开大学日本研究院原院长、教育部人文社会科学重点研究基地南开大学世界近现代史研究中心主任杨栋梁教授，向江苏人民出版社王保顶副总编提起，想以集体展示日本研究院研究成果的形式来纪念南开百年校庆。这一提议得到了保顶同志的大力支持，也得到了研究院各位同事的积极响应。后来经过商讨，编委会一致同意以“百年南开日本研究文库”作为南开日本研究者纪念百年校庆丛书的名称，本文库由江苏人民出版社和南开大学出版社分别出版。与百年校庆相适应，“百年南开日本研究文库”也应该是百年来南开日本研究业绩的展现。为此，编委会确定本文库由以下几个方面的成果构成。

第一，从南开大学创立到抗日战争胜利时期南开的日本研究成果。刘岳兵教授搜集相关文稿四十余万字，编成了《南开日本研究（1919—1945）》。这是一本专题性的南开大学校史资料集，对于研究和总结包括南开大学在内的这一时段中国日本研究的状况和特点，具有重要的史料价值。

第二,新中国建立以来,南开大学成立的实体日本研究机构研究者的成果。实体研究机构包括 1964 年成立的日本史研究室、2000 年实体化的日本研究中心和 2003 年成立的日本研究院。

第三,1988 年组建的南开大学日本研究中心,是以日本史研究室成员为核心,联合校内其他系所相关日本研究者成立的综合研究日本历史、经济、社会、文化、哲学、语言、文学的学术机构。在百年南开日本研究的历史发展中,日本研究中心具有重要的意义。本文库也包括该中心成员的成果。

今后,如果条件成熟,还可以将日本研究院的客座教授和毕业生的优秀成果也纳入这个文库中,希望将本文库建设成为一个开放的、能够充分且全面反映南开日本研究水平的成果展示平台。

在中国百年来的日本研究中,南开占有重要的一席之地。历史的发展和南开的先贤告示我们:日本研究对于中国的发展至关重要。中日关系值得我们认真思考,其经验教训值得认真总结。百年来,南开大学的日本研究者孜孜以求,探寻日本及中日关系的真相,取得了一定的成绩。吴廷璆先生主编的《日本史》(南开大学出版社 1994 年),是南开大学与辽宁大学两校日本研究者倾注近 20 年心血合力打造出来的。杨栋梁教授主编的十卷本“日本现代化历程研究丛书”(世界知识出版社 2010 年)及六卷本《近代以来日本的中国观》(江苏人民出版社 2012 年),也几乎是倾日本研究院全院之力而得到了学界认可的标志性研究成果。另外,在日本国际交流基金的资助下,南开大学日本研究中心从 1995 年开始由天津人民出版社出版的“南开日本研究丛书”,展现了中心成员在日本研究各具体专题上的业绩,产生了积极的社会影响。这些成果都是南开日本研究者集体智慧的结晶。

“百年南开日本研究文库”是南开大学日本研究院和南开大学世界近现代史研究中心相关学术成果的集体展示。我们相信,本文库将成为南开大学日本研究和南开大学世界史学科“双一流”建设的又一项标志性成果，她将承载南开精神、贯穿南开日本研究学脉，承前启后，为客观地了解日本、促进中日关系健康发展做出新的贡献；我们也想以此为实现“发展同各国的外交关系和经济、文化交流，推动构建人类命运共同体”的理想，培养全民族的国际视野和情怀，提高广大人民群众的世界历史知识和认识水平，尽我们的一份绵薄之力。

“百年南开日本研究文库”编辑委员会

2019年3月19日

目　录

前　言

到 2019 年 4 月 30 日，起步于 1989 年 1 月的平成时代正式落幕。30 多年的平成时代经常被称为“失落的 30 年”，它几乎与 1992 年日本泡沫经济崩溃相同步。

诚然，从经济增长速度来看，平成时代根本就难以与战后的昭和时代相提并论。整个平成时代的日本经济增长率年均仅为 1.2%，而 1955 年开始的日本经济高速增长阶段（一直到 1973 年）的年均增速达到 9.1%，二者是七倍之差。即便是之后的稳定增长阶段（1974—1991 年），其增速也为年均 4.2%。可见，从这个角度而言，“平成日本”对日本人而言确实是个失落的时代，或者更恰当地说是经济“失速”的年代。

平成时代伊始，日本就面临着如何克服泡沫经济崩溃的诸多难题。于是，“改革”便成为这个时代的核心关键词。改革领域涉及方方面面，诸如经济结构改革、政党制度改革、选举制度改革、政治资金制度改革、地方分权制度改革、司法制度改革、大学教育改革，等等。从首任内阁的竹下登实施的政治改革大纲开始，之后历任内阁几乎都推出了各种改革举措，典型案例包括海部俊树的选举制度改革、细川护熙的行政与规制改革、桥本龙太郎的六大改革、小泉纯一郎的结构改革等。如今，安倍晋三除了积极推进以“安倍经济学”为旗帜的经济改革之外，修宪为目标的安保改革更是其政治夙愿。

平成时代还是一个创新的时代。自从 1995 年日本经团联提出“新日本式经营”之后，日本企业创新之路已经走出了很远，以“三大神器”为代表的传统“日本式经营”特征早已名存实亡，甚至是消失殆尽。日本企业不仅在国际化经营、全球化经营等领域取得了非凡成绩——构建起“四分之一生产在国外，六成销售在海外”格局，而且，在制造业、服务业等领域也领先于国际同行，“2017TOP100”排行榜上，日本以 39 家企业上榜而雄踞榜首，超过了创新领先的美国。除此之外，平成时代还有 18 名日本人获得了诺贝尔奖，创造了亚洲的奇迹。

本书主要从经济和产业角度出发，对平成时代的日本进行阐释和分析。主要观点包括：第一，平成时代的日本并非所谓“失落的 30 年”，事实上，改革与创新才是这个时代的重要特征；第二，平成时代的日本各项改革具有重要借鉴意义，其中的经验和教训值得我们不断深入归纳与总结；第三，对日本的综合实力及国际竞争力需进行细致梳理和深入解释，仍有很多课题待研究；第四，有关日本企业的研究仍存在很多薄弱领域，特别是对于深度国际化经营的日企，需要更全面、更深入地把握与分析。

第一章 “安倍经济学”与日本经济结构转型

泡沫经济崩溃之后，困扰历届日本政府的最大难题有两项：一是不良债权处置，二是资产负债比失衡问题。之后，围绕这两大问题日本政府进行了一系列改革举措，最具有代表性的就是 1996 年成立的桥本龙太郎内阁推行了“六大改革”①，2001 年成立的小泉纯一郎内阁实施了“结构改革”②。小泉内阁时期上述问题终于得到解决，但另外一个问题——日本政府凯恩斯式的大规模财政刺激所造成了财政状况严重恶化，2001 年日本财政赤字对 GDP 之比已达 5.5%，2013 年又升至6.9%。而且，少子老龄化形势也越来越严峻，导致财政负担不断膨胀，进一步加剧了财政危机。

在此背景下，2012 年底“梅开二度”的安倍晋三首相决意改弦易辙，毅然放弃“凯恩斯药方”，而将政策重点转向了经济增长战略，采纳通货再膨胀(reflation)学派的观点，确立了所谓三箭齐发的“安倍经济学”。其目标是通过金融宽松、适度财政刺激与结构改革的新政策组合，让日本彻底摆脱长期以来困扰经济增长的通货紧缩“痼疾”。2015 年 9 月，日

① 1996 年桥本龙太郎担任首相期间提出了行政、财政、社保、经济、金融以及教育等六大改革。

② 2001 年小泉纯一郎担任首相期间提出了“无圣域结构改革”计划，实施了邮政民营化等重要改革。

本政府又对“安倍经济学”重新包装，推出所谓 2.0 版本，把人口增长和社保完善也纳入了改革重点目标。

一、告别传统改革路线的“安倍经济学”

泡沫经济崩溃之后，经过桥本内阁时期的六大改革，特别是小泉内阁时期的结构改革之后，日本基本解决了不良债权和资产负债表失衡等两大问题。但是，由于长期依赖财政刺激则也导致日本财政问题愈加严重，加之老龄少子化形势也越加严峻，这使得日本政府已经难以再利用凯恩斯刺激。2006 年第一次出任日本首相职务之际，安倍晋三就提出把政策重点转向增长战略。2012 年他第二次组阁之后，他接受了通货再膨胀(reflation)学派的政策观点，推出了一系列经济政策和改革，这一政策组合被统称为“安倍经济学”。①

“白川辞职”事件与央行路线斗争

2013 年 2 月 19 日，学院派的第三十任日本银行行长白川方明宣布辞职。其实，这距离其任期届满仅相差短短的 20 天。日本媒体普遍认为，这是白川行长迫于安倍内阁的强大压力，因为安倍晋三在当选自民党总裁之后，就曾多次呼吁应实施大规模的金融宽松政策，甚至扬言这甚至关系到“日本银行的独立性”问题。② 在安倍领导的自民党获得众议院大选压倒性胜利之后，这种观点占据了上风。日本国会也多次传唤白川行长接受质询，要求其解释将日本经济带出通缩的计划。

离任前的最后一次记者会上，白川行长再度重申了自己的观点：“日本央行的职责是维护本国货币的信誉度和金融体系稳定，而不应操纵市

---

① “安倍经济学”就是一场重要的经济改革，它不仅有明确的改革目标、具体的实施方案，甚至是详细的评价机制。此次改革的突出特征是，从传统凯恩斯式财政刺激转向以金融为突破口的政策组合——金融“双宽”+适度财政刺激+结构改革。

② 日本経済新聞.『安倍氏、「日銀の独立性」強調　発言を微修正』2012 年 11 月 24 日：http://www.nikkei.com/article/DGXNASFS24006_U2A121C1NNE000/。

场以迎合市场期待。因为央行政策一旦失误，市场就有可能陷入混乱。”白川行长本人曾师从诺贝尔经济学奖得主米尔顿·弗里德曼（Milton Friedman），他深受芝加哥学派的影响，因此，他被视为坚守央行独立的学院派代表。关于日本到底应该如何才能彻底摆脱长期通缩困境，白川的答案是提高生产效率，而这又需要企业与政策当局的共同努力。

然而，白川行长的观点却遭受到越来越多的质疑。同样是诺贝尔经济学奖得主保罗·克鲁格曼曾严厉批评了白川领导的日本银行，他指出：“日本政府早该毫不犹豫地干预日本银行的独立性了。13 年来，日本的 GDP 平减指数一直在下降，而日本银行却竟然对此坐视不管。”①耶鲁大学教授浜田宏一是“安倍经济学”的设计师之一，他还担任了安倍内阁的经济政策参与之职，他认为：“坚守央行独立精神，只会让国民痛苦”，并对白川领导的日本央行打出了最低分的评价。② 此外，早稻田大学教授若田部昌澄也反对白川路线，他认为白川解释的通缩原因“与金融政策根本不相干”。③

“通货再胀”学派主导了经济改革方向

“安倍经济学”的理论基石是通货再膨胀理论（Reflation）。

“幕僚体制”成为第二次安倍内阁经济改革的突出特征。在组阁成立之后，安倍首相先后任命了 14 位内阁官房参与，也就是作为首相执政的智囊团，其规模和阵容都是历史最大。在经济领域，安倍首相任命了两位内阁官方参与，一是来自耶鲁大学的名誉教授浜田宏一（1936 年生），另一位是具有财务省经历的本田悦郎（1955 年生）。此外，加上时任日本银行副行长岩田规久男、日本银行政策委员原田泰等人在内，通货

---

① 現代ビジネス.『間違いだらけの日本経済　考え方がダメ』，2010 年 8 月 20 日：http://gendai.ismedia.jp/articles/-/994。

② 東洋経済.『白川総裁は誠実だったが、国民を苦しめた』2013 年 2 月 8 日：http://toyokeizai.net/articles/-/12839。

③ PHPオンラインシュウチ:『反道徳的な就職競争』2010 年 4 月 26 日：http://shuchi.php.co.jp/article/820。

再膨胀学派成为安倍经济政策的核心影响力，他们成为主导日本央行政策方向的重要力量。

日本通货再胀学派的突出特征是，强调要以非传统金融政策方式，来使日本摆脱长期以来的通货紧缩状态。例如浜田教授认为，日本经济的病因在于三点：长期通缩、收紧的金融政策和容忍日元升值等。要想摆脱这种通缩状态，就必须设定通胀目标，同时采取大胆的金融宽松政策。[①] 他还指出，当前的日本经济运行一直低于其潜在的经济增长率，这是因为金融过度紧缩造成日本经济难以发挥出真正实力，因此，应该首先平衡币值超高的日元汇率，也就是通过印钞来打压日元汇率。

有着官僚背景的本田悦朗与安倍晋三首相私人关系紧密。对此安倍并不避讳，他曾直言："原财务省官员本田，给予我关于摆脱通缩的很多好建议。"[②]本田悦朗曾多次批评白川方明任日本银行行长期间的相关措施，甚至提出应修改《日本银行法》。他认为，日本银行也应该像美联储(FRB)那样，把就业最大化也作为政策目标之一，他曾建议安倍首相："通过增加货币供应来克服日元升值，这也有利于摆脱通缩和税收增加。"[③]

再就是时任日本银行副行长的岩田规久男，他被称为日本通货再胀学派的"第一人"。岩田一直主张"只要日本银行加大通货供给量，就可以让日本摆脱长期通胀"。[④] 关于金融政策，他认为，即便股价出现泡沫，只要通胀率仍在政策目标范围之内，就不应收紧金融政策。他还批评日本银行应承担日本经济长期通缩的主要责任。对于未来，岩田认为日本银行应该设定中期物价上涨率目标，为此，可以通过公开市场操作来购

---

① 「浜田宏一・内閣官房参与　核心インタビュー[J]. ダイヤモンドOnline，2013. 1. 20：http://diamond. jp/articles/-/30804? page=2.

② 「安倍・石破言いたい放題密室"全録音"」『週刊文春』54 巻 46 号、文藝春秋、2012 年 12 月 6 日、25 頁。

③ 「安倍・石破言いたい放題密室"全録音"」『週刊文春』54 巻 46 号、文藝春秋、2012 年 12 月 6 日、25 頁。

④ 日本経済新聞.『岩田規久男氏　日銀の政策、長年批判』2013 年 2 月 25 日：http://www. nikkei. com/article/DGXDASGC2400K_U3A220C1NN1000/。

买政府发行的长期国债。① 岩田关于金融政策的观点曾得到克鲁格曼、伯南克、浜田宏一、原田泰、竹森俊平、伊藤元重、野口旭等国内外经济金融界名人的支持。

非传统政策“异次元宽松”的出台

在确立金融宽松的政策方向之后，安倍首相决定让具备财务省经历的亚洲开发银行行长黑田东彦出任日本银行行长。黑田曾被诺贝尔经济学奖得主约瑟夫·斯蒂格利茨(Joseph Eugene Stiglitz)称赞为“世界最著名的日本经济学家之一”，他更喜欢推出对市场具有冲击性效果的政策。

2013年4月，新任日本银行行长的黑田东彦便大刀阔斧地进行一场所谓金融革命，他推出了所谓“异次元政策”金融新政，这是被称作融“量宽”和“质宽”于一体的“量质并举”(QQE)的超级宽松金融政策。所谓“量宽”，就是将此前日本银行对金融市场调控中介目标从无担保隔夜拆借利率调整为基础货币，也就是要大规模扩大货币供应量。政策还明确了货币扩张方式以及具体目标，即要将日本的基础货币量从2012年底的138万亿日元规模，提升至2013年底的200万亿日元，再到2014年底达到270万亿日元，也就是两年之内要向市场注入132万亿日元的流动性。② 再就是所谓“质宽”，它是指日本银行要打破传统风险资产的概念，扩大和延展资产购买期限和种类。具体而言，就是每年央行要购买50万亿日元规模的长期国债，这包括40年期国债，日本银行还把这些国债持有时间从平均不足三年，延长为七年；此外，日本银行还将每年购入1万亿日元的ETF(上市投资信托)和300亿日元规模的J-REIT(日本房地产上市投资信托)。如此规模的注入流动性，在日本历史上前所未有。

黑田行长此次祭出的“异次元宽松”大旗，政策目标非常清晰明确，

---

① 岩田規久男「日銀は2%インフレ目標にコミットすべし。わが金融政策のすべてを語ろう」ダイヤモンド・オンライン 2013年3月1日：http://diamond.jp/articles/-/32697。

② 日本銀行.『「量的・質的金融緩和」のどうにゅうについて』2013年4月4日，p4.

那就是要"两年之内实现2%通胀目标"。这也是"安倍经济学"三大支柱的重中之重，他要助推安倍首相实现其宏伟目标——彻底摆脱泡沫经济崩溃以来的长期通缩，让日本经济创新回到增长的轨道上来。

黑田东彦领导下的央行新政，其设计思路是让QQE相关措施顺利传导到市场之中，从而对经济发挥有效作用，其传导途径包括三个：一是通过央行购买长期国债、ETF产品和J-REIT等金融产品，从而推动长期利率下降并同时产生风险资产溢价效果，进而降低企业与家庭部门的融资成本，从而推动企业与家庭扩大消费和投资；二是通过央行购买国债，让原来持有这些国债投资者或金融机构转向更高收益的资产投资，如股票市场、外国债券、贷款等市场，从而发挥推动资产组合再平衡(portfolio rebalancing)的效果，进而实现为新创企业或那些增长型企业提供更大规模、更低廉成本的资金或风投；三是通过央行大规模购入资产的方式，彻底扭转市场和经济主体的惯性心理，进而刺激企业逐步扩大投资、家庭部门也能更倾向于购入耐用品和住房投资，极大拉动需求增长。

二、"安倍经济学"改革架构与实施

2015年9月的日本执政党自民党总裁选举中，安倍晋三几乎毫无悬念地再次当选，于是，安倍首相任期也就从理论上可以延续至2018年。[①] 安倍内心非常清楚，自己能否顺利执政并让自己能成为长期政权的最关键因素就是能否"重振日本经济"，也就是带领日本走出长期困扰日本经济发展的通缩困境。在当选总裁的当天，安倍首相又迫不及待地祭出了安倍经济学的所谓"新三支箭"，高调宣布"安倍经济学已经进入第2幕"。[②]

---

① 本届众议院在2014年12月大选产生，理论上可以持续到2018年12月。

② 日本経済新聞.『アベノミクス「新3本の矢」を読み解く』2015年9月25日：http://www.nikkei.com/article/DGXZZO92034300U5A920C1000000/。

由“三驾马车”构成的基本政策框架

事实上，早在第一届安倍内阁期间，就提出了所谓“安倍经济学”的概念。但很显然，当时只是一个想法，并没有确立通货再胀派的路线方针，二者在性质上截然不同。当时，安倍经济方针还主要是继承小泉内阁的结构改革方针，也就是继续沿着新自由主义路线，削减财政支出、减少公共投资，依靠规制缓和等具体措施来实现经济增长。但此次“安倍经济学”却是一个新式“组合拳”，它几乎不涉及新自由主义路线，甚至要适度启用凯恩斯式财政刺激，这就是三箭之一的“机动的财政政策”。

“安倍经济学”所提出的“三支箭”政策，意图要是要实现完美政策组合效果。首当其冲的就是“大胆的金融政策”，这主要由日本银行来承担，目标是形成日元贬值的稳定态势，借此来向市场提供充裕且“廉价”的资本，以此来大举提升日本国际竞争力，形成产品出口和服务贸易的两路夹击之势。其次是“机动的财政政策”。尽管日本财政已经是长期处于“寅吃卯粮”的尴尬困境，安倍政权必须高度关注日本财政运行风险，但是财政刺激仍必不可少，必须要实施启动，从而发挥“引水”或“起泡剂”作用，带动市场趋势。据日本财务省的数据显示，截至 2012 年度，日本普通国债累计余额已经突破 774 万亿日元，对 GDP 比高达 157.5%。①也正因此，安倍内阁强调了“机动性”特征，也就是要尽量追求更高效的财政刺激效果。日本政府首先通过了一项补充预算额，其规模为 10.2 万亿日元。②

在此次“政策组合”中其实最重要的应该是第三支箭，也就是“唤起民间投资的增长战略”。其实，它本身也是政策目标所在，即要通过推动改革来进一步完善市场机制，从而激发民间企业的活力，创造出新的产

① 財務省.「国債発行額の推移(実績ベース)」2015 年：www.mof.go.jp/jgbs/reference/appendix/hakkou01.pdf。

② 財務省.『平成 24 年度補正予算フレーム』2013 年：https://www.mof.go.jp/budget/budger_workflow/budget/fy2012/sy250115/hosei250115a.pdf。

业领域,寻找到新的经济增长点。安倍内阁也草拟了一系列的经济增长战略,如"构建健康长寿社会""创建日本版的 NIH",还有《日本产业再兴计划》《战略市场创造计划》《国际拓展战略》等。安倍本人还曾在多个场合信誓旦旦地表示,要做一往无前的"钻头",击破所有坚如磐石的改革阻碍。其实,安倍经济增长就是要对日本经济实施新的结构改革,彻底改善日本国内商务环境,比如降低法人税、撤销能源、农业和医疗等领域的各种规制、逐步改善劳动市场等。

于是,金融宽松、财政刺激和增长战略等三大改革,便成为拉动"安倍经济学"的三驾马车,三者之间相互补充、相互依赖、缺一不可。其改革推进的基本逻辑是:日本银行通过货币宽松而为市场创造大量的流动性,以此筑牢经济增长的最基础条件;然后,以政府主导的财政刺激和经济增长战略来寻找经济的新突破口。从改革的行政分担来看,日本银行和内阁府成为政策的主要推动者,财务省和经产省等相关部门则成为重要的实施机构。

不仅如此,事实上"安倍经济学"本身也在不断丰富和完善,在改革推进实施过程中寻找新的突破口。为此,安倍内阁高度重视组建集思广益的"吸智"机构,他高调重启民间精英能广泛参与的经济财政咨询会议,还设立了综合科学技术创新会议等咨询组织,还任命了专门负责的"特命担当大臣"。为此,安倍内阁成员不断扩大,目前包括首相在内已增加至 20 人,远远超过了 2001 年《内阁法修正案》后"内阁成员限定 14 人"的规模。

安倍经济学启动之初,在内阁中出任金融特命担当大臣的麻生太郎、经济财政担当大臣的甘利明(2016 年初因政治献金丑闻而辞职)以及统领整个内阁府的内阁官房长官菅义伟,成为改革政策制定的核心领导人物。

日元贬值与日本央行的政策空间

为何要把日元贬值作为政策目标,日元贬值对日本经济到底有多大影响?

日本内阁府的一项企业问卷调查显示，2015 年度日本出口企业的汇率盈利线是 1 美元＝103.2 日元，这就意味着，103 日元是出口企业能够保持盈利的日元汇率水平。当然，由于企业之间的经营状况甚至是生产条件等各不相同，不同产业之间的汇率盈利线也有很大差别。例如，上述调查还发现，日本精密设备产业的盈利线水平最高，为 1 美元＝88.6 日元，其抗击日元升值能力最强；有色金属行业排名第二，也达到了 95.6 日元，它与汽车等运输机械产业（101.4 日元）、电子设备产业（101.7 日元）等，均对日元升值具备较强承压能力。相反，日本钢铁产业（111.2 日元）和食品产业（114.5 日元）等，对于日元升值的抗压能力最弱，产生了对日元贬值的更大依赖。①

因此，日元贬值是日本出口产业能否大幅盈利的重要条件。以 2016 年 3 月期创下最高利润纪录的丰田汽车为例，日元汇率对美元每升值 1 日元，其年营业利润将被压缩 400 亿日元。②

因此，创造和稳定日元贬值环境就成为日本银行非常重要的政策目标。第二次安倍内阁成立前的 2012 年 11 月，日元曾攀升至历史最高纪录的 1 美元兑 70 日元。在安倍誓将让日本彻底摆脱“长期通缩”表态之后，日元便迅速进入贬值通道。2013 年 1 月下旬，日元汇率便降至 1 美元兑换 90 日元。之后，在日本银行宣布实施“异次元”政策之后，日元更是快速下探到 100 日元水平。到 2015 年 6 月 5 日，日元甚至跌破了 125 日元。

日元迅速贬值极大推升了出口企业的盈利。以作为日本出口支柱的汽车产业为例，2014 年度除大发之外的七大汽车厂商营业利润合计增长了 5 828 亿日元。而且，从日本出口汽车台数越多、出口比例越高的企业，受日元贬值的正面影响也就越大。如丰田营业利润增加部分有六成来自汇率作用；富士重工业若扣除日元贬值因素，甚至是收益减少。③

但是，事实上日本银行的政策效果也在不断衰减。不仅实现其所提

---

① 日本経済新聞.『円安基調変化の兆し——問われる日本経済の底力』2016 年 3 月 13 日。

② 朝日新聞.『アベノミクス試練』2016 年 2 月 13 日。

③ 朝日新聞.『自動車 4 社最高益——富士重など生産、国内回帰も』2015 年 5 月 14 日。

出的“2%通胀率”遥遥无期,日元汇率也在“变调”,其政策效果出现动摇。截至2016年中期为止,日本银行金融宽松政策已实施了四轮:一是2013年4月的“异次元宽松”;二是2014年10月的“追加宽松”,基础货币供应量提升至每年80万亿日元、国债购入也扩大至80万亿、持有年限延为10年,对ETF和J-REIT购买量也扩大3倍;三是2015年12月的“补充措施”,把国债持有年限扩大至7—12年,为企业设备投资和人才投资提供支持;四是2016年1月黑田突如其来地宣布引入“负利率”政策,这主要是因为2015年年底以来世界经济形势恶化、日元不断走高的趋势。

政策手段枯竭是日本银行此次导入负利率的真正背景。截至2015年4月,日本央行向市场投放的基础货币量已经突破300万亿日元,其持有的日本国债也已占到政府发行额的三分之一,预计到2017年底将达到极限状态。此次负利率目标试图达到“一箭多雕”的目的——逼迫银行将资金转向投资、遏止有所抬头的通缩迹象、打压日元对美元的升值趋势、推动企业更积极的投资。其实,它还有一项更重要的作用,那就是它缓解了政府的偿债压力。以10年期国债利率为例,负利率政策让其实际利率从0.22%降至0.09%,由此,政府预算获得了将近1万亿日元的偿息“盈余”。

不过,安倍经济学这种依靠“央行独舞”的特征,显然是难以获得真正成功的。

财政刺激乏力与决算实施不力

财政刺激堪称是“安倍经济学”三箭中最钝的一支箭,其原因在于日本政府的财政状况早就陷入了捉襟见肘的窘境。截至2012年底,日本仅国家债务余额就高达731万亿日元,加上地方政府债务201万亿日元,政府系统的债务余额总计932万亿日元,对国内生产总值之比为196%。① 而

---

① 財務省.『日本の財政関係資料』2016年2月,p6。

且,这种政府“借债度日”呈现了常态化特征。以2012年预算为例,税收收入仅42万亿日元,已经不足政府收入占比的一半;相反,政府收入中发行公债筹措资金规模已超过44万亿日元,占比达到49%。[①] 短期之内这种“借债度日”难以摆脱,成为其财政的常态化特征。

还有一个非常严重的隐性问题——财政计划落实不到位,导致决算低于预算。表面上看,第二次安倍内阁之后,日本财政预算规模在不断增加,但实际上若把补充预算案与年初预算加总一起,就可以发现日本政府预算规模相比过去并没有增长。也就是最终决算数字更能证明这一点,2013年度和2014年度决算分别为100.2万亿日元和98.8万亿日元,均不及2011年的水平。实际财政支出并没有增长的主因在于财政计划落实不到位。如何更高效地执行预算,被安倍内阁视为财政领域的重要着眼点。自从日本大地震之后,政府预算执行力早已大打折扣,如2011年度的决算最终出现9.3万亿日元的剩余金、2012年该数字更是高达10.7万亿日元,安倍执政之后,这种决算剩余情况有所减少,但仍然超过5万亿日元规模。

只有预算落实到位,才能发挥其经济刺激的效果。在通过2016年度预算之后的记者会上,安倍首相曾表示“要尽早执行预算,我将尽快向麻生太郎财务相发出指示,希望能提前实施”。[②]

表1-1 日本一般会计预算与决算(2011—2016年度)

(单位:万亿日元)

会计年度	年度预算	补充预算	补充后预算	决算		
				岁入	岁出	剩余金
2011	92.4	15.1	107.5	110.0	100.7	9.3
2012	90.3	10.2	100.5	107.8	97.1	10.7

① 财務省.『日本の財政関係資料』2012年9月,p2。

② 日经中文网.《日本史上最高预算要用来做什么》,2016年3月30日:http://cn.nikkei.com/politicsaeconomy/politicsasociety/18912-20160330.html。

续表

会计年度	年度预算	补充预算	补充后预算	决算		
				岁入	岁出	剩余金
2013	92.6	5.5	98.1	106.0	100.2	5.9
2014	95.9	3.1	99.0	104.6	98.8	5.8
2015	96.3	3.5	99.6	—	—	—
2016	96.7	—	—	—	—	—

资料来源：参见日本财务省主页，https://www.mof.go.jp/budget/budger_workflow/index.html。

经济增长战略的中长期目标

在“安倍经济学”的三支箭中，经济增长战略是更着眼于中长期目标而制定的，其核心是要通过推进一系列结构改革，攻克老龄少子化难题，提升日本的潜在经济增长率。经济增长战略与二战后日本政府所制定实施的经济计划有所不同，经济计划更注重宏观层面，而经济增长战略则试图突出问题导向，也就是要解决经济增长中的具体问题。因而，经济增长战略应该是更清晰的路线和具有可操作性特征。也正因为如此，市场对经济增长战略也充满期待。

为了制定出更具科学性、更具实效性的经济增长战略，第二次安倍内阁成立后立刻通过内阁决议设立了日本经济再生本部，它是由首相任本部长、所有国务大臣为成员的最高规格组织。作为咨询机构，还专门成立了产业竞争力会议①，吸纳了学界以及民间企业人士参与其中，并与经济财政咨询会议②合作。

① 产业竞争力会议成立于2013年1月，民间成员包括：日本商工会议所三村明夫、乐天会长三木谷浩史、住友商事社长冈素之、三菱化学社长小林喜光、庆应大学教授竹中平藏、东京大学桥本和仁等。

② 经济财政咨询会议最早于2001年的桥本内阁时期设立，作为日本国家经济战略最高咨询机构，第二次安倍内阁成立以来民间人士包括：东京大学伊藤元重、日本综合研究所高桥进、三菱化学小林喜光、原东芝会长佐佐木则夫、经团联会长榊原定征、三得利会长新浪刚史等。

2013年6月,日本内阁会议通过了《日本再兴战略——JAPAN is BACK》,除了提出今后十年要实现名义GDP3%的增长之外,它还详细拟定了支柱政策:《日本产业再兴计划》《战略市场创造计划》和《国际拓展战略》等,最重要的是,这项计划都设定了KPI指标(Key Performance Indicator)进行进度管理,还建立起PDCA循环体系。① 2014年6月,又对此进行了修改完善,推出了《日本再兴战略——2014年修订版》,提出要强化日本的盈利能力,推进劳动市场改革、提升农业生产效率、降低法人税、掀起机器人为代表的产业革命。

迄今为止,安倍内阁的增长战略改革已经触及多个领域:法人税、强化公司治理、推进贸易自由化、实施农政改革和能源改革。2013—2015年期间,在国会通过的与经济增长战略相关的法律多达66部。

而且,按照日本经济再生本部所设定的成果目标(KPI)评价体系来看,截至2016年1月为止,在全部136个KPI当中,实现A标准(政策目标取得极大进展)的已经达到59个,总占比43%。另外,实现B标准(政策目标取得一定进展)的也有27个。A、B两项合计为86个,总占比接近七成(69%)②。

贸易自由化是安倍内阁经济增长战略的重要突破口,长期以来,日本一直认为自由化率低于韩国是被后者赶超的主因。因此,安倍内阁成立之后,改变了对美国主导TPP的被动战略,积极推动了TPP的达成。根据世界银行的推算,2030年之前TPP将把日本的国内生产总值推高2.7%,日本政府的推算数据是将达到14万亿日元效果。③ 但这还只是停留在关税层面的"红利",第二个层次的"红利"是投资的效果,也就是

---

① 战后美国管理学家戴明(William Edwards Deming)所提出的质量管理理念。即所谓PDCA循环体系(Plan-Do-Check-Act cycle),包括四个阶段:计划(Plan)、实施(Do)、评价(Check)、改善(Act),通过这种不断改善提高,从而实现高效率的项目管理。

② 日本経済再生本部.『平成27年度産業競争力の強化のための重点施策に関する報告書』(2016年2月5日)別添『KPIの進捗状況について』p1-89.

③ 日经中文网.《TPP对12国的经济贡献度有多高?》,2016年1月8日:http://cn.nikkei.com/politicsaeconomy/investtrade/17728-20160108.html。

外国企业积极进驻，带来设备投资和就业的扩大；第三个层次是所谓“动态效果”，也就是这种开放带来的压力所形成的企业新陈代谢。美国布兰迪斯大学教授 Peter Petri 认为，这种产业竞争与升级效果将给日本“GDP 每年推高 2%，即超过 10 万亿日元”。①

三、经济转型与“安倍经济学”改革成效

迄今为止，“安倍经济学”已步入第 6 年，当初所提出的很多目标不仅没有实现，甚至是遥遥不及。例如日本银行提出的“2 年内实现 CPI 上涨 2%”、《日本再兴战略》(2013. 6)提出的年均 GDP 名义 3%、实际 2% 的增长目标等。日本民众对于安倍经济改革评价也不断走低，如《日本经济新闻》在 2 月底的舆论调查也显示，肯定“安倍经济学”者仅为 31%，远不及否定者的 50%。那么，“安倍经济学”到底有没有成效、其对日本经济到底产生了怎样影响呢?

企业效益显著改善但未实现改革目标

从宏观经济数据表现来看，日本经济仍然走在继续下滑的通道。以十年为单位来看，20 世纪 60 年代日本经济曾创造出 10. 1%的高速增长，但到 70 年代就跌至 4. 4%，后来的泡沫经济则小幅推升了 GDP 增速，80 年代增长率达到 4. 6%，但 90 年代泡沫崩溃之后，则是一路下行，90 年代骤降至 1. 2%，21 世纪前十年更是跌破 1%(图 1 - 1)。

2012 年 12 月，安倍晋三率领自民党大败执政仅三年的民主党政权，其赢取民心的一个关键就是其“经济优先”的旗帜。但在“安倍经济学”实施三年之后，日本经济表现却差强人意，经济增长并没有出现强劲势头。以实际 GDP 增长率来看，除 2013 年创造了 2. 0%的较佳成绩之外，

---

① 日经中文网.《TPP 对日本有多大经济效果?》2015 年 10 月 28 日：http://cn. nikkei. com/politicsaeconomy/economic-policy/16664 - 20151028. html。

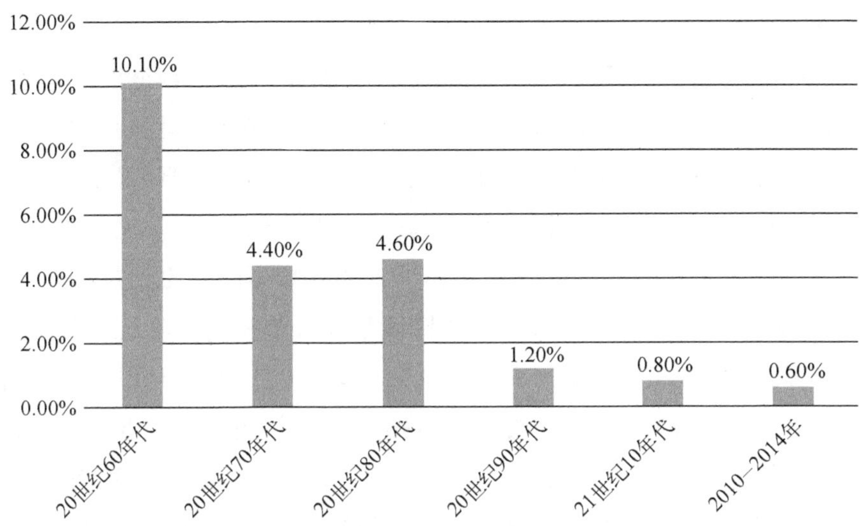

图 1-1 战后日本实际 GDP 增长率(10 年为单位)

资料来源:作者根据日本财务省相关数据信息整理。

2014 年再度跌回负增长(—1.0%),从当前数据来看,2015 年大概也仅能维持 0.7%的微弱增长趋势。而且,从 2010—2014 年的年均实际 GDP 增长率仅为 0.6%,低于 21 世纪前十年(2000—2009)的年均 0.8%,呈现继续下行之势。

但是,在宏观经济数据继续表现低迷之际,日本经济也是暗流涌动。首先,变化最大的是企业部门。日本企业的经营状况得到普遍改善,经营业绩不断刷新历史纪录。以 2014 年为例,上市企业的经常收益突破了 30 万亿日元①,刷新了历史纪录。此外,除金融、保险业之外的全产业企业的经常收益也达到 64.58 万亿日元。② 另外,企业所掌握的资金也越加充沛,截至 2015 年底,日本企业的金融资产已经高达 1 117 万日亿日元,同样创下了新的历史纪录,企业所持有的现金及存款也再创新高,

① 日经中文网. 日本上市企业 15 财年利润也将创新高,2015 年 5 月 12 日:http://cn.nikkei.com/politicsaeconomy/epolitics/14315-20150512.html。

② 財務省.『法人企業統計調査(平成 26 年度)』,2015 年 9 月 1 日,p3。

已经达到 246 万亿日元的规模。①

其次,家庭部门状况也有所改善。日本政府一直积极呼吁经济界提高工资,但实际工资上涨却差强人意。然而,资金循环统计数据却证明,日本家庭部门的金融资产确实在增长。2016 年 3 月 25 日,日本银行的数据显示,2015 年底家庭金融资产余额 1 741 万亿日元,同比上年增长了 1.7%(29 万亿日元),创下自 2005 年有可比数据以来的历史新高。②

最后来看政府部门的表现。主权债务危机被视为日本经济的最大风险,截至 2014 年底日本国家债务余额已达 1 053 万亿日元,意味着每个国民人均背负 830 万日元的债务负担。③ 不过,由于受企业盈利等向好因素影响,日本税收开始呈现逐年增长势头,国家税收在 2014 年达 54 万亿日元,2015 年继续改善,突破 56 万亿日元,预计 2016 年度国家与地方合计税收将超 100 万亿日元。④

产业环境改善且"六重苦"基本消解

1991 年泡沫经济崩溃之后,日本便陷入所谓"失落的二十年"。"慢性需求不足和生产效率的不断下降"被视为日本经济长期停滞的主要原因,而生产效率的下降则与日本中小企业 TFP(全要素生产率)的停滞密切相关。⑤ 而这又被认为与日本产业环境恶化密切相关,特别是 2008 年雷曼冲击导致世界性金融危机之后,留在日本国内的产业面临着多重困境——日元不断升值、世界最高水平的法人税、自由贸易协定的滞后性、劳动市场的禁锢法令、严格的环境保护措施等,被称为产业"五重苦",加上 2011 年"3・11"大地震又使核电全部停运而带来了电力供应不足和

① 日本経済新聞.『家計の金融資産、最高に』,2016 年 3 月 25 日:http://www.nikkei.com/article/DGXLASGF25H04_V20C16A3EAF000/。

② 日本経済新聞.『家計の金融資産、最高に』,2016 年 3 月 25 日:http://www.nikkei.com/article/DGXLASGF25H04_V20C16A3EAF000/。

③ 朝日新聞.『国の借金最多 1 053 兆円』,2015 年 5 月 9 日。

④ 朝日新聞.社説『税収増の使途　議論自体がおかしい』,2016 年 1 月 31 日。

⑤ 金榮愨、深尾京司、牧野達治.『「失われた20 年」の構造的原因』経済研究,61/3,2010 年 7 月。

电价成本上升的问题，成为所谓产业“六重苦”。

“我们已经实际感受到‘安倍经济学’让日本产业逐步摆脱了此前的六重苦，在步入第二阶段之际，民间企业将成为经济增长战略的主角”，日产汽车董事会副主席志贺俊之如此评价安倍经济学。①

2008年美国金融危机之后，由于美元下跌，日元再次进入升值周期。2007年8月初的1美元兑112日元汇率水平，在八个月之后迅速升至95日元。之后，欧洲希腊金融危机再度推升了日元汇率，2010年10月已经升至1美元兑换80日元的历史高位。2011年东日本大地震之后，与市场普遍认为的日元大幅贬值趋势恰好相反，是年10月底竟然蹿升至75.32日元的历史纪录。在安倍内阁祭出“安倍经济学”旗号之后，日元便开始掉头向下，2013年1月便降至1美元兑换90日元，而日本银行颁布“异次元”政策一个月之后则回落到100日元。2014年《日本再兴战略》修订版出台、日本银行“追加宽松”之后，日元汇率更是相继跌破110日元和120日元大关。2015年年底日元出现回升之势，但整体趋势仍然处于稳定状态。

其他问题都是在安倍内阁推动的经济改革中实现的。当前日本法人税已经从2011年之前的将近40%降至32.11%，而执政党的税制改革大纲中明确规定，将在2016年度降至29.97%，②这将低于美国和法国，而与德国相仿。此外，安倍还实施了一系列政策减税措施，如2014年度减税额度就高达1.2万亿日元，③向企业大幅让利。关于自贸协定，TPP（跨太平洋经济合作协定）堪称安倍内阁迈出的关键一步，该协定已经在2016年2月签署，如果经各国国会批准生效的话，将诞生GDP占全球40%的巨大经济圈。劳动就业领域的改革也在稳步推进。如2018年将启动《劳动合同法》“五年原则”，超过五年的期限合同工将可以转为无限

---

① みずほ総研フォーラム2015.「アベノミクス3年と日本経済の変化」基調報告，2015年11月5日。

② 日经中文网《日本要进行税制改革》，2015年12月11日：http://cn.nikkei.com/politicsaeconomy/economic-policy/17358-20151211.html。

③ 朝日新聞.『企業の政策減税　倍増』2016年2月14日。

期。最近，日本政府又在加力推进关于同工同酬的相关法律。在“一亿总活越”的口号下，劳动市场改革将成为今后改革重点。

自 2016 年 4 月 1 日开始，日本开始实行电力零售全面自由化，普通家庭可以选择供电商。这是 2013 年日本政府《电力系统改革方针》电力改革“三步曲”的“第二步”——打破电力行业壁垒，此前，“第一步”已经实现了跨区域电力供需调配，而到 2018—2020 年彻底实现“电网分离”。除了大力推进市场化改革之外，安倍内阁也在积极推动核电重启。在环境保护方面，安倍内阁也积极为企业解困，2013 年 11 月日本内阁宣布其减排目标是 2020 年度温室气体排放较 2005 年减少 3.8%，若与 2009 年日本政府所承诺的“2020 年比 1990 年减排 25%”相比较的话，实际等于增排了 3.1%。

经济结构转型与产业升级效果开始显现

产业空洞化是泡沫经济崩溃之后，日本经济结构转型的重要特征之一。由于日本企业不断向海外进军，其制造业海外生产比率自 20 世纪 80 年代的 5%一路上扬[①]，90 年代末超过 10%、2007 年则达到 19.1%。之后曾经盘整甚至一度下滑，但 2011 年“3·11”大地震为契机，日本企业“离开日本趋势”再度加剧，2013 年海外生产比率甚至升至 22.9%。[②] 不过，“安倍经济学”似乎对此开始发挥作用，“以家电、精密机器和汽车等为中心，将中国等海外的一部分生产迁回日本国内的趋势已经再次出现”。[③]

然而，制造业部分回归还远远不能涵盖整个日本经济结构转型的特征，如今的日本正走向更成熟的经济结构，传统依赖贸易赢利的特征正在

---

① 海外生产比率，即日本制造业企业在海外生产销售额在日本企业国内外全部生产销售额中的占比。即：海外生产比率＝海外生产销售额/(海外生产销售额＋国内生产销售额) * 100%。

② 経済産業省.『海外事業活動基本調査』第 26 回(1995 年度)、第 31 回(2000 年度)、第 38 回(第 2007 年度)、第 44 回(第 2013 年度)，http://www.meti.go.jp/statistics/tyo/kaigaizi/result-1.html。

③ 日经中文网《日本制造业回归是真的》，2015 年 2 月 27 日：http://cn.nikkei.com/columnviewpoint/column/13198-20150227.html。

发生巨变，从全球化投资中获取利润，同时不断提升国内经济的高附加值化，如农业、高端医疗、教育保健甚至是基础设施等，均成为新的出口支柱。

首先，对外投资所产生的第一次所得收支成为日本经济支柱。事实表明，产业空洞化不仅并未产生日本政府及学界所担心的负面作用①，相反，它还促使日本跻身全球投资大国行列。2013 年日本对外直接投资超过 1 471 亿美元，创下新纪录，截至 2014 年已连续 4 年超过 1 000 亿美元规模②，成为发达国家中仅次于美国的第二大对外直接投资国。包括证券投资在内的对外投资为日本带来丰厚的第一次所得收支盈余，继 2014 年创下 18 万亿日元纪录之后，2015 年更是突破了 20 万亿日元规模(表 1－2)。

表 1－2　2003 年与 2015 年日本经济相关指数比较

	2003 年	2015 年
经常收支(万亿日元)	16.1	16.6
贸易收支(万亿日元)	12.5	—0.6
服务收支(万亿日元)	—4.1	—1.6
第 1 次所得收支(万亿日元)	8.6	20.8
第 2 次所得收支(万亿日元)	—0.9	—1.9
名义 GDP(万亿日元)	498.9	499.1
实际 GDP(万亿日元)	486.0	528.6
完全失业率(%)	5.3	3.4
日元汇率(1 美元＝ 日元)	115.94	121.09

资料来源：作者根据日本财务省统计数字整理。

其次，服务贸易正在成长为日本经济新的支柱。日本旅行收支一直

① 日本政府早就担心产业空洞化或将严重冲击日本经济，1986 年经济企划厅《年度世界经济白皮书》曾指出它将导致制造业丧失竞争力，重要产业从国内撤出，以直接投资方式流向国外，国内或仅剩服务业，造成经济增长乏力。日本学界也充满这种声音，如 1989 年伊藤元重在其《国际经济入门》指出，生产据点向海外转移导致国内就业减少，进而国内技术开发力量不断低下。

② JETRO.『ジェトロ世界貿易投資報告』2015 年版，p28.

处于赤字状态，如2003年赤字额高达2.3万亿日元，但是，伴随“安倍经济学”，《日本再兴战略》提出“重建旅游产业作为地方经济的驱动力”之后，采取了放宽签证、扩大免税范围、强化旅游消费基础设施等措施之后，赴日旅游外国人迅速增长，2013年突破1 000万人大关，2015年达到1 974万，提前完成日本政府2020年实现2 000万的目标。访日游客也带来巨大消费，2015年实现创历史新高的3.47万亿日元，同比上年增长了71.5%。① 也正因此，日本旅游收支状况由负转正，在时隔半个多世纪(53年)之后出现了1.1万亿日元的黑字。

知识产权等专利收入也成为服务贸易的重要支撑。2000年日本知识产权专利收入还仅为1万亿日元，但最近却呈现快速增长之势，到2014年已经达到3.7万亿日元，扣除对外支付费用之后，日本知识产权对外收支也达到1.7万亿日元的黑字状态。②

再次，通过国内经济高附加值化来培育新的贸易支柱，这也是“安倍经济学”经济增长战略的明确目标。在三支箭的政策框架下，“安倍经济学”还设计了三大增长计划——以促进产业新陈代谢为核心的《日本产业再生计划》、以解决现存课题为目标的《战略市场创造计划》、以扩大海外市场为目标的《国际拓展战略》。健康医疗、基础设施、旅游、农业、文化甚至是军工等，都被作为重点开发的新领域。以基础设施为例，日本高度重视铁路、发电站、城市交通、港口、太空、广播和通信等行业“走出去”，除了首相和内阁成员到处游说各国要人之外，日本国际协力机构(JICA)、日本国际合作银行(JBIC)也是重要推手，迄今为止，日本已经与美国、印度等签署了高铁建设协议。新贸易支柱的培育已经初见成效，以被视为国际竞争力最弱的日本农业为例，2013年以来，其出口已连续三年大增，2015年创下了7 451亿日元的纪录。③

---

① 観光庁.『訪日外交人消費動向調査　平成27年年間値(確報)』，2016年4月5日：http://www.mlit.go.jp/kankocho/news02_000279.html。

② 日本経済産業省.『通商白書2015』2015年，p10－11.

③ 農林水産省.『農林水産物輸出入概況2015年確定値』，2016年3月，p1。

上述内容表明，日本经济结构已经发生了深刻变化。一个更具说服力的数据是国家总资产。2016 年 1 月 15 日，日本内阁府发布的《2014 年度国民经济计算确报》中显示，2014 年底日本国家总资产收报于 3 108 万日元，其中资产部分为 9 684 万亿日元，负债为 6 576 万亿日元。这已经是连续两年的增长，其主要原因在于企业和个人对外净资产出现了快速增长，增幅达 12.6%，达到 367 万亿日元。[①]

四、日本经济面临的风险与趋势

困扰日本经济的核心问题是财政如何重建，而其根源正是老龄少子化问题，这既是日本潜在经济增长率不断下降的主因，也是今后发展的最大风险。2015 年日本主权债务余额与 GDP 之比已高达 231%，位列发达国家之首，其净债务 GDP 比也达 126%。[②] 为了克服严峻的财政困境，2012 年日本政界曾打破朝野局限，达成消费增税的共识。但事实表明，消费增税严重打击了消费，致使 2014 年的经济增长转为负值。而且，日趋严重的老龄少子化趋势，对以消费增税实现财政重建的计划形成严峻考验：因为即便今后日本经济每年名义增长 3%、消费税 10%，税收也赶不上社会保障支出的增长速度，到 2020 年二者缺口仍在 10 万亿日元。因此，必须在社会保障领域实施彻底改革，如调整养老金支付方式与额度等，若继续传统的寅吃卯粮方式，日本政府的财政重建梦终将破碎。

其次，结构失衡问题也是威胁改革能否成功的关键。以通货再胀为理论基础的“安倍经济学”的改革药方，显然与长期通缩的日本经济是“对症”的。但，本应是三驾马车并驾齐驱的改革框架，却表现出了“央行独舞”的显著特征。三年多来，“安倍经济学”改革成果主要依靠日本银行的 QQE，通过向市场注入大量流动性资金，带来日元贬值和股价上

---

① 日本経済新聞.『国富、2 年連続増加』2016 年 1 月 16 日。

② 財務省.『日本の財政関係資料』2016 年 2 月，p8.

涨。但这种“金融独行”势必将遭遇政策效果的天花板,今年 1 月,黑田被迫亮出“负利率”政策措施就是明证。安倍一直高调宣称“经济增长是本届内阁核心任务”,但事实上,经济增长更是其维持内阁支持率的有效工具。他并未践行“要做强大钻头,冲破既得利益的坚硬磐石”的诺言,在医疗、农业以及社保改革等规制较多的领域,仍未见大刀阔斧式的改革。不仅如此,有限的政府预算甚至被用于政治拉票,如 2015 年补充预算案中特别设定 3 300 亿日元低收入老人补助金,这显然是针对 2016 年夏季选举的“选票预算”。如今,日本版 QQE 的负面作用开始发酵,它主要表现在三个方面:一是国债等金融产品的功能正在丧失,二是“双宽松”面临“出口”难题,三是财政危机风险不断加大。

再次,改革后续政策如何“落地”也是问题。仅就安倍内阁新近推出的“新三支箭”而言,这种剑指育儿与护理,显然在大方向仍是正确的,因为少子老龄化正是日本经济的“病灶”所在。但是,靓丽的目标却面对着极其严峻的现实。以“2020 年实现名义 GDP 达到 600 万亿日元”为例,这需要今后年均超过 3%的经济增长速度,但这却是过去 20 年一直没有实现的目标。在如“综合出生率要达到 1.8”的目标,事实上到 2014 年为止的 40 年中,日本新生儿数量几乎减少了一半,而且,当前 1.4 的出生率已经维持了 20 年之久。如何制定行之有效的改革举措,这将是“安倍经济学”后续政策的严峻考验。

再次,劳动生产率的下降更是“安倍经济学”必须克服的难题。自 20 世纪 90 年代泡沫经济崩溃之后,日本用了二十多年时间才解决了三大过剩现象——债务过剩、设备过剩和雇佣过剩。但同一时期兴起的经济全球化浪潮与 IT 革命,却令日本企业逐步丧失了国际竞争力。加之日本企业一度执迷于自我技术优势,步入了“孤岛化”误区,其产品与技术一度出现严重与国际标准脱钩的现象,导致日本全要素生产率(TFP)落后于美、德、英、法等国。另外,老龄少子化问题日趋凸显,代表经济实力的日本潜在经济增长率逐步降到 0%的水平。今后,日本必须实施规制缓和、税制改革等结构改革,实现更有效的资源配置,进而提高生产效率,推进技术创新,从而实现潜在经济增长率的提高,这是日本摆脱通缩的最佳途径。另外,还需要大幅改善国内投资环境,推动严重滞后的对内直接投资,促使日本企业扩大国内设备投资,避免产业空洞化。

最后,外部风险也是日本经济必须面对的。在经济全球化不断深入的今天,任何一个国家都难以摆脱世界经济的影响,日本更是如此。表面上看,日本的出口占GDP比重在G7中倒数第二,似乎并不十分依赖海外。但从外需对经济增长率的贡献度来看,日本则位居第一,高达26%,甚至远远领先于第二位德国的19%(1995—2009年数据)。[①] 究其原因:其一,日本资源短缺,几乎所有生产资料都依赖进口,尽管其金额不高;其二,日本是对外投资大国,2015年仅次于美国位居世界第二,特别是以制造业投资为特征,日企普遍采取的"地产地销"与"全球布局"战略也把日本经济与世界紧紧绑在一起,如2014年日本企业的海外盈利高达6.5万亿日元。[②] 另外,海外投资者动向也成为影响日本经济的重要力量。据统计,2012—2015年,海外投资者净买入了18.5万亿日元的股票,这相当于东京股票交易的70%[③],如全球最大政府基金挪威政府养老基金2015年底所持有的日本股票已达5.95万亿日元。[④]

油价波动、经济危机甚至是一场政治波动,全球市场的任何风吹草动恐怕都会影响到日本经济。以石油价格为例,本来原油下跌对于能源全部进口的日本而言是个利好消息,但当原油跌破30美元之后,竟然拖累了日本股市,只是日本股价下降,其原因是沙特、科威特等产油国的政

① 星岳雄.『何が日本の経済成長を止めたのか?』,総合研究所(NIRA)2011年1月,p9.

② 日经中文网《日本海外子公司2014年盈利6.5万亿日元》,2015年5月6日:http://cn.nikkei.com/industry/management-strategy/14246-20150506.html。

③ 华尔街见闻《逃离日本!460亿美元资金大撤退》2016年4月11日:http://wallstreetcn.com/node/234709。

④ 日本経済新聞.『ノルウェー政府系ファンド 日本株保有6兆円に迫る』2016年3月12日。

府基金持有大量的日企股票，而本国财政恶化正在迫使其“出货”。同样，最近新兴市场国家经济减速也威胁着日本经济，所以，以邻为壑的措施是日本经济政策的大忌。

（本章内容刊载在《日本学刊》2016 年第 3 期《“安倍经济学”与日本经济结构转型》）

第二章　日本经济改革现状与课题

自 2012 年底安倍晋三再次当选日本首相、推出“安倍经济学”以来，日本经济触底向上，进入新的景气周期，至今年 9 月已持续 70 个月，很快将成为日本“战后最长景气周期”。此次超长景气周期的总体特征是“温和向好”，虽经济增长率不是很高，但持续时间很长，企业尤其是大企业经营利好，社会就业率也明显提高。与此同时，日本经济也面临新的课题考研，具体可以归纳为三个领域：一是如何退出当前的 QQE 金融宽松政策；二是如何应对日趋严峻的财政风险；三是如何面对外部不断增大的不确定性。

另外，需要高度关注的是，近年来日本经济结构也正在经历重大转型。就目前为止，已出现如下特征：一是从“贸易立国”转型为“投资立国”，海外盈利成为对外经常收支黑字的核心；二是日本在全球价值链中的占位从中下游向上游转移过度，在半导体材料与生产装置领域，日本企业重新确立了竞争优势；三是日本站到了国际经济新秩序建设的前排，实现了 TPP - 11、日欧 EPA 等贸易谈判；四是国内财富不断向企业和家庭部门集中，一方面主权债务余额对 GDP 占比超 240%，但家庭部门净资产也达 GDP 的 3 倍；五是正在尝试以劳动改革、“变相移民”以及科技进步等手段，克服少子老龄化带来的劳动力不足问题。

一、“异次元”金融宽松出台及其演变

2013 年 4 月,新任日本银行行长黑田东彦果断实施了“安倍经济学”的金融宽松之箭。他将之称为“异次元政策”金融新政,并阐述为这是一场‘量’‘质’并举的超级宽松的金融改革政策。其中,所谓“量宽”,就是将金融市场调控中介目标从此前的无担保隔夜拆借利率,调整为基础货币,他还披露雄心勃勃的货币扩张计划——基础货币量从 2012 年底 138 万亿日元,提升至 2013 年底的 200 万亿日元,到 2014 年底达到 270 万亿日元! 两年内要向市场注入 132 万亿日元资金。[①] 所谓“质宽”,就是打破传统风险资产概念、延长央行资产购买期限及种类,其初步目标是:每年购入国债规模要达 50 万亿日元额度(后又提升至 80 万亿),此外,ETF(上市投资信托)和 J - REIT(日本房地产上市投资信托)也都纳入购买视野。

迄今为止,黑田所主导的 QQE(超级宽松)已经实施 5 年多,期间,相关政策也在不断调整,特别是政策目标也在悄然发生变化。

导入负利率实为无奈之举[②]

2016 年 1 月 29 日,在日本银行货币政策会议之后,它宣布,将在之后的 2 月 16 日起实施负利率政策,正式引入正、零和负三级利率体系。其所实施的负利率主要针对躺在日本央行账上的过剩资金,意在实现日元贬值,推动定性和定量宽松(QQE)带来的增量资金进入实体经济。

这一消息令金融市场感到措手不及。除日元兑美元汇率应声下跌外,分析认为,该措施恐怕不仅无法拯救持续萎靡的日本经济,还可能在更大范围内产生负面影响。

---

① 日本銀行.『「量的・質的金融緩和」のどうにゅうについて』2013 年 4 月 4 日,p4.

② 张玉来:《日元负利率实为无奈之举》,《人民日报》经济透视(22 版),2016 年 2 月 2 日。

政策手段枯竭是日本导入负利率的主要因素。日本版 QQE 的核心是以购买国债来增加基础货币发行量。目前，日本央行持有的国债余额已接近 300 万亿日元(1 美元约合 120 日元)，其中八成以上是长期国债。目前，日本国债保有额占国内生产总值(GDP)之比已超过 60%，远高于欧美央行 20%的普遍水平。而且每年 80 万亿日元的增持额度，几乎与政府新发行的额度持平，这说明日本央行的政策空间基本触顶。

负利率政策其实并非日本央行的独门“秘籍”，继丹麦、瑞典等国家之后，欧洲央行也在 2014 年正式导入。日本央行此番力排众议，急于导入这种对银行惜贷的“罚金”机制，原因还在于，一是之前“大水漫灌”式的宽松效率正在下降，250 万亿日元躺在央行账户上；二是世界经济形势持续低迷，日本企业面对风险愈发谨慎，包括工资和设备在内的投资出现萎缩；三是以避险为目标的国际资本盯紧日元，日元升值将压缩企业盈利。

“安倍经济学”实施 3 年多以来，日本经济形势与基本面发生了新的变化，主要体现在就业环境改善明显，综合失业率降至 3%左右，企业经营状况大幅改善，倒闭率大幅下降，政府税收显著提高，2015 年突破 56 万亿日元，恢复到泡沫经济以前水平……但是，日本经济复苏形势非常脆弱，占 GDP 六成以上的个人消费始终疲弱。安倍内阁曾宣称改革无禁区，誓言“要做强大钻头，冲破既得利益的坚硬磐石”，并宣称未来 10 年实现 3%的增长率，但是现状却乏善可陈，潜在经济增长率仅提高不足 0.5%。

在全球贸易放缓、大宗商品价格持续下行的环境下，日本央行导入负利率政策，显而易见的好处是可以实现日元贬值、限制输入型通缩，但隐患也很明显。由于日本家庭 60%的金融资产是存款，一旦银行将日本央行的惩罚性利率转嫁给储户，财富缩水的现象将不可避免，这将进一步影响日本的国内需求和购买力。

从推动 QQE 增量资金进入实体经济的角度看，由于受损最大的银行业对出售国债可能持消极态度，日本央行干预市场的行为无疑受其阻碍。另外，由于银行不愿承担更大的风险，未来可能出现的后果是，银行更加惜贷、企业融资成本上升。因此，从这个意义说，日本实施的负利率政策恐怕很难见到实效。

悄悄“缩表”并不代表日本要退出宽松①

2017年5月以来，关于日本银行正在悄悄“缩表”的事实引发了市场的高度关注。数据显示，自去年12月以来日本央行购买国债规模不断减少，至今年5月购入量已跌破8万亿日元(1美元约合101日元)，创2014年10月以来最低。依此速度，今年购债量或降至55万亿日元，远不及80万亿目标。市场有分析认为，日本正在从技术上退出量宽。

尽管日本央行行长黑田东彦予以否认，称在实现2%通胀率目标前，日本不会退出量宽。但日本各界的担心却不断增加。生命保险协会会长根岸秋男近日提出，应就如何退出量宽展开公开讨论，希望央行与市场进行对话；国会议员河野太郎甚至公开质疑2%的通胀目标，呼吁央行尽早面对退出宽松；瑞穗综合研究所提议政府应与央行协同勾画日本版的退出路线图。②

日本这种“央行资产负债表依赖症”是逐步形成的。1999年日本央行首次将名义利率调降至零；2001年开始购入国债，以政府债务货币化方式向市场持续释放流动性；2002年又把购买目标扩及商业银行票据。于是，以“扩表”方式向市场注资，成为日本解决泡沫经济后遗症的重要手段，这种非传统货币政策也成了世界首创。

首轮量宽能够成功的重要原因，是央行坚守了财政纪律。为避免财政赤字货币化，它制定出明确的“银行券原则”——货币发行净额是央行国债买进净额的上限。然而，该原则却淹没在2013年黑田东彦所主导的超级宽松政策之中，取而代之的，是以天量购入国债来大规模提高基础货币供应量。结果，央行资产负债表迅速“暴胀”，目前占国内生产总

---

① 张玉来：《日本退出量宽有点难》，《人民日报》经济透视(22版)，2017年7月17日。

② 『日銀「赤字」なお懸念——黒田総裁「影響ない」強調』，『朝日新聞』2017年6月17日6面。

值之比遥遥领先欧美。

“爆表”危机已成为继财政危机之后威胁日本经济的又一枚定时炸弹。当前，央行所持国债资产的加权平均利率仅为 0.317%，短期利率一旦超过该值就会形成“倒利差”，从而陷入财务危机。此外，央行自有资本占比过低，截至 2016 年底，央行自有资本仅 7.6 万亿日元，而过剩准备金规模却高达 320 万亿日元，财务风险大增。目前，日本银行所持超过 400 万亿国债的平均到期年限超过 7 年，在这种情况下，日本央行要退出量宽，不仅周期漫长，成本极高，难度也非常大。

当今世界，几乎所有国家都会受跨国资本的自由流动以及汇率变动的影响，各国央行难以只根据本国经济状况调整金融政策。在美联储再次加息、年内将实施缩表之际，全球呈现回归货币政策正常化趋势，这势必对仍然坚持量宽的日本形成巨大的压力，其收益曲线调控目标面临更高风险。一旦利率失控，遭受的损失将数以万亿规模计；政府若被迫注资，不但会加剧财政危机，还将引发国家信用受损等连锁反应。因此，在几乎无望达成 2%的通胀目标下，央行被迫对宽松“刹车”，或将成为日本央行今后政策运行的重要选项。

百分之二目标不断推延的真实背景①

近日，日本央行金融政策决策会议决定，将 2%通胀目标的实现时间从 2018 年推延至 2019 年，并称将继续保持当前政策不变。这是日本央行自实施超级宽松政策以来，第六次延长通胀目标期限，意味着在行长黑田东彦任期内摆脱通缩的愿望已经破灭。

日本央行如此执着于 2%的通胀目标，据黑田的解释是为确保物价稳定。具体考虑有三：一是居民消费价格指数自身具有向上发展特征；二是能为金融政策预留空间；三是 2%的通胀目标是国际共识。除此之外，其实还有两个重要原因：缓解日元升值压力、助力日本财政重建。目

① 张玉来：《日本：百分之二与“望梅止渴”》，《人民日报》经济透视（22 版），2017 年 8 月 3 日。

前,日本国债余额已攀升至 1 071 万亿日元(约合 9.7 万亿美元),约为国内生产总值的两倍,居全球最高水平。通胀率上涨可以减轻政府债务负担,如果年均 2%通胀率持续 10 年,就能减少 235 万亿日元债务。

日本央行曾制定"在 2 年内实现 2%通胀"的目标,遇挫后政策逐渐加码:大幅提高国债、交易所交易基金(ETF)等购买额,向市场注入大量基础货币;日本央行在 2016 年初首次导入负利率,9 月份又提出"收益率曲线控制"方针。但上述金融政策非但未收到预期效果,反而造成央行资产负债表不断膨胀,截至今年 5 月,债务规模已突破 500 万亿日元,而自有资本却不足 8 万亿日元。日本央行已经陷入进退两难的困境,"爆表"危机成为威胁日本经济的一颗新的定时炸弹。

首先,日本政府的"配套改革"后继乏力,央行孤军奋战导致政策效果大打折扣。安倍曾誓言"改革无禁区",但其农业、医疗、能源等领域的结构改革计划却无实质进展,造成今天"央行独舞"的局面。

其次,财政重建计划事实破产,导致消费信心受挫。财政重建计划与经济增长战略被视作安倍经济改革的重要两翼,但两次推迟消费增税瓦解了财政重建的基础。日本政府最新测算显示,2020 年,日本基础财政收支平衡至少出现 8.2 万亿日元的赤字。换句话说,安倍内阁承诺在 2020 年实现黑字化目标根本就是一句空话。

再次,泡沫经济崩溃以来,日本经济结构发生了重大转型,社会贫富分化现象严重。2012 年日本相对贫困率已突破 16%。目前,日本非正式就业占比已逼近四成,而非正式与正式员工收入差距平均高达 36%。这些因素造成整个社会消费能力与消费意愿不足,令金融政策难以奏效。

最后,缺乏独立性令央行难以施展拳脚。20 世纪 90 年代,日本曾因政治主导而造成央行行动迟缓,最终导致经济泡沫破裂。1997 年修订的《日本银行法》强调,应尊重央行金融政策的自主性。但"安倍经济学"之后,日本央行与日本政府变成了从属关系。面对全球货币政策收紧的大趋势,日本央行却犹豫不前、难以作为。

日本央行删除通胀目标时间表的真意①

2018年4月27日，日本央行突然宣布将删除2%通胀目标达成的时间表，这一“表现”再次出人意料。作为央行行长黑田东彦第二届任期的首次货币政策会议，竟然删除了政策运行方针中的核心指标——“关于达成2%通胀目标的时间”。5年前，黑田“首秀”时曾高调宣称要在“两年内实现2%通胀目标”。然而，随后迎来的却是日本央行连续6次推延、修改该时间表……

现在放弃时间表很容易被市场理解为宽松政策的倒退，可能导致日元升值和股价下跌。有观点认为，日本央行其实一直在小心翼翼地寻找退出宽松政策的最佳时机。自2016年底之后，它突然减少了国债购买量，但背景却是通胀目标仍遥不可及，甚至当前日本核心CPI继续徘徊在1%上下。所以，市场将央行此举解读为正在“技术上退出量宽”。

“不要机械地将通胀目标达成时间与政策变动相关联。”黑田强调删除时间表是为了消除市场误解。但现实却是捉襟见肘的政策空间已令其难以施展身手。目前，日本央行资产负债表对名义GDP之比逼近100%，该数值大概是美联储的4倍、欧洲央行的3倍；基础货币量是宽松政策前的3.6倍；国债及上市信托基金持有规模连创新高，前者同比2012年底暴增了3倍，后者规模甚至占其全部股票市值的近4%。这些数字均表明，日本央行政策空间已接近极限。

相反，宽松政策的副作用却在不断膨胀。其一，国债及股票等市场出现严重扭曲。由于央行大量持有国债，导致国债市场日趋僵化，金融功能逐步丧失；伴随央行资金大量进入股市，虽然推升了股价，但同时也可能带来央行持股企业的股东监管缺位问题，而最大隐患是将来的退出风险。其二，受负利率影响，金融机构盈利能力大幅受损，三菱东京日联银行等主要

① 张玉来：《日本央行缘何要删除通胀目标时间表》，《人民日报》经济透视（22版），2018年5月21日。

银行因收益恶化大幅削减招聘计划，合并或缩减国内网点并大举走向海外；那些支撑地方经济的地方银行境况更是堪忧，2017 年全国 105 家地方银行盈利规模比 2012 年骤降了 97％。其三，存款利率为零对储蓄偏好型的普通国民造成影响，一些依赖银行存款生活的老年人受到冲击。其四，超宽松金融政策大幅降低了政府借债成本，但致使财政纪律大打折扣，“短期政策利率为负 0.1％、10 年期国债收益率为零”，这种政策框架设计助长日本政府更依赖于财政刺激，造成 2020 年财政重建计划搁浅。

删除时间表无疑为日本央行提供了一定程度的政策自由度，如在物价未上涨、但经济向好趋势下，就无须追加宽松，同时也为讨论退出量宽提供了必要条件。不过，黑田第二届任期显然将面对更加严峻的挑战：2019 年消费增税将对经济形成压力，2020 年奥运景气也将消失，与此同时，美联储仍在稳步推进加息，而欧洲央行也已启动缩减宽松，这些都将对日本央行形成重压。

日本央行“2018 新政”并无新意①

近日，日本央行行长黑田东彦在例行发布会上阐释了新的货币政策。它包括两个核心内容：一是让长期利率更具弹性，把诱导目标从零调升为上限 0.2％；二是导入前瞻性指引的非常规货币政策工具，继续维持当前的超低利率。新政策被视为日本央行的又一重大举措，甚至有观点认为，这暗示了日本央行货币政策正常化的谨慎考虑，它将继续在技术上退出宽松。

但事实上，此次新政很难说有多少新意。其一，两大核心内容本身相互矛盾：一个要扩大利率弹性，另一个则强调继续保持超低利率，这显然是兼顾不同政策观点形成的妥协方案。其二，每年以 80 万亿日元（1 美元约合 111 日元）规模购买国债，被继续强调为重要手段。实际上，自 2016 年 9 月以来，国债购买规模就一路下滑，如今已经减半。另外，央行

① 张玉来：《日本央行新政难有新意》，《人民日报》经济透视（22 版），人民日报 2018 年 8 月 24 日。

对国债的大量持有，已经让市场出现“无债可买”的现象。其三，继续保持每年 6 万亿日元购买 ETF(上市交易基金)，通过调整结构来避免股价扭曲。但问题是，日本央行当前购买规模已超 24 万亿日元，占全部流动股票的九成左右，剩余部分只够其一年的购入量。

让日本央行如此纠结的根本原因，是物价的长期低迷以及不断膨胀的政策副作用。首先，作为核心指标“2%通胀率”的达成时间，在数度推延之后最终被彻底删除。5 年多来，日本消费者物价指数(扣除生鲜食品外)长期徘徊于 1%以下，未来 3 年的通胀预期也再次被显著下调。其次，由于金融宽松政策的副作用不断积累膨胀，央行面临的市场抵制压力也在不断增强。长期超低利率政策早就令银行等金融机构的收益大幅恶化，国债市场因央行“鲸吞”式购入而日趋僵化，股票市场则由于央行的大规模进入而出现股价扭曲问题。整个金融体系面临的风险，是迫使央行增加利率弹性的真正原因。

然而，对外依赖严重的经济特征以及财政状况日趋严峻，又让日本央行不能退出量宽。内需不振一直是困扰日本经济增长的核心，外需才是其经济增长的最强劲动力。此时退出宽松，无疑会造成日元升值压力，从而重创日本经济。

此次央行新政没能向市场传递明确的政策目标信息，这显然有悖于前瞻性指引的基本逻辑——与市场沟通并传递货币政策走向，使市场预期向央行期望目标靠拢。日本央行虽然小心翼翼地提高了长期利率弹性，但其本意仍在强调维持当前政策的可持续性。这种犹豫不决的态度无疑将加剧市场的风险意识，毕竟，日本央行资产负债表已暴涨至 549 万亿日元，远超国内生产总值(GDP)规模。事实上，尚未退出宽松的日本，其财政和货币政策的空间非常有限。

二、失衡的经济改革现状

2013 年 11 月 15 日，作为“安倍经济学”的主要理论设计师，耶鲁大学名誉教授浜田宏一在中央大学的演讲中指出，他对实施将近一年的“安倍经济学”给出的成绩是“ABE”，也就是对“大胆的金融政策”打分是满分的A，而对“机动的财政政策”给出了相当于八十分的B，但对“唤起民间投资的增长战略”的打分不仅没有及格，甚至是最低的E。① 而且，他还特别指出，恰恰是作为“第三支箭”的增长战略却是安倍经济学最终能否成功的关键所在。之后的历史事实也表明，安倍内阁在经济改革方面确实“雷声大雨点小”，各项改革的展开令市场大失所望，并没有出现所谓他所宣誓的“要做改革的钻头”，大刀阔斧地对规制进行改革。

再秀“安倍经济学”，“新三支箭”出台②

2015年11月中旬，日本政府在哈瓦那与古巴政府举办了一场“官民联合会议”，它提出要求，希望古巴改善商业环境以利日企投资。事实上，不仅是古巴，伊朗也开始进入日本商界的视线。日本贸易振兴机构借德黑兰国际工业展之机密切与伊朗政府接触，首相安倍晋三还亲自出马访问了中亚。

日本的一系列外交动作，其实更多缘于经济压力。2015年第二季度，日本经济出现年率1.6%的负增长，机构对未来两个季度的预测也普遍悲观。经济是安倍政权的重要基石，其执政伊始便对国民许诺了“经济最优”的执政方针。

在经济转向颓势的背景下，2015年9月底安倍内阁再次祭出改革大旗——推出了所谓以“一亿总活跃社会”为目标的“新三支箭”。这“新三支箭”的内容包括“孕育希望强大经济”“构筑梦想的育儿支援”和“安心的社会保障”。

探知“新三支箭”的前景，还要先从其原来的几支箭说起。客观地

① 東洋経済：『浜田内閣官房参与、アベノミクスを採点——金融緩和はAプラスだが、成長戦略はE』，2013年11月16日。[2018-8-16]：https://toyokeizai.net/articles/-/24246。

② 张玉来：《日本“新三支箭”射程难料》，《人民日报》经济透视（22版），2015年11月13日。

看，日本经济的基本面得到了改善，日元贬值、股市上涨，相关出口企业成为改革最大受益者。但是，改革并没有实现名义 3%、实际 2%的增长率，去年还出现了 0.9%的负增长，且安倍之箭的“毒副作用”也逐步显现：2%的通胀目标不达，大量收购国债极大压缩了央行的政策空间，国债丧失了原有的金融功能……更严重的是，作为政策效果出现的日元大幅贬值，导致贸易赤字长期化和实际工资下降，并推升了财政赤字。

安倍经济改革的“新三支箭”从目标来看，剑指育儿与护理是对的。少子老龄化确是日本经济的病灶。但遗憾的是，安倍此番改革要啃的，基本上都是啃不动的骨头。比如，日本的人口出生率为 1.4，这一趋势已持续 20 年，短期显然难以改变。此外，安倍要将名义国内生产总值提升至 600 万亿日元(1 美元约合 120 日元)。要实现这一目标，以 2020 年为限，需要实现年均 3%以上的增长率，而日本过去 20 年的年均增长率只有 0.3%。

财政困境是改革束手束脚的原因之一。2015 年初，日本国债余额已达 1 053 万亿日元，占国内生产总值比近 250%，寅吃卯粮已成财政新常态。为维持国际信用，日本一边尽力控制预算规模，一边在暗地里补充预算。最近，包括穆迪在内的全球三大评级公司不约而同地下调了日本国债评级。

如今安倍把希望转向企业。继要求企业上涨工资之后，政府近日又宣布将每月召开一次“官民对话会议”，施压企业增加国内投资。但日本企业并不看好国内投资环境，仍继续将目光瞄准海外。据统计，日本企业 2014 年海外并购额创下 14 万亿日元新高，是国内设备投资的 3 倍。

目前，不仅日本企业对改革充满疑虑，民众也逐渐丧失了信心。调查显示，仅有不到 1/5 的人抱有信心，近六成民众对改革并不看好。按惯例，历年 10 月至 11 月都应召开临时国会，这本是推进改革、审议法案的大好时机，但安倍今年以外访为由罕见地放弃了。在很多人眼中，“新三支箭”的射程是难言乐观的。

关联改革滞后凸显经济软肋①

2016 年 6 月 1 日，安倍首相宣布将消费增税再次延期，从 2017 年 4 月消费税提升至 10%的计划推延至 2019 年 10 月。但是，自从日本政府宣布延缓提高消费税多日之后，这一举措不仅没有给日本经济带来任何正面效应，相反却令日本财政面临更为严峻的考验。

日本在 2014 年有过延期增税的举动。当时政府承诺，"除非发生雷曼冲击或'3·11'大地震事件"，增税决不再延。今年 6 月 1 日，日本政府以"经济为先"、世界经济面临巨大风险为由，再度延期提高消费税，此次延期或令安倍政权"自食恶果"。

首先，增税延期将造成日本社保改革计划严重受阻。2014 年 4 月，日本消费税由 5%上调至 8%，带来 8 万亿日元(1 美元约合 104 日元)，成为改善社保状况的重要财源。而此次 2%的增税预计也有 4 万亿日元的增收，因此，政府早就做出安排：除需要用 3 万亿日元填补依靠发行国债支撑的社保窟窿之外，其余的税额将专项用于补贴低年金收入者、扩大年金体系覆盖率，以及贴补看护保险费。但是，增税延期打乱了这些既定的部署。

其次，正在实施的经济改革也将因此遭受冲击。迄今为止的经济改革已取得部分成就，如失业率降至 3.2%，近乎完全就业水平；企业部门经常利润等经营指标屡创新高，2015 年底上市企业整体资产超过 840 万亿日元。但是，在国内生产总值(GDP)中占比将近六成的个人消费却一直萎靡不振。难道是增税阻碍了消费增长吗？相对而言，欧洲各国的消费税率普遍更高，况且日本最初引入消费税也没有阻止其 20 世纪 90 年代的经济增长。因此，人口老龄化及年轻人消费意愿下降，恐怕是消费长期低迷的主因。技术创新、重建财政以及完善社保体系才能提振消费，而这些领域的改革，恰恰都是"安倍经济学"的软肋。

---

① 张玉来：《日本改革滞后凸显经济软肋》，《人民日报》经济透视(22 版)，2016 年 7 月 4 日。

再次，增税延期将令日本财政重建计划暂时搁浅。日本 1999 年的国债负担率为世界第一。日本政府曾提出财政重建与经济增长并重，计划在 2020 年实现财政盈余，到 2018 年其财政赤字占 GDP 的比例必须降至 1%。但据其测算，即便日本经济的名义增长率为 3%、消费税率是 10%，到 2020 年仍有 6.5 万亿日元的财政赤字。在此背景下的增税延期，无疑是雪上加霜，加之安倍还暗示将采取大规模的财政刺激，日本财政重建将暂时搁浅。

其实，日本的问题可能远比表面更严重。2008 年日本国债负担率就超过 200%，2012 年举债又超过税收收入，如今政府支出的近 1/4 仅为所发债务的还本付息。不仅如此，老龄化还使其社保支出正以每年7 000 亿日元的速度增长，而“2025 年问题”(即 20%人口在 70 岁以上)将导致现有社保体系彻底崩溃。近日，国际评级机构惠誉将日本主权评级展望降至负面。显然，警钟已经敲响，滞后改革，于日本政府而言，意味着未来的挑战会更加严峻。

改革弱而只能再度强刺激①

2016 年 8 月 2 日，安倍政府公布了 28.1 万亿日元(约合 2 730 亿美元)的经济刺激计划细节。其中财政措施规模为 13.5 万亿日元，包括应对熊本地震和 2011 年东北地区灾害的救灾措施、改善人口结构、基础设施建设，以及应对英国脱欧风险、帮助中小企业等方面。表面看，此次经济刺激计划规模非常可观——是 1992 年以来的第三大规模，但其资金来源并不确定。由中央与地方政府财政出资的比例仅占 1/4，超过一半的资金来自融资或民间资本。

日本曾经提出拉动内需“四大支柱”：推动实现“一亿总活跃社会”目标(指的是让日本 1 亿多人口都能在家庭、社会、职场发挥作用，创造人生价值)，推进基础设施建设，扶植中小企业，强化防灾应对措施。此次

---

① 张玉来：《日本经济，有刺激却欠改革》，《人民日报》经济透视(22 版)，2016 年 8 月 3 日。

经济刺激举措其实仍然没有跳出这个圈子，其背后真正原因在于安倍经济改革已陷入困境。

首先，日本银行主导的金融宽松政策正逐渐失效，政策空间触顶。2013 年开始的无限度、无限期的“异次元宽松”曾带来日元贬值、股价上涨的政策效果，出口制造业、旅游业均享受红利，但未能广泛惠及地方与中小企业。如今，世界经济减速、英国脱欧更是令日元再次回到升值通道。更甚者，日本银行国债持有余额已突破 350 万亿日元，占总量的四成以上，明年将达到极限。而国民偏好现金以及存贷利率低，又严重制约着负利率的政策空间。日本银行追加上市投资信托购买量倍增至 6 万亿日元就是明证。

其次，社会保障改革迟滞不前、财政一体化改革甚至倒退。与 1990 年相比，今年日本社会保障费用增长了 3 倍，成为其财政预算增长的主因。不断加剧的老龄化将令现有社保体系崩溃，这就是日本 1/5 人口将达 70 岁以上的“2025 年问题”，未来可能直接导致个人消费持续低迷。面对如此严峻形势，参院选举前夕消费增税计划竟再度被延期，2012 年达成的三党共识也随之瓦解，财政危机日趋严重。

最后，少子老龄化对策缺乏力度。虽然女性及 65 岁以上老年人占全部就业比例已超一半，但并不能阻止劳动力不断减少的趋势，日本劳动人口比 2010 年减少近 300 万，成为其潜在经济增长率徘徊在 0%左右的要因。尽管“新三支箭”提出综合生育率 1.8、看护者离职率为零的宏伟目标，但各种陈规老矩阻碍着劳动市场改革，如正式与非正式之间的工资差距、外国人就业、所得税和社会保险领域的收入壁垒（年收入少于 103 万日元者可免缴税，年收入少于 130 万日元、配偶加入养老保险者可免缴保险费，这种制度实际上成了非正式工低收入的温床）等等。

不久前，三菱东京日联放弃国债标售交易资质已为日本经济改革敲响警钟。日本银行大量购入不仅令国债丧失了自身金融功能，其负利率政策更是激励政府大量举债，致使结构改革迟缓，也使之更倾向轻视财政纪律。此次大规模经济刺激无疑将继续推高国债余额，这种国家信用被严重透支背后将隐藏巨大金融危机。

经济“增量”源于导入新规①

2017年初，日本政府所公布的2016年经济数字竟然变得有些靓丽抢眼，难道真的是经济改革大获成功了吗？日本名义GDP（国内生产总值）总量突破537万亿日元（约合6.1万亿美元），首次刷新1997年以来的历史纪录。不仅如此，其实际经济增长率实现1.0%、名义经济增长率达到1.3%，远高于此前市场预期。

日本经济已经悄然复苏？其实，日本经济大幅“提振”的奥秘在于联合国的新规。去年12月，日本政府宣布正式引入联合国新版标准编制国民账户，统计结果因此大为改观：2015年日本经济总量从500万亿日元变成532万亿日元，陡增6.4%。不仅如此，新规还成为“安倍经济学”的有力支撑：2013—2015年度，日本名义GDP增长率平均被推高约0.7个百分点，分别从原来1.7%、1.5%和2.3%调整为2.6%、2.1%和2.8%，距离3%的增长目标仅咫尺之遥。

“研发资本化”是联合国新规统计的突出特征。此前，研发、专利、版权等相关支出均被纳入投资范畴，并未被计入GDP统计中。日本研发规模一直位居世界前列，在GDP中占比始终在3%左右，特别是日本民间企业，高度重视研发投入，2000年后投入的研发资金总量累计突破10万亿日元。在2015年32万亿日元的GDP“增量”中，研发资本化规模占19.2万亿，贡献率超过六成。

统计标准的变化，并不代表日本经济真的迎来转机。尽管失业率下降、大企业盈利等利好在一定程度上改善了日本经济环境，但摆脱通缩仍遥遥无期，相反，改革成效与动力开始消退，阻力和风险不断上升。

首先，自律性经济增长渐远，金融风险增加。以宽松终结长期通缩、让日本经济步入自律性增长之路，是“安倍经济学”的设计初衷。如今，

---

① 张玉来：《日本经济“增量”难掩风险》，《人民日报》经济透视（22版），2017年2月28日。

日本基础货币投放量已从 2013 年的 132 万亿日元攀升至 432 万亿，对 GDP 之比突破了 80%，但其核心通胀率仍不足 1%，远低于 2%的目标。无奈之下，日本央行又导入负利率政策，开启所谓“收益率曲线控制”的金融冒险。日本政府随后又被迫推出大规模财政刺激，使政府债务余额再度冲高至 1 066 万亿，金融风险一触即发。

其次，外部风险加大，经济运行脆弱性凸显。内需长期疲弱，令日本经济对外部市场产生严重依赖。日本制造业海外生产比率早已突破 24%，日本企业海外销售占比也接近 60%，形成 1/4 生产在国外、六成销售靠海外的格局，英国脱欧等一系列“黑天鹅”事件，或对日本经济的全球化进程造成巨大冲击。

第三，改革举步维艰，经济结构转型困难重重。改革无禁区，安倍曾誓言从农业、医疗、能源和就业等四大领域着手，推行结构改革、实现经济转型。然四年来并无实质进展，财政重建计划也因两度推迟消费增税而几近破产。

总之，就统计数据看，日本经济虽现局部改观，但整体形势依然严峻，甚至有爆发金融风险之虞。

三、日本经济面临的新考验

“央行独舞”的安倍经济改革还是取得了一些成绩，最明显的就是大企业盈利和就业状况的改善，当然，这也与世界经济变动以及少子老龄化形势愈加严重等因素密切相关。然而，就在这个关键节点，用工荒问题、日本制造业曝出系列丑闻问题等，均成为日本经济遭受的新考验。

“用工荒”开始考验日本经济①

2017 年 6 月，占日本快递市场半壁江山的雅玛多运输日前突然宣

① 张玉来：《机器人治不了日本“用工荒”》，《人民日报》经济透视（22 版），2017 年 6 月 14 日。

布，将全面上调基本运费5%—20%。上调原因是人手严重短缺。

受到人手短缺困扰的不止快递业。数据显示，七成中小企业深感“人手不足”，不少超市、餐厅不得不缩短营业时间甚至闭店，一场用工荒正席卷日本。政府的数据也印证了这个问题的严重性：4月日本有效求职倍率攀升至1.48倍，创下1972年2月以来的最高值。

克服日趋严重的少子老龄化趋势，是日本历届政府的重要课题。本届政府推出的《机器人新战略》《2017年经济增长战略》草案等，均提出以“机器人替代”解决劳动力短缺问题。日本首相安倍晋三还特别指出，少子老龄化的社会特征，恰好可让日本不必担心新技术带来的失业问题。野村综合研究所与牛津大学2015年的研究表明，人工智能及机器人可替代日本49%的工作。麦肯锡的一项研究也显示，日本是引进机器人余地最大的国家。

《日本经济新闻》调查显示，2017年度日本国内设备投资将同比大增13.6%。运营“7—11”便利店的日本柒和伊控股将投资8 070亿日元（约合74亿美元），是2016年度的2.1倍。① 受此影响，日本产业机器人订单连续出现两位数增长。一些酒店、餐厅、物流中心等纷纷导入机器人、无人机等新技术。

但是，机器人替代并非当前日本用工荒的对症良药。出于成本等考虑，承担全社会七成就业的日本中小企业中，仅18%表示将实施信息技术化投资。此外，在物流网等新技术普及背景下，日本国内专业人才缺口问题日益凸显，预计到2030年，缺口规模将达59万。更为关键的是，此次用工荒呈现一些新的特点。

其一，造成此次用工荒的主因是需求扩大，而非劳动力供给不足。1995年以来，日本生产年龄人口（15—64岁）已从峰值8 720万降至2015年的7 730万，20年减少了近千万。但其劳动供给并未同步减少，

① 『国内設備投資、今年度13.7%増 伸び最高　本社調査』、『日本経済新聞』2017年5月27日1面。

日本劳动人口(就业者+失业者)在一度下行之后,2005 年降速趋缓,自 2012 年甚至连续 4 年增长。

其二,当下的用工荒存在结构性失业问题。上述有效求职倍率因行业不同而迥异。例如,倍率最高的建设采掘业为 3.54,护理行业为3.13,运输行业是 2.09;相反,楼宇管理、机械加工以及一般事务却低于 1。2016 年日本失业人数虽大幅下降,但结构性失业率甚至超过完全失业率。

其三,正式与非正式员工的工资差距也是造成此次用工荒的重要原因。日本正式员工平均工资比非正式员工高出 50%以上,很多企业为降低用工成本不断扩大非正式员工聘用。到 2016 年,非正式员工占比已高达 37.5%。为压缩临时工的收入以减少社保负担,一些企业还刻意控制临时工的工作时间,人为加剧了用工短缺。

因此,机器人替代充其量只是提升全要素生产率的手段,日本经济若想摆脱用工荒,还需从结构性改革着手。

"日本制造"也开始走下神坛①

2017 年下半年,日本制造业因一系列造假案件集中爆发而为世界所瞩目,素以质量取胜的"日本制造"品牌形象遭遇重创。以神户制钢为例,从 10 月 8 日宣布铝材及其制品与铜制品数据造假,客户涉及 200 家;到 20 日为止,其业务领域已扩展到主营业务钢铁、不锈钢等几乎所有材料领域,问题部门也从国内工厂蔓延至海外子公司,所涉及客户也增加到国内外 500 家;而另据帝国数据银行调查显示,神户制钢所的海内外业务客户多达 6 123 家,伴随着今后调查逐步深入,其涉及范围将进一步扩大。

神户制钢所数据造假丑闻不断发酵,目前已有包括丰田、波音等 500 多个客户受到了问题产品供应链的影响。就在舆论渐渐归于平静之际,

① 张玉来:《"日本制造"走下"神坛"?》,《人民日报》经济透视(22 版),2017 年 11 月 6 日。

神户制钢所近日又发现4起疑似篡改数据的案例，社长川崎博宣布，公司将成立一个独立的审查委员会，并于2017年底前提交调查结果。

神户制钢所造假丑闻其实只是日本制造业存在的丑闻之一。10月初，日产就因曝出车检作弊而被迫召回110万台汽车。之前，东芝、高田、旭化成、三菱汽车等知名企业也被曝出一连串各式弊案，几乎让以高品质著称的“日本制造”神话化为泡影。

为了业绩好看可能是不少问题企业选择作弊的症结所在。就百年老店神户制钢所造假而言，表面上看也是源于其经营业绩的巨大压力，试图通过数据造假以遏制连续亏损的经营颓势。但从根本上看，还是企业内部管理出现了问题。由于公司实施多元化战略，除传统钢铁业务之外，公司还涉足于焊接、铝铜、机械等多个领域。由于这些业务之间的关联性相去甚远，导致内部信息沟通交流不畅，再加上研发经费投入严重不足，最终导致问题爆发。

一连串问题企业的出现，反映出的根本问题是：长期以来支撑日本制造业走强的社会根基趋于瓦解。首先，20世纪曾在日本蓬勃兴起的企业家精神已渐渐消失，类似松下幸之助、盛田昭夫、本田宗一郎似的领军人物，现在已经变得罕见，日本制造业整体上已经从进攻型转向防守态势。

其次，日本一度领先世界的生产组织方式也已落伍。一方面，辉煌一时的精益生产方式正受到苹果商业模式的狂轰滥炸；另一方面，物联网、人工智能等新技术革命正孕育着新的生产方式革命，这些新趋势对刚刚走出技术孤岛化误区的日本企业形成了新的考验。

再次，日本企业的整体基础研究水平也在不断下降，相关人才呈现短缺，大学和企业不再愿向很难迅速产生效益的基础科学投入经费，从事基础研究的年轻人也变得越来越少。

从企业经营管理层面上看，由于企业纷纷转向重视股东利益的欧美模式，经营层慢慢将过去倾力构筑长期经营的体制转向了唯利益论，更加关注各种短期财务报表，质量管理意识趋于淡薄。正如小松公司原会长坂根正弘所指出的,“质量问题已经很少能提交董事会讨论”,更多的是“交给基层负责人处理”。另外,日本用工体制转型也加剧了执行传统质量管理体系的难度,不同于终身雇佣制,占总人数已近 40%的非正式员工对企业的忠诚度大打折扣。伴随着熟练技术人员的大批退休,日本企业质量管理水平出现普遍滑坡。

总之,传统体制趋于瓦解,适应时代潮流的新体制又尚未建成,这可能是日本制造开始走下“神坛”的根本原因。

长景气也治不了通缩顽症①

2018 年初,日本政府公布的新统计数据显示,2017 年第四季度实际 GDP 年化季环比增长 0.5%,日本经济实现八个季度连续增长,创下了 20 世纪 80 年代末日本经济泡沫破裂以来的最长连续增长纪录。从关键经济指标来看,日本经济形势呈现向好态势。完全失业率降至 2.8%的历史低点,企业整体盈利水平正稳步提高。日本政府称,历时 5 年的经济复苏,已超过二战后复苏持续时间第二长的“伊奘诺景气”。

然而,日本经济虽然创下新一轮长景气周期,但日本却并未走出长达 25 年的长期通缩。日本央行一直在为实现 2%的通胀目标努力,预计要到 2019 年才能实现,日本已经数次推迟这一目标实现的时间。

通缩久治不愈,从本质上讲,原因是结构性的,直接原因在于内需不足,进而导致消费不振。近年来,日本家庭部门收入结构发生了一些变化,家庭的实际收入不升反降,2016 年劳动家庭平均实际月收入为 45.9 万日元(100 日元约合 5.9 元人民币),比 10 年前减少了 2.1 万日元;劳动分配率从 1977 年的 76%跌至当前 61%的历史低位。企业获利后,不愿分配于工资,而是扩大留存,走向海外市场。此外,由于对日本财政充满了担忧,导致人们对未来普遍缺乏信心,从而严重抑制了消费。

不仅如此,日趋严峻的少子老龄化进一步加剧了日本的通缩态势。

① 张玉来:《日本:长景气何以治不了通缩》,《人民日报》经济透视(22 版),2018 年 2 月 22 日。

一方面，它仍在不断推高财政压力，社会保障费目前已占日本政策经费过半，而且每年还以超过 5 000 亿日元的速度快速增长。另一方面，少子老龄化致使劳动力人数急剧下降，日本的劳动人口比 1995 年减少了 1 100万，这也导致日本经济从需求不足转向供给不足，而劳动投入的减少，势必制约潜在的经济增长率。

实际上，从桥本内阁时代开始，历届日本政府就试图加大改革以摆脱通缩困境。穷尽手段而效果有限，主要是因为政策方向和力度存在问题。目前的"安倍经济学"系列改革措施也未能真正启动深层结构改革，只是严重依赖央行的货币宽松措施，同时扩大财政支出刺激经济。这些措施虽然在推动日本经济走向缓慢复苏，但也付出了极大代价，不仅使日本财政危机风险不断积累，还导致了新的经济隐患——央行"爆表"的金融风险。

面对金融政策触顶以及财政重建的巨大压力，日本今后的经济改革重心将被迫转向增长战略和结构改革。劳动改革或成其重要的改革突破口，不仅能提升劳动效率，还可扩大劳动投入、推升潜在经济增长率，同时也能提高实际工资，最终扩大消费需求。社会保障与税收体制的一体化改革也将成为重点。此外，还将出台相关产业政策以引导企业投资，推进新技术革命。只是，面对积重难返的结构性问题，必须撬动既得利益者的奶酪，改革能否成功，取决于此。

国债等金融市场走向僵化①

2018 年 2 月 16 日，安倍政府表示将再次任命第一届任期已满的黑田继续担任日本银行行长。而再次当选日本央行行长的黑田东彦不久表示，在实现 2%的通胀目标前不会缩小宽松规模，但这一表态被更多解读为意在"避免引发市场混乱"。事实上，日本央行金融政策委员会已开始探讨非常规货币政策的副作用及相关风险，黑田本人去年在一次演讲

① 张玉来:《日本国债市场或将"无债可买"》,《人民日报》经济透视(22 版),2018 年 3 月 30 日。

中也出人意料地提及反转利率的概念,说明他也认可当前政策的局限性。

日本超宽松货币政策的负面作用在其国债市场表现明显。自2013年以来,日本央行主要以购入国债的形式向市场“大量注水”,此举令日本国债交易缩水过半,日平均成交量从35万亿日元(100日元约合6元人民币)规模一路震荡下跌至15万亿日元水平。国债市场逐渐变得死气沉沉,甚至被称为“僵尸市场”。

日本国债市场发达,在债券市场占比达80%以上,换手率和流动性等关键指标均颇具活力,对经济运行发挥着重要作用。国债市场的沉闷让日本金融风险大幅上升。

首先,国债的流动性大幅下降。以前日本国债市场以商业银行、人寿保险等金融机构为主体,2012年它们持有占比曾超过63%,如今只分别有17%和22%;反观日本央行,日前持有国债规模是2012年的约4倍,持有占比超过41%。这些躺在央行账户的国债不再进入市场流通,很快将面对“无债可买”的局面。

其次,国债市场的价格形成机制被摧毁。2016年9月,日本央行引进了以“长短期利率作为诱导目标”的新宽松政策框架,其两条核心内容是10年期国债利率维持在0%、短期利率控制在负0.1%。这种垄断式政策诱导严重扭曲了市场机制,使之难以发挥资源配置作用。

再次,国债金融中介功能被大大削弱,商业银行及年金保险机构很难再以国债为担保进行融资或资本运营,央行的强行介入以及利率控制使国债金融功能消失殆尽。

最后,国债市场衰退的最大隐患在于它推升了央行的退出风险。央行挤走了原来的国债市场主体,意味着其一旦决定出手国债,将面对没有接盘者的巨大风险。与此同时,日本一些原有国债市场主体纷纷转向海外融资,标志性事件是2016年6月东京三菱日联银行宣布放弃财务省颁发的国债交易特别资格。此外,启动加息更将威胁央行自身的财务基础稳定,因为其自有资本仅为7万亿日元,比率仅1%。

其实，日本能否顺利退出量宽，关键取决于财政纪律和央行独立性。日本已形成严重依赖央行宽松政策的扩张型财政体制："2020 年实现基础财政收支黑字化"的财政重建计划早已被事实搁浅，财政纪律趋于松懈，本应在 2015 年实施的消费增税计划两度推延，5 年间的财政支出增加了 160 万亿日元，宽松政策被市场批评为在"为财政融资"。与反转利率背道而驰，央行的"再通胀学派"色彩事实上愈加浓厚，不仅其独立性饱受质疑，更让人担心，日本金融风险是否会成为 2018 年的"黑天鹅"事件。

四、经济转型期的基础与困惑

在"异次元宽松"金融政策实施以来的 5 年多来，日本经济出现温和复苏态势，景气状态持续存在，甚至正在走向战后最长景气周期。但是，由于央行过度发行货币，日本货币供应量（广义 M2）已突破 500 万亿日元。① 央行"爆表"风险与财政危机并肩而行，这在日本历史上还史无前例。但这些只是硬币的一面，日本经济及其整个社会还有另外一面，那就是日本社会快速转型及其新活力的体现。

开拓海外市场的日本服务业②

近年来，电子商务的蓬勃发展，令各国实体零售业饱受冲击。不过，作为实体零售业态之一的日本便利店，却出现了逆势增长趋势。目前，日本国内便利店的数量不仅同比 2010 年增加 1.1 万家，而且还进军海外，最大便利店企业 7—11 的海外店铺数量已经达到 4.2 万家。

便利店在日本已有 40 多年的历史，其雏形是伊藤洋华堂引进的美国 7—11 以及大荣创办的美式罗森。如今，日本便利店年度国内销售规

---

① 张玉来：《日本央行新政难有新意》，《人民日报》经济透视（22 版），2018 年 8 月 24 日。

② 张玉来：《日本便利店因何逆势扩张》，《人民日报》经济透视（22 版），2017 年 8 月 21 日。

模达到11万亿日元(100日元约合0.9美元),逼近大型超市。这些平均面积110平方米、24小时营业的便利店,因何制胜?

首先,得益于明确的市场战略定位。不同于琳琅满目的百货店、价格低廉的仓储超市以及融入餐饮娱乐的购物中心,"为消费者提供便利的生活服务",是便利店朴素且长期坚持的战略定位。在30到250平方米不等的狭小空间里,便利店提供的商品数量高达3 000多种,从饮料、冷热食品到洗漱用品,各种生活用品应有尽有;其提供的服务项目也不止于售卖:从生活缴费到复印,从传真、购票到快递、取款等,几乎覆盖了生活的各个方面。这种一站式服务的便利店,已成为日本社会不可或缺的组成部分。

其次,集成了最先进的技术与管理方式。日本便利店高度重视引进先进技术,不断更新的结算体系和信息网络,是其重要经营特征。便利店还与现代化管理方式如影随形,在其管理体系中,随处可见戴明质量管理(PDCA)和丰田精益生产方式的影子。例如,为确保食品质量,7—11建立了专用工厂和差别化物流体系,其在日本国内的181个食品工厂中的167个为专用;150个配送中心承担着差别化物流供应,按照不同商品以不同温控标准和频率送货。每日3次送货的,既有20摄氏度恒温的盒饭类,也有5摄氏度恒温的牛奶类。

再次,通过差异化战略不断创造新价值。在产品生命周期不断缩短、商品种类日益丰富的背景下,开发自主品牌成为实施差异化战略的重要手段。目前,日本便利店的自主品牌占比近半。此外,日本国内有5.5万家门店,这些门店形成了庞大的信息网络,每个店铺都是一个重要信息模块,不断收集消费信息并形成大数据。据此,便利店能够不断调整经营战略、优化经营手段。

当然,日本便利店发展也并非一帆风顺。日趋严峻的老龄化已迫使其放缓国内扩张的步伐,而进军海外同样面临各种各样的挑战。最近7—11就被迫关闭了在印度尼西亚的全部店铺,退出该市场。正如7—11前任首席执行官铃木敏文所言,"我们的工作就是满足人们不断变化的心理，做不到这一点就会失败”。

构建可持续的经济社会①

近年来，在全球垃圾排放量不断攀升的大背景下，日本却出现了垃圾排放量连年下降的趋势。2015 年日本垃圾排放总量已经从 2000 年峰值的 5 483 万吨降至 4 398 万吨。日本人均垃圾排放量同样呈下行趋势，早在 2008 年就已降至每天千克以下。

其实，日本也曾有遭遇垃圾围城、甚至造成严重环境污染的痛苦经历。为解决垃圾问题，日本在 20 世纪 90 年代导入循环经济理念。1991 年，日本颁布实施了《资源有效利用促进法》，该法提出要把垃圾当作资源来对待，倡导把自主回收和循环利用作为垃圾处理的重要手段。2000 年，日本又提出构建“循环型社会”的目标，即从可持续视角出发，把垃圾处理贯彻到社会生产的源流、过程及最终处置等整个过程，推行实施“减少原料、再利用及循环利用”等三大解决方案。

在这种新理念指导之下，日本垃圾处理系统出现了许多新特征。

首先，确立了明确的指标体系，形成了资源生产效率、循环利用率以及最终处理量等三大指标。2014 年资源生产效率约为每吨资源创造 37.8 万日元的增值，这相比 2000 年（24.8 万日元）提高了 52%；垃圾循环利用率约为 16%，2000 年该数字为 10%；垃圾最终处理量也从 5 600 万吨快速降至目前的 1 500 万吨，提前完成了政府的目标。

其次，市场化不断推进，民营企业逐渐成为主体力量。以垃圾收集业务为例，面向民营企业的委托占比已从 1988 年的 30%提升至 2015 年的 50%；相反，地方政府直营占比则从 50%降至 22%。从事垃圾处理的民营企业数量也不断增长，截至 2015 年已达 1.9 万家，从业人员超过 25 万人。

再次，垃圾分类越加细化，资源化减量与循环利用并进。其实，日本

---

① 张玉来：《日本垃圾排放何以连年下降》，《人民日报》经济透视（22 版），2017 年 9 月 25 日。

法律并未就垃圾分类作出明确规定，但作为垃圾处理负责机构的市町村自治体，为实现循环利用的目标，纷纷推出了趋于细化的垃圾分类方式。垃圾分类在 8 种以上的自治体多达 88%，16 种以上的达到 32%。

最后，垃圾处理还带来多种直接经济效益。一是政府不必再投资兴建垃圾处理设施。目前日本垃圾最终处理设施的剩余容量超过 1 亿立方米，可满足今后 20 年的垃圾处理能力。二是垃圾处理事业经费不断下降，已经从 2001 年的近 3 万亿日元降至 2015 年的 1.9 万亿日元，财政压力得到缓解。三是垃圾燃烧过程的余热利用及发电效果显著，在全国 1 141 家焚烧厂中，已有 765 家具备余热利用能力，垃圾年发电量也达到 82 亿千瓦时，相当于 255 万个家庭的用电量。

不过，日本垃圾处理也面临着一些新的考验，最突出的问题就是人口减少对原有垃圾处理系统，尤其是布局产生冲击，非经济性特征再现。此外，现有体系尚存的垃圾过度细分等问题也造成垃圾处理成本上升。

拓展老年阶层消费的考验①

日本政府公布的最新数据显示，5 月家庭消费支出再次出现 3.9% 的降幅，连续 4 个月下滑。事实上，自 2014 年 4 月消费税率提升至 8% 之后，日本家庭消费支出便一蹶不振，尽管去年有所改善，但年均增长率 4 年来一直未摆脱负增长状态，成为拖累日本经济的“老大难”问题。

日趋严峻的少子老龄化形势，是日本消费支出长期低迷的首要原因。2017 年日本人口较上年再减 37 万，人口下降趋势已持续了 9 年。与此同时，65 岁以上人口的总占比升至约 28%，是 14 岁以下人口的两倍多。这些依靠养老金和储蓄为生的老年阶层的消费意愿本来就比较低，健康长寿的“百年人生”趋势，更令他们走向“节约志向”。到 2025 年，二战后出生的所谓“团块世代”将全部超过 75 岁高龄，这种状况显然

① 张玉来：《日本面临如何拓展老年群体消费空间的课题》，《人民日报》经济透视（22 版），人民日报 2018 年 7 月 24 日。

不利于扩大社会消费支出。

对经济形势的担心也是消费支出低迷的重要原因之一。2012 年以来，日本经济走上温和复苏之路，实现了长景气周期，但由于内需不振，经济严重依赖外需的突出特征，令人们对未来充满担心。如今，贸易保护主义倾向不断加剧，更增加了日本经济前景的不确定性。

此外，日趋严重的财政状况已威胁到日本社会保障体系的稳定性，严重抑制了消费支出的扩大。最近，经济形势向好虽在一定程度上改善了日本财政状况，但其 1/3 支出仍依赖发行国债来填补。而且，老龄化导致社保费用不断膨胀，日本的财政规模仍不断扩大，日本政府被迫推迟了财政重建目标，今后削减个人福利的社保改革也恐在所难免。

网络销售、技术进步以及消费结构变化等也对消费支出产生了一定影响。网络消费普及带来了“亚马逊效应”，压低了物价水平，对扩大消费支出产生抵消作用。对其他电子产品替代性极高的智能手机的迅速普及，共享经济模式的推广等，这些技术进步也在事实上压缩了消费支出的总体规模。

不过，受整体经济环境改善的影响，短时间内日本消费支出将出现改善趋势。一是家庭实际收入与可支配收入最近两年已转为正增长，企业也继续上调工资。迄今为止，日本大企业已连续 5 年实现超过 2%的涨薪，中小企业调薪幅度也接近 2%。劳动力短缺和经营业绩向好，将继续推动企业对涨工资持积极态度。二是日本国会不久前通过了劳动方式改革方案，也将推动消费支出的增加，“限制加班”可以提升工薪族的消费潜力，不仅可扩大消费支出，还将产生劳动力缺口，有望进一步扩大就业；“同工同酬”也将大幅缩小正式与非正式员工间的收入差距，从而释放更多潜在消费需求，进而从宏观层面为经济增长提供动力。

当然，能否拓展老年群体的消费空间，仍是扩大消费支出的关键所在。眼下，老年健康商品与服务不断增加，而更智能的电子设备会更加方便老年人的使用，并将积极推动消费支出的增长。

转变经营战略的日本企业①

近年来,企业存款问题在日本饱受争议。据日本银行披露的数据显示,截至 2017 年 6 月底,非金融企业的现金及存款额度已攀升至 254 万亿日元(1 美元约合 111 日元)。事实上,这只是日本企业内部留存利润的部分构成。日本财务省调查数据显示,日本全行业企业内部去年留存的利润额已突破 460 万亿日元,为 1998 年的 3.5 倍之多。

日本企业为何偏爱存钱?这首先要追溯到泡沫经济的惨痛教训。20 世纪 90 年代之前,日本企业曾与政府部门一样长期处于资金不足状态,通常依靠银行借入家庭部门的存款来进行各种投资。泡沫崩溃之后,银行惜贷、撤贷成了普遍现象,遭遇融资困难的企业被迫转变财务战略。

首先,应尽力削减外部借款,同时不断充实自有资本以确保经营稳定。其次,技术进步和经济全球化也令企业经营风险不断增加,为更好地应对日趋激烈的竞争及各种危机,日本企业不断削减成本、增加内部利润留存,这一特点在 2008 年国际金融危机后更加明显。再次,缺乏新的投资领域或突破性技术创新,也是企业推高留存利润的要因。受少子老龄化趋势影响,日本国内市场呈现不断萎缩之势,汽车等主要产品销售不断下降。而且,近些年的新技术革命,如 IT、人工智能等均以美国为中心。最后,快速转向海外的日企还需要积蓄资本构建其全球经营体制,它们纷纷把拓展海外市场作为未来增长战略的核心,无论直接投资还是进行并购,都需要大量资本做后盾。

企业持续扩大留存利润对日本经济产生了重大影响。首先,它严重挤压了薪酬分配的占比,导致日本劳动分配率(劳动分配的 GDP 占比)连年持续下降,如今已从 1977 年峰值的 76%下滑至 61%,这是日本实际工资水平难以上涨的深层原因,造成占 GDP 六成以上个人消费长期疲

① 张玉来:《日企为何偏爱存钱》,《人民日报》经济透视(22 版),2017 年 11 月 30 日。

弱。其次，日本企业热衷海外市场，形成了产业空洞化现象，日企在海外的直接投资额目前已攀升至近1.4万亿美元，而制造业的海外生产比例则突破了25%。不过，它对日本经济的影响也并非全部负面：一是日本企业提升了自身的抗风险能力，强化了国际竞争力，夯实了日本经济基础；二是企业的海外投资获利逐步成为日本经常收支盈余的重要支柱，2015年包括海外专利收入及投资获利，日本所得收支规模第一次突破20万亿日元，有效冲抵了贸易赤字。

企业增加存款并非日本独有的现象。近年来，欧美企业也普遍扩大了现金存款规模，其中，德国企业存款规模甚至超过该国GDP的8%。如何解决这一问题似乎正成为世界性难题。日本早在鸠山内阁时期就曾提出要专门征税的主张，但由于有重复征税之嫌，至今也未能落实。看来，更深层次的结构改革，恐怕才是让企业削减存款规模的最佳手段。

日本经济的温和复苏与新考验①

日本政府最新公布的今年第一季度实际国内生产总值(GDP)环比下跌0.2%，按年率计算下滑0.6%。这是2015年第四季度以来日本经济首次出现负增长。不过，市场普遍认为此次经济减速是临时性的，日本经济温和复苏的态势没有改变。

第一季度日本经济下滑是内需不振以及出口增长放缓所致。近期对经济增长拉动作用显著的电子设备等出口增幅明显放缓，反映出日本经济依赖外需的弱点一直没有改变。全球智能手机一季度出货量呈两位数下降，致使包括零部件在内的日本电子设备出口同样出现两位数下挫，并导致其出口增幅大幅下降。最重要的问题还是内需疲弱。作为内需三大主力的个人消费、企业设备投资及住宅投资等全面下滑，GDP占比超过六成的个人消费时隔两个季度之后再次转负，这与其间大雪及寒

① 张玉来：《日本经济一季度减速》，《人民日报》经济透视(22版)，2018年6月1日。

流等天气原因对整体消费形成抑制作用密切相关。

市场对于此次经济下滑并不悲观,原因有两方面。一方面,是因为计入该负值之后整个2017财年实际经济增长率仍保持了1.5%,超过当前1%的潜在经济增长率。另一方面,也是更重要的,是一些令日本经济企稳回升的积极因素逐步显现。

首先,企业收益状况继续呈现向好态势。日本上市企业纯利润同比大增35%,连续两年刷新纪录。其中,创下历史最高利润的企业数量超过1/4,全部32个行业中有25个实现利润增长,整个制造业利润增幅超过50%。

其次,完全就业状态继续保持,劳动者报酬呈增长趋势。当前日本失业率继续维持在2.5%低位。企业盈利与劳动力短缺共同推动劳动者报酬上涨,一季度增幅已达3.2%,创20年来新高。

再次,个人消费与设备投资回升将推动内需扩大。由于女性和老年人劳动参与率的上升,日本实际就业人口创下历史新高,这不仅有效提高了潜在经济增长率,也使家庭部门实际收入不断扩大,有望推动个人消费稳步回升。鉴于人手不足、成本上升以及东京奥运等因素,拥有大量资金的企业将更愿意通过扩大设备投资来提升劳动生产率。此外,迅速增加的外国游客也成为扩大国内消费的重要推力,2017年外国游客消费总额同比增加17.8%,2018年前4个月,访日游客数量就已突破1 000万人次。

最后,近期国际贸易风险降低以及日本对外战略调整也对其贸易发展形成利好。4月,日本出口同比增长7.8%,相比前两月大为转好。中国扩大对外开放以及关税大幅下调,也将对日本对华投资与出口形成提振。以跨境电商为例,当前日本对中国市场规模已达1.3万亿日元(100日元约合5.8元人民币),增速25%。此外,日本正在积极推进自由贸易化进程也有利于经济增长。

但是,日本经济仍面临内外诸多严峻挑战。美国的贸易政策冲击给依赖外需的日本经济带来很大不确定性,国内相关改革也迟迟没有进展，财政重建计划甚至被推延至 2025 年，此前的 2019 年消费增税、2020 年奥运景气结束等，都将成为考验日本经济的重要节点。

（本章内容系笔者 2015—2018 年发表在

《人民日报》上的系列署名文章）

第三章　产业空洞化与日本经济困局

20 世纪 90 年代初期泡沫经济崩溃之后，日本企业再度发力向海外市场进军，出现继 1985 年广场协议大举进军海外市场后的又一次高潮，稍有不同的是，东南亚以及中国等发展中国家成为目的地，这主要是为了降低经营成本。2011 年东日本大地震之后，由于国内产业环境大幅恶化，进一步推动日本企业加速向海外市场转移。

本次大震灾堪称一个重要节点，日本国内经济产业环境发生巨大变化：供应链断裂、福岛核危机、核电停运导致电力紧张、税收压力加大等，不断涌现的新问题又与日本经济“沉疴”——内需不足、财政失衡、增长低迷等问题交织在一起，导致日本国内经济环境急剧恶化。当时的外部环境也让日本出口受到威胁，欧债危机、美国经济复苏乏力、危机四伏的全球经济环境导致日元不断升值。在重重困难之中，进军海外、融入经济全球化浪潮对日本企业充满魅力，成为首要选项。面对企业纷纷“离开日本”，日本政府迎来了史无前例的产业空洞化困局。

一、震后产业环境大幅恶化

2011 年 8 月 30 日，日本民主党总裁选举中，曾任财务大臣的野田佳彦出人意料地击败了其他四位对手，这就意味着他已经当选了民主党上台仅两年的第三任首相。不过，意料之中的是，野田政权将面对堆积如山的执政难题。

三重困扰交织：新老问题与外部环境恶化

在经济领域，内需不足、增长低迷、财政失衡等老问题尚未解决之际，大地震所带来的经济重创、供应链断裂、福岛核危机、电力能源紧张等新问题又叠加而上。而且，外部的世界经济形势同样异常严峻：欧洲危机愈演愈烈、美国经济复苏乏力、新兴经济体面临减速，这些因素都直接导致了大地震之后日元出现了持续升值的怪象。

在上述三重压力之下，导致日本企业面对着严重恶化的国内经济产业环境，这是史无前例的。如今，是否"离开日本"已经成为日本企业战略重构的关键所在，因为选择"留在日本"，企业就必须面对日元升值、税收增加、电力能源约束，以及老龄少子化带来的一系列问题。在这种形势之下，日本政府正面对前所未有的产业空洞化趋势，它成为野田政权的最大经济困局。

6 月 24 日，日本政府公布了此次大地震的经济损失为 16.9 万亿日元。[①] 这是以受灾地区及相关省厅政府机构所收集的信息为依据，对此次地震损失所进行的重新测算。它主要包括建筑物受损、社会基础设施、生活管网设施以及农林水产相关损失，但未包括福岛第一核电站核事故损失。尽管震后日本主要经济指数，如消费市场、工矿业生产指数等迅速恢复，但此次规模空前的大地震给日本经济，特别是其国内产业环境造成了严重影响，严峻的电力紧张形势、仍未得到妥善处理的核泄漏问题、脆弱的供应链体系、政府的债台高筑，这些负面因素都严重恶化了日本的产业环境，而且，与外部经济形势密切关联的日元升值压力也日趋严重。

---

① 内閣府．東日本大震災における被害額の推計について[R]．内閣府政策統括官（防災担当），平成 23 年（2011）年 6 月 24 日．

灾后重建和消费回升好于预期

根据日本统计局所公布的 4 月份数据显示,CPI 环比增长与同比增长均为 0.3%,没有出现大幅波动或异常。另据 BCN 公司的一份调查显示,2011 年 5 月份日本数码家电及电脑等市场消费已恢复震前水平,5 月最后一周甚至同比增长了 7%,受灾地区也基本恢复到去年同期水平。① 而且,由于从 7 月开始,日本将全面停止发射模拟电视信号,因此,新型数字电视销售预计将出现大幅增加,从而拉动消费增长。

大地震之后,受到消费者信心急剧恶化、自肃情绪蔓延、供应链断裂导致供应不稳等因素影响,3 月份日本个人消费大幅下降。但在 4 月份之后就开始缓慢回升,个人消费呈现出 V 字形回复,到 7 月份就已经基本恢复到震前 2 月份的水平(图 3 - 1)。日本消费者日本工业生产恢复

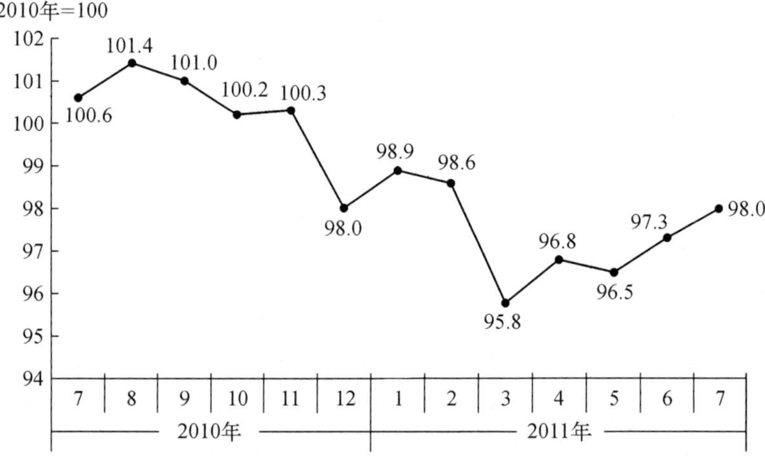

图 3 - 1　大地震之后日本实际个人消费支出指数变化

资料来源:日本経済産業省.産業活動分析(平成 23 年 4—6 月期)経済産業省大臣官房調査統計グループ経済解析室,p51.

① 河合基伸.震災の影響でデジカメの市場シェアに変化、BCNの国内家電調査[N/OL].Tech-On! 2011 年 6 月 14 日:http://techon.nikkeibp.co.jp/article/NEWS/20110614/192572/.

速度超过了经济学界的普遍预测，此前，业界普遍认为，日本工业生产要到 2011 年秋季才能恢复到震前水平。

工矿业生产指数 V 字形回升

作为工业生产状况的风向标，日本工矿业生产指数在大地震之后也出现了连续四个月的环比上涨。以 2005 年为基数，发生大地震的三月份，日本工矿业指数由 95 骤降至 70，受灾地区甚至接近于 65 的谷底（图 3－2）。但从 4 月份开始，该数值便迅速回升，并一直保持到 7 月份。6 月份，日本工矿业综合指数已经达到 92.6，该数值已经超过了 2010 年 10 月份的 92.4，也就是说，日本的工矿业生产已经基本恢复到震前的水平。7 月、8 月的日本工矿业生产指数均超过了 93。①

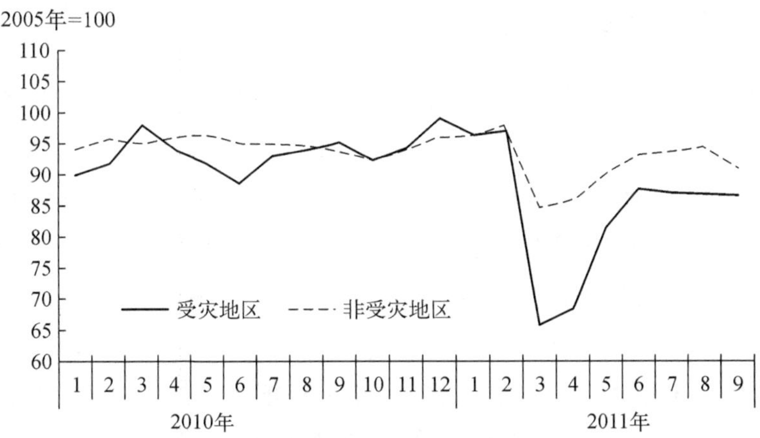

图 3－2　大地震之后日本工矿业指数变化趋势

资料来源：日本経済産業省．震災にかかわる地域別鉱工業指数（9 月分確報）の試算値について，2011 年 11 月．

电力供应形势变得严峻

福岛第一核电发生泄漏事故之后，日本政府立即要求所有核电站依

① 日本経済産業省．震災にかかわる地域別鉱工業指数（9 月分確報）の試算値について[R]．日本経済産業省平成 23 年 11 月 14 日．

次进行定期检查。日本民众也掀起了反对核电的浪潮，特别是那些核电所在地区的地方政府面对着极大压力，于是，它们普遍对于重启核电持谨慎态度，这就导致定期检查合格的核电站也不能重启。为此，时任经济产业大臣海江田万里还专门发表讲话，呼吁地方政府理解和同意重启核电，但未能如愿。依此趋势，今年夏季的用电高峰，日本 54 座核电机组中还有 14 座在运转，但到 2012 年春季，所有核电机组恐怕都将停运。这对核电占总发电量 29%的日本电力供应体系而言，将形成严峻考验。

根据日本政府经济产业省的测算显示，若停运日本全部核电机组而以火电代替的话，仅发电成本就将增加 3 万亿日元。而且，电力成本的增加，也势必推升各种半成品的价格，这将导致日本的生产总成本会增加 7.6 万亿日元。① 这种成本论，也成为日本政府难言“弃核”的重要原因。

福岛核事故处理缓慢艰难

10 月 17 日，日本政府和东京电力公司不得不修改了半年前所制定的核事故处理日程表。4 月 17 日，也就是 3 月 12 日福岛第一核电站 1 号机组发生爆炸一个多月之后，东京电力公司公布了核事故处理日程表：第一阶段要切实冷却原子炉、减少放射性物质排放，时间为 3 个月左右；第二阶段将原子炉温度控制在 100 度之内、大幅抑制住放射性物质的泄漏，时间为 3—6 个月。

然而，半年之后，第二阶段的 10 个考核项目仅仅完成了 3 项。② 日本核事故处理形势依然非常严峻，它仍然面对着人员辐射、放射性物质扩散、污染水急待处理、原子炉温度控制不稳定等四大难题。早在 6 月，东电公司向日本政府厚生劳动省提交了人员辐射报告，曾在福岛第一核

① 経済産業省.大震災後のわが国の産業競争力に関する課題と対応(資料 4)[R].経済産業省 2011 年 6 月 22 日：http://www.meti.go.jp/committee/summary/0004660/23_002_04_00.pdf.

② 読売新聞.冷温停止「年内」明記…放射性物質の放出半減[N].読売新聞 2011 年 10 月 18 日：http://www.yomiuri.co.jp/feature/20110316-866921/news/20111017-OYT1T01145.htm.

电站工作过的 3 726 名员工中，已有 2 367 人接受检查，其中 102 人超过 100 毫希弗的原辐射上限。污染水更是核事故处理的重点内容，5 月底，福岛第一核电站的核污染水总量就超过 105 100 吨，存储容量已经非常饱和。此外，放射性物质扩散问题也非常严重，自日本多地发生茶叶遭受核污染之后，6 月 14 日，日本国家电视台 NHK 又爆出"16 个地方的下水淤泥遭到放射污染"，而且东京遭受污染仅次于核事故发源地的福岛。①

据日本内阁府核能委员会的分析指出，福岛第一核电站 1—4 号核电机组的废炉时间将耗费 30 年以上，

规模以上企业复苏迅速

根据受灾程度、供应链特征以及企业自身应急能力的不同，震后日本各个产业的恢复程度与速度也不尽相同。大地震发生一周之后，个别企业就实现了部分复产，如弘前航空电子、尔必达存储公司等。自 3 月下旬开始，实现部分复产的企业也开始增多，如冈本硝子、NEC 东北、小松机械、日产汽车、瑞萨电子等公司。进入 4 月之后，汽车等供应链较长的产业也陆续部分复产，如本田、丰田等企业，其中，日产公司甚至实现了国内工厂全部复产，只是产量仅是震前的一半。截至 5 月初长假之后，日本大部分企业均恢复生产。

此次大地震中，受灾严重的是半导体、电子以及汽车产业，如瑞萨电子和丰田就分别代表了电子和汽车产业。作为全球微处理器（MCU）产业的龙头企业，瑞萨电子公司在此次地震中有八个生产基地受到损害，其中，以车用 MCU 生产为主的茨城县那珂工厂受损最重。瑞萨电子的车用微处理器市场占据了全球 40％份额，因此，其停车甚至一度造成全球车用 MCU 供应停滞，引发了业界的普遍关注。丰田、日产等汽车企业甚至派遣工程师支持瑞萨电子的灾后复产。9 月，该公司产量已恢复到

① NHK. 汚泥に放射性物質 16 自治体[N]. NHKオンライン，2011 年 6 月 14 日：http://www3.nhk.or.jp/news/genpatsu-fukushima/20110614/1925_odei.html.

震前水平，比原计划提前了一个月。

作为全球最大的汽车厂商之一，丰田公司也因其子公司及零部件厂在大地震中受损严重受到拖累。3 月 14 日—3 月 26 日，在日本的丰田旗下所有工厂全部停产。4 月 5 日，丰田宣布，因 500 种零部件缺货，国内仅堤工厂和九州工厂复产，而且车型也仅限三款混合动力。① 上述缺货零部件主要是电子部件、橡胶以及树脂零部件。自 4 月 18 日开始，丰田陆续开启国内所有工厂。6 月 17 日，丰田章男社长宣布国内生产将于“7 月恢复到年初计划水平”，但北美地区全面复产最迟，将在 9 月份恢复正常水平。

小企业破产增多、大企业利润受损

根据日本帝国数据银行的调查显示，截至 4 月末受大地震影响而破产的日本企业达 66 家，是 1995 年阪神大地震的 3 倍。不过，在破产企业中 60 家是受地震“间接影响”而破产的。② 大地震 7 个月之后，即截至 10 月 10 日，受此次大地震影响而破产企业已经增至 394 家（表 3 - 1）。考虑到电力不足等因素的影响，今后破产企业数量可能会继续增加，特别是总部设在东北三县（即岩手、宫城、福岛）等太平洋沿岸的企业多达数千家。破产企业中，多是与汽车产业相关联的制造业中小企业，这也再次证明日本汽车产业在此次地震中受损严重。

表 3 - 1　因日本大地震而破产企业（截至 2011 年 10 月 10 日）

统计时间	件数	上月比（%）	负债（百万日元）	员工数（人）
2011 年 3 月	15	—	19 049	344
2011 年 4 月	51	—	18 657	885

① 林達彦. トヨタが500 品目の調達に支障、北米生産は継続[N/OL]. Tech-On!，2011 年 4 月 5 日：http://techon. nikkeibp. co. jp/article/NEWS/20110405/190872/.

② 帝国データバング. 東日本大震災による倒産、4 月末時点で66 社判明[R]. 帝国データバング，2011 年 5 月 6 日：http://www. tdb. co. jp/report/watching/press/p110501. html.

续表

统计时间	件数	上月比(%)	负债(百万日元)	员工数(人)
2011 年 5 月	66	29.4	31 780	991
2011 年 6 月	79	19.7	33 864	1 093
2011 年 7 月	50	−36.7	28 117	619
2011 年 8 月	61	22.0	474 444	1 993
2011 年 9 月	38	−37.7	13 981	639
2011 年 10 月	13	—	6 572	275
合计	373	—	625 464	6 839

资料来源：TDB. 第 13 回「東日本大震災関連倒産」の動向調査[R]. 帝国データバンク，2011 年 10 月 11 日.

大企业也普遍出现了利润受损现象，尤其是汽车产业。而且，从整车企业的利润预测中，也可以看到另外一个特征：海外生产比例甚至直接影响了公司的利润表现。例如，日产汽车营业利润受到地震的影响最小，其同比降幅仅为 14%，仍能实现 4 600 亿日元利润，超过了丰田汽车的 3 000 亿和本田公司的 2 000 亿。日产汽车的海外生产比例高达 71.6%，而丰田却仅为 55.9%，也就是丰田汽车全球销量的将近一半都在日本生产(表 3 - 2)。

表 3 - 2　日本八大汽车厂商 2011 年度(2011. 4—2012. 3)业绩预测 (亿日元)

	营业利润	上年同比(%)	纯利润	上年同比(%)
丰田	3 000	−35.9	2 800	−31.4
日产	4 600	−14.4	2 700	−15.4
本田	2 000	−64.9	1 950	−63.5
五十铃	800	−9.3	650	26.0
铃木	1 100	2.9	500	10.7
大发	850	−17.8	370	−29.6
日野	350	21.1	120	—
马自达	200	−16.1	10	—

资料来源：日本経済新聞 2011 年 6 月 23 日。

二、经济与产业发展转型压力加大

这场大地震不仅重创了日本经济,同时也对已是累卵之危的日本财政形成巨大压力。不过,另一方面,大地震也对日本的产业转型与技术创新产生了巨大推动力。目前,日本各界已经开始深入反思日本政府于2010年提出的《新增长战略》,各层面的战略调整正在展开。

经济脆弱性被再次确认

2010年日本政府在制定《产业结构蓝图2010》之际,将日本经济的结构性问题归结为三点,即产业自身结构问题、企业经营模式问题以及国家商务环境问题等。然而,此次大地震却又暴露了一系列新的问题,如其国内电力供应体制问题、曾令其引以为豪的JIT供应链脆弱性问题、核事故所反映的信息系统问题、日本品牌危机问题以及国内产业空洞化问题。

日本经济转型规划中提出了"四大转变"的方针。一是产业结构的转变,确立了五个增长领域,即基础设施出口型产业、环境能源型产业、文化产业、健康医疗育儿产业、尖端产业;二是企业经营模式的转变,即从原来"垂直一体化磨合型"转向"模块化分工模式",从"切磋琢磨型"转向政府支持的"选择与集中决策型";三是国家商务模式的转变,通过法人税改革和强化物流体系等措施,提升日本国内商务环境质量,打造成"强现场型"商务模式;四是彻底转变政府职能,构筑起最大活性化市场的新型官民合作模式。[①] 2011年1月25日,菅直人内阁通过《新增长战略2011》,进一步充实和完善了日本经济转型战略。

然而,此次大地震中暴露出日本经济体系的脆弱性,特别是以核电

① 産業構造ビジョン2010(産業構造審議会産業競争力部会報告書)[R]. 経済産業省2010年6月,pp33—38.

为目标的能源供应体系存在巨大安全隐患，而且，模块化生产也带来了供应链的安全问题。

国家战略被迫调整

大地震之后，日本政府深刻认识到其将面对国际竞争力下降和产业空洞化的严峻问题，为此，以“防止产业空洞化”与“创造和强化新的增长点”为两大支柱，日本政府积极寻找国家发展的新战略。

为了防止产业空洞化加剧，日本政府制定了如下三项具体措施。

首先，从强化产业竞争力视角出发，大力推进能源改革。供电紧张问题已被日本政府定位为今后经济增长的最大课题，它决定从多个角度实施改革与创新，彻底解决这个问题，其措施包括：重建用户主导的节电环境、促使电力供应分散多样化、扩大用户的选择方式、强化应急基础设施能力、开发新能源和环境技术、促进能源产业的创新发展。

其次，强化供应链的应对能力。具体措施包括：支持单一供应商的生产基地分散化和复线化；鼓励企业通过重组或共同经营，创建全国范围的分散生产基地；推动供应商之间建立灾害应急替代供应合同体制；鼓励非核心部件的通用化和可替代化、上下游产业的一体化开发；推进供应链构建 BCP 机制（business continuity plan）。

最后，优化日本国内的投资商务环境。具体措施包括：尽快降低高达 40%的法人税，优化日本的商务投资环境；加速推进日本的国际经济一体化，如环太平洋的 TPP 组织、中日韩的 FTA 组织、日欧之间的 EIA 组织；落实日本政府 2010 年制定的《日本国内投资促进项目》，促使汇率稳定、支持增长型产业落户日本、优化相关规制手续、推进日本商户环境竞争力。

为了培育新的经济增长点，日本政府也出台了三项措施支持日本企业增强其国际竞争力。一是对开拓海外市场的支持，领域包括基础设施出口、魅力日本战略、新兴市场开拓、维护国际知识产权、中小企业海外发展等。二是支持培育新的领域，包括开发 IT 新体系、生活创新等领先世界的技术和项目。三是加强人才与技术层面的支持力度,支持构建新的产官学合作体制、以国际标准为目标的知识产权战略。

产业转型步伐开始加快

大地震之后,严峻的经济产业环境也在迫使日本产业转型加快步伐,这主要体现在如下方面:

首先,日本能源战略将面临全面转型。福岛第一核电站的核泄漏事故彻底打破了日本的核电安全神话,它对世界核电发展也产生了深远影响,德国、意大利等国已经宣布"弃核"方针,这些因素反过来又对日本国内产生极大影响。由于对核电发电量占比高达29%,所以,日本政府在短期内是难以也不愿放弃核电事业,但它又面对着日本民众及地方政府的强大"弃核"压力。在这种背景下,新能源将获得极大发展空间。如日本软银公司总裁孙正义已经向首相建言,应大力发展新能源,放弃核电。

其次,伴随电力体制改革带来的关联技术创新。受电力紧张影响,日本政府不仅考虑要实施供输分离的电力体制改革,而且加大对家庭引进太阳能发电的支持力度,鼓励企业错峰用电等,这些措施不仅会推进日本智能电网系统的发展,而且对新能源汽车、LED节电产品普及、太阳能、风能以及可再生能源开发等产生积极作用,推进相关技术创新。目前,在太阳能电力转换技术方面具有领先优势的东芝公司,于5月30日宣布,将销售面向家用的一款附带铅蓄电池的太阳能发电系统①,该系统可以应对因灾害或供电紧张的停电,并符合日本智能电网系统标准,而且,将来还会推出更高效的锂离子蓄电池。

此外,日本传统经营模式将根本创新。此次大地震也极大冲击了日

① 狩集浩志. 東芝、戸建て住宅むけ鉛蓄電池付き太陽光発電システムを三洋ホームズに供給[N/OL]. Tech-On! 2011年5月31日: http://techon.nikkeibp.co.jp/article/NEWS/20110531/192228/.

本传统的JIT供应链体制，也对企业经营模式产生重要影响。在日本政府积极主导实施零部件的通用化、标准化和分散化政策影响下，日本企业将对JIT供应链体制进行调整，传统的垂直一体化分工体制也将在此次调整中受到极大影响，因此，日本式经营模式将发生转型。

企业技术创新动力增强

为了弥补因地震造成的损失，日本企业除了积极恢复生产之外，也增加了对技术创新的投入。以汽车产业为例，日本汽车厂商纷纷采取增招临时工以及假期开工的方式，扩大生产、弥补震灾损失。如丰田公司于2011年7月中旬开始增招3 000—4 000名临时工，本田也于10月增招1 000人规模的临时工，日产、三菱、富士重工、马自达等公司也有不同程度增招。与此同时，各家公司还纷纷推出假日开工措施，如7月开始，马自达的总部(府中)和防府工厂、本田的浜松变速机工厂、日产的横须贺追浜工厂等将实施，丰田公司也表示将在8月开始实施。

与2010年同期相比，企业设备投资意愿明显加强。据《日本经济新闻》报道，2011年1—3月的调查显示，日本全产业的设备投资意愿尚为负值(上年度同比)，大地震之后则提升至5%；制造业改善更为明显，大地震之后已经由原不足2%骤增至7%；非制造业的设备投资意愿同样

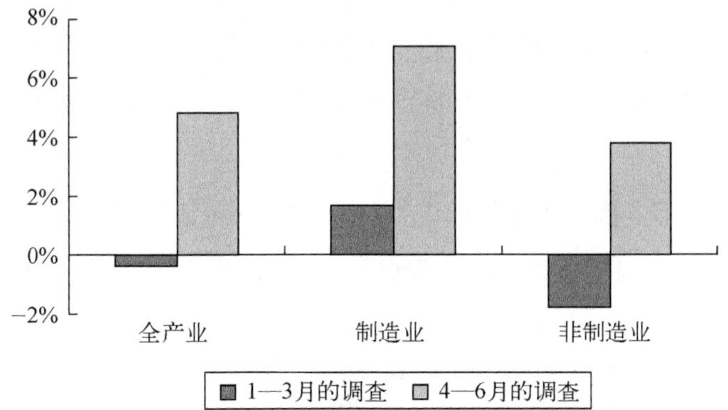

图3-3　大地震之后日本企业设备投资意愿(2011年)(单位:%)

资料来源:日本経済新聞.2011年6月17日。

猛增,由原来负的2%转变为正的4%。①

三、海外转移成企业战略重构的显著特征

日本企业大规模向海外进军主要是从1985年广场协议之后,当时受日元大幅升值的推动。然而,2011年大地震之后,则是因为国内经济产业环境的迅速恶化而迫使日本企业向海外谋生路的特征,主要是以产业"六重苦"为代表。

企业经营战略调整

面对震后新的国内经济产业环境,诸如供电形势日趋紧张、核事故处理不顺畅、国内消费长期低迷、未来还可能会发生地震等问题,日本企业纷纷调整自身发展方向,重构战略发展框架。

6月3日,夏普公司提出了"全面转向高增长领域"基本战略。夏普首先对液晶事业实施彻底改革:放弃普通液晶产品(40英寸以下),转向突出"两个重点"战略:一是面向智能手机和平板电脑的小型液晶面板,二是大型电视、电子显示板以及电子黑板的60英寸以上液晶面板。片山干雄社长明确指出,夏普"必须转向高附加值领域,而摆脱低端领域"。② 日前,亀山第一工厂大型液晶生产设备已卖给中国南京熊猫电子公司,确立了第六代连续晶粒硅生产线;亀山第二工厂也转向第八代液晶玻璃基板生产线;位于大阪的堺工厂则更是以第十代液晶玻璃基板生产为主。

6月17日,丰田公司宣布进行组织改革,重点是强化技术开发。为了适应汽车产品的未来技术发展趋势,丰田强化了IT部门,将信息事业

① 法人企業景気予測調査[N]. 日本経済新聞,2011年6月17日.

② 佐伯真也. シャープが液晶事業の構造改革を発表、「成長性の高い分野へシフト」と片山社長[N/OL]. Tech-ON! 2011年6月3日: http://techon.nikkeibp.co.jp/article/NEWS/20110603/192329/.

本部与信息系统本部合并为IT本部，以加强公司的IT能力。同时，还对研发部门进行了改革，将商品开发本部更名为制品企划本部，废除了长期以来的三大开发中心体制，重新整合了自身开发能力。

7月1日，东芝公司宣布重组旗下所有存储相关事业，归结为一家子公司管理。东芝成立一家新的子公司，统领其HDD、SSD以及NAND等各种存储介质相关事业。其目标是通过重组来提高经营效率，降低管理成本，并提高整体研发能力。

除上述企业内部战略调整之外，企业间的战略重组也开始出现。6月7日，朝日新闻报道了东芝与索尼公司正在探讨统一双方中小型液晶面板事业，并借助政府力量，将在年内成立一家新的公司。如果两家公司合并该事业的话，将超过夏普公司而成为全球最大的中小型液晶面板生产商。

海外转移成企业战略重构特征

事实上，自2010年夏季开始，日本制造型企业就加快了向海外转移的速度，这主要是受2008年美国金融危机影响的结果。此次大地震更加剧了这种趋势，据日本经济产业省实施的一项调查显示，对“大地震后是否会加速向海外转移生产”回答中，肯定答复的企业已占到69％。①

另据日本经济产业省《海外事业活动基本调查》(2010年度)数据显示，2009年度，日本制造业的海外生产总比例为17.2％(跨国企业海外生产比例为30.7％)。根据不同产业来看，食品、木材、造纸、石油煤炭、金属制品等仅为不到5％，相反，机械比例较高，特别是信息通信机械为26.1％、运输机械为39.3％。② 大型企业的海外组装生产活动，已经占到相当大的比例。以汽车为例，本田为72.9％、日产为71.6％、铃木为61.5％、丰田为55.9％，本田、日产以及铃木的海外生产均已经过半。

---

① 海外移転阻止へ補助金—経済省成長分野支援強化[N].朝日新聞，2011.6.22.13.

② 経済産業省.第40回海外事業活動基本調査(2010年7月調査)概要[R].2010年7月，p6.

在日本企业制定的新战略中，重新布局生产基地，特别是向海外转移成为鲜明特征。如掌舵铃木汽车30多年的铃木修会长表示，将实施工厂分散化战略，“一半留在国内，一半转向海外”，该计划甚至包括研发中心在内。① 向海外转移成为发展趋势，很多企业迈出了“离开日本”的步伐。其中，中国继续成为日企海外转移的重要地区。据日本经济新闻转引中国商务部最新统计数据显示：2011年1—10月，外商对华投资达到950亿美元，同比增长15.8%。其中，日本投资增长率最高，达到65.5%(57亿美元)。②

日企对外投资出现新特点

与以往不同，此次日本企业海外转移出现了新的特征：一是产业链安全成为全球战略重构核心，这既包括对投资地区基础设施的考核，也包括对企业全球布局安全性的考量，特别是泰国洪水之后；二是转变传统投资方式，投资并购(M&A)成为日企重要手段，这既可以有效利用日元升值带来的“效益”，而且，在速度上也大大优于传统投资模式；三是将战略新兴产业也纳入海外投资框架，迈出了前所未有的关键步伐。

第一，重构全球战略布局，产业链安全成核心。

受日本大地震以及7月以来泰国洪水影响，产业链安全成为日本企业全球战略重构的核心，电力供应以及交通条件等基础设施条件、自然气候条件、全球布局的合理性等都成为重要因素。

在重构全球战略布局方面，日产汽车走在了最前面。作为日本国内市场的主力车型，日产玛驰(MARCH)已经采取纯粹的“逆进口”方式，该车的研发中心、生产中心全部设在了泰国，如今，除传动设备之外，90%的零部件采购已经实现了本地化供应。不仅如此，日产汽车

① 西村豪太他.特集　日本車が消える[J].週刊東洋経済，2011年9月24日(6348号)，pp46—47.

② 日本の対中投資熱再び[N/OL]日本経済新聞，2011.11.17：http://www.nikkei.com/news/special/article.

还决定将其旗下最先进技术的纯电动汽车聆风(LEAF)生产转移海外,将于2013年开始在英国和美国制造,甚至其最关键部件的电池将于在美国、法国和葡萄牙生产。[①] 在全球化战略方面,日产一直倾向于扩大海外生产,这也是日产在此次大地震中受灾程度最轻的重要原因。

为了构筑安全的全球产业链,很多日本企业基于自身生产特征以及全球市场布局的考虑,纷纷迈出了“离开日本”的步伐。例如:4月19日,森精机公司宣布与中国沈阳机床和德国DMG三家合资在中国建立新工厂;5月17日,神户制钢公司宣布投资无锡压缩机公司,扩大中国市场;5月30日,日立医疗公司宣布将向中国投资30亿日元建设医疗器械工厂;6月16日,新日铁公司宣布向泰国投资3亿美元,在当地建厂生产钢板工厂;6月17日,马自达宣布将向墨西哥投资5亿美元建厂,产能为14万台;6月23日,日立化成公司宣布向中国投资5亿日元,在烟台建立锂离子电池碳负极生产基地。

第二,重视并购策略,发挥资本积累优势。

2010年以来,日本企业海外并购(M&A)投资势头明显增强。2011年1—6月份,日本企业M&A金额已达到945亿美元,增长率超过欧美以及亚洲。其实,日本企业这股海外并购热潮既有此次大地震的影响,同时也与日本国内市场长期日益萎缩密切相关。为了分散企业的收益之源,日本企业再度选择进军海外的战略,与以往稍有不同的是,M&A成为它们的首选战术。

根据调查公司Dealoqic的数据显示,今年上半年,全球企业并购投资总金额为1.46万亿美元,同比增长18%。全球各地区均呈现增长势头,其中,美国同比增长34%、欧洲为19%、亚洲也出现6%的增长,而日本增长率最高,达到79%。根据上半年的投资额来测算,2011年度日本企业的M&A投资将达到2 000亿美元规模,成为连续6年来,首次同比超过上年水平(1 313亿美元)。美林集团(Merrill Lynch)日本证券

① 日本経済新聞.戦略車は2つのマーチ[N].日本経済新聞、2011年7月1日号.

M&A 负责人若悦雄一郎指出,正因为这场大地震,日本企业才认识到分散事业区域以及海外发展战略的重要性。

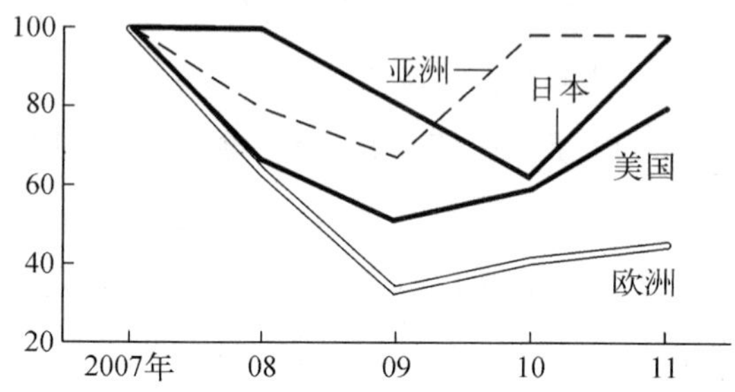

图 3-4 世界 M&A 投资发展趋势(2007—2011 年 6 月)

资料来源:日本経済新聞,2011 年 6 月 25 日。

注:以 2007 年为参照 100;2011 年数据仅为 1—6 月的半年额。

在海外投资上,日本企业所以青睐并购方式,主要包括三大原因:一是日元持续升值,大地震之后日元升值势头愈演愈烈,从 3 月 10 日的 1 美元对 82.9 日元上升至 11 月 21 日的 76.8 日元,升值幅度达到 8%;二是投资基金在金融危机期间收购企业的投资开始回收,这有利于日本企业选择投资对象;三是长期以来日本企业积累了大量剩余资金,据日本银行资金循环统计数据显示,2011 年 3 月底日本民间企业现金存款达 211 兆日元,表明其手头资金非常充裕。在这种有利的环境下,日本企业纷纷制定中长期战略投资计划,表 3-3 是 2011 年 1—9 月期间,日本企业海外购并的十大典型案例,涉及产业领域非常广泛。

表 3-3 日本企业海外并购(M&A)大型案件(2011 年 1—9 月)

(单位:百万日元)

收购企业	行业	被收购企业	行业	收购金额
武田药品工业	医药	奈科明(瑞士)	医药	1 108 608
TERUMO(泰尔茂)	精密	Caridian BCT(美)	精密	216 273
麒麟 HD	食品	Schincariol(巴西)	食品	198 800

续表

收购企业	行业	被收购企业	行业	收购金额
东芝公司、产业革新机构	电机	Landis Gyr(瑞士)	精密	186 300
新日本制铁、JFE 钢铁、双日等	钢铁	CBMM(巴西)	矿业	162 000
三井物产	综合商社	SM 能源(美)	矿业	152 411
伊藤忠商事	综合商社	德拉蒙德的煤矿(美)	矿业	126 500
朝日集团 HD	食品	FB-HD(澳)	食品	97 600
三井物产	综合商社	IHHSB(马来西亚)	服务	92 400
伊藤忠商事	综合商社	KF(英)	零售	82 262

资料来源:週刊エコノミスト,2011 年 11 月 1 日刊。①

第三,纳入战略新兴产业,实施产投的战略创新。

在此次日本企业的国际转移与对外投资浪潮中,还有一个非常显著的特征:战略新兴产业也被纳入到投资范畴,而不再像以前传统模式:将核心的战略新兴产业留在日本国内,而把一般产业转向其他国家。

以日立制作所为例,大地震近三个月后的 6 月 9 日,日立调整了公司于 2010 年制定的《中期经营计划》。此次调整主要包括三大核心:一是计划在 2010—2012 年期间,日立将在社会基础设施等五大战略新兴产业领域投资 1.77 兆日元,并在 2010 年基础上再追加 1 700 亿日元的投资储备;二是积极投资海外企业并购,特别是加大在亚洲与中东地区的发展;三是以此次日本大地震为借鉴,采取全球生产基地分散化的新体制战略。关于新的追加投资,日立明确规定:投资储备将用于信息通讯、电力、社会产业、建设机械、高性能材料等五大战略产业;此外还包括战略设备投资 8 800 亿日元和研发投资 4 700 亿日元(2011 和 2012 年度),

① 濱條元保、永野原梨香.「円高脅威論」どこ吹く風、「強い円」で海外市場を開拓[J]. 週刊エコノミスト2011 年 11 月 1 日号,p23.

而设备投资则主要用于扩充海外生产基地。① 在对外投资目的地选择中，日立确立了中、印、俄、巴（BRICs）以及越南、沙特、南非、土耳其等11个重点目标，它还将印度日立的企业法人升格为与北美、中国、新加坡等并列的级别。为增强成本竞争力，日立还计划扩大海外采购比率，由2010年36%提升为2012年50%；集团共同采购比率也由2010年28%提升至2012年35%。

即便是对于技术转移一直较为保守的丰田公司，面对严峻国内产业环境以及日元升值形势也开始转变战略。10月22日，总投资额将达6.89亿美元的丰田汽车研究开发中心（中国）有限公司（TMEC）正式奠基，它被丰田定位为在华"最高端要素技术"的开发据点，将以在中国普及环境技术为目标。② 丰田副社长新美笃志表示，今后，丰田仍将维持日本国内300万台生产体制，但丰田最先进的混合动力技术将部分转移到中国和美国，"设在江苏省常熟的丰田汽车研究开发中心就将成为丰田在中国的混合动力技术中心"。③显然，这对丰田而言，已经意味着向海外迈出了具有里程碑式的一步。如今，医疗、环境、新能源等战略新兴产业，也成为众多日本企业向海外发展的目标。

四、产业空洞化推升的创新转型

大地震之后，日本政府认识到日本将面临国际竞争力下降和产业空洞化的严峻问题，为此，以"防止产业空洞化"与"创造和强化新的增长点"为两大支柱，日本政府开始加速制定新的国家发展战略。

面对大批企业加速向海外转移的趋势，日本政府试图极力阻止这种倾向，以避免国内产业空洞化的加剧。6月22日，日本经济产业省作出

---

① 日本経済新聞．日立、投資1 700億円上積み10—12年度[N]．日本経済新聞，2011年6月10日。

② トヨタ自動車、中国の研究開発センターで定礎式を実施[N/OL]．トヨタ自動車，2011年10月22日：http://www2.toyota.co.jp/jp/news/11/10/nt11_1018.html.

③ トヨタ自動車、中国の研究開発センターで定礎式を実施[N/OL]．トヨタ自動車，2011年10月22日：http://www2.toyota.co.jp/jp/news/11/10/nt11_1018.html.

决定,对企业零部件分散化生产提供补助金、节电企业降低电费价格等措施,试图从供应链和电力需求等两大领域着手改善国内产业环境,尽量阻止日本企业向海外转移的步伐。

表 3－4　日本政府优化国内产业环境的紧急措施

强化供应链	电力需求对策
·增长型产业新设生产据点提供补助金 ·主要零部件厂商的分散化生产提供补助金 ·汽车产业零部件通用化实施设备投资补助金 ·对中小零部件厂商提供融资支持	·用电大户的节电部分,由电力公司回购 ·电力相关企业引入电力交易机制 ·支持导入住宅太阳能发电

资料来源:笔者根据相关报道整理制作。

与此同时,日本政府还着手制定了三项长期性措施。首先,以强化产业竞争力为目标,大力推进能源改革。供电紧张问题已被日本政府定位为今后经济增长的最大课题,它决定从多个角度的改革与创新,来彻底解决这个问题。包括:重建用户主导的节电环境、促使电力供应分散多样化、扩大用户的选择方式、强化应急基础实施能力、开发新能源和环境技术、促进能源产业的创新发展。

其次,强化供应链应对能力。支持单一供应商的生产基地分散化和复线化;鼓励企业通过重组或共同经营,创建全国范围的分散生产基地;推动供应商之间建立灾害应急替代供应合同体制;鼓励非核心部件的通用化和可替代化、上下游产业的一体化开发;推进供应链构建 BCP 机制(Business Continuity Plan)。

最后,优化日本国内的投资商务环境。尽快着手税改,降低高达40%的法人税,优化日本的商务投资环境;加速推进日本的国际经济一体化,如环太平洋的 TPP 组织、中日韩的 FTA 组织、日欧之间的 EIA 组织;落实日本政府 2010 年制定的《日本国内投资促进项目》,促使汇率稳定、支持增长型产业落户日本、优化相关规制手续、推进日本商户环境竞争力。

然而,从长期来看,日本政府这种试图阻止企业海外转移的意图是很难实现的,因为这与日本经济社会的深层问题息息相关。首先,少子老龄化问题已经严重困扰着日本的发展,一方面是劳动人口的减少,另一方面是“财政人口”的增加,这种结构性矛盾势必带来一系列问题:生产效率低下、市场消费低迷、财政压力增大等。其次,日本国内商务环境缺乏竞争力,伴随着国际化深入,“企业选择政府”的趋势非常明显,日本国内企业的实际法人税高达41%,不仅远远高于新兴工业国家,也普遍高于欧洲国家,而且,各种规制也限制了外国企业投资日本。最后,此次地震暴露出日本的基础设施问题,特别是电力供给成为最严重问题,而且,福岛第一核电站的核事故处理形势仍然不是很明朗。

不过,此次大地震也有“硬币”的另一面,那就是产生了诸多对技术创新的新的需求。例如,2010年出台的以核电为基础的日本新经济增长战略必然面临巨大调整,开发替代能源将成为日本企业技术创新的着力点;再如,由于日本东部与西部的电力系统频率不同,导致此次地震中难以综合协调全国的电力,为此,日本已经宣布将加速推进全国智能电网系统建设,同时鼓励开发各种节电技术普及,这也将带来一系列关联技术创新。凭借日本企业长期的技术积累,加之国家战略转型,日本也有可能通过技术创新而实现产业升级,从而找到新的经济增长领域,逐步转入新的经济增长周期。

（本章内容刊载在《现代日本经济》2012年第1期《产业空洞化:野田政权面对的经济困局》）

第四章　日本制造业转型及其转型之痛

20 世纪 90 年代日本泡沫经济崩溃以来，与经常用“失落的 XX 年”来形容日本经济一样，“集体衰退”也经常被媒体用来描绘日本制造业现状。世纪之交，索尼、松下等日本家电巨头纷纷陷入经营困境，夏普、尔必达等甚至直接被外资收购。之后，又是一连串的各式弊案，奥林巴斯的会计造假、丰田的“质量门”事件、东芝的财务造假等等。2017 年 10 月开始，以神户制钢、日产汽车为代表又集中爆发了一系列数据造假丑闻。

日本制造业真的是已经日薄西山、一蹶不振了吗？近年来的统计数据却似乎在提供反证，日本制造业盈利能力不仅没有减退，相反还在不断刷新纪录，2017 年大企业利润率平均已经突破 8%。企业盈利也成为“安倍经济学”最大亮点，财务省法人企业统计调查显示，2016 年度日本全部企业总营业利润已突破 75 万亿日元大关，创下历史最高纪录①，其规模是 1992 年 20 万亿日元的近四倍！在企业部门的支撑下，日本经济也在呈现温和复苏，2012 年 12 月以来的经济复苏时长已超过战后“伊奘

① 「年次別法人企業統計調査概要平成 28 年度」、http://www.mof.go.jp/pri/reference/ssc/results/h28.pdf[2017 - 9 - 1]。

诺景气”时期(1965 年 11 月—1970 年 7 月)①,成为战后第二。

事实上,20 世纪 90 年代以来,以经团联提出“新日本式经营”为代表,日本制造业一直在悄然转型,过去曾以“三大神器”为代表的传统日本企业特征早已大幅褪色,引进欧美管理模式、实施模块化改革、调整多元化战略、走向高附加值化、深化全球化经营以及制造业服务化等,日本制造业已经具有一系列崭新特征。

一、企业盈利能力大幅提升

企业盈利能力其实一直是日本制造业的短板。早在 20 世纪 80 年代,日本制造业大企业的销售利润率也仅在 4%水平,峰值出现在 1989 年,但也仅为 5.75%。中小企业则更低,仅为 2%左右。然而,进入 21 世纪之后,伴随着大批企业导入了欧美经营模式,日本制造业盈利能力也得到不断提升。2006 年,制造业大企业销售利润率曾突破 6%(6.76%),中小企业也平均达到了 3.9%的水平。2017 年,日本制造业大企业销售利润率竟然突破 8%,达到 8.11%,中小企业也实现了 4.52%的历史最高纪录。②

这一期间,日本制造业的销售规模一直保持相对稳定,如 2000 年为 420 万亿日元,到 2007 年金融危机前曾冲高至 471 万亿日元,但 2016 年又降至 395 万亿日元。也就是说,经营规模并没有大幅扩张,只是盈利能力得到极大提升。2016 年日本制造业企业的利润剩余额突破了 140 万亿日元。③

---

① 「景気動向指数(速報、改定値)(月次)結果」、http://www. esri. cao. go. jp/jp/stat/di/di. html[2017 - 12 - 25]。

② 日本銀行. 第 175 回全国企業短期経済観測調査,売上高経常利益率の推移,図表 3。

③ 2016 年度,金融保险业除外,日本全产业利润剩余已经突破 400 万亿日元大关,达到 406 万亿规模,创造了新的历史记录。「年次別法人企業統計調査概要平成 28 年度」、http://www. mof. go. jp/pri/reference/ssc/results/h28. pdf[2017 - 9 - 1]。

企业销售规模相对稳定

先来看日本企业的整体情况。长期以来，日本全行业（除金融、保险业之外）销售规模一直相对稳定，1990 年之后，一直围绕 1 400 万亿日元上下波动。据财务省《法人企业统计调查》数据，1992 年日本全行业企业的总销售规模为 1 465 万亿日元，24 年之后的 2016 年为 1 455.8 万亿，两者仅相差不到 10 万亿日元。这就意味着，泡沫经济崩溃没有对日本企业销售规模形成剧烈冲击。相反，全行业销售规模的谷底却出现在距泡沫经济崩溃已经时隔十年的 2002 年，但其规模仍然维持在 1 327 万亿日元规模。

诚然，美国金融危机对日本企业销售规模造成了一定影响。金融危机爆发之前，日本全行业销售规模出现连续冲高的现象，如 2005 年首次突破了 1 500 万亿（1 508 万亿）日元，2007 年甚至达到 1 580 万亿日元的峰值，而危机爆发后的 2008 年该数字迅速回落到 1 508 万亿日元。[①] 不过，降幅也仅在 5%之内。

再专门就制造业而言，中国加入 WTO 曾对日本制造业形成巨大拉升作用，其销售规模从 2002 年 377.5 万亿日元规模一路上扬，到 2007 年金融危机之前曾创下 471 万亿日元的历史最高值。但金融危机之后，日本制造业规模却没能实现复苏向上，相反却一直徘徊在 400 万亿日元水平，2016 年度也仅为 395 万亿日元规模。

企业经常利润在不断增长

泡沫经济崩溃之后，日本企业营业利润一直在稳步增长，但在金融危机之后，这种上升速度明显提升。总体而言，全行业企业的增长大致分成三个时期：2000 年之前从 20 万亿多一路增长至将近 36 万亿日元；

---

① 「年次別法人企業統計調査概要平成 17 年度」、「年次別法人企業統計調査概要平成 20 年度」、http://www.mof.go.jp/pri/reference/ssc/results/nenpou.htm[2017－12－28]。

2001 年之后，经历小幅波动之后，又进一步回升增长至 54 万亿日元；金融危机成为一个转折点，经历大幅滑坡之后，又从 35 万亿日元迅速增加，到 2016 年度创下了 75 万亿日元的最高纪录。

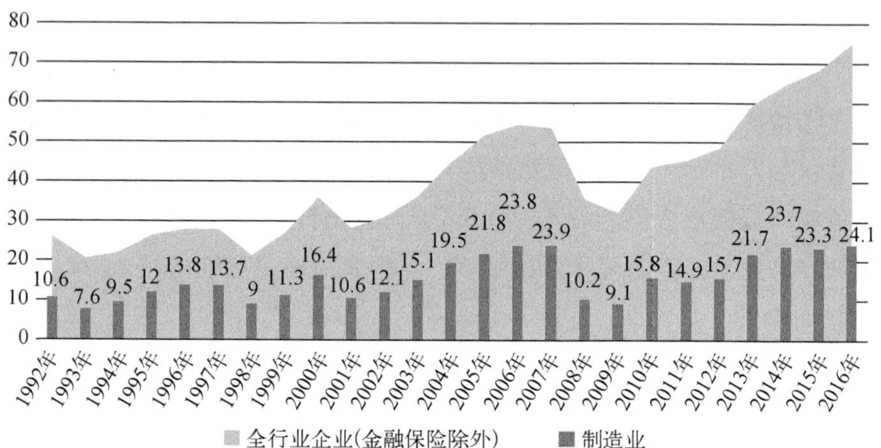

图 4-1　泡沫经济崩溃后日本企业经常利润的变化(1992—2016 年)

资料来源：「年次別法人企業統計調査概要」各年度，http://www.mof.go.jp/pri/publication/zaikin_geppo/hyou07.htm[2017-12-31]。

制造业企业的经常利润增长则以金融危机为界，分为两个时期。1993—2007 年，其经常利润从 7.6 万亿日元逐步增长至 2007 年将近 24 万亿日元规模；金融危机之后大幅降低之，2009 年降至 9 万亿日元的谷底，之后又迅速复苏，到 2016 年则突破 24 万亿日元，创下新的纪录。

利润剩余增加、自有资本比率提升

企业利润剩余也就是企业界的财富积累。截至 2017 年 3 月，日本全行业企业（金融、保险业除外）的利润剩余额已经突破 400 万亿（406 万亿）日元，对 GDP 占比超过 80%。然而，1996 年这种日本企业财富积累数字仅为 2.6 万亿日元，2006 年也才达到 11.9 万亿日元。也就是说，日本企业的财富积累速度是最近 20 年增长了 156 倍，最近 10 年也增长了 34 倍之多。这其中，制造企业财富积累占比超过三分之一（35%），截至 2017 年 3 月，日本制造业利润剩余为 141 万亿日元。

自有资本比例同样是衡量企业财富的重要指标，它也是企业盈利能力提高的结果。就这一数据而言，日本制造业要远远高于全行业企业。1986年，日本企业平均自有资本比率18%，而此时的制造业企业已经超过27%。经过十年之后的1996年，日本企业平均自有资本比率已经逼近20%，而制造业企业则突破了34%。到2006年，上述两个数字更是分别提升至33%和44%，很显然，泡沫经济之后，日本企业普遍更重视自有资本占比。截至2017年3月，日本企业平均自有资本比率突破40%，而制造业更是逼近48%。很显然，泡沫经济时代的惨痛教训，令日本企业纷纷改变了财务模式。

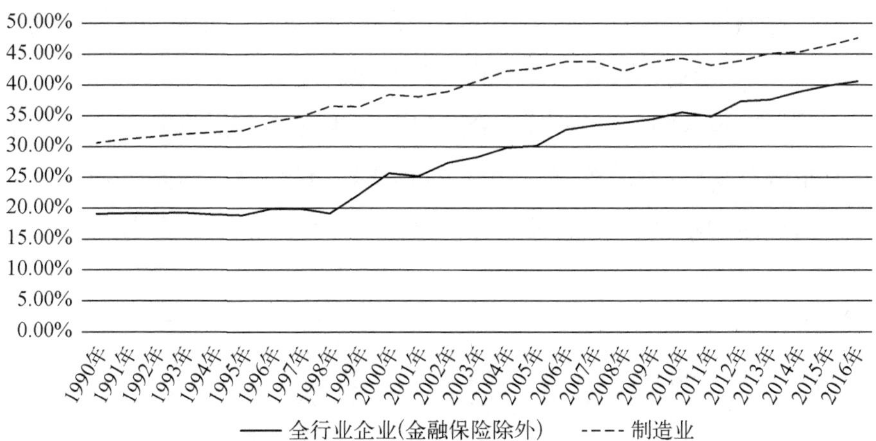

图4-2　泡沫经济崩溃后的日本企业自有资本比率(1990—2016年)

资料来源：「年次別法人企業統計調査概要」各年度，http://www.mof.go.jp/pri/publication/zaikin_geppo/hyou07.htm[2017-12-31]。

销售利润率等盈利指标创新高

销售利润率是衡量企业盈利能力的重要指标，也能充分反映企业经营效率。第一次石油危机之后，日本制造业大企业的销售利润率一度跌破2%，中小企业甚至为负。20世纪80年代，伴随着日本产品在全世界的畅销，日本企业销售利润也提升至4%左右，其中大企业更逼近5%，中小企业则在3%左右。也就是说，在传统的日本经营体制下，销售利润率并不被经营者们过度看重,相反,市场份额才是更重要的指标。

然而,泡沫经济崩溃之后,日本企业开始导入欧美经营理念,开始重视提升自身盈利能力。2006年日本制造业大企业盈利水平一度突破了6%,中小企业也达到3%以上。2008年金融危机对此形成重创,企业销售利润率再度下探到3%。然而,伴随着日本制造业战略转型逐步深入、特别是全球化经营特征越加突出之后,盈利能力以及自有资本盈利率等指标越来越受到企业经营者的重视。2010年之后,日本制造业销售利润率提升再次提速,到2017年3月,制造业大企业销售利润率已经突破8%(8.11%)。但问题是大企业与中小企业之间的差距不断扩大,虽然中小企业销售利润也达到4%左右,但受缺少继承人、人手短缺等问题困扰,日本中小企业今后转型面临着极其严峻的课题。

除了销售利润率之外,日本企业也普遍重视资产收益率(ROA)和自有资本收益率(或称股东权益收益率,即ROE)等指标,这是伴随着日本公司治理结构不断向重视股东方向转变,其考核指标也在向欧美企业看齐。

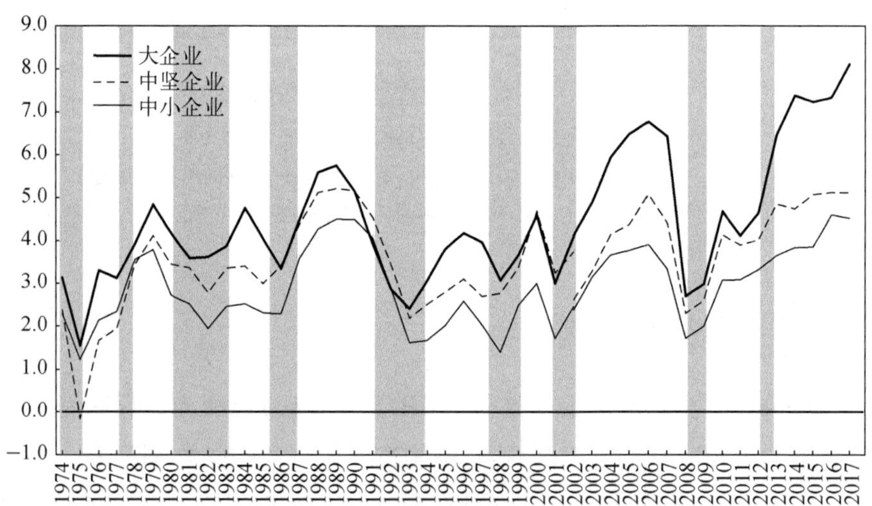

图4-3 日本制造业经常利润率的变迁 (单位:%)

资料来源:「第175回 全国企業短期経済観測調査」,http://www.boj.or.jp/statistics/tk/index.htm/[2017-12-30]。

总之，日本企业在盈利能力上虽然与美国企业仍存有一定的差距，但已经赶上甚至超过了英、德等欧洲企业。①

二、“全球化经营”不断深化

日本制造业企业的国际化步伐继续加快，其“全球化经营”不断深化。根据日本经济产业省 2017 年 5 月公布的“第 46 次海外事业活动基本调查”显示，截至 2015 年度，日本制造业海外生产比率突破 25%，再度刷新了历史纪录。也就是说，整个日本制造已有四分之一在海外进行！

另外，从投资海外的日本企业数量来看，实施全球化经营的日本企业总量已突破 2.5 万家，其中，制造业企业达到 1.1 万家，占比 45%左右。② 此外，根据日本银行的国际收支统计数据显示，截至 2017 年 9 月底，日本海外直接投资余额也已突破 174 万亿日元，相比 5 年之前的 2012 年增加了 91%，也就是不到五年时间，对外投资增长近一倍。显然，日本企业进军海外的步伐不仅没有减速，相反还呈现加速度趋势。

海外生产占比持续扩大

自从 1985 年广场协议以来，日本制造业走向海外的步伐没有停止，尤其是冷战结束之后，经济全球化浪潮越加高涨，日本制造的全球战略布局日渐明晰。在世界制造中心的东亚地区，日企的生产网络逐步扩大，汽车等部分领域的海外比重甚至大幅超越了国内。

从整体来看，以全部日本制造企业为基数的海外生产比重已经突破 25%，而若以在海外已设有生产基地的企业为基数的话，日本制造海外占比更是达到 38.9%，逼近 40%。从产业领域来看，海外生产占比 10%级以上的多达 14 个(截至 2015 年度)，其中，最突出的是汽车产业，海外

① みずほ総合研究所　調査本部『日本企業の稼ぐ力は高まったのか——企業収益の国際比較に見る日本企業の変化と課題』みずほ総合研究所，2017 年 10 月 2 日、2 頁。

② 経済産業省『第 46 回　海外事業活動基本調査概要』，2017 年 5 月、7 頁。

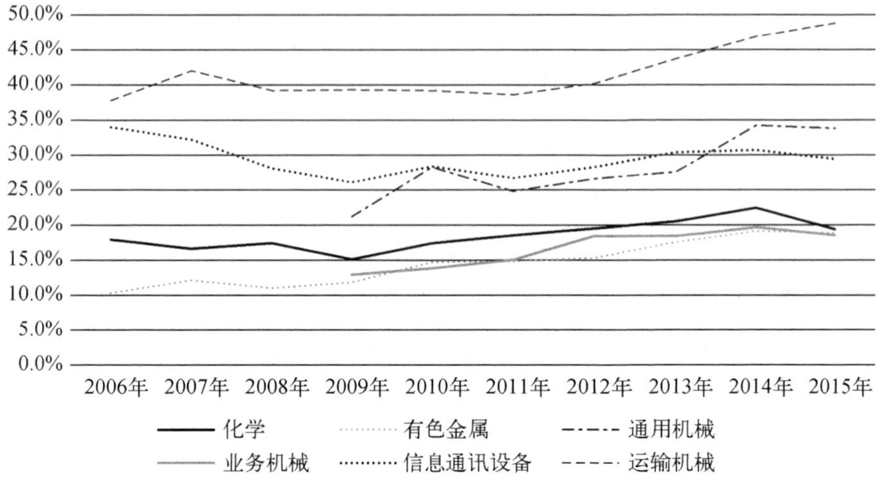

图 4-4 海外生产比率较高的日本制造业领域

资料来源：経済産業省『第 46 回 海外事業活動基本調査概要』，2017 年 5 月、12 頁。

比重近半（49%）。除此之外，通用机械设备（34%）和信息通信设备（29%）的海外生产占比也将近三分之一，而化学（19%）、有色金属（19%）、业务型设备（19%）、制陶（17%）以及电子设备（17%）等产业领域，海外生产比重也达到五分之一左右。①

海外子公司销售利润稳步上升

近年来，日本制造业投资海外的现地法人（子公司）的销售额持续增长，其经常利润也大幅改善并稳步提升，特别是针对亚洲地区的投资。从全行业领域来看，截至 2015 年日本全部海外企业法人销售总额已突破 270 万亿日元，其规模已经相当于日本国内生产总值的一半左右。其中，制造业达到 135 万亿日元，同比 2006 年的 99.7 万亿日元增长约 35%。从不同产业领域来看，汽车为主的运输机械海外销售额最高，已经超过 67 万亿日元，其规模已是同年度日本汽车出口额 17.3 万亿的 4 倍左右。② 这就意味

① 経済産業省『第 46 回 海外事業活動基本調査概要』，2017 年 5 月、12 頁。

② 日本自動車工業会『日本の自動車産業』、http://www.jama.or.jp/industry/industry/industry_4g1.html[2017-12-30]。

着，仅从对外贸易视角出发，已经不能准确把握日本汽车产业的国际竞争力。

再从盈利状况来看，非制造业领域海外日本企业，自2012年开始出现利润小幅下滑趋势，但制造业却一直处于稳步增加状态，到2015年度，其经常利润额从2006年的4.7万亿日元上涨至6.3万亿日元，经常利润率则从3%提升至5%的水平，与这一年日本国内制造业企业平均5.9%水平已经非常接近。另外，盈利状况也与投资区域密切相关，比如投资亚洲地区日本企业经常利润要远远高于北美和欧洲地区，同样以2015年度为例，这一年在亚洲地区日企经常利润总额高达6.13万亿日元，是北美地区日企的2.2倍，更是欧洲地区日企的13.3倍。①

海外经营转向“地产地销”模式

以往，海外生产曾是日企降低生产成本的重要手段，因此，会有大量商品出口（或称“逆进口”）到日本国内。然而，最近以来，这种作用已经大幅削减，如亚洲地区日企在2006年出口日本的占比曾高达22%，但2015年却降至15.5%。相反，本地销售占比却大幅上升，也就是所谓“地产地销”趋势显著。

“地产地销”原本是日本政府农业政策的一项方针，其目标是旨在推进“当地生产的农水产品在当地销售”体系。如今，它也成为进军海外的日本制造企业所实施的重要战略，其目的是为了让自己产品更能适应所在国家或地区的“特殊”需求。所以，海外日企开始出现在投资国或邻近地区构建起融入产品研发、设计与生产以及销售的完整经营体系。例如，在美国销售的汽车尽量在美国生产，而在东盟销售的汽车也尽可能在泰国或印尼等地生产，这样就可以使企业经营“更接地气”，从而开发出适合当地需求的、具有更大竞争力的产品。一个更具体的案例是，近年在印度销售的日本企业所生产的冰箱，一般都会加装内藏式蓄电器以及内置化妆品容纳箱，这是为适应当地频繁停电以及解决口红等化妆品

① 経済産業省『第46回　海外事業活動基本調査概要』，2017年5月、15—16頁。

容易因当地高温而融化的问题。

这种“地产地销”战略的实施，导致海外日本企业销售渠道及采购链的变化，甚至整个生产布局也发生调整。近年来，海外日本制造企业从日本国内采购比率已出现显著减少，2015年北美地区日企的日本采购占比已从2006年的31%大幅调减至24%，欧洲地区日企的该数字也从35%下滑至23%、亚洲地区日企则从30%降至21%。销售格局也出现了同样特征，如亚洲地区日企对日本出口大幅下滑的同时，本地区销售占比则在逐年上升，如今已经逼近80%水平。

“全球化经营”正在改变日本对外经济结构

伴随着投资海外的日本企业不断深化“全球化经营”，最近，日本对外经济结构也因此而发生了重大变化。

首先，贸易顺差大幅减少，甚至出现逆差现象。以美元计算的日本出口规模，已经从2012年的8 013亿下滑至2016年的6 446亿美元，贸易收支更是出现了2012至2015年连续4年的赤字状况。诚然，这里既有2011年东日本大地震导致能源大量进口的原因，以及实施“安倍经济学”带来日元贬值的重要因素，但是，日本制造业海外生产占比提升的作用也越加显著，不容忽视。

其次，海外企业盈利成为确保日本对外经常收支黑字的重要支撑。据日本财务省的统计数据显示，日本第一次所得收支①规模在2000年尚不足8万亿，而到了2015年则变成20.7万亿日元，是前者的2.6倍。很显然，海外投资盈利有效填补了贸易顺差的不足。

第三，投资海外的知识产权使用费（专利等）也在逐步成为日本对外盈利的重要构成。1996年，日本海外知识产权使用费规模尚不足1万亿日元，然而，伴随日企大量投资海外，逐步构建起全球性经营体制，其海外子

① 日本对外经常收支中重要项目之一，它是指日本对外金融债权、债务所产生的利息及分红等收支状况，包括对外直接投资和证券投资收益以及其他投资收益。

公司所获得的技术指导费等收入不断增加。到 2015 年，日本收到的海外知识产权使用费规模达到 4.4 万亿日元。[①] 另据总务省统计数据，汽车专利费用占比要在一半以上，主要是来自北美及亚洲地区投资的日本汽车企业。这也符合汽车海外比重最高的事实——海外生产占比超过 67%，如 2016 年日本汽车海外生产台数已达 1 898 万台，远远超过国内生产台数(920 万台)，是后者的 2 倍。与此同时，2016 年日本出口汽车总量仅为 463 万台，[②]相比日本汽车海外销售总量 2 361 万台而言，其海外依存率高达 84%。

三、"制造业服务化"趋势成突出特征

面对人工智能、物联网等新技术革命潮流，日本虽然没有像德国那样率先提出"工业 4.0"的宏伟构想，但是，相关企业却早已尝试并切实实施了 IoT 等战略转型，如小松早在 1998 年便开发 KOMTRAX 系统[③]，将工程机械与 ICT 信息技术嫁接在一起，如今纳入该系统搭载 GPS 定位的全球各地小松建机超过 30 万台；2005 又推出 AHS 系统[④]，并于 2008 年商用化；最近，它又搭建起横跨整个企业集团以及供应商之间的物联网工厂(KOM-MICS)，其中，搭载数据收集装置(K-MICS PAD)的工作机床已经超过千台以上。[⑤] 除小松之外，日立制作所、普利司通、堀场制作所等日本企业也走在"制造业服务化"的前列。

走向"制造业服务化"，实现高附加值化目标，这已经成为日本制造业摆脱传统模式、实施战略转型的最突出特征。这种服务化关键就是要转变传统制造业只向客户提供"硬件"的历史，"软件"也成为重要目标。

① 日本銀国際局『2015 年の国際収支統計及び2015 年末の本邦対外資産負債残高』2016 年 8 月、10—12 頁。

② 日本自動車工業会(JAMA)『自動車統計月報』(VOL. 51　No. 9)2017 年 12 月、9 頁。

③ 小松 KOMTRAX(中文也译作康查士)是通过车载传感器与卫星技术架构的远程控制系统

④ 小松 AHS 系统，是其矿山车自动驾驶系统，2005 年试验，2008 年投入商用，迄今已有 100 台以上车辆纳入该系统，并导入了无人机设备。

⑤「特集コマツの強さ」，『日経ものづくり』2018. 4、45—69 頁。

换言之，传统制造模式只是由企业创造价值，如今是要企业与客户一起共同创造价值。

源动力是竞争压力与技术进步

以往，日本制造企业凭借“磨合型优势”①，在一些复杂产品，如汽车等零部件众多、产业链条更长的领域，拥有独特的竞争优势。但是，伴随着技术进步，特别是模块化浪潮冲击，加之中韩等新世界工厂的迅速崛起，日本企业的传统优势受到严峻挑战。

在“大量生产、大量消费”的年代，只有少数发达国家能够进行现代工业品的大量生产能力，但这种局面到 20 世纪 90 年代冷战结束后被彻底打破，由于经济全球化以及模块化浪潮，以低成本为武器，新兴市场国家的制造企业迅速崛起，日本企业竞争优势逐步丧失。一些新的产品上市不久，价格因激烈的市场竞争而迅速下降。不仅仅通用性产品如此，高端产品也很快便沦为通用产品，这就是所谓“一般商品化”(commodity)现象，于是，价格竞争便主导了市场。

如何才能规避价格战并赢得高附加值呢？近年来，日本制造企业开始向服务领域拓展，也就是通过把个性化的服务附加到商品上，从而实现高附加值化的目标，这样既可以避免价格战，同时，也把客户纳入到价值创造体系中来，从而实现所谓“共同创造价值”。其具体表现形式就是把以往的“制造产品”为重心，转向了向客户提供“价值”服务为重心。例如，向客户出售商品仅仅是一部分，还要向客户提供商品的后期保养维护、甚至是租赁服务等“新的商品”，从而获得更高的附加价值。

服务“事业化”与“价值化”

在服务化战略实施过程中，日本制造业企业主要形成了两种类型，

① 以东京大学藤本隆宏教授为代表，提出了针对模块化生产，日本企业更拥有企业内部磨合型优势，也就是构建在 TPS 生产方式以及日企独特培训体系等基础上的经营优势。

一是将服务直接作为一项主营业务来做，即所谓的事业化；二是将服务融入有形商品之中，也就是把更多服务与商品自身捆绑起来，这就是所谓“价值化”。

“事业化”方面，最具代表性案例就是汽车行业的“共享”服务，部分整车厂商已经将其作为未来一项主营业务来尝试。如丰田汽车于 2016 年 5 月已对提供共享汽车服务的 Uber（优步）公司进行战略投资，同年 10 月，它又通过旗下丰田金融公司和 Mirai 创意投资公司，对美国另一家汽车共享服务企业 Getaround 投资了 1 000 万美元。很显然，面对风起云涌的共享经济模式，丰田开始努力如何将新的挑战变成企业发展机遇。

“价值化”方面，上面提到的小松就是典型代表，它通过康查士远程控制系统为客户提供建设机械的实时运营状态。也就是说，制造厂商再向客户提供有形商品之际，也同时提示出各种服务项目供消费者选择，比如更加细致入微的保养服务或如何发挥商品价值的一些提案等。例如有一家小型工业锅炉厂商三浦工业，它在销售锅炉之际，就会与客户签署 3 年的保养合同，并向客户提供“故障预知”服务。如今，其国内市场份额占有比重已经超过 40%。

当然，事业化与价值化也经常会结合到一起，比如日本正在努力向海外推销“成套基础设施”，它不是某个商品或某项服务，而是一个相对较大的服务系统。比如成套的核电系统、包括软硬件在内的新干线运行系统、上下水道系统以及再生资源基础设施等等。这是日本制造业出口的一个新特征，不再是单一产品的出口，而是囊括商品及服务在内的整套体系，而且，还提供人才培养、品牌维护、保养维护等各种服务项目，简言之，就是“打包”销售。为顺利推行该战略，日本已经形成了新的官产合作模式，在某系统的整个团队中，除了商品供应厂商之外，还有商社、装置产业、客户企业，甚至金融机构等等。

以“制造业服务化”打造新竞争力

制造业服务化已经成为日本制造业的新特征，这既是其应对物联网、人工智能、云计算、大数据等新技术浪潮的重要策略，同时，也是其通过应用新技术而构筑新竞争力的重要手段。

概括而言，日本制造企业实施服务化的战略目标大致包括如下几点：

第一，以此避免陷入价格战，因为通过提供更多新的服务或将服务嵌入既有商品之中，从而提升附加价值，与竞争对手之间形成“差异化”商品。

第二，提升了市场进入门槛，也就是通过提供新的服务或带有更多服务的商品，使之提供的“价值体系”是竞争对手难以简单模仿的，这就等于构筑起一道新的保护墙。

第三，可以降低经济周期波动对企业经营的影响，因为它提供的不仅仅是一次性交易的商品，这些商品也附带了“库存性质”，一旦客户购买之后，其后续服务将会一直持续到该商品报废为止，这样提供这种价值体系的企业就形成了收益稳定特征。

第四，提供更多、更大范围的价值服务，既可以更深度地掌握客户需求，从而开发更贴近需求的新商品及价值体系，而且也能为企业发挥人才培养的功效，因为深入到各种“现场”的员工，可以更快地熟悉各种情况、掌握更多技能。

实践层面的多样化转型案例

近年来，除了大幅迈向服务化方向之外，各家企业也因各自实际情况而实施了不同特征的战略转型，其主要特征包括：一是放弃了传统的多元化战略；二是重点围绕某项事业进行价值开发；三是充分结合新技术，实施企业创新。以下是战略转型已取得成功的几个典型案例。

向“顶级医疗设备厂商”迈进的奥林巴斯。2011 年，光学设备巨头奥林巴斯因巨额财务造假（隐瞒了过去 20 年的 13 亿美元巨亏）而濒临破产。新任社长笹宏行实施了破釜沉舟式的“瘦身计划”，在彻底“切割”信息通信事业之后，又大幅削减其传统影像业务和科学业务，最终形成了

“内窥镜”为代表的医疗器械独大的局面，在总销售占比将近8成。放弃多元化战略，走向核心业务型企业，这是奥林巴斯战略转型成功的关键。

始终坚守白色家电的大金空调公司。家电曾是日本企业失败的代表，但大金却始终坚守该领域，并最终获得成功。20世纪80年代，大金曾实施多元化战略，除空调外，还广泛涉足机器人、地暖、医疗器械以及电子设备。1994年井上礼之社长实施“选择集中战略”，砍掉了空调之外的所有业务。改革令大金在家电领域异军突起，独树一帜。其具体手法包括以并购手段扩大市场、深耕空调事业（销售占比近九成）、“两头在外”（生产与销售重头都在海外，二者海外占比均在七成以上）。[①]

跻身半导体装置新领军者的东京电子。东京电子原为一家小商社，第一次石油危机之后才进军半导体设备领域。走专业化路线和差异化道路，是东京电子成功的关键。它一直专注于半导体装置，始终与多元化划清界限。在公司治理机制上也独具特色，一是经营决策迅速、高效，以至“经常被外国企业视为非日本企业”；二是重视利润率而非市场份额，注重维护股东利益。2005年以来，其经常利润率一直在12%以上，远高于其他日企。

剑指“再生医疗世界第一”的富士胶片。与2012年破产的美国柯达形成鲜明对照，同为传统胶片企业，富士胶片却实现成功转型，不仅渡过难关，还成功构筑起新的竞争力。这主要归功于2003年上任的古森重隆社长，他把一家世界最大的感光材料企业，转换为服务型业务主导的制造企业。

“智能制造冠军”发那科（FANUC）。该公司更是堪称日本企业中的奇葩。它脱胎于富士通公司，1972年独立，在仅仅45年经营史中，创造了一个又一个奇迹：把总部从都市搬到偏僻的农村；创造了极高的营业利润率，一直在40%左右，是日本制造业平均水平的5倍；其全球份额占比极高，数控机床占全球一半，产业机器人也以20%独占鳌头，智能手机

① DAIKIN『サステナビリティレポート2017』2017年4頁。

加工机床占全世界八成；一直坚持在国内生产，尽管其海外销售占比高达80%；再就是高度重视股东利益，大胆提出要把百分之八十纯利润反馈给股东。

四、造假丑闻令日本制造业经历转型之痛

2017年底，日本制造业领域爆出了一系列造假丑闻，尤其是日产汽车车检二十年造假、神户制钢篡改数据的十年造假，对日本制造业长期以来的质量神话形成巨大冲击。其实，近年来日本制造企业丑闻事件也早已司空见惯。仅2015年以来，就相继发生了东芝会计造假、东洋橡胶工业篡改抗震数据、旭化成捏造建筑打桩数据、三菱汽车伪造燃效数据、铃木汽车人为杜撰燃效数据，等等。一系列“不祥事”令长期津津乐道于“质量第一”的日本制造遭遇尴尬，其企业形象和品牌力必将受到重创。

毋庸置疑，一系列案件中的每个个案都会有不同的个体原因，但作为整体而言，其共性原因更是不容忽视的事实，那就是泡沫经济崩溃以来，传统日本企业的根基已经被动摇，而长期以来的企业转型也积累了诸多问题。造假丑闻正是日本制造业的转型之痛。

“神钢造假”具有企业自身的个体原因。

无论是日产与斯巴鲁的车检问题，还是三菱汽车与铃木的数据造假，每个企业被曝光问题其实都有其自身诸多的个体原因。以神钢为例，它首先受企业自身经营状况所影响。

创建于1905年的神户制钢所，迄今已有102年经营史。作为“百年老店”，神钢一直在标榜其企业伦理精神。2000年，它再次修订《企业伦理纲领》，重申要向客户“提供可以信赖的技术、产品和服务”。对于此次造假，神钢解释为“是生产车间为了赶工期、完成进度和生产目标才出此下策”。然而，只要分析一下公司经营近况，就可以发现很多深层问题。

其一，近年来神钢营业收入持续下滑，已从2008年21 772亿日元，

下跌至2016年的16 958亿，而且，近两年还连续出现了200亿日元以上巨亏，主因是全球资源市场价格暴跌的影响。其二，“出事”部门是铝及铝部件、铜产品业务，这恰恰曾被视为神钢的“救命稻草”，是其盈利支柱所在。而且最近，由于汽车、飞机等商品在普遍进行轻量化措施，铝材需求呈大增之势。因此，为确保盈利源不受损，管理层明知数据有问题，也要遮掩而图蒙混过关。其三，企业内部治理也有严重问题。由于推行多元化战略，除钢铁之外，它广泛涉足焊接、铝铜、机械、工程技术以及电力等领域，但各业务部门之间的关联性相去甚远，导致了内部信息沟通交流不畅，造成闭塞隔阂。其四，研发投入不足也是重要原因，它直接导致企业技术进步受阻。2016年，神钢研发销售占比仅为1.6%，远不及日本制造业平均4.3%的水平。此外，来自竞争对手的压力“山大”，如古河斯凯与住友轻金属工业合并成立了UACJ集团，这对神钢发展形成巨大威胁。

数据造假的“破坏力”极强，因为神钢涉及上下游企业以及交易客户多达6 000多家，直接威胁到诸多领域的产业链安全。而且，这一丑闻也对“日本制造”的质量神话形成致命一击，除了所有使用其材料或部件的企业均将被殃及之外，作为一线大牌企业的神钢也代表了整个日本制造业。

传统日本制造业的根基其实已发生巨变

其实，造成日本制造业丑闻不断发生还有共性和更深层的原因，那就是过去曾支撑日本制造业不断改善、走向强盛的产业和社会环境以及社会基础发生了根本性转变。

其一，泡沫经济崩溃之后，20世纪60、70年代曾在日本蓬勃兴起的企业家精神也跟着走向衰退，如今，像松下幸之助、丰田喜一郎、盛田昭夫、本田宗一郎等领军创业人物，可以说已经非常鲜见。而日本制造业自泡沫崩溃开始，也在整体趋势上从过去那种进攻型转向防守型态势，这正如日本家电行业一度出现集体性败退的景象。

其二，传统生产方式也在向新生产方式转型。曾领先世界的日本生产方式，自 20 世纪 90 年代也走向衰落——曾被美国麻省理工学院(MIT)归纳为日本制造模式竞争力源泉的“精益生产方式”(TPS)，遭遇到全球模块化浪潮的猛烈冲击。德国大众推出了平台化新战略、美国苹果公司建构起全球产业链，这些新商业模式均对日本制造形成重压，曾号称拥有“磨合型”优势的日本制造业，一度陷入了模式发展困境。如手机行业出现所谓“孤岛化”趋势，很快就几乎全军覆没；曾占全球半壁江山的半导体产业，也出现竞争力大幅衰退的趋势；即便是最后一块“高地”的汽车产业，丰田、日产、本田等巨头也纷纷被迫实施战略转型，它们逐步放弃了过去具有封闭性特征的垂直一体化生产体制，开始走向平台化战略。正如丰田汽车新近才推出的 TNGA 平台，其模块化转型比大众汽车整整迟到了 20 年。

其三，近年来日本基础研究水平也出现下滑趋势，理工科学生也呈现减少之势，各种专业人才开始转向短缺。而且，大学和企业也似乎不再热衷于基础科学，而是更看重短期效果，甚至也出现了“小保方”造假事件，于是，基础科学研究呈现了整体滑坡的趋势。日本诺贝尔获得者大隅良典发出了如此担心，今后“日本人可能不会再得诺贝尔奖”。这是日本科学基础研究发展现状的真实写照。

最后，日本制造企业的经营管理模式转型也产生了重要影响，它主要包括如下几个方面：

首先，近年来日本企业也更加强调股东利益，越加类似于欧美企业模式。过去，企业经营层更重视长期经营，为此会不断强调质量管理。但如今，过去那种非常普及的、一点一滴式的质量改善活动(QC)已经难觅其踪。企业高管更加关注各种财务报表，千方百计地追求利润上升。这正如小松公司原会长坂根正弘所指出的，“质量问题已很难再提交董事会层面讨论”，而是更多的“放权给基层处理”。

其次，企业用工体制发生巨变，从根本上瓦解了质量改善的基础动力。1995 年，日本大企业联合会经团联提出了“新日本式经营”。这之后，曾被 OECD 盛赞的“日本三大经营神器”——终身雇佣制、年功序列制和企业内工会已经黯淡无光。非正式员工的队伍日渐庞大，如今已逼近全部就业人口的 40%左右。作为派遣员工，他们很难再对企业形成强烈的归属感，对企业技术进步、产品质量等已经毫无兴趣可言。即便是那些正式员工，也因企业经营业绩下滑或经营模式转型而面临更大的被解雇风险，其参与企业质量管理活动的热情大为减退。此外，被称作“团块”一代的原有熟练技术人员也已大量退休。因此，从“人的因素”来看，日本企业质量水平滑坡也是必然的。

再次，全球化经营的深化也带来了日本管理者走向趋同世界的特征，而且，部分超大企业还形成了经营者傲慢态度。以神户制钢所为例，早在 1999 年该公司就曝出向特殊股东输送利益的丑闻，2003 年又被曝工厂排放污染问题、2006 年工厂排水土壤污染问题等，但该公司历任高层并没有引以为戒，强化企业风险危机管理，而是不断采取隐瞒掩盖手段，没有把社会责任和监督置于应有高度。无独有偶，几乎与神钢同时曝光车检丑闻的日产汽车，最初记者会上西川广人社长甚至没有表现出“谢罪”态度。《日本经济新闻》甚至还披露出，“日产遭曝光后仍由无资格人员进行车检”。

今天，人类社会已经步入物联网、人工智能、大数据等技术革命的新时代，一场更深刻的生产方式革命以及新的商业模式正在呼之欲出，继续躺在过去的光环之下显然已经难以适应时代的召唤。

（本章内容刊载在《现代日本经济》2018 年第 4 期《日本制造业新特征及其转型之痛》）

第五章　经济环境变迁与日本产业转型

20 世纪 80 年代，日本产业构筑起了强大的国际竞争优势，在此基础之上，日本经济创造了战后历史上的最辉煌的一页——1988 年日本人均国民生产总值(GNP)创下 23 416 美元，成为世界第一。近三十年的高速增长让日本人均 GNP 从 1960 年的 477 美元，跃升增长了 49 倍。再从总量来看，1955 年经济步入高增长，到 1989 年，日本的名义 GNP 增长达 47 倍、实际 GNP 也增长超过 9 倍。另从国际比较来看，1950 年日本的世界 GNP 占比还仅为 1%，十年之后的 1960 年便提升为 3%，接下来的十年又实现了倍增，1970 年为 6%，到 1988 年达到了历史峰值的 14%。① 此后日本经济便迎来了转折点，但出口还是保持了历史惯性，仍然强大的日本产品出口竞争力还在继续支撑着日本贸易黑字，1992 年日本的经常收支甚至同比上年还增长了 61.3%(1 176 亿美元)，但这实际已经是强弩之末，接下来便是泡沫经济崩溃以及随之而来的“失落的 20 年”。② 然而，也正是在这种“失落”之中，日本产业迎来了新的转型。

---

① 内閣府. 年次経済財政報告(経済財政白書)各年版：http://www5.cao.go.jp/keizai3/keizaiwp/index.html[2018-10-8]。

② 経済企画庁. 年次経済報告(平成 5 年)—バブルの教訓と新たな発展への課題[R]. 平成 5 年 7 月 27 日：http://www5.cao.go.jp/keizai3/keizaiwp/wp-je93/wp-je93-00301.html。

一、赶超之路与产业竞争力构筑

战后日本经济的增长过程，实际就是产业赶超和结构升级的发展历程。亦或是说，这也是日本企业在生产效率与技术进步等领域，实现对欧美等发达国家实现赶超的一部历史。

1955年堪称是战后日本迎来的重要历史节点。一方面在政治上，日本形成了稳定长久的“五五年体制”，开启了自民党长期执政的政治历程；另一方面，在经济上也结束了战后的经济复兴期，正式步入高速经济增长时期。事实上，战后日本经济起点就是其人均名义GNP仅相当于美国的10％！之后，在经过三十年经济增长之后，1987年日本实现了对美国的赶超，到1996年，日本甚至比美国高出了20％，成为全世界的最高水平。

技术创新是跬步千里的原点

从供给层面来看一国经济增长的话，劳动、资本和技术是三大生产要素，具备并如何实现三者之间的有机组合，这是经济产业发展的关键所在。

战争刚刚结束之际，日本出现了庞大失业大军——被解散的军人达360万人、战时军需产业领域的工人数量又有160万人，加上因侵略战争失败而从海外撤回国内的人更是高达650万人。也就等于是说，在劳动力因素方面日本出现供给远远大于需求的状况。再从资本因素来看，当时经济状况已经处于崩溃边缘，政府及社会根本不具备产业投资所需要的大量资本。为了解决这个难题，以哈佛大学博士学位获得者都留重人为代表，日本于1940年创设了经济安定本部（作为日本政府复苏经济规划机构），它经过研讨分析而设计出所谓“倾斜生产方式”，在当时资金与原料严重不足的情况下，优先集中一切力量恢复和发展煤炭和钢铁产业为主，再以此为杠杆，逐步带动整个经济的发展。

虽然比劳动力因素要困难得多，但资本问题总算还是可以解决的，但技术却没那么容易了,这也就成为当时日本经济复苏的真正短板所在。

引进欧美先进技术成为日本解决技术进步的战后起点。由于战争等原因,当时日本与欧美之间形成了巨大的技术落差,而填补这一技术落差的技术赶超就成为日本经济高速增长的原因。而且,技术进步也绝非一朝一夕就能解决,即便到了20世纪50年代和60年代日本技术上仍然远远落后欧美,这一期间,由日本完成的自主研发技术还是屈指可数,它仅在聚乙烯和晶体管等技术方面发展迅猛。

引进只是打开了大门,更加重要的是如何吸收和消化这些技术。除了大量引进海外技术之外,日本还以企业为主体,还成立了实施各种组合的多个技术研发中心,这些机构成为推动日本技术进步的真正主力。进入80年代之后,在民间企业的研究开发经费中技术进口比例开始下降,与此同时,其技术贸易收支比例却悄然上升。这表明,日本企业自主研发得到了极大推进,技术出口开始增加。这些都表明日本与欧美之间的技术差距开始快速、大幅地缩小。

研究开发一直为日本企业所高度重视,成为产业发展的原动力。通过新的科学发现或是新的技术开发,不断实现技术进步,从而推动产业升级,赢得国际竞争力。日本以电子机械为龙头,包括机械产业在内都获得了快速而领先的技术进步。1989—1995年,日本的电子通信设备和办公设备等产品占到高科技产品出口的80%左右。与此相对照,美国和法国主要以飞机相关产业出口为主,而德国的高科技产品占比相对较低。然而,从技术贸易角度来看,美国在1987—1996年期间的技术贸易收支为1 471亿美元的黑字,仍占据着技术竞争优势。同一时期,日本技术贸易则显示为329亿美元的赤字状态,重点以通信、电子和电子仪器为主,从欧美国家进口。① 日本的产业技术强项主

① 文部科学省.『平成10年版科学技術白書』平成10年5月,文部科学省:http://www.mext.go.jp/b_menu/hakusho/html/hpaa199801/hpaa199801_3_093.html [2019-1-10]。

要集中在一般机械和电子机械等方面，不仅对欧美的技术依存不断下降，相反，在纤维、通信、电子以及电气设备、医药品等领域甚至向海外提供技术出口。

民间主导型研发走向世界前沿

从各国研究开发费用投入来看，日本一直是研发费占 GDP 比值最高的国家，长期维持在 3%以上。但从研发费用的绝对金额来看，美国却一直遥遥领先，日本紧随其后。再从研发费用承担主体来看，日本是民间企业占比在 7 成左右，而政府投入一直不足在 3 成以下。以 1996 年为例，日本政府研究开发费用只有 4%支持给民间，而美国政府的研发投入中有 37%用于支持民间。第三个特征是日本的研发是以开发研究为主，占比在 61%，相反，基础研究却占比非常之低，仅为 15%左右。①

从人才层面来看，根据 OECD 资料，20 世纪 90 年代美国研究人员总数为 96 万，日本则以 66 万人而位居第二，而从每千人的研究人员数量来看，美国为 3.7 人，德国为 2.8 人，日本则为 5.2 人，是全世界比例最高的国家。但是，作为支持高端技术研发的研究辅助人员比例来看，日本却处于较低水平，比如每位研究人员的辅助人员人数最高的是瑞士，为 1.7 人，法国和德国也都达到 1.1 人，但日本却仅为 0.4 人。②

另外，从作为研究开发重要成果的专利申请数量来看，日本一直遥遥领先于其他国家。1995 年日本专利申请数量就达到了 40 万件，而位居第二位的美国却仅为 20 万件。到 2005 年，日本在全球专利申请数量已经达到 51.9 万件，美国则以 33.4 万件仍位居第二位。不过，从专利申请所在地而言，日本更显得“内向”，也就是在日本国内申请专利为主，1995 年日本在国外申请专利数量还不及国内的 40%；相反，美国则表现

---

① 文部科学省.『平成 22 年版科学技術白書』2010 年 6 月，p75.

② 文部科学省.『平成 11 年版科学技術白書』平成 11 年 6 月，文部科学省：http://www.mext.go.jp/b_menu/hakusho/html/hpaa199901/hpaa199901_2_024.html[2019－1－10]。

出突出的外向型特征,同年,美国在海外申请专利数量是国内的6倍。①

积极推进产品国际化战略

二战之后,日本对外投资起步于1951年,但由于日本政府在国际收支方面实施严格限制,到60年代为止,与美国等相比较而言,日本对外直接投资还处于微乎其微的状态。60年代后期开始,伴随着日本的资本自由化,对外直接投资的限制逐步放宽,而且,1973年外汇也转向浮动汇率体制,这一年开始日本对外投资出现实质性增长。当时,对外直接投资特征是在生产成本较低的亚洲进行直接投资,且主要以纺织产业和电子设备为主。非制造业投资主要是在欧美投资的销售网络建设,或者为了获得稳定的石油、铁矿石资源供给而向资源型国家的投资。

到了80年代,由于日本商品大举进入欧美市场,导致日本与美国和欧洲国家出现严重贸易摩擦,以此为背景,日本企业开始采取"绕开贸易壁垒"进入对方市场的方式,即采取直接投资方式进入该国市场。伴随着1977年日本对美国出口彩色电视机采取自主限制措施、1981年又对向美国出口汽车采取自主限制措施,于是,以电子设备和运送机械为主,大批日本企业开始以直接投资方式进入欧美国家市场。

1985年广场协议带来了日元大幅升值,这更让日本企业对外直接投资快马加鞭。加之1988年美国导入了超级301条款,而欧洲则加速走向区域一体化进程,这更催促日本企业加大直接投资来避开贸易摩擦,日元升值显然又大大降低了投资成本,1989年日本企业对外直接投资额高达9万亿日元。与此同时,非制造业领域,也出现金融、保险以及不动产业对外直接投资也开始加速,一批大型并购案相继出现。

---

① 文部科学省.『平成10年版科学技術白書』平成10年5月,文部科学省:http://www.mext.go.jp/b_menu/hakusho/html/hpaa199801/hpaa199801_2_038.html[2019-1-10]。

进入 90 年代，伴随泡沫经济崩溃导致日本经济减速，企业经营恶化也导致其资产价值下降而影响了企业筹资，对外直接投资一度降温。但 1993 年以后日元再度转向升值通道，对外直接投资再度向上。1997 年度制造业对外投资再度升至 2.4 万亿日元，而且，投资地也转向亚洲地区。

从成本导向走向构筑东亚生产网络

日本企业大举进入东亚地区的动机非常简单——可以大幅削减生产成本。东亚地区与日本国内的生产成本相比较，极具有魅力。有 60%的日本企业认为，若以日本国内制造成本为指数 100 的话，那么投资东亚地区的制造成本只有 70—90。而且，东亚地区劳动力供给丰富，而 80 年代后期开始，日本国内的劳动力供给出现了严重不足的现象。另外，从市场需求角度来看，整个东亚地区(包括东盟四国、四小龙以及中国在内)名义 GDP 已经从 1986 年的 6 568 亿美元，迅速增长至 1995 年的 21 653 亿美元，10 年增长了 3.3 倍。[①] 其市场潜力具有极大前景。

区域一体化建设进一步推动日本企业投资该地区。起初，投资于东南亚地区的日本企业，考虑到各国所实施的高关税政策而采取了“一国一工厂”的战略，而面对东盟签署 AICO 计划以及 AFTA 自贸区计划，日本企业开始重构东亚地区生产据点，采取集约化战略，进一步提高了生产效率。比如家电厂商和零部件供应商在地区内各国设立更加集约化生产基地，本着区域内分工网络建设的目标，大举推进跨地区的产业链分工。

产业集群也发挥了重要作用。伴随着区域内分工发展，本地采购或区域内采购不断扩大，形成了各个地区的产业集群。这又进一步降低了

① 経済産業省.『平成 19 年版通商白書』生産性工業と成長に向けた通商戦略——東アジア経済のダイナミズムとサービス産業のグローバル展開——概要，p17。

生产成本，从而推动日本企业实施技术转移、甚至开始把设计与开发功能转移到该地区。另外，当地日企所组织的向日本总部派遣研修工人，以及从日本总部派来技术人员培训当地员工，这些人才培养的措施也提升了区域内的产业投资环境。

伴随着日本企业不断扩大在东亚的生产，日本对东亚地区出口，特别是生产设备以及机械类零部件出口不断增长。与此同时，在东亚地区投资的当地日本企业也扩大了向日本出口产成品，形成了对日本的所谓“逆进口”（由海外日企向日本进口）的扩大。当时，日本制造业企业制订了新的国际分工战略，一种是“面向国内市场的产品在国内生产；面向海外销售的产品则转移到海外”，采取如此战略的企业占比最高；再有一种是“国内生产主要集中在新产品、高附加值产品，通用型产品转移海外”，制定这样战略的企业也不少。事实上，伴随着生产的大量向海外转移，就形成了从日本向这些生产基地供应零部件的贸易流，而生产成本又促使日本企业不断扩大海外生产规模，从而向欧美市场、甚至日本市场提供产成品。于是，以日企直接投资为契机，在东亚地区形成了紧密的产业分工型经济圈。

二、陷入模式困境的日本产业

20 世纪 90 年代，美国进入了以 IT 技术革命为特征的新经济时期。而与表现为欣欣向荣的美国经济正好相反，80 年代中后期开始疯狂一时的日本泡沫经济却开始崩溃瓦解之路，日本陷入了“失落的年代”，从所谓“失落的 10 年”“失落的 20 年”，一直到如今的“失落的30 年”。①

① 1999 年日本经济新闻社出版的《讲习日本经济入门》首次以“失去的 10 年”来形容日本经济，2009 年朝日新闻社出版了《失去的“20 年”》，2018 年著名管理学家大前研一又提出“失去的 30 年”概念。

日本电子产业走向集体落败

概言之，导致日本经济长期低迷、徘徊不前主要有三大原因：一是与世界技术革命潮流的错位，20 世纪 80 年代在实现对欧美技术赶超之后，日本把技术研发的重点集中转向机器人等领域，但全球技术趋势却是个人电脑和网络技术的普及，也就是所谓 IT 革命（信息技术革命）；二是经济全球化加速，韩国、中国等新兴工业国家势力逐步吞食了日本企业低成本的竞争优势，这突出体现在柏林墙倒塌之后经济全球化提速，跨国产业链与价值链迅速蔓延，原本控制东亚生产网络的日本企业的竞争优势逐渐瓦解；三是以模块化为特征的生产方式革命在美国、德国等产业领域普及，其生产效率因此而大幅提升，这也使得凭借垂直一体化生产模式而曾长期占据领先地位的日本优势不再，而日本企业又不愿积极转型，令其错失快速发展的良机，成为日本企业大面积遭遇滑铁卢的最重要原因。

在泡沫经济崩溃之前，日本电子产业与汽车产业成为支撑日本经济发展的两大核心支柱。而且，日本电子产业界巨头们也不断实施精细化经营战略，形成了一个个超大型混合体模式（conglomerate），最具代表的就是 10 大企业集团——日立制作所、松下电器产业、索尼公司、东芝公司、NEC 公司、富士通公司、三菱电机、三洋电机、夏普公司、先锋公司等。但是，一味强调销售额与经常利润，把经营触角覆盖到企业所能涉足的几乎所有领域，这种过于强调“规模经营”的模式，却让日本企业纷纷丧失了核心竞争力（Core Competence）。

日本电子产业巨头普遍采取事业部为核心的投资管理模式，这就导致各事业部“各自为战”的特点。为了扩大收益，各个事业部也不断扩大投资，带来企业生产能力普遍过剩现象。由此，也导致了缺少能够立足整个企业集团高度的投资战略。而且，泡沫崩溃后的日本资本市场也越加重视 ROE（即股东权益收益率），过度重视经营资源效率的倾向，加大了实施战略投资的难度。这是日本 DRAM 领域在 90 年代初期被韩国反超的重要原因之一。

90 年代，日本家电产业销售额仍然维持了不断增长趋势，上述十大巨头的销售总额曾从 1990 年 36 万亿日元增至 2000 年近 50 万亿日元，增幅达到 40%。但是，它们的营业利润却出现一路下滑，从 1990 年平均 7%下跌到 1998 年 2%的水平。21 世纪之后，日本家电产业未能一改颓势，到 2001 年，十大巨头中仅有索尼等 4 家企业勉强维持黑字，而日立、松下等 6 家企业均出现大幅赤字，赤字总额加总高达 1.9 万亿日元。①

总之，日本电子产业整体衰退的原因包括如下几点：其一，产品价格下降严重挤压了企业利润空间，伴随电子产品数码化、半导体领域摩尔定律的影响，加之全球生产与全球销售的迅速普及，电子产品价格出现普遍下降趋势；其二，企业营销能力普遍下降，伴随量贩式销售以及电商模式的普及，制造型企业定价权遭到削弱，而且，销售商还可以 OEM（委托生产）方式生产自己的品牌，韩国以及中国台湾地区等家电企业的咄咄逼人导致日本综合电子巨头竞争力下降；其三，产业水平分工趋势带来的巨大压力，受模块化革命普及影响，以苹果公司为代表的新型企业开始去工厂化（fabless），代之以委托生产的 OEM 方式来打造竞争力，在这种浪潮下，日本企业仍然坚持传统的垂直一体化模式，导致竞争力下降；其四，丧失了核心竞争力，90 年代后期，日本企业经营改革主流趋势是获得现金流，各个企业纷纷导入分公司体制，但在这种“选择与集中”改革过程中，却因过度强调现金而忽视了维护核心竞争力。以索尼公司为例，因把精力集中于动漫开发和金融服务，其电视机、音乐等硬件领域竞争力却逐步丧失。

“高技术与低利润”的悖论

1999—2009 年，这十年间日本出口欧美产成品从 1 451.5 亿美元骤然

① 山川紘.『総合電機メーカー 10 社の平均年収と業績推移』2012 年 2 月 4 日：http://www.geocities.jp/yamamrhr/ProIKE0911－148.html[2019－1－9]。

降至 954.7 亿美元，降幅达 34%。但在同一时期，日本出口中国及东南亚地区的中间产品，却从 642.8 亿美元攀升至 1 416.2 亿美元，升幅达 120%。① 这两个相互背离的事实说明，日本制造业正在从最终产品的制造者，变身为“全球制造体系再分工”的上游供应者。不仅如此，日本贸易出口的中间品大多又具有所谓“唯一性”，也就是说，占有更高的世界份额。

以半导体芯片为例。半导体素有“工业大米”之称，伴随技术进步、特别是信息技术发展，几乎所有产业都离不开半导体产业芯片。而在全球半导体产业链中，日本企业控制着上游领域，它占据着 37%的半导体装置和 66%的半导体材料市场，在某些领域甚至占有一半，乃至 90%以上份额，形成了垄断优势②，如在电子束扫描、显影以及切割装置等领域，东京电子、尼康、佳能、信越化学、SUMCO、东京应化等都是代表企业。另外，日本还有“微控制器（MCU）王国”之称，据美国 Gartner 公司调查数据，在微控制器领域中，日本挤占了前十位中的四席（2007）。另据美国 iSuppli 公司数据显示，有 5 家日本 LSI 厂商进入全球前十。例如瑞萨电子公司在上述领域都独占鳌头，占有该市场 20%的份额。③

然而，日本企业却陷入另一种困境——拥有技术优势却盈利乏力。近年来，过去日本企业以技术优势获得市场的传统发展模式已严重受阻，在全球市场中，日本半导体产业整体萎缩势头一直在延续。2011 年日本半导体产业继续下滑，其全球产值占比跌破 20%大关，降至 18.9%的历史最低点。④ 而在 20 世纪 80 年代，日本半导体产值曾占全球半壁

---

① 経済産業省：通商白書 2011，経済産業省 2012 年，p96。

② DBJ：最先端のものづくり支える日本の半導体製造装置産業，日本政策投資銀行 No. 181－1（2012. 9. 21）。

③ 小島郁太郎：マイコン業界、黒船来航で競争激化，日経マイクロデバイス，2008 年 11 月号 pp27－35.

④ HIS iSuppli November 2012：2012 年売上を本社所在地別にみた世界半導体マーケットシェア. Tech-on! http://techon. nikkeibp. co. jp/article/NEWS/20121205/254641/? SS＝imgview&FD＝1248918330。

江山，最高曾达到51%市场份额(1988年)。①

日本大地震之后，日本芯片产业更是出现"哀鸿遍野"惨状。在45家主要半导体厂商中，37家企业的销售额出现同比负增长，25家企业陷入了赤字经营。在全球MCU市场中占有率第一，也是日本半导体代表企业的瑞萨电子，出现了史无前例的626亿日元巨亏。② 另外，作为日本唯一DRAM生产商的尔必达存储公司，也因常年亏损而被迫在2012年宣布破产，这家曾是日立制作所与NEC在1999年联手打造的企业，如今不得不接受美国美光科技2 000亿日元融资，成为其旗下子公司。由此，日本政府在2009年投入的300亿日元公共资金也瞬间化为泡影。③ 从事半导体及相关业务的日本大企业同样遭受波及，索尼、松下及夏普等三大企业集团2011年度赤字合计达1.7万亿日元，仅有富士通勉强维持了盈利状态，其利润也同比出现22%的下滑。④

"模块化改革"的严重滞后

1962年IBM公司360体系设计是最早的模块化实践，这种崭新的生产方式很快在计算机领域普及，它带来了更加高效的生产效率。从20世纪90年代开始，该模式又开始向其他产业领域蔓延，汽车产业的平台化趋势就是典型特征，最成功的案例就是德国大众汽车公司。进入21世纪以来，全球半导体产业步入更深层的模块化革命。以芯片为主的大型半导体公司普遍采取所谓Fab Lite战略，这是一种把生产委托给外部企业的模式，公司自身专注于设计研发。这一浪潮迅速席卷整个产业，它还催生出专门负责委托生产的厂商——Foudry企业，代表型企业就是

---

① 清水誠：半導体産業の国際競争力回復に向けた方策，ガートナーデータクエスト(2005年8月)GJ05441，日本政策投資銀行，2006年。

② 日本経済新聞：ルネサス、最終赤字626億円12年3月期，日本経済新聞，2012年5月9日。

③ 日本経済新聞：エルピーダ、米マイクロンが買収へ3 000億円支援，日本経済新聞，2012年5月6日。

④ East-japan：ソニー赤字最大、5 200億円、国内テレビ3社損失計上計1.7兆円，East-japan：2012年4月11日。

中国台湾的 TSMC(台湾机体电路制造有限公司)。

概括而言,半导体芯片产业的模块化已经经历了四大阶段:20 世纪 60 年代以前是所谓“全能企业”阶段,大多数企业全部采用垂直一体化的 IDM(Integrated Device Manufacturer)模式,其特征是企业覆盖了整个产品的设计与制造、封装及测试等全过程,属于一贯式经营模式;20 世纪 60 年代后期,出现了半导体材料与半导体设备开始分离,半导体芯片生产设备开始分离出去,整个产业形成 IC、设备和材料等三大子产业体系;20 世纪 70 年代开始,又出现了所谓前、后工程分开阶段,即封装与测试等后工程从整个产业中分离,这主要因为半导体后工序封装、测试等已基本物化到设备仪器技术和原材料技术之中,那些半导体后工程转向了劳动密集的东亚新兴国家;20 世纪 80 年代中期开始,进入半导体的设计分离阶段,由于 CAE 等辅助设计技术发展,半导体产业出现专门从事 IC 的设计公司——Fabless,如 1982 年成立的美国 LSI Logic 公司。

半导体芯片产业的高度模块化,也经历了不断深化过程,20 世纪 90 年代后期这种高度分工模式的卓越成效凸显出来。1994—2005 年,全球专业化芯片设计公司(Fabless)数量增加了 4 倍,其整体营业收入也增长了 40 倍,年均增幅超过 22%,远高于半导体产业整体 8%,以及 IDM 模式平均 7%的水平。

日本半导体芯片产业一直滞后于模块化改革。1986 年《日美半导体协定》的签署促使日本半导体产业步入最辉煌时期。其原因在于它有效控制了当时最具增长力的 DRAM 领域,而美国 Intel 公司却主动放弃了 DRAM 市场,转身进入了 CPU 和逻辑电路领域。90 年代之后,日本芯片厂商便陷入腹背受敌之困境:一方面韩国企业在 DRAM 等领域迅速赶超;另一方面,美国企业早已悄悄占领了半导体设计的高端,全球顶尖的 Fabless 厂商多为美国企业。

战略调整与改革转型的尝试

21 世纪之初,日本大型电子巨头曾实施战略重组,试图掀起过半导体产业革命,实施了"跨企业、按不同业务分类进行的大规模重组"。核心方针有两点:一是大企业纷纷放弃 DRAM 存储业务;二是各企业切割重组新的系统 LSI 企业。当时东芝公司、富士通公司、索尼公司、松下公司、三洋公司、冲电气工业(OKI)等大企业,都退出了 DRAM 方式存储业务。另外,NEC 公司和日立、三菱电机之间又重组了 DRAM,成立了唯一一家 DRAM 的尔必达存储公司。在系统 LSI 领域,日立公司与三菱电机进行业务重组,成立瑞萨科技公司,2010 年 NEC 公司也参与进来,将其 LSI 业务加入到新的瑞萨电子公司,组建起日本、也是世界最大的微控制器企业。但是,除 OKI 的 LSI 业务加盟罗姆之外,大多数电机企业仍然继续保留了系统 LSI 业务,甚至作为重点战略,纷纷在公司内部成立专门的半导体公司。

这场大规模业务重组,也一度为日本半导体产业复兴带来新的活力。当时,出现了专业化、协作化和高端化等新的产业分工趋势,瑞萨电子迅速占领了世界 MCU 的主导地位。但是,相对于国际芯片产业"设计与制造分离"的发展趋势而言,这场变革又显得非常不彻底,改革之后,日本半导体产业也没能出现专业化的半导体设计与生产企业。在全球半导体产业卷入深度模块化浪潮之际,日本再次落伍,这成为其盈利大幅下滑,并导致其市场份额逐步丧失的关键原因。

20 世纪 90 年代之后,全球半导体芯片产业的"设计工程"与"制造工程"分离趋势越加明显,世界范围内出现"设计—代工"这一新的生产合作方式,原有垂直一体化生产模式开始被水平分工模式逐步取代。在美欧地区迅速崛起了一批专业化的设计公司,如美国的赛灵思(Xilinx)和阿尔特拉(Altera)等。与此相应,在东亚地区则崛起了一批专业化的芯片生产厂商,如中国台湾地区台积电(TSMC)和联华电子(UMC)等企业。

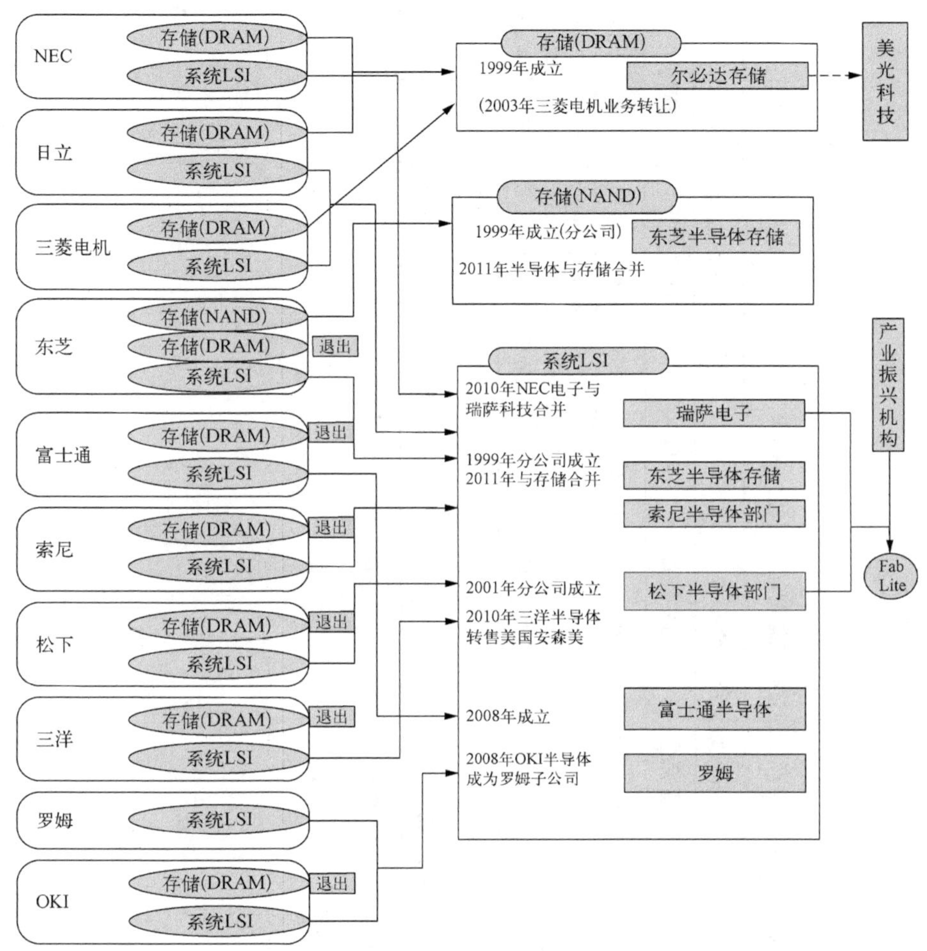

图 5-1　日本综合电机企业的半导体业务重组(1999—2011 年)

资料来源:経済産業省.2011 年版ものづくり白書[R].2011.p276.

事实证明,相对于传统垂直一体化模式(IDM),这种新的分工生产模式更加有效率、更具盈利特征。表 5-1 对比了 2004 年不同模式运营的芯片企业的盈利特征,整体而言,传统 IDM 企业明显逊色于采纳新模式的公司。

相对于全球芯片产业水平分工模式迅速发展的趋势,多数日本芯片企业却仍然保持着传统的垂直分工体系,即 IDM 模式。然而,面对

表 5-1　半导体产业经营模式盈利能力比较(2004 年)

(单位:亿日元、%)

	专业制造商(Foundry)				专业设计商(Fabless)				垂直一体化制造商(IDM)					
	台积电		联华电子		赛灵思		阿尔特拉		NEC 电子		德州仪器		英特尔	
	数额	占比	数额	占比	数额	占比	数额	占比	数额	占比	数额	占比	数额	占比
销售额	8323	100	4181	100	1691	100	1099	100	7080	100	13609	100	37006	100
基本成本	4575	55.0	2988	71.5	619	36.6	336	30.5	4859	68.6	7523	55.3	15645	42.3
R&D	405	4.9	238	5.7	330	19.5	195	17.8	1079	15.2	2140	15.7	5169	14.0
纯利润	2987	35.9	1030	24.6	336	19.9	298	27.1	160	2.3	2013	14.8	8130	22.0

资料来源：日本経済産業省産業調査班. 半導体産業の国際競争力回復に向けた方策[R]. 2005.

市场份额不断被侵占、利润大幅下滑的严峻形势，日本芯片企业也被迫实施战略转型，特别是 2011 年日本大地震之后这种趋势越加显著。

三、产业转型的摸索与新尝试

概言之，日本产业竞争力衰退主要包括三大核心原因：一是在支撑美国新经济的 IT 技术革命领域，日本因把产业重点转向机器人而远远落后；二是模块化浪潮席卷之下各个产业掀起了生产革命，但日本企业却仍沉醉于精益生产方式，未能敏感意识到这是一场革命；三是全球化浪潮导致相关产业从美欧向新兴市场"整体搬迁"，但日本却仍在极力维护本土的"研发总部"功能，仅仅是向海外转移其生产功能。最近以来，日本产业界犹如经历一场大浪淘沙，一方面是三洋全面退市、索尼"断臂求生"、松下结构改革、夏普卖股自救、高田门"蚁穴效应"、东芝会计造假……接二连三的"坏消息"充分暴露了日本制造业国际竞争力全面下滑的现实；但另一方面也有村田的异军崛起、伊藤忠携手中信与正大、东丽联手波音与宝马、丰田开放 5 000 项专利……一些"好消息"也在反映日本制造业正在突破旧有观念、顺应全球化潮流、打造联合开放式创新。沉舟侧畔千帆过，病树前头万木春。战后 70 年之际，日本产业再次迎来一场重大的转型变革。

受老龄少子化等结构性因素的影响，日本企业面对未来将持续萎缩的国内市场而选择了更快"走出去"战略，扩大海外经营成为日本企业获取新的盈利的重要战略支柱。2000 年日本对外净资产余额已经达到 133 万亿日元，2004 年这一数字就攀升至 185.8 万亿日元，2006 年更是突破 200 万亿日元规模，2007 年达到 250.9 万亿日元。而且，为了提高"走出去"效率，日本企业还开始导入并不擅长的并购（M&A）战略，2000 年日本企业海外并购动用资金创纪录地超过 7 万亿日元，并购案件数量也超过 150 件。2006 年并购案件更是突破 400 件，并购资金超过 8 万亿日元规模。

大步“走出去”是进入21世纪以来日本企业经营的重要特征之一。与此相伴，采取彻底而深入的结构改革也是日本企业的另外一个突出特征，然而，从这种以转变企业经营战略为目的的结构改革的结果来看，各个企业却是喜忧参半。

放弃“全能企业”的结构改革

为了适应全球半导体产业第四次革命——设计与生产分离的趋势，日本半导体产业掀起了一场摆脱“全能型企业”的结构改革，最典型的案例就是东芝共识和瑞萨电子公司所实施的系列改革。

东芝是日本最大的半导体厂商，其半导体产品的销售额也位居全球第三。2011年8月，东芝公布其半导体业务的结构改革方案，其改革的核心目标就是要走向高附加值化，为此，彻底放弃传统的“全能式”产业结构，把重点转向半导体前工程，同时，集中精力和资源来开发新一代半导体产品。

“集中研发高附加值产品，强化成本竞争力”，这是此次东芝改革的基本方针。改革主要包括五大内容：一是大幅压缩分立半导体部件(Discrete Semiconductor)业务，确立起高能效半导体为主的业务结构，未来以LED、SiC、GaN等作为公司的研发重点；二是将公司的系统LSI业务一分为二：逻辑LSI业务和模拟图像IC业务，同时公司转向无工厂化设计厂商(FabLite)，把生产业务模块转为外部委托方式；三是半导体存储业务向更新技术转型，重点开发三元技术产品，投入所谓MRAM等最新产品；四是统合旗下的HDD与SSD、NAND等三大业务，形成统一的解决方案；五是整合和重组国内生产基地，把原来六大生产基地压缩为三大基地，关闭北九州、静冈和千叶等工厂。

日本半导体代表企业，瑞萨电子的改革颇为引人注目。作为半导体产业的“新兴势力”代表，瑞萨电子是全球最大的MCU厂商。2012年7月，它推出了令业界震惊的改革方案——关闭12座工厂、削减1.4万名员工。[①] 此次大刀阔斧式改革的核心词是“削减”和“退出”，也就是要大规模“瘦身”的同时，实现向更加专业化转型。此次改革内容包括五点：一是削减国内 6 成生产基地，将 19 个生产基地压缩至 7 个，直接解雇员工人数达 7 000 人；二是彻底切割与核心业务无关领域，退出半导体芯片之外的手机半导体业务，为此再解雇 5 000 名员工；三是部分生产“移师海外”，把半导体芯片的组装与配线等“后工程”转向海外生产基地，国内原来的 9 个“后工程”仅保留 1 个；四是非核心生产采取外部委托方式，非必要特殊技术与设备委托给台湾等企业生产，退出相关业务；五是确立两大战略核心——专业 MCU 和高能半导体产品（Power），前者是汽车与家电相关的核心 MCU 芯片，瑞萨电子确立了占领全球 30％市场份额的目标，后者是开发调节电流电压的高能效半导体，继续执牛耳于整个产业。

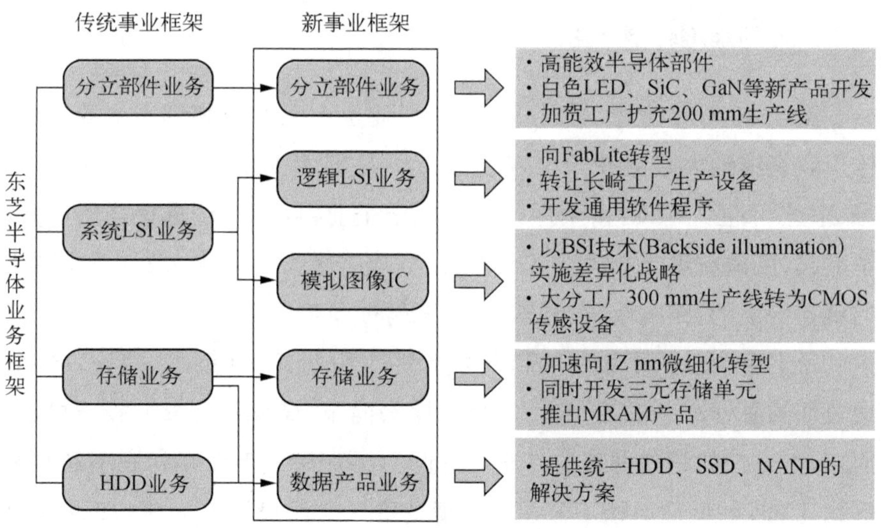

图 5－2　东芝公司半导体事业改革框架(2011 年)

资料来源：笔者根据东芝公司主页相关信息制作。

总之，放弃传统 IDM 模式、脱离“全能企业”成为日本半导体芯片企

---

① 朝日新聞：ルネサス12 工場削減，朝日新聞，2012 年 7 月 4 日。

业战略调整的关键。大幅削减或压缩相关业务，特别是那些长期不盈利业务，成为此次改革重点。如松下就决定压缩营业利润在5%以下的所有业务，特别是对通用型产品采取水平分工方式，不再坚守“大而全”的全生产链。此外，政府支持和大企业间合作，也是日本半导体芯片产业转型改革的重要特征。

早在2009年7月，日本政府就出资成立了产业革新机构（INCJ），它实际就是一家日本特色的投资基金，有效填补了日本风险投资资金先天不足的劣势。在总资产905亿日元中，政府出资达820亿，超过九成，另有16家民间企业参与投资。不仅如此，由于有日本政府做担保，该机构还可以从金融机构获得达8 000亿日元的融资规模。值得关注的是，该机构并不计较短期盈利，其核心任务就是支持产业创新。该机构创立当年就出现9.8亿日元的巨亏，纯利润甚至出现12.92亿赤字。①

电子产业的艰难转型之路

截至2000年为止，尽管日本电子产业也不乏改革和创新企业，但整体产业衰退的大趋势并未出现改观。步入21世纪之后，索尼、松下、夏普、东芝、日立、NEC、富士通等综合电子企业再度高擎“选择与集中”改革大旗，削减或退出相关业务，实施经营战略转型。其中，最具典型意义的就是松下的“结构改革”和索尼的“断臂改革”。

松下公司步入下坡路的起点可追溯到20世纪80年代中期，1986年该公司的总资产利润率（ROA）突然掉头向下，骤然跌破10%。对松下而言，更可怕的是这种衰退并非一时性的，到1999年度其利润率甚至滑落到3.3%的低位。松下公司向来高度重视企业投资利润率，1984年其总资产利润率曾创纪录的达到19.4%。而且，这家公司更是高度重视创新经营理念，其创始人松下幸之助甚至被日本实业界奉为“经营之神”，他创立了所谓“水道哲学”的经营理念。1977年，松下公司曾率先研制销

① 日本経済新聞：ルネサス、最終赤字626億円12年3月期，日本経済新聞，2012年5月9日。

售了 VHS 格式家用录像机，1983 年实施“阿行动 61”改革，构建起电视机、录像机、音响和电化等四大家电事业的本部经营体制。

那么，松下为何突然转向衰落呢？这大致可归结为三大主因：一是经营模式严重滞后，或许正是因为创始人被奉为神，所以在松下幸之助 1989 年去世之后，其亲手缔造的事业部制、组织化家电流通体系以及“就业第一”经营理念等，一直在公司内被奉为圭臬，成为改革禁区，这就使松下没能搭上经济全球化与 IT 革命的快车；二是投资战略出现迷失，1986 年谷井昭雄社长提出以 7 800 亿日元巨资收购美国 MCA，但大相迥异的企业文化使此次收购最终落败，鸡飞蛋打的松下竟然为此损失了 1 600 亿日元，也耽误了实施战略转型的机遇；三是“大企业病”带来了经营效率低下，90 年代公司在原有庞大体制上，又架屋叠床地设立了家电和信息通信等部门，导致公司内文件主义盛行，各个部门也各自为政，创新精神逐渐丧失殆尽。

松下的战略转型经历了两次重大改革——中村改革和津贺改革，前者主要是战略层面，后者重点转向业务结构转型。2000 年，中村邦夫下车伊始便打出“21 世纪超级制造业企业创新”的鲜明旗帜，紧接着又公布了三年改革计划《创生 21 计划》。松下迎来了经营战略转型，它终于放弃了传统的“大量生产，大量销售”模式，转向适应 21 世纪新型制造企业。中村改革获得极大成功，继 2001 年度出现 4 310 亿日元赤字后，松下很快步入 V 字形复苏，2002 年度营业利润回升至 1 266 亿日元，2007 年度其营业利润高达 5 194.8 亿日元。

中村改革的关键是破坏与创造，即“破坏”旧体制——放弃传统事业部制，重新筛选核心事业；“创建”新的经营体制——扁平化组织和单元化生产方式。改革涉及人、财、物以及组织领域：人事上不再坚守“维护就业”的传统理念，实施 1.3 万人大裁员，降低人工成本 1 600 亿日元；以单元生产方式替代传统流水线，强调多能工、多品种、小批量；放弃事业部主导体制，导入预托投资制度，强化总部对海外企业控制；废除事业部制、改革董事会，创建扁平化公司治理模式，将原 100 多事业部整合为 14

个领域子公司。

中村之后，松下实现 7 年持续增长，2007 年销售额突破 9 万亿日元。但金融危机阻断了松下增长之路，2012 年销售额跌破 8 万亿日元，盈利能力也随之下滑，2011、2012 年度均出现超过 7 000 亿日元的大幅赤字（7 671 亿、7 543 亿日元）。这成为津贺一宏社长实施业务结构改革的原因，津贺改革明确提出"去电视化""放弃等离子技术""从 B2C 转向 B2B"等明确口号，掀起了一场史无前例的业务重组。一是大规模裁员，总部、电池事业等部门人员编制减半，手机业务也转移马来西亚；二是"去电视化"，将企业资源集中到高附加值领域；三是经营模式转向进攻型，以汽车电池为例，松下不仅成为丰田最大合作伙伴，也携手美国新兴电动汽车企业特斯拉。2013 年度松下再度迎来曙光：集团销售额同比增长 6%，达 7.7 万亿日元；营业利润同比骤增 90%，实现 3 051 亿日元；纯利润由 7 543 亿日元赤字扭转为 1 204 亿日元的黑字。

与此同时，索尼也在不断实施相关改革。1999—2012 年，索尼累计裁员达 7.3 万人。但似乎改革成效并不显著，2008 年金融危机后索尼又陷入长期赤字状态，2011 年赤字攀至 57 亿美元。穆迪也因此而不断下调其信用评级，2014 年索尼跌入"垃圾级"。谁敢相信索尼曾是世界技术创新的领军者，它从收音机、电视机到随身听等，为世界贡献了 12 项具有划时代意义的新技术。2014 年初，背水一战的索尼提出了"断臂式"改革计划，退出个人电脑业务并大幅裁员，同时还剥离电视机业务。

电子零部件产业的成功之路

2007 年苹果公司的第一款 iPhone 手机开始了一个新的时代，人类步入了智能电子时代。到 2013 年为止的 7 年间，全球智能手机出厂量突破 10 亿台。伴随智能电子产品的日趋普及，日本电子部件厂商也开始从"幕后"逐渐走上"前台"，它们凭借各自在不同领域的独特专有技术、卓越的性能以及优秀的质量，赢得了市场。这种所谓"鲫鱼现象"——附着鲨鱼身边、为其清除寄生虫的小鱼，可免费享受鲨鱼护航而不断成长——恰好证明了日本电子零部件产业的成功之路。下面以全球最大陶瓷电容器厂商、也是世界500强的村田制作所为例，阐释日本电子产业的成功路径。

B2B的"隐形冠军"。村田制作所源于一家名不见经传的陶瓷作坊，1939年从岛津制作所获得飞机计速零件订单为契机，转型生产精密特殊陶瓷。1944年又迈入电容器领域，最终获得了三菱公司的认可。战后第一次技术突破是参与日本政府资助的鱼群探测器项目，它利用与京都大学合作科研资源，开发出廉价的碳酸钡稳定器。1950年公司改组为村田制作所，相继成为神户工业（富士通天）、日本电气（NEC）、日立制作所、东京芝浦电气（东芝）、东洋通信机等大企业供应商。

进入晶体管时代之后，日本电视机大举进军海外市场，以此为契机，村田也出兵海外。1960年，它开始为摩托罗拉、通用电气等美国企业供应陶瓷电容器。此后，接踵而至的电子产品革命更让村田顺风顺水。一台黑白电视需要50个陶瓷电容器，而彩电则需要100—150个，于是，1970年村田的该产品月产能达到2亿个。这一年，村田成功在东京证券所一部上市。两年之后，又在新加坡设立子公司，为该地的日立、三洋电机、GE和飞利浦等供货。1973年以为GM供货为契机，村田又踏入了美国的大门。

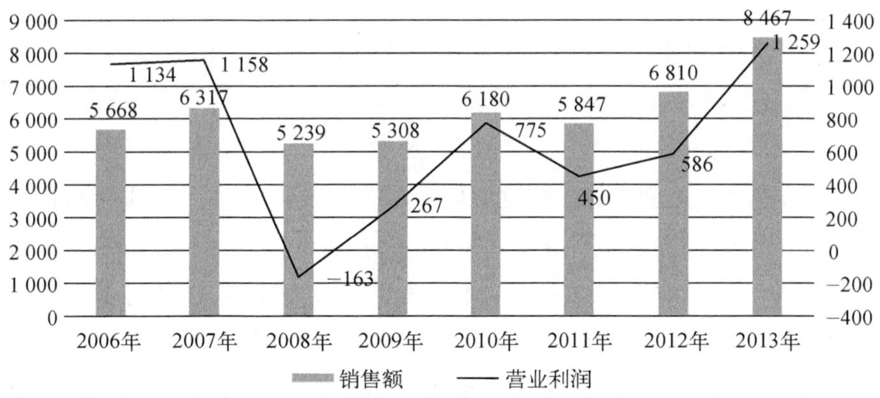

图5－3　村田制作所近期销售额与营业利润（单位：亿日元）

资料来源：笔者根据村田公司相关数据制作。

如今,村田制作所成长为跨国企业集团,在全球拥有 101 家企业。2013 年销售额已攀升至 8 467 亿日元,营业利润更高达 1 259 亿日元,营业利润率逼近 15%。村田全球总资产也达 1.2 万亿日元,税后纯利润高达 932 亿日元。产品线也覆盖了电容器、压电产品及相关电子组件、通信及电源模块等,业务范畴涵盖了通信、计算机、汽车电子以及家电等领域。在部分领域它拥有强大竞争优势,如 95%的振动传感器市场、70%的陶瓷谐振器、60%的通信模块、45%的滤波器、35%的静噪滤波器和积层陶瓷电容器市场。

那么,村田电子等日本电子部件产业是凭借什么获得成功的呢?仅就村田的经营历程来看,两点经验至关重要:一是技术创新,二是适应时代潮流的经营战略。

村田公司高度重视"研发"的作用,其企业标志下面一行英文是"电子产业改革者",它号召"每一名员工都应作为改革者,不断追求创新自己的工作"。不仅停留在经营理念,该公司重视研发更重视付诸实践,公司每年销售额 7%务必用于研究开发。以 2013 年 8 467 亿日元销售额为例,其 2014 年研发费用就达 593 亿日元。长期以来,村田的专利申请数量一直在 600 件以上,2007 年之后还呈现出新增长势头,2012 年达 861 件。

"产学协同发展"是村田实现技术进步的重要手段之一。村田很早就支持大学科研事业,京都大学钛瓷半导体研究项目就是一例。也正因此,钛酸钡技术才很快就应用到村田产品中,成为其主力产品的钛瓷电容器。村田与京大的"产学协同体制"还覆盖诸多领域,村田甚至租借该大学教研设施,让全体员工到这里研究和质量改善活动。1951 年村田资助成立了钛酸钡实用化研究会,成员包括东京大学、京都大学、东北大学以及产业科学研究所等单位。这种"借助大学智慧"的经营哲学为村田技术进步奠定了坚实基础。

村田还确立了明确的研发战略和原则,它提出"全球专利"战略,积极在各国申请专利,该公司专利已有一半实现了全球化。80 年代它又提出“开放战略”，把公司现有专利标准化之后向客户商开放，确保和扩大市场份额。为免遭知识产权侵害，村田还制定“闭门战略”，对非关联企业实施产权保护。在产品开发过程中，村田确立了两大开发原则：一是开发极致的小型化产品，如其积层陶瓷电容器（MLCC）2014 年开始了 0201 尺寸（0.25cm×0.125mm）超小型部件，小到肉眼几乎看不到；二是开发多功能集成产品，致力于将其独具的近距离无线通信、调谐器、电源模块以及蓝牙等技术，集合在一个模块单元。

适应时代潮流的经营战略，也是村田不断获得成功的制胜法宝。作为以企业为客户的 B2B 厂商，村田深知紧跟时代潮流发展的重要性，为此，企业不断适时调整经营战略，以确保能够立身于不败之地。在电子产业的四次模块化革命中，村田不仅没有淹没在时代洪流，反而不断壮大发展。

60 年代之前，第一次模块化革命带来了业界规格标准化。村田则把精力集中在使其产品获得相关标准认定，从而成为大型厂商的供应商。其高周波电容器先后获得美军 JAN、MIL，以及日本保安队 SSS 规格认定，使其成为东芝、松下等固定供应商。第二次模块化革命使半导体材料与设备生产分离，业内形成了 IC 芯片、半导体设备、半导体材料等三大体系。这一期间，村田重点发展芯片电容器产品，开发出芯片积层陶瓷电容器。第三次模块化革命在 20 世纪 70 年代，主要以前、后工程分离为特征，后工程大规模向劳动密集的东亚新兴国家转移。为适应这种潮流，村田在新加坡设立子公司 MES，之后还相继在美国、中国、泰国、马来西亚、英国以及中国台湾地区设立生产据点，适应全球半导体及电子产业转移趋势。第四次模块化革命是以设计分离为特征的，半导体产业界出现专门 IC 设计公司和专门代工企业。以村田为代表的日本电子部件厂商，通过努力赢得苹果、三星等跨国厂商的青睐。

为适应模块化不断深化的发展潮流，村田还制定了“内部磨合型、外部模块化”的经营战略。对内在材料、制造工序、各工序之间以及产品的开发上，强调磨合型开发；对外主要是积极适应智能产品技术的标准化趋势，不断实施小型化、大容量化技术路线。伴随智能电子产品市场的不断扩大，村田制作所保持着良好的业绩增长。如今，智能手机在全部手机中的占比才刚刚过半，今后仍有较大的增长空间。

不过，村田也没有形成高度依靠单一市场的发展模式，这也是考虑到企业经营的风险因素。在智能手机市场出现低价格化，且迅速拓展之际，村田也面向积极拓展低价智能手机的中国企业等表现欢迎态度，它已经在为联想集团、华为、小米等中国厂商供应部件。不仅如此，村田也在积极拓展手机外的市场，如“汽车”“医疗与保健”等产业，积极寻找智能手机的“接班人”，“环境和能源”等领域也是村田锁定的重要目标。

“高田门”破产的剧烈冲击

最近以来，高田公司的安全气囊问题几乎让日本汽车厂商耗尽了精力。其中最痛苦的莫过于本田公司了，自 2008 年在北美地区召回 51 万台汽车以来，本田召回的规模不断扩大。“杀人犯是安全气囊”——高田已经成为美国媒体的众矢之的。这场风暴的源头在 2008 年，当时，使用高田气囊的本田汽车曾发生多起气囊爆裂事件，本田为此被迫实施了大规模召回。但作为零部件供应商，高田却表现出不予配合态度，认为汽车召回乃是“汽车生产商自己的举动”。2009 年之后，形势急剧恶化。美国出现了首次因气囊爆裂而致人非命的事件，态度仍然暧昧的高田，陷入了舆论批评的风口浪尖。

2014 年高田斯托克社长的辞职也没能平息风暴，相反，马来西亚一场新的致人死亡事故则把这场风暴刮至全世界。2015 年初美国以高田不配合调查为由，宣布将对之处以每天 1.4 万美元罚款。高压之下，高田态度被迫转变。5 月高田与 NHTSA 签署共同声明，承认了关于其产品缺陷的 4 项指控，并同意召回其生产并销往美国约 3 380 万个存在安全隐患的汽车安全气囊。

由于承认缺陷，高田公司将面临在美国召回 3 400 万台、全世界合计召回 4 000 万台以上的重压，这将导致怎样的巨额成本？在 2014 年度财务报表中的“特别损失”就计入了 586 亿日元，但这还不包括 2014 年 11

月以后召回费用。预计高田未来为应对召回,将需要动用超过 3 000 亿日元的巨额费用,但高田当前的资产却仅为 1 500 亿日元。

为何会发生高田门事件呢?这既有高田自身经营的问题,也有汽车产业普遍实施模块化革命的影响。以 20 世纪 90 年代德国大众汽车公司实施平台化战略以来,全球汽车企业纷纷采纳平台化战略——模块化在汽车产业的体现。于是,原来日本汽车产业所独具的系列体制就开始瓦解,垂直一体化生产方式已经告别了历史舞台。然而,高田门事件也恰好证明了模块化革命这个"硬币"的另一面——模块化确实大幅降低了成本,但大规模通用部件的采用,也带来了巨大的安全隐患,一旦发现问题,将导致一场系统性危机。作为全球第二大安全气囊装置制造商的高田公司,其客户不仅限于日系车企,还包括了德国宝马、奔驰在内等多家欧美品牌,高田门将冲击全球汽车产业。

"交通事故牺牲者为零",曾是高田公司倡导的经营理念。也正是基于常年积累的高度信用,2005 年高田社长获得了来自美国联邦道路交通安全局(NHTSA)授予的特别贡献奖。两年之后,该公司高田社长又获得美国汽车安全委员会(AORC)授予的"开拓者奖",这是美国大陆之外的第一位该奖项获奖者。

高田创立于 1933 年,曾以棉纺织加工生产为主业。二战之后,在一次访美机会中,高田发现了美国正在研发一种叫作安全带的新产品,于是,他将样品带回日本,与日立金属公司合作、花费 10 年时间开发出实用化的车用安全带装置,这创造了日本第一。此后,高田继续引领行业的创新,1970 年又开发出电子安全带(TESS),它是以电磁锁方式避免安全带被迅速锁死,该产品得到美国联邦道路交通安全局的称道,高田以此为契机,进入到美国市场。1977 年高田又推出一键操作的车用儿童座椅,该产品同样是日本第一。

事实上,高田起初是坚决反对安全气囊产品的。但受邀参加 1983 年美国举办的安全气囊现场实测之后,耳目一新的高田开始步入该领域。它与本田技研一道开始研发安全气囊产品,1987 年本田里程

(LEGEND)成为日本第一款装配驾驶座安全气囊的轿车。此后，高田气囊产品不断推陈出新，2005 年的双气囊产品、2006 年的摩托车用安全气囊、2010 年气囊安全带、2012 年汽车前部整体气囊、2013 年的 FVT 气囊产品，等等，都成为世界首创技术。

表 5－2　汽车安全气囊相关专利技术企业排名

排名	企业名称	综合得分	有效专利件数	单项最高得分
1	奥托立夫(AUTOLIV)	2 755.4	441	79.8
2	高田集团	2 325.1	487	90.9
3	丰田合成	1 790.0	585	88.2
4	丰田汽车	1 756.2	450	88.2
5	大赛璐(DAICEL)	867.7	186	85.5

资料来源：Patent Result 2014.2.(以在日本申请专利为依据)。

如今，高田已成为全球第二大安全气囊生产厂商，仅次于瑞典奥托立夫之后(如表 5－2)。而且，在技术进步方面它强调标新立异、不断开拓新产品渠道。20 世纪 90 年代，高田开始采用硝酸铵作为气囊膨胀装置，而非普遍应用的硝酸胍，其理由是这种材料可以使安全气囊变得更轻、更小，在技术上有很多优势。从相关专利申请件数来看，也可以看到高田的竞争优势，在日本市场上，它拥有仅次于丰田合成的 487 项有关安全气囊专利技术。

截至 2014 年，高田的集团销售额已突破 6 000 亿日元，在全世界 28 个国家拥有 58 座工厂。不仅如此，高田的海外销售占比高达 88%，特别是美洲地区是其最大市场，占总销售比 42%；其次是欧洲地区，占比达 26%。高田在亚洲市场的增长也非常快，已从 2012 年度 923 亿日元迅速增长至 2014 年的 1 647 亿日元，两年之间增长了 78%。

如今，身陷气囊门事件的高田会不会成为其灭顶之灾呢？其出路何在？对于高田而言，第一条出路就是所谓自救为主的模式。首先是可以采取增加股本的方式来融资，但此举将威胁高田家族对企业的控制。如

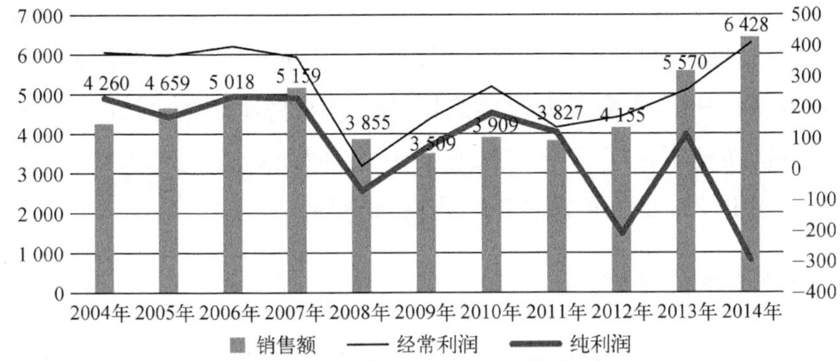

图 5－4　高田公司经营业绩(2004—2014 年)(单位:亿日元)

资料来源:笔者根据公司披露信息整理。

今,高田家族持有公司约 59%的股权,但今年公司股价已下跌 60%,因此现在需新发 1.5 亿美元股票,该家族持股比例也将因此而降至不足 50%。再就是采取“瑞萨电子模式”的援助,主要是在新管理层的监督下,以汽车制造商和政府基金的投资来对高田进行资本重整,这就类似于 2012 年瑞萨电子的纾困模式。

第二条出路就是依靠汽车厂商救助为主的模式。作为高田第一大客户,本田技研已经明确表示如果高田因此陷入经营危机,将基于维护零部件稳定供给的角度向其提供援助和支持。此外,日本也是全球最大厂商的丰田公司也表示,愿意通过出资委托独立第三方进行调查,本田、日产、通用、福特等均参与此项支持方案。汽车厂商们之所以愿意联合救助高田,主要有如下因素:一是因为汽车设计具有复杂性特征,整个链条形成了“一损共损”特征;二是零部件供应商长期为汽车厂商承担压缩成本的重任,因此在遇到困难时,理应得到整车厂商的救助;三是对于汽车厂商而言,更换供应商不仅需要时间,还要付出更大的成本。

四、顺应国际潮流的海外并购热

2013 年日本企业的海外并购(M&A)再现高潮,购并金额高达 640 亿美元。这虽未及 2011 年 670 亿美元的峰值,但同比 2012 年度则大增

24.8%,成为稳居美国之后的全球第二。令人匪夷所思的是,这一现象是出现在日元大幅贬值的背景之下,是年日元对美元从1美元86日元大降至105日元,大降了18%。而且,与之形成鲜明对照的是,美国企业海外并购同比下滑了13%,英、法企业的降幅也均高于10%(分别为11.6%和12%),德国的滑坡甚至达到28.7%。

日企海外并购的三大高潮

日本企业对外并购是在1985年广场协议之后开始增长的,这与日本对外直接投资步伐基本一致。统计显示,从1985年至2017年的33年间,日本企业海外并购件数达到11 147件,金额达到106.6万亿日元。

迄今为止的日本企业海外并购大致可以划分为三个高潮期。

一是1990年前后的泡沫经济时期。1989年海外并购件数388件、1990年更是上升至463件。当时日本企业的对外并购主要是以写字楼和高尔夫球场等不动产为主要特征,而与企业主业相关的并购相对较少,并称之为“财务并购”。主业相关并购案例就是松下电器产业收购美国MCA案例,当时收购额达到7 800亿日元。在泡沫经济崩溃之后,日企的海外并购迅速减少,1993年便降至120件。

二是20世纪90年代后期至2000年,主要是日美为中心的IT泡沫时期。IT企业对外投资越加活跃,海外并购案件在2000年曾达到368件。其中NTT收购美国手机电话巨头AT&T无线电话的案件金额突破万亿日元(1.1万亿,约合98亿美元)。

三是2005年之后,一直到2017年,连续超过11年的增长。其背景是伴随着不良债权处置进展,加之经济复苏进程,2005年开始,日本企业纷纷强化海外业务。海外并购案件2005年达411件、2006年421件,并购金额也有了很大发展,2006年对外并购总额突破8万亿日元(8.6万亿)。其中大型案件接二连三地出现,如日本烟草产业(JT)以2.25万亿日元收购了英国的加莱赫烟草集团(Gallaher Group)、东芝公司以6 210

亿日元收购了美国西屋公司等。①

根据汤森路透的最新统计显示，2014 年上半年日企海外并购继续高歌猛进，其金额同比大增 162%，高达 333 亿美元。此前有调查指出，日本企业海外并购的成功率仅为 10%。那么，为何日企们在本币大幅贬值之中却如此“疯狂”呢？而且，长期以来令日本企业进军海外而得以长袖善舞的主要方式一直是直接投资（FDI），直至 2000 年，海外并购在日企对外投资中的占比还仅为 2 成，而到了 2010 年则骤然增至 6 成，这种战略转变因何而来呢？

日企海外并购的新特征

第一，日本企业的海外并购已经进入了一个崭新阶段。1985 年广场协议（Plaza Accord）是日本海外并购的起点，主要原因是日元大幅升值。此后的阶段性特征非常明显：第一阶段是 1985—1992 年，其战略目标非常单纯，就是要“深入敌后”来规避日本与欧美之间的贸易摩擦大战，由于以直接投资为主，所以并购资金规模一直很少；第二阶段是 1993—2004 年，受泡沫经济崩溃之困，日企开始主攻东南亚、东亚等新兴市场，战略导向则是建设低成本、面向世界市场的生产基地，并购资金规模也始终没有超过 250 亿美元；第三阶段是 2005—2008 年，受东亚经济崛起以及全球经济向好影响，日本全球并购资金规模曾在 2008 年逼近 600 亿美元；第四阶段是 2009 至今，“雷曼冲击”之后的 2010 年日企海外并购规模就达到 350 亿美元，2011 年“3・11”大地震带来的“产业六重苦”更把日企推向了海外，并购资金规模创下纪录。

第二，是大宗并购案件出现不断增加的势头。所谓大宗并购，主要是指一次购并金额超过 10 亿美元之上。2009 年以来，超过 10 亿美元规模的日企海外并购每年多达 5 件，主要以日本大企业为主导，甚至出现超大宗并购案，如 2011 年武田药品工业收购瑞士制药企业奈科明

---

① 経済産業省.『「我が国企業による海外 M&A 研究会」報告書』2018 年 3 月，p144。

(Nycomed)一案就达到 136.8 亿美元、2013 年软银公司收购美国电信公司斯普林特(Sprint)更是达到 216 亿美元。

表 5-3 日本企业海外并购的大宗案件(2009—2013 年)

时间	并购企业	被并购企业			金额(亿美元)	出资占比
		企业名称	所属国	行业		
2009.3	NTT DOCOMO	Teleservices Limited	印度	电气通信	26.55	26%
2009.5	三菱人造纤维	Lucite	英国	橡胶树脂	16.00	100%
2009.5	麒麟控股	生力啤酒	菲律宾	食品	12.25	43.3%
2009.10	麒麟控股	Lion Nathan	澳大利亚	食品	34.17	100%
2009.10	大日本住友制药	Sepracor	美国	医药品	23.57	91.4%
2010.2	KDDI	Liberty Global	美国	传媒	40.00	100%
2010.3	资生堂	Bare Escentuals	美国	化妆品	15.22	86.9%
2010.6	安斯泰来	OSI harmaceuticals	美国	医药品	38.38	100%
2010.12	NTT	Dimension Data	南非	IT 服务	27.3	100%
2010.12	住友商事	米纳斯吉拉斯	巴西	矿业	53.90	24.5%
2011.4	泰尔茂	Caridian BCT	美国	医疗器械	26.25	100%
2011.6	三菱 UFJ 金融集团	摩根斯坦利	美国	银行	78.00	22.4%
2011.8	麒麟控股	Schincariol	巴西	食品	25.23	100%
2011.9	武田药品工业	Nycomed	瑞士	医药品	136.83	100%
2011.11	三菱商事	Anglo American Sur	智利	矿业	53.90	24.5%
2012.4	大日本住友制药	波士顿生物技术	美国	医药品	26.3	100%
2012.4	旭化成	卓尔医学	美国	医疗器械	21.22	100%
2012.5	东京海上控股	Delphi	美国	保险	26.48	100%
2012.11	大金工业	古德曼	美国	一般机械	37.00	100%
2012.12	丰田通商	CFAO	法国	商业	22.88	97.8%

续表

时间	并购企业	被并购企业			金额(亿美元)	出资占比
		企业名称	所属国	行业		
2013.3	电通	安吉斯集团	英国	广告	43.11	100%
2013.7	软银	斯普林特	美国	通信	216.40	78%
2013.7	丸红	高鸿(Gavilon)	美国	商业	27.00	100%
2013.7	欧力士	Robeco	荷兰	金融	25.93	90%
2013.12	三菱东京 UFJ 银行	大城银行	泰国	银行	53.15	72%

第三，大量中坚、中小企业也开始把“并购”作为企业增长的核心战略。包括国内并购(IN-IN)类型在内，2006 年日本企业实施并购案件数创造了 2 800 件的历史峰值。这些企业运用该战略的目标也呈现多样化特征：获得优秀的技术或者先进的商业模式、创建更有竞争力的销售渠道或是拥有强有力的市场伙伴等等。以日本国内超市流通业为例，伴随人口减少带来的市场萎缩，加之又实施了消费税增税措施，市场竞争越加激烈，于是，在东京圈形成以 Seven & i 控股公司和永旺等“两强”所主导的并购浪潮。即使是在地方城市占优的中型企业也积极采取该战略，如青森县的 universe 就在 2011 年以后相继收购了岩手县的 jois 和 belleplus，成长为日本第二位的食品超市企业。在海外并购(IN-OUT)案件中，销售额超过 1 万亿日元的上市企业也仅占 3 成左右，未上市或销售额不足 500 亿日元的参与企业则高达 4 成以上。

第四，日企并购对象呈现全球化趋势、战略目标走向多样化特征。美国显然仍是日本企业瞄准的目标，2006 年以来案件数量及金额基本都是最多的。其中，特别是高科技企业的占比一直在四分之一左右，也就是说，日企一直将美国视为重要的技术来源。作为新兴市场代表的中国，日企购并案件已经从 2006 年的 21 件迅速攀升至 2011 年的 58 件，不过，金额规模都不太大，如 2009 年朝日啤酒出资青岛啤酒(19.99%)、2011 年麒麟控股则与华润共同创建饮料企业(40%)，很显然中国仍是日企最大的生产据点，但最近流通服务业增长最快。对于东亚以及东南亚其他国家，日企正在通过购并方式加速占领市场、获得渠道。如三菱东京 UFJ 银行对泰国大城银行拿出巨资(股比 72%)。

最后，日本政府的积极支持。当然它也主要以能源、资源等作为明确的政策指向，其手段是通过国际协力银行(JBIC)或产业革新机构等政府系机构给予融资支持，或是通过石油天然气及金属矿物资源机构(JOGMEC)提供相关技术或服务等支援。最近，基础设施也纳入日本政府支持内容，对于日企进入亚洲及中南美市场提供融资和担保资金。

日企海外并购的成败得失

一般而言，海外并购的失败主要源于事前缺乏明确战略或收购价值误判、事后企业管控失效或企业文化难以融合等原因。最近，日企所以再度掀起海外并购的高潮，除了因其资金充裕程度达到前所未有的水平——如 2014 年 3 月仅上市日企的手头资金就高达 92 万亿日元，丰富的购并经验、明确的购并战略目标以及以本企业擅长或关联领域为主要目标等因素，也都是日企普遍出现对海外并购信心满满态势的重要原因。

首先，明确的战略目标成为企业实施购并且能制胜的重要前提。不是以购并本身为目的，而是充分与自身甚至所购企业的未来发展战略与方向相结合，这是日企海外购并制胜的重要因素。例如日本烟草产业公司(JT)就是把并购作为企业发展战略的重要构成，为了开拓日本之外的更多新市场，它先后于 1999 年收购美国诺兹纳贝斯克在美国之外业务、2007 年收购英国 Gallagher，不仅一举成为全球第三大烟草厂商，还通过并购实现了品牌升级而赢得了欧洲高端市场。

其次，合理预估购并行动的乘数效果及相关因素。不仅仅确立并购战略，还要将投资金额目标与时间等纳入业务计划，这样的日本企业越来越多。例如，理光和日本制纸均确立了在 2016 年度之前的 3 年内投入 1 000 亿日元，强化开拓新兴市场的办公设备以及生物、发电等新领域。东丽也计划以 1 000 亿美元收购美国碳纤维企业和韩国的水处理膜企业,并在未来 3 年总投资 2 000 亿日元。在这些预估中还囊括了海外并购的各种风险:当地政治局势、市场变化趋势、管理体制以及汇率变动等。

再次,综合购并双方经营资源,突出优势、打造核心竞争力。最近的日企海外并购一个突出特征就是把目标瞄准自己强项或能与之互补的领域。例如日立制作所收购意大利芬梅卡尼卡集团旗下的铁路车辆及信号业务,其实该领域也正是日立的擅长,其购并显然是以大幅增长的世界市场为目标的。再如佳能公司宣布将斥资 3 300 亿日元收购全球最大网络摄像头厂商瑞典安迅士公司,陷入主业数码相机行业苦战的佳能公司,试图以此作为企业转身、构建新的盈利来源的支撑。

最后,购并企业在企业文化融合方面也拥有了一定基础。20 世纪 90 年代中期以来,日本企业陆续引进了美国会计标准以及独立董事等相关制度,进一步接轨于国际型企业。例如丰田 2013 年不仅迎来了竞争对手通用汽车前副总裁马克·赫根作为公司独立董事,还跨界邀请了日本生命保险公司顾问宇野郁夫。这种国际化战略的实施,显然也有助于其海外并购的成功。

“安倍经济学”与战略再调整

2012 年底,安倍再次领导自民党重新执政以来,经济被其标榜为安倍政权的核心任务。迄今为止,“安倍经济学”已经大幅改善了日本的金融投资环境,日元大幅贬值和股市振兴被视为是两大标志性成就。但是,日本国内产业环境真的得到大幅改善了吗?日本制造业“回归国内”的真实现状又是怎样的呢?

“产业六重苦”是 2011 年日本爆发“3·11”大地震之后,日本经济界对于国内产业环境的代表性观点。在“日元汇率高企”“法人税税负过高”“对外自由贸易协定(FTA)签约率低”“劳动市场问题”“环境约束问题”以及“能源成本高昂”等六大问题中,仅有第一项已经得到彻底解决,而第二项也将成为安倍经济学“第三支箭”的重点,日本法人税有望降至30%以下。因此,在日本政府进行的问卷调查中,超过60%的企业回答“六重苦”得到改善的仅有这两项。

事实上,安倍政权一直希望能够彻底解决上述问题,从而切实扩大对内投资,甚至让日本企业回归国内。在2014年6月内阁决议通过的《经济财政运营与改革基本方针2014》中,已经明确提出要改善国内产业环境,“在强化日本投资竞争力的同时,提高我国企业的竞争力。作为重要一环就是要将法人实际税率降至不逊于国际的水平,以经济增长为目标实施法人税改革”。日本政府确立的法人税目标是最终实现降至30%以下,具体是2015年降低2.51%,降到32.11%,2016年再降3.29%,降至31.33%。与此同时,日本政府也积极推进FTA的相关谈判,当前的重点是推进美国领导的TPP。在能源成本方面,安倍政权也早已制定了恢复核电计划,但碍于国民反对而迟迟难以彻底启动。①

从企业角度来看,已经出现了回归国内的初步征兆。在2014年企业资金计划中,已经有52.5%企业表示将用于“国内设备投资”,相对于此,仅有26.3%表示将用于“海外设备投资”,另有25.4%的企业表示将用于“研究开发”。很显然,2014年度日本国内的设备投资已经出现上升势头。就日本经济产业省统计显示,已经有一些日企关闭海外工厂而“回归国内”,如西铁城关闭了中国工厂,已经投资30亿日元在长野县佐久市投资建设新的工厂;发那科也宣布在山梨县忍野村,投资建设机床和产业机器人的控制设备;安川电机宣布在福冈县中间市投资建设机器人工厂,生产大型机器人设备;东芝公司也宣布将投资400亿日元在三重县四日市建设新的NAND闪存工厂;堀场制作所宣布投资100亿日元,在滋贺县大津市建设发动机尾气测量装置;光荣公司(Glory)也宣布将在兵库县姬路市总部兴建新的工厂,投资额为30亿日元。

除此之外,最近日本经济新闻社也报道了相关信息,如松下正在计

① 経済産業省. 2015ものづくり白書[R]. 2015年6月,pp44-47.

划将在中国的微波炉、空调和洗衣机工厂，迁回国内的兵库县和滋贺县工厂；大金工业也计划将家用空调的部分生产，从中国转回国内；夏普则计划将其在上海的空气净化器基地，迁回日本国内；甚至日产汽车和佳能公司也都在酝酿将部分商品生产转回日本。

其实，自从2000年开始，日本白色家电领域就出现在海外生产、向日本出口的所谓"逆进口"现象，从相关产业比率来看，电子设备的"逆进口"比例最高，达到了29.6%。不过，最近由于日元大幅贬值，这一比例正在逐步减少趋势。

日本制造业向海外转移也体现在其GDP统计中。1997年日本制造业GDP达到峰值的114万亿日元，到2000年该数字已经降至100万亿日元，2009年更是下降至83万亿日元。从不同产业来看，下降最多的是"电子产业"，其产值从1994年的18.4万亿日元，一路下跌至2013年的11.1万亿日元；"纺织产业"也从1.7万亿日元降至0.6万亿日元。与此相反，汽车产业和一般机械产业等，基本长期维持其产值。

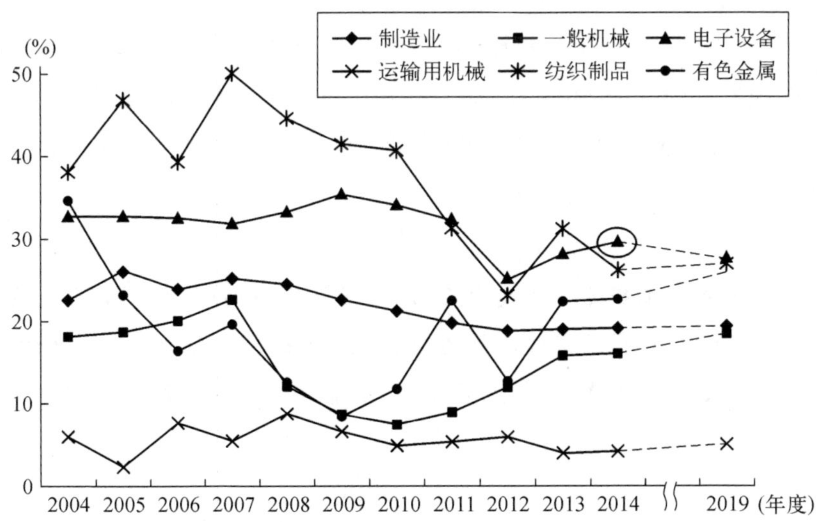

图5-5　日本相关产业的"逆进口"比率(单位:%)

経済産業省. 2015ものづくり白書[R]. 2015年6月, p52.

不过，是继续采取海外生产还是回归国内，各个产业是有着不同特征的。这是与日本企业所确立“地产地销”（当地生产，当地销售）战略以及全球布局战略等密切相关的。

就汽车产业而言，2014 年日本 12 家汽车企业总计生产了 2 725 万台汽车，其中海外生产台数为 1 748 万，占比超过 60%。2004 年日本汽车产业的国内生产比例还维持在 50%左右，但如今已经降至不足 4 成，其原因主要是企业确立了靠近消费市场的“地产地销”战略，日本国内汽车市场早已饱和在 500 万台左右，相对于旺盛的海外需求而言，海外生产比率仍将继续维持。反观日本的机床产业，在其每年 10 万台产量中，国内生产占比高达 90%，这主要因为该产业不仅需要高度熟练的技术人员，而且也离不开提供高精度的相关部件供应商，因此，转移海外相对较为缓慢。机器人产业也是如此，2013 年日本产业机器人全球占比在 40%左右，尽管需求主要来自海外，在日本生产的 67%要用于出口，仍然维持着国内生产为主的基本模式。不过，最近由于中国需求的迅速扩大，已经出现向中国转移扩大产能的趋势。

总之，日本产业的全球化趋势并没有止步，尽管近期出现了“回归国内”的现象，但其占比还仅为 13.3%，并没有形成主流。而且，关于“回归国内”的原因，也主要是海外采购质量和周期问题，因此，日本企业今后仍将维持向海外拓展的趋势。

（本章内容主要选自两篇论文，分别刊载在《战后日本产业的发展演进——赶超成功、模式困境与战略转型》，《日本战后七十年》，社科文献出版社 2015 年；《董事会》2015 年 5 期《日企海外并购又见“疯狂”》）

第六章 阻碍经济发展的社会问题

在泡沫经济崩溃之后的经济与产业转型过程中，日本国内也不断涌现了一些非常严重的社会问题，本书将选取中小企业接班人问题、外国劳动者问题、企业诚信问题以及儿童虐待问题等，表面上看，这些社会问题似乎没有直接对经济产生巨大影响，但事实上它们不仅与日本经济密切相关，也对日本经济发展形成严峻考验。

一、中小企业的接班人之困①

“后继乏人将导致日本中小企业从 2017 年开始大批倒闭”，这是日本国家电视台 NHK 今年 1 月 6 日发出的大声疾呼。该报道指出，日本中小企业经营者阵营中人数众多的“团块一代”（二战后 1947—1949 年出生的日本人）将普遍迎来 70 岁高龄之际，有将近三分之二的企业却没有接班人，因此，中小企业倒闭潮将会大幅增加。

老人领导的中小企业

“二十年，日本中小企业经营者也长了二十岁。”根据日本政府（经济

---

① 本文内容刊载在《董事会》2017 年 1 期《日本中小企业接班人之困》。

产业省中小企业厅)的调查数据显示,1995 年以来的二十年之间,中小企业经营者年龄峰值也从 47 岁变成了 66 岁。也就是说,日本中小企业领导人从中年人为主变成了老年人为主。经营层老龄化成为日本中小企业的突出特征。

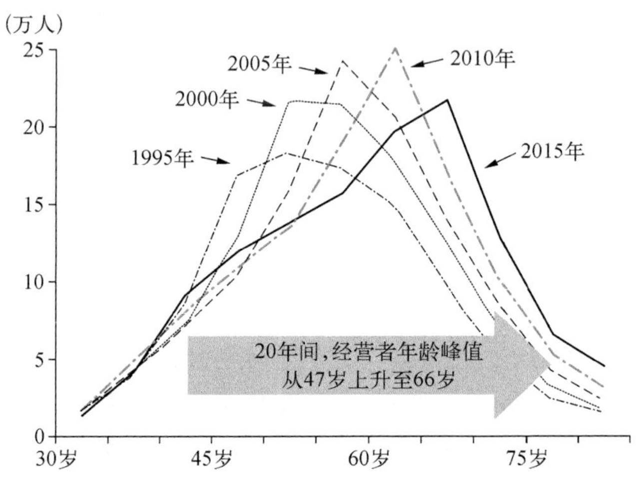

图 6-1 日本中小企业经营者年龄分布变迁(1995—2015 年)

资料来源:帝国数据银行《中小企业增长与投资行动问卷调查》中小企业厅委托课题,2015 年 12 月。

1995 年 47 岁年龄的日本中小企业经营者约为 18 万人,是当时所有经营者人数最多的部分。但是到了 2010 年,63 岁成为经营者中人数最多的部分,拥有将近 25 万人。而 2015 年,人数最多的又变成了 66 岁,有 23 万人。

从平均年龄来看,更能体现日本中小企业经营者老龄化的严峻现实。根据东京商工调查(TSR)公司的最新数据显示,2015 年日本全国企业社长平均年龄已攀升至 60.8 岁。而且,有将近 6 成日本企业的社长年龄超过了 60 岁,其中,70 岁以上的社长占比超过 2 成(23%)、60—69 岁社长占比则为 35%。与此形成鲜明对照的是年轻社长人数,据统计,30 岁以下的年轻社长已经降至占比 3.7%。

另外,从不同行业类别来看,除了信息通信业领域的经营者勉强维持在 56 岁之外,其他行业都在 60 岁左右,甚至更高。社长年龄最高的是不动产行业，平均年龄将近63岁，而且，该行业社长在70岁以上的企业占比也超过3成。素有日本经济基石之称的制造业领域情况也是如此，各企业社长的平均年龄也超过了62岁。

经营者老龄化成为日本中小企业破产或解散的主要原因。据统计，在2015年陷入破产或歇业状态的日本中小企业数量为2.7万件，事业经营不振、经营层接班困难成为企业破产的两大主因。值得注意的是，这些陷入困境企业的社长平均年龄为67.8岁，特别是70岁以上的占比接近一半（46.5%）。由此可以得出的结论是，中小企业经营者的老龄化现象已经成为威胁企业生死存亡的关键原因。这种状况若得不到根本性改善，日本中小企业很快就将面临一场倒闭大潮。

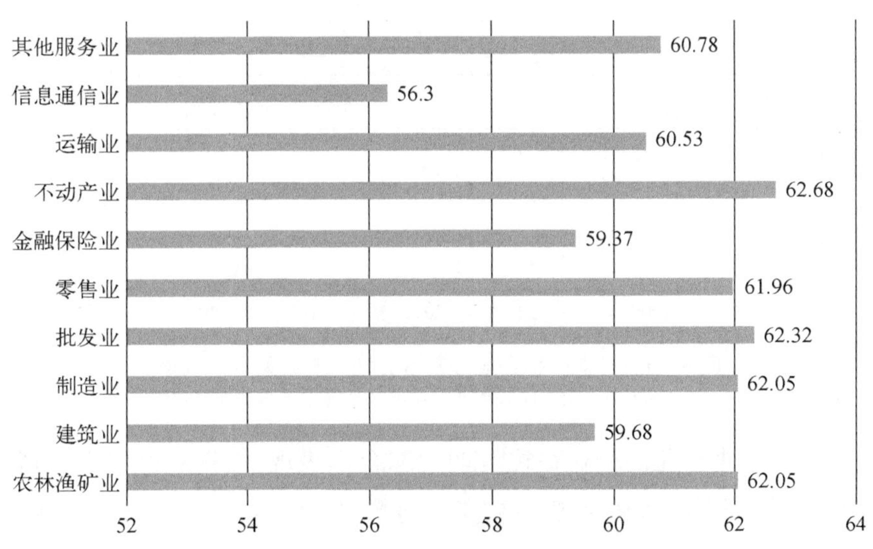

图6-2　各产业社长的平均年龄（2015年）

资料来源：东京商工调查公司2015年调查结果。

老龄化中小企业四大综合征

步入21世纪之后，日本中小企业数量一直在持续减少。在20世纪最后一年的1999年，日本中小企业数量还保持在483.7万家。但仅仅过了十年之后，该数字就迅速下滑至420.1万家，企业数量减少了63万家。又过了五年之后，2014 年日本中小企业数量已经降为 380.9 万家，又减少了将近 40 万家，很显然，数量减少速度在不断加快。

根据帝国数据银行公司的调查显示，经营者老龄化是中小企业盈利能力下降的直接原因，而且，在金融危机前后实现经营者接班的中小企业盈利水平普遍高于没有交接班的企业，以 2014 年度为例，前者的经营利润率平均维持在 5.5%左右，远远高于后者的 3.37%。也就是说，经营者老龄化带来了企业盈利能力下降、竞争力逐渐丧失，最终导致大批中小企业破产倒闭。

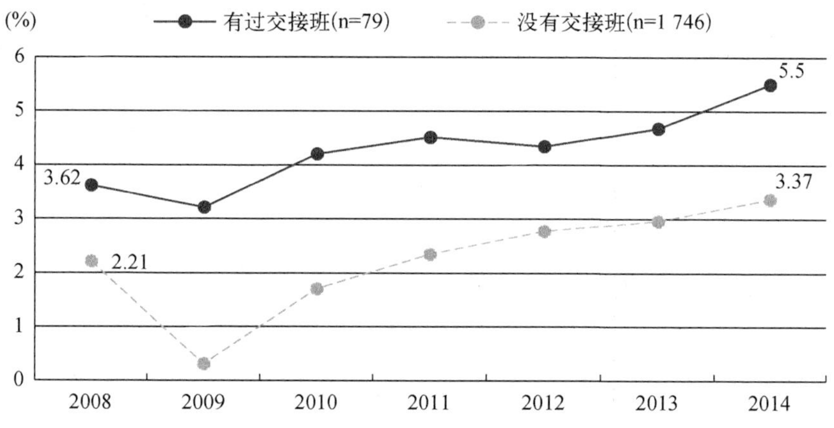

图 6-3　日本中小企业经营者交接班与经常利润调查

资料来源：经济产业省・中小企业厅：《事业继承的现状与课题》，2016.4.26。

经营者老龄化的企业往往有四大综合征表现：投资意愿下降、风险意识上升、创新能力衰退、保守主义倾向严重。

首先，老龄化经营者的投资意愿明显下降。金融危机之后，日本中小企业设备投资呈现快速下降趋势，按季度来看，从金融危机前 2007 年第一季度的 3.8 万亿日元，一路下滑至 2009 年第四季度的 2.1 万亿日元。2013 年之后在“安倍经济学”推动下虽然有所复苏，但直到 2015 年第四季度仍然只是 2.8 万亿日元规模。那么，为何不愿实施设备投资呢？有近 7 成(68%)的经营者认为“当前设备状况已经非常充分”，再就是为“经济前景堪忧”，或担心“企业借债负担加重”等。日本中小企业设备状况真是非常充分吗？根据商工组合中金金库的调查显示，2014 年中小企业设备平均使用年限已经达到 8.6 年，而 20 世纪 90 年代该数字一直是 5 年以下。不仅如此，调查还发现有约 4 成企业已经连续 5 年没有实施设备投资。如今，设备陈旧已是日本中小企业生产效率下降的重要原因之一。

其次，老龄化经营者更担心企业风险，“求稳”心态成为其经营企业的突出特征。帝国数据银行在 2015 年《中小企业增长与投资行为问卷调查》中指出，经营者越年轻越会倾向于认为“企业必须实施积极投资”和“企业增长必然伴随风险，应积极面对风险”。相反，经营者年龄越高越认为“企业增长依靠市场增长”“不希望尝试有风险的增长”。对于未来形势的预判也是如此，越年轻的经营者往往越持更加乐观的态度。例如，49 岁以下的经营者有超过 81%认为今后企业经常利润会增长或稳定，仅有不足 19%持悲观态度；相反，70 岁以上经营者 51%认为仅能维持稳定，另有 25%认为今后利润会下降。

再次，老龄化经营者领导的企业在创新意识和创新能力方面明显降低。同样是上述帝国数据银行的调查，在企业经营战略层面，年龄越低的经营者越重视企业创新。如在“今后将实施研发投入”和“不畏失败而敢于尝试新挑战”的选项中，49 岁以下经营者明显高于其他年龄层。在更具体层面，年轻经营者表现出更突出的创新意识。例如，有超过 71%的 49 岁以下经营者表示今后将投入“开发新服务和新产品”，70 岁以上年龄层经营者仅为 59%选择此项；另外，有 61%的 49 岁以下经营者表示将带领企业“转向新的事业”，70 岁以上经营者为 47%；还有 62%的 49 岁以下经营者表示将积极“创造新的需求”，50 岁以上经营者则低于 55%。

最后，老龄化经营者领导的企业其保守化特征愈加突出。不同年龄层的经营者对于未来判断显然不同，因此，其经营风格也大相迥异。如 49 岁以下经营者有超过四成认为未来企业能够保持增长势头，但 70 岁以上经营者持有这种观念的比例不足三成，甚至有超过两成认为将会滑坡。这种判断直接影响到企业战略决策层面，越是年轻的经营者，其企业越呈现出更强的革新意识。以“未来三年投资意愿”调查来看，人才投资、设备投资、IT 投资、海外投资、研发投资、广告投资、并购投资等各项几乎都是年轻经营者持更加积极的态度。

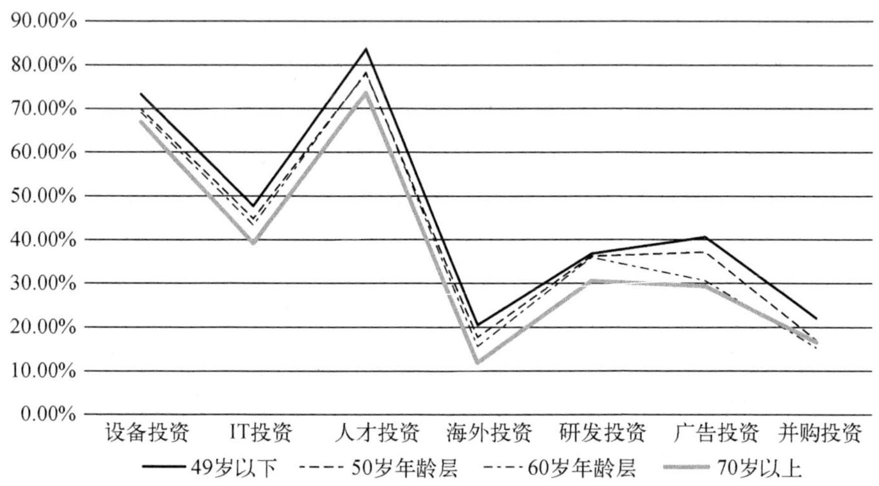

图 6－4　日本中小企业经营者未来三年投资意愿

资料来源：帝国数据银行在 2015 年《中小企业增长与投资行为问卷调查》。

企业间并购成重要改组方式

“经营者老龄化”和“接班人缺位”已成为日本中小企业难解之困。如今，日本中小企业数量已降至 380 万家，同比上世纪末减少超过了 100 万家。而且，伴随经营者平均年龄突破 60 岁大关之后，中小企业倒闭潮已是风雨欲来，形势非常严峻。日本政府一直在极力救助中小企业，它通过出台各种补助或税收减免政策，为中小企业解困。在巨大财政压力背景下(政府债务余额已超过 GDP250％)，中小企业预算却不断增加，2013 年一般预算额为 1 811 亿日元，到 2015 年攀升至 2 416 亿日元，此外还有补充预算以及日本政策金融公库等财政投融资，年支持力度已经超过 3 万亿日元规模。

但是，日本政府的救助只是杯水车薪，难以解决根本问题，中小企业经营破产或停业歇业仍呈逐年上升趋势。不过，在 2012 年之后却出现了一个新的现象——中等规模的中小企业数量不减反增，到 2014 年其企业数量却从 51 万家增长到 55.7 万家，净增了 4.7 万家；与此相反，小规模企业（一般指员工在 20 人以下）继续减少，从 334.3 万家减少到 325.2 万家，消失了 9.1 万家。

中等规模中小企业到底因何而逆势增长呢？并购（M&A）是重要原因之一。按照日本独立行政法人“日本中小企业与区域创新组织”（Organization for Small & Medium Enterprises and Regional Innovation, JAPAN）的推测，在日本中小企业之间的所谓内部并购（IN-IN M&A）件数非常之多，远远超过上市企业的公开购并案件。2015 年 9 月，日本帝国数据银行对此进行了问卷调查，它抽选了 2 000 家中小企业（有效回答 878 件，回答率 43.9%）。调查结果显示，有约 2 成企业表示实施了并购策略，而在公司内部研究讨论并购策略的企业更是高达 4 成左右。在被问及“今后是否实施并购策略”之际，超过 6 成企业表示将考虑实施，远远超过不考虑并购的企业。

日本商工综合研究所在 2014 年也对中小企业并购问题进行了调查。它得出五个结论：一是伴随着并购相关法律政策的逐步完善，过去以大企业为中心的并购策略正在迅速向中小企业扩散；二是中小企业并购市场规模仍然不大，最大原因是“接班人缺位”，但也不乏扩大销售或其他战略目的；三是在“外族接班”大量增加背景下，并购方式越加受到重视；四是中小企业对于并购的抵触感正在逐步削减，经营者高龄化推高了这一市场；五是除了接班之外，并购还具有其他战略价值。

并购（M&A）正在成为解决日本中小企业接班人之困的主要方式。以东京地区为例，在 2011 年 10 月—2013 年 9 月东京都事业继承援助中心统计案例中，以并购方式的“第三者继承”已经占比高达 82%。与此相反，20 世纪 90 年代曾占中小企业 9 成以上的家族继承模式则降至了 4%。另外就是从员工中选拔出新的经营者，其比例也有 10%。

最近，日本企业也把外国企业纳入并购转让的对象。据《日本经济新闻》报道，日本越来越多的中小企业开始将中国企业列入了业务继承的选项。例如，在上海拓展业务的日系咨询公司乐思凯信息科技就在网上公布了企业并购信息，该公司自2016年开始将介绍中日之间并购项目和技术合作作为主打业务。然而，由于文化差异、经营环境不同等原因，谈判难以顺利推进的案例也不在少数。

今后，对于中国等海外企业而言，并购日本中小企业确实将是最佳时机，不过，在真正行动之前，还必须做足准备功课——充分了解日本中小企业并购的独特特征。一是严守秘密，一般日本中小企业认为"出售转让企业是负面印象"，所以往往不愿意让员工和客户等利益相关者知晓，因此并购是在极其秘密背景下实施的，收购方若泄露消息将被视为缺乏信用。二是目标明确化，收购方一开始就会开宗明义，阐明收购目的及其效果，而且不能过于抓住转让方"短板"，采取柔性化和渐进方式的成功可能性更高。三是要建立互信关系，特别是转让方往往非常重视企业存续发展以及维持员工就业，因此，它倾向于选择那种值得其信赖的收购方，也就是所谓"转让信任"远远高于"转让价格"。四是时机把握也非常重要，因为并购是"企业（或事业）价值"，所以转让方往往早就有了思想准备，要在企业或转让事业最具价值的时机"出手"，因此，作为并购方必须充分考虑这些因素，在最佳时机促成转让方作出决断。

二、外国人劳动者政策招牌与本质①

长期以来日本并不接受移民，被称为"移民锁国"。不过，2016年在日本的外国人总数也达到291万，除了"短期滞在"51万人以及"外交"和"公务"的1.4万人之外，仍有238万外国人在日本。而若依据经济合作组织（OECD）关于移民的定义，即"在国内滞留一年以上的外国人"的话，那么，日本又可以称得上是移民国家了。以2014年为例，进入日本的外

① 本文内容刊载在《世界知识》2017年17期《技能实习生制度：日本非熟练劳动力的蓄水池》。

国人高达34万之多，使之成为德国（134万）、美国（102万）、英国（50万）、韩国（41万）之后的第五大“移民国家”。

打着国际贡献的招牌

在日本政府厚生劳动省（大体相当于我国的民政部）主页上，关于技能实习制度是如此定义的，“技能实习制度是日本为发挥自身发达国家的作用、协调国际社会发展，向发展中国家转移技能、技术和知识，协助发展中国家培养其经济发展所需人才为目的”。它还指出，该制度创立于1993年，规定外国人可依据《出入国管理及难民认定法》附表第1-2的“技能实习”在留资格，在日本学习技能。照此解读，技能实习制度就是日本帮助发展中国家培养经济发展所需人才的制度，从而发挥其发达国家作用的一种国际贡献。

那么事实到底是如何呢？技能实习生状况简直就是“现代版的蟹工船”①，这是《西日本新闻》对于该制度的评价，因为作为劳动者的基本权利受到了极大限制，特别是第一年技能实习生的收入低得可怜。不仅日本国内一直有很强烈的批评声音，2006年美国国务院《年度人身买卖白皮书》也把日本这项制度列为非人权状况，认为制度本身就是恶劣的强制劳动温床。受此影响，联合国人权理事会派出专家到日本调查，其结论敦促日本尽早废除该项制度。

不过，若追根溯源的话，日本技能实习生制度诞生之初确实曾带有国际贡献与国际合作的性质。20世纪60年代中后期，投资海外的日本企业从当地选拔优秀员工派到日本国内进行培训，这些人在日本学习了技术及相关知识之后，回到当地就成为企业的骨干。为了支持企业进军海外、扩大市场，1981年日本修改了《出入国管理及难民认定法》，“认可

① 1929年日本作家小林多喜二在《战旗》杂志上连载的长篇小说《蟹工船》，描写了当时日本失业工人、破产农民、穷苦学生以及十四五岁的少年被骗受雇于蟹工船“博光丸”号的悲惨生活，他们长期漂流海上，被迫从事原始、落后和繁重的捕蟹劳动。因不堪残酷迫害，蟹工们终于团结起来进行反抗，掀起大罢工，但遭到镇压。

日本公私机构接受外国人入境学习产业技术及技能”，创设了外国人研修制度。

然而，日本经济迅速腾飞也带来了用工成本的快速上升，于是，一些企业便开始以“研修生”为名，从海外引进大量廉价劳动力以降低企业经营成本。这种以企业为单位，接受其自身在海外企业或合资企业，甚至是客户企业所派到日本的技能实习生方式，被称作“企业单独型”模式。另外一种就是所谓“团体监理型”，主要是日本的各种行业联合会为加盟其旗下的中小企业招聘海外技能实习生。1991 年为了扩大外国人技能实习生国内接收能力，同时推进法制化建设，避免各种问题，由日本政府出资成立了国际研修协力机构（JITCO）。该机构主要承担五项职责：一是专门负责与外国政府接洽沟通，为技能实习生提供入境相关服务；二是负责指导各团体及实施企业或机构，推进法制管理；三是协助完成一年研修的技能实习生找到对口企业；四是为技能实习生提供生活、安全卫生及灾害等援助服务；五是通过杂志或网站提供专业信息服务。

JITCO 设立之初是由日本法务省、外务省、通商产业省（现经济产业省）和劳动省（现厚生劳动省）等四省共同管理，1992 年又增加建设省（现国土交通省）为主管单位，成为所谓“五省共管”的特殊机构，其目的也很明了，有利于疏通和解决围绕技能实习生所产生的一系列问题。由于成为日本政府一手操办的业务，20 世纪 90 年代之后日本所接收的外国人技能实习生数量迅速攀升，1995 年入境突破 4 万人，2005 年又实现倍增达 8.3 万人。截至 2008 年在日本外国技能实习生总数超过 17.7 万人，这相当于在日本全部就业人口的 2.65‰，也就是每千人中有 3 名外国劳动者。

超低工资水平上的“3K 劳动”

超低工资是技能实习生制度的最突出特征，根据日本厚生劳动省一项调查显示，2011 年度在日技能实习生的平均工资仅为每月 12 万日元，这非常接近日本初中毕业生（15 岁）的最低工资标准，甚至比高中毕业生入职工资还低 4 万日元。需要指出的是，这是技能实习生来日本第二年之后“技能实习阶段”的收入状况，而作为第一年“研修阶段”的收入则更低，据 JITCO 统计数据显示，2009 年度的所谓“研修津贴”（因为是技术技能研修，所以不是工资）仅为每月 6—7 万日元。

即便如此，相比过去技能实习生工资还是提高了很多。1991 年之前研修生制度，主要是投资海外的日企选派当地员工到日本研修，停留时间仅为一年，内容主要是学习相关技术技能的“研修活动”，一般是没有工资收入的，接收企业仅提供很少的研修津贴。1993 年正式实施技能实习制度之后，在日停留时间从一年变成两年：第一年是“研修”，接收方支付一些研修津贴；第二年进入所谓“特定活动”阶段（即技能实习），技能实习生与企业签署劳动协议，可以获得工资收入。1997 年技能实习生的在日时间又延长为三年，第一年研修而后两年则可以到企业工作。

虽然技能实习生可以获得劳动报酬，但他们却并不受日本劳动就业相关法律所保护，这种状况一直持续到 2010 年。由于围绕外国人技能实习生的问题不断曝光，如过度劳动、限制人身自由、超低工资甚至性骚扰问题等。最具代表性案例是，2006 年丰田汽车所属的 23 家系列承包企业均违反《最低工资法》的事件。由于国内外的批判声音不断高涨，日本被迫修改了技能实习制度，改革的重点有两项：一是保护技能实习生的相关权利，诸如专门设立“技能实习”的在留资格、入境两个月培训之后就可从事技能研修等；二是强化对接收机构的指导、监督与支持，加大对违规者的惩罚力度。

除了超低工资之外，从事“3K 劳动”也是技能实习生制度的典型特征。所谓“3K”是指日语中的危险（KIKEN）、肮脏（KITANAI）以及辛苦（KITSUI）的工作，主要是指农林牧、建筑、金属加工、服装缝制以及造船等领域。国际研修协力机构（JITCO）公布的技能实习职业种类为 74 种、总计 134 个作业方式，比如农业就包括耕种和畜产等 2 种职业种类，而耕种又包括设施园艺、蔬菜与大田种植以及果树栽培等 3 个作业方式；畜产也包括养猪、养鸡和奶农等 3 个作业方式。建筑业包括的职业种类最多，达到 21 种，其作业方式也最多，为 32 个。

从当前日本技能实习生的行业分布来看，仍然保持着 3K 劳动的特征。根据 JITCO 最新统计数据（2017 年 7 月）显示，2015 年度日本技能实习生行业分布具有如下特征：一是机械及金属加工行业分布的人数最多，技能实习生 2 号（即在日本完成研修之后开始第二年的技能实习生）人数多达近 1.5 万人；接下来是建筑业，人数将近 1.3 万人；纺织服装业、食品加工业以及其他类的焊接作业，总占比也都超过了 10%以上。

另外，行业分布也直接影响了技能实习生在日本各地方的布局，比如在“制造业之都”的爱知县就有超过 8 000 人的技能实习生，其总占比最高，约为 11%。除此之外，聚集着大量纺织企业的岐阜县、水产大县的广岛等地，也有超过 3 000 人以上的技能实习生。

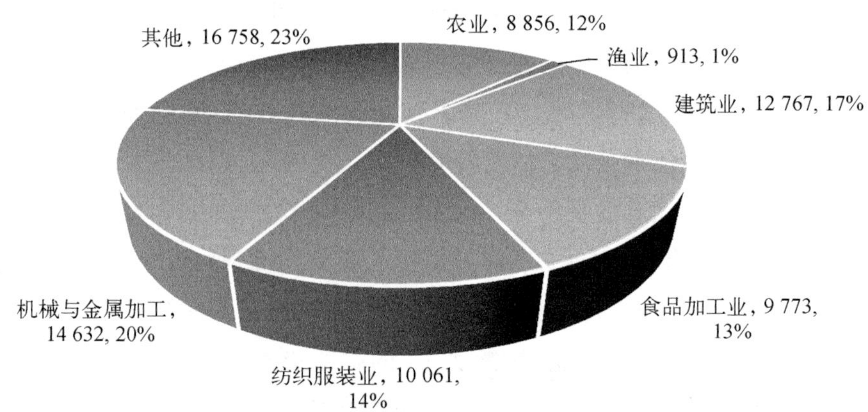

图表 6－5　2015 年日本技能实习生行业分布状况（技能实习 2 号）

资料来源：JITCO，http://www.jitco.or.jp/about/statistics.html，2017.7.10。

“唯利型”外国人就业政策

与欧美发达国家相比较，日本关于外国人就业政策一直非常保守，即便是面对世界最严重的少子老龄化趋势，它也迟迟不愿打开移民政策的大门。包括接收难民方面，日本政府态度也非常消极，例如，2015 年向日本递交难民申请人数同比上年暴增 52%，达到 7 586 人，最终日本政府处理认定的难民人数仅为 19 人。虽然不承认接受外国移民，但日本政府却从20世纪80年代开始就逐步放开了外国人工作签证，最初是韩国以及菲律宾女性为主的饮食业工作，泡沫经济时期则是南美日系人大批进入日本制造业领域。很显然，日本的政策目标就是既要利用外国劳动力来发展本国经济，但又不想开放移民政策，避免因移民带来的诸多社会问题，从而继续保持其单一民族的社会特征，这显然具有鲜明的唯利型特征。

第一，相比欧美其他发达国家，日本的外国人劳动就业占比依然很低。这正是因为对移民采取了闭门锁国政策，所以，即便以变通方式打开了外国人入境就业的大门，外国人就业占比依然很低，2016年该数字为1.67％。相反，2009年的美国达到了16.2％、德国也为9.4％、法国为5.8％。此外，2014年的英国外国人就业占比为8.8％、新加坡更是超过了38％。

第二，以签证类别来约束、调整或限制外国人参与各种就业。日本政府对于外国人就业政策的基本方针是“接受专业性技术领域的外国人就业，限制单纯劳动者”，也就是要积极吸收各类高端人才，尽量控制低端劳动者的涌入。因此，1981年外国人研修制度、1993年技能实习制度以及留学生打工等，起初都是不被计入外国人就业范围的。由于劳动力短缺问题愈加严重，日本政府逐渐默认了这些外国人就业，将之相继纳入劳动法律保护框架之下。

第三，为积极构筑技能实习生等非熟练劳动力蓄水池，调动一切政府资源。如上所述，专门负责技能实习生的公益法人组织JITCO是接受五省（法务省、外务省、经产省、厚生省和国土省）共管的，这既可以很好地贯彻日本政府的政策方针，又可以调动和发挥各方面的资源。例如，日本政府与东南亚国家签署EPA（经济合作协定）中，都会纳入外国人研修或技能实习等项目，这些一般都会利用外务省管辖的政府开发援助项目（ODA）预算。

第四，作为研修与技能实习生等非熟练劳动力的“水源地”，呈现出鲜明的雁型变换特征。中国曾是日本研修生和技能实习生的最大来源国,直到2010年“技能实习生1号”中的中国人占比还曾高达77%,但伴随着中国经济近年的快速发展,这种结构正在发生快速转变,来自越南、菲律宾等东南亚国家的外国人占比在迅速增加。截至2015年,中国人占比已经降至40%以下,而越南人则已经攀升至33%。若从全部外国人就业状况来看,来自中国的就业占比已经降至32%。相反,越南和菲律宾的占比已经升至28%。

用工荒与技能实习制的未来趋势

伴随着日趋严峻的少子老龄化趋势,日本劳动力不足的问题愈演愈烈。2017年4月,日本一般求职倍率已经上升至1.48倍,创下了1972年以来的最高值。而且,求职倍率还出现了因行业不同而大相迥异的突出特征,比如在建筑、造船等传统“3K劳动”行业,求职倍率更是超过了3倍(建筑业已经高达3.54倍)。调查显示,已经有超过七成中小企业深感“人手短缺”,甚至出现了一些超市、餐厅不得不采取缩短营业时间、调整空间布局或者干脆关门大吉,一场用工荒似乎正在席卷整个日本。

不过,深入分析可以发现,当前日本用工荒还不属于劳动力供给严重不足,而是存在劳动力供需错位的结构性问题。诚然,近年来日本劳动力数量在迅速减少,1995年以来其生产年龄人口(15—64岁)已从峰值8 720万人降至2015年7 730万人,20年间减少近千万。但由于女性再就业以及老年就业的增加,日本劳动力供给总量其实并未大幅减少,2005年开始处于稳定状态,2012年开始甚至出现连续4年的增长。但问题是劳动力供需错位越加严重,一些行业领域出现人手不足现象,特别是那些3K劳动,这是外国人劳动力快速增加的主因。2016年,日本外国人劳动者人数和雇佣外国人企事业组织的数量双双创下历史新高,分别为108万人、17万家。在此背景下,作为非熟练劳动力蓄水池的技能实习制度出现了一些新的发展趋势。

其一,劳动就业领域的外国人依存度不断上升,特别是在低端、非熟练领域。2016年日本每59名就业者中就有1名是外国人,这一比例是

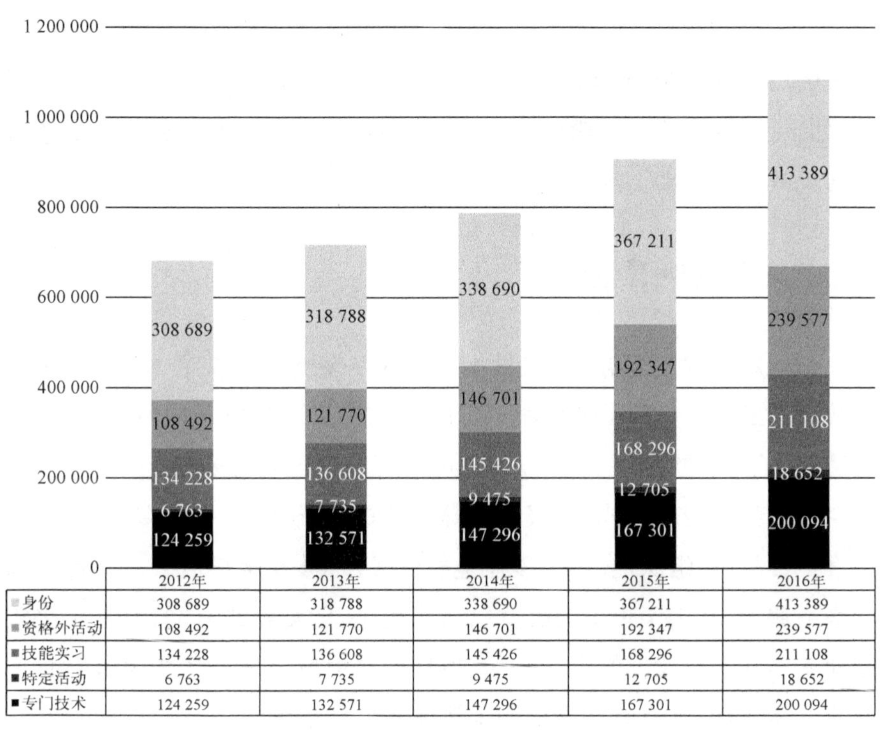

	2012年	2013年	2014年	2015年	2016年
身份	308 689	318 788	338 690	367 211	413 389
资格外活动	108 492	121 770	146 701	192 347	239 577
技能实习	134 228	136 608	145 426	168 296	211 108
特定活动	6 763	7 735	9 475	12 705	18 652
专门技术	124 259	132 571	147 296	167 301	200 094

图 6－6　日本外国人就业状况(2012—2016)　(单位:人)

资料来源:笔者根据厚生劳动省『外国人雇用状况』等资料制作。

2009 年的约 2 倍。在一些行业中更是突出,比如住宿饮食行业中,每 30 人就有 1 人是外国人。这种趋势今后将越加显著。

其二,人工智能以及机器人等新技术只能发挥部分替代作用,外国人劳动就业今后仍将继续扩大。尽管一些研究认为人工智能可以替代日本 49%的工作,但这些领域仍有许多不可预测的内容。而且,伴随老龄化不断加剧,护理等行业短时期内将出现严重人手短缺问题。这是厚生劳动省提出今后 5 年日本老年护理行业将有一半是外国人的背景。

其三,为日本非熟练劳动的“水源地”将发生巨大变化。当前,中国人仍是日本技能实习生的主力军,但今后越南、菲律宾,甚至是缅甸、柬埔寨等将成为该蓄水池的重要水源地,日本政府也在积极推进相关事业。

其四,面对今后劳动力短缺日趋严重的问题,不排除日本放开移民政策的可能性。最近,移民政策再度悄然成为日本政治家们讨论的话题,如自民党的石破茂、野田圣子等人均明确表态,日本已经步入应该放开移民政策的时期。

三、以东芝为例看企业诚信下降①

最近爆发的东芝丑闻,在日本引发了一场地震。副首相、也是金融财政大臣的麻生太郎,在 8 月 4 日的参议院答辩时公开批评其“企业家道德缺失”,并呼吁“形式主义的公司治理问题严重,应大力提倡能够提升企业价值的治理模式”。很显然,此次东芝造假突破了诸多底线,最高层直接参与、有组织性、几乎覆盖全经营领域、涉及金额庞大。其冲击力丝毫不亚于 2011 年曝出的奥林巴斯掩盖 17 亿美元的丑闻,它不仅将重创拥有 140 年经营史的东芝公司自身,也将引发全球市场相关者对日本企业整体质疑,甚至对日本金融市场体系形成重压。

铤而走险,遮瞒转型困境

东芝创立于 1873 年,其前身田中制造所曾制造出日本第一盏电灯。二战之后,该公司很快就发展成日本重电、电子与通信行业的巨头。由于它高度重视研发,所以在医疗器械、半导体、发电设备、机车、核电等领域拥有大量自主技术。到 2007 年,东芝成长为庞大企业帝国:集团销售额创下 7.4 万亿日元纪录,业务范围覆盖了从发电、铁道等基础设施,到家电、医疗、电子、环保等诸多领域,分布在全球各地的全资子公司多达 598 家、持股子公司也有 208 家,整个“帝国”的企业员工总数超过了 20 万人。

然而,繁荣景象的背后却隐藏着致命隐患——20 世纪 90 年代以来

① 本文刊载在《董事会》2015 年 9 期《东芝治理失败起底》。

东芝的盈利能力不断下降。世纪之交的东芝公司曾实施断腕改革，也引领了整个日本半导体产业实施了大规模重组。但是，这场改革似乎成效甚微，东芝营业利润虽然在 2002 年扭亏，达到 1 155 亿日元，但相较于 1989 年的 3 159 亿日元仍遥遥相对。

2005 年出任社长的西田厚聪显露出急功近利之心，他带领东芝出巨资 54 亿美元在 2006 年收购了美国西屋，把复兴之梦的命运压堵在核电事业上。然而，2011 年“3・11”大地震却彻底令其美梦破碎，福岛核事故导致全球核电事业遭遇冰峰。

事实上，东芝的问题还不仅仅是押宝核电的失误，另外四大原因更是击溃东芝的关键。一是经营模式滞后、效率低下，东芝仍然侧重垂直一体化体制，坚持 IDM“全能企业”模式；二是结构改革力度不够、魄力不足，尽管东芝也多次实施“选择与集中”措施，但旗下仍有五大部门 40 多个产品，甚至始终未能剥离电视机、平板电脑甚至移动硬盘等冗余业务；三是扩张速度过快、倚重并购、囫囵吞枣，在鲸吞西屋之后，东芝又主导多次大型并购案，如富士通硬盘装置事业、瑞士兰吉尔仪表等，疯狂扩张导致企业资金捉襟见肘；四是企业技术创新乏力，由于战略重心转移，导致东芝技术进步受阻，2013 年其专利资产规模排名已从第二位下滑至第五位。

接踵而至的沉重打击，让东芝领导人迷失了方向。于是，美国金融危机冲击的 2008 年开始，东芝便铤而走险步入了另外一条不归之路。根据第三者委员会调查报告所披露的内容显示，从 2008 年至 2014 年度第三季度，东芝公司总共计入了 1 518 亿日元的虚假利润，比实际状况膨胀了 3 倍。而且，东芝选择了四种手段来实现这个目标。一是以“基础设施事业的工程进度标准”虚增了 477 亿日元利润，这主要是利用工程进度来肆意编制收益和成本的方法。如收购美国西屋公司之际，2013 年第二季度因发电站追加工程带来成本上升，但东芝却以不认可西屋 3.85 亿美元准备金而处理了 6 900 万美元。二是在电视机等映像事业上以多记费用方式增加了 88 亿日元。比如通过让对方晚开发票方式，将广告费和物流费计入下个季度而实现“盈利”。三是在半导体事业中夸大库存价值实现了360亿日元的“营收”。也就是说即便认识到将是亏损,但通过夸大库存产品价格来实现营业利润增收。四是通过电脑事业的零部件交易而增加了592亿日元“增收”。因为东芝公司的电脑零部件主要是从台湾的ODM企业采购,它就利用这种采购价格不明确的现状,来实现增记利润,有时甚至出现制造成本竟然是负值的怪现象。

总之,东芝就是用种种会计手段掩盖了公司转型困境,以一种虚假繁荣换得投资人以及消费者的信任,从而继续维系公司的“辉煌”业绩。

叠屋架床,公司治理“两张皮”

在日本,东芝公司一直被视为公司治理改革的典范,它甚至作为这方面“优等生”而成为研究案例。在日本上市企业中,东芝最早打出了公司治理改革的旗帜,2001年它还率先引入三名外部董事,而当时日本企业的董事会基本都是由长期任职的公司内部人士主宰。从表面上看,东芝在治理结构上赋予了外部董事任命顶层高管的权力,并设立了监察委员会来监督该企业高管的行为。这些努力让东芝备受关注,2013年,它被日本公司治理网评价为治理良好的120家日本上市企业之一,而且,还位列第九位。

但是,事实表明东芝公司治理改革仅仅是个花架子而已,形式上的各种监督机制并没有改变东芝传统管理模式,其长期以来的公司治理结构改革只是叠床架屋而已,并没有触动权力的中枢系统。

早在1998年东芝就引进了所谓执行董事制度,1999年又导入了所谓“社内分社制度”,2000年设置了提名委员会和报酬委员会,之后就是2001年导入外部董事制度。如今,在东芝公司总共16名董事中,非执行董事的8名董事中,有一半来自于公司之外。

从治理架构来看,东芝的公司治理显得非常完善。董事提名委员会由3人组成,其中2名来自公司外部;监查委员会的5名委员也有3名来自公司外部;决定董事及执行董事薪酬的5名报酬委员会中也有来自公司外部的3名委员，而且，提名和报酬委员会的委员长都是由公司外部委员担任。然而，这种治理架构只是一个空壳而已，各个机构并没有真正发挥其价值。不仅如此，东芝公司在邀请外部董事之际，还特别在人事选择上做了“手脚”，例如在3名外部监查委员会委员中，“竟然没有一位熟知财务、会计的业内人士”。而且，对于这个重要机构的委员长人员，东芝没有从外部委员中选择，而是从内部2名委员当中指定。

于是，东芝传统企业文化丝毫没有因公司治理改革而得到转变。“不能违背上司”“部长会议只是传达命令”“月例会议只是布置利润指标”等企业文化仍然大行其道。此次东芝丑闻暴露后，负责调查的“第三者委员会”就披露这样的实例：2008年12月，即将要发布2008年第三季度业绩前，当西田厚聪社长得知营业利润数字是亏损184亿日元之际，就指出“这个数字太令人难堪了，我们不能宣布它”。于是，东芝公布的数字就从亏损变成了盈利5亿日元。2012年9月东芝内部的月例会议上，东芝DS(数码服务)分公司汇报说，2012年度上半年将出现201亿日

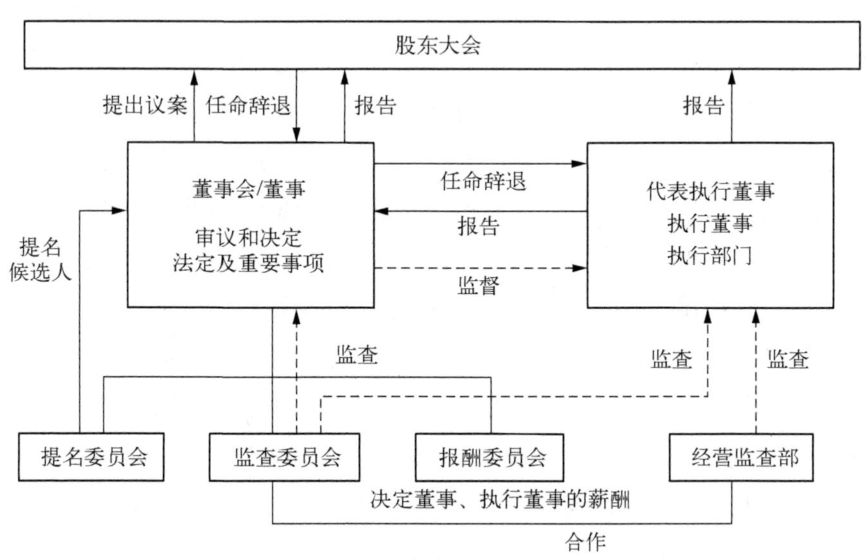

图6-7　东芝公司的治理结构

资料来源：笔者根据东芝公司披露信息制作。

元营业赤字，时任社长佐佐木则夫却硬是逼迫其在此基础上改善 80 亿日元的盈利。2013 年继任的田中久雄社长仍然延续这种作风，他曾在上任仅 3 个月就命令电视机业务的分社长，“电视机事业实现黑字化是公司对外承诺，所以无论采取任何手段，都必须实现这个目标”。

优胜劣汰，日本企业换挡洗牌

东芝丑闻不仅暴露了一些领域日本制造业竞争力下滑的严峻现实，也反映了近年来日本企业实施的战略转型遭遇困境。早在上世纪 90 年代开始，与汽车并称为两大经济支柱的日本电子产业就呈现颓势，尽管企业销售额仍在增长，但利润却出现了普遍下滑。例如 1990—2000 年的十年间，日立、松下、索尼、东芝等十大日本电子巨头的销售额增幅达 40%，但营业利润却从 7%一路下滑跌破 2%，21 世纪后甚至出现普遍赤字状态。

本世纪初以来，日本企业纷纷高擎结构改革和战略转型的旗帜，一时间“选择与集中”“模块化改革”“结构改革”成为日本企业战略转型的核心词。在这轮改革热潮之下，日本企业出现了换挡、洗牌的局面，各个产业也表现出不同的特征。在汽车产业，平台化战略打破了传统的系列承包体系，汽车厂商纷纷放弃了垂直一体化的封闭模式，选用了更高效、低成本的开放式、模块化经营模式。尽管也出现了“高田门”事件，而导致大批厂商被殃及的负面效果，但整体上日本汽车产业再度重构了强大竞争力。如丰田已经连续两年再创最高利润纪录。

但是传统电子产业就没有汽车那么幸运，改革形势依然举步维艰。早在东芝公司丑闻之前，日本电子产业就出现了哀鸿遍野的趋势。诸如三洋退市、索尼“断臂求生”、松下“刮骨疗毒”、夏普“卖股自救”……一年之内所频发的这类事件均表明，传统日本电子产业已出现全面衰退。

不过，值得关注的是，日本电子零部件产业以及化学材料产业却出现了崭新动向。例如村田电子等日本零部件企业通过与美、中、韩等国厂商紧密合作、联合创新而异军突起。东丽公司也凭借其先进的纤维技术而与美国波音公司携手，帝人则通过向空客供应碳纤维来拓展市场，日本材料产业正迎来新的发展机遇。突破旧有观念、顺应全球化潮流，注重跨国、跨行业的联合开放创新，这恐怕才是日本制造业摆脱困境的重要出路。

四、虐童事件所折射的社会问题①

最近，虐待儿童问题成为日本媒体关注的焦点。根据厚生劳动省统计数据显示，2015 年日本全国儿童咨询所接报虐待儿童案件已经超过 10 万件，同比上年大增 16%。而与此形成鲜明对照的是，日本 14 岁以下儿童数量已是连续 35 年减少，到去年已降至 1 605 万，仅仅是 20 世纪 50 年代的一半左右。那么，为何人口基数大为减少的趋势下，虐童案件却反而大幅上升呢？

儿童虐待现象形成的悖论

近 30 年来，日本围绕青少年犯罪以及青少年自身犯罪行为逐年下降。据日本警察厅统计数据显示，2013 年日本针对青少年犯罪的刑事案件已降至 20 万以下，10 年前的 2002 年该数字曾高达 40 万件以上。其犯罪构成类型也在发生改变，针对 6 岁以上青少年犯罪行为主要是盗窃，5 岁以下多以暴力伤害为主。另外，针对青少年的民事案件也在逐步减少，尤其卖淫等犯罪行为最为显著。不过，最近，以色情写真为主的犯罪行为有所抬头。

与此同时，日本以青少年作为加害主体的犯罪行为同样呈减少趋势。2014 年因触犯刑法而遭起诉的青少年人数已降至 4.8 万，该数字在 30 年前的 1985 年接近 20 万。此外，因触犯法律而被管教的青少年人数也在下降，从 1985 年约为 5.5 万降至 2014 年的 1.18 万。而且，围绕毒

---

① 本文刊载在《世界知识》2016 年 10 期《日本虐童案迅速增多所折射的社会问题》。

品的青少年犯罪行为也大为减少。

但是,儿童虐待案近年却在快速上升,这与犯罪率下降背道而驰。20 世纪 90 年代之前,经历两次大规模婴儿潮(1947—1949,1971—1974)的日本社会却鲜有虐童案爆发,每年都在千件以下。但是,泡沫经济崩溃不久之后的 1995 年虐童案件就已翻番,超过 2 000 件。四年之后,更突破了 1 万件。之后,几乎每隔两年就增加万件以上,到 2012 年已经达到 6.6 万件。此后形势更是愈演愈烈,一年增加的案件就已过万,2015 年攀升至 10 万件以上。

从儿童虐待的内容来看,七成以上是心理与身体虐待。以 2013 年为案例来看,排在首位的是心理虐待,高达 38.4%;其次是身体虐待,占比也超过三成(32.9%);第三位是所谓“刻意忽视”,占比 26.6%;最后是性虐待,占比 2.1%。再看受虐儿童的年龄构成,最大群体是学龄前儿童,占比超过 4 成;其次是小学生,占比也达 35.3%。也就是说,年龄越小受虐待的比例也越高。最后从虐童案实施主体来看,“世上只有妈妈好”的亲生母亲竟是施暴的最大主体,占比超过一半(54.3%)。排在第二位的是亲生父亲,不仅占比也超过 3 成,而且还在缓慢增加。显然,亲生父母为主的家庭虐待已经成为日本虐童的主流。

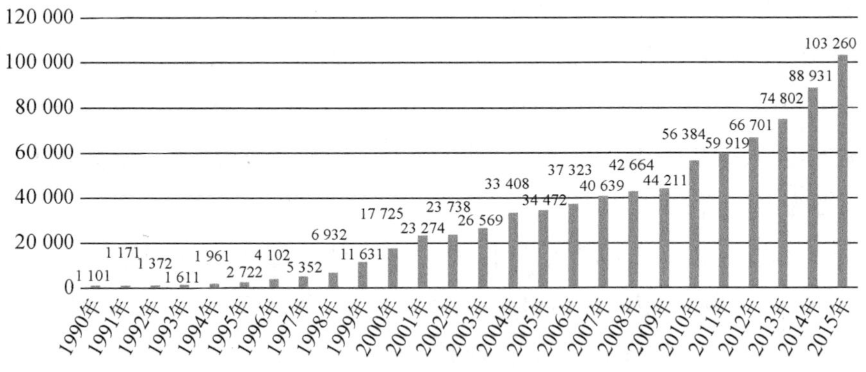

图 6-8 日本儿童虐待案件(1990—2015 年)

资料来源:笔者根据日本厚生劳动省相关资料整理制作。

另一组数据也成为这种残酷现实的佐证。统计显示,日本青少年、特别是以中学生为主体的家庭内施暴现象正在迅速增长。2013 年日本青少年施暴案达到 1 806 件,而且,施暴对象 6 成以上是针对自己的母亲,这些青少年施暴的动机多为报复家教过严。另外,青少年离家出走现象也在快速增加,2013 年就有超过 1.8 万名青少年离家出走,这是他们对于家庭压力或虐待的反应。

这就形成了日本社会围绕青少年的两大悖论:一是上面提到的犯罪率下降、儿童虐待却大幅上升;再就是青少年人口大幅减少却出现了以家庭为主流的儿童虐待现象。从战后历史来看,日本每年新生儿数量已从第一次婴儿潮期间的将近 270 万逐步降低,到 2014 年新生儿数量为 100.1 万。2013 年拥有 18 岁以下孩子的家庭数量仅是 1 209 万个,是全部家庭总数的 24%,这一数字是 30 年前的一半左右。

社会贫富分化是深层主因

该如何解释虐童现象的上述悖论呢? 在日本,有一种非常流行说的法——所谓“宽松世代”(ゆとり世代)已为人父母,这些 20 世纪 80 年代以后出生在“宽松教育”模式下的一代人,早已丧失了日本人勤劳肯干、任劳任怨的传统。进入 21 世纪之后,还有人用“草食一族”来形容更年轻一代日本人,认为他们缺少积极进取的精神。

很显然,若简单地以“新生代”育儿来解释虐童现象骤增显得过于牵强,作为深刻而复杂的社会问题,该问题必须深入考察日本社会,从深层原因来解释这种现象。

战后以来,日本社会发生了诸多深刻变革,其中一个突出特征就是女性再就业问题。二战之后,日本形成了婚后男性继续工作、女性则告别社会步入家庭成为专业主妇,这种传统非常有利于家庭培育儿童。但是,泡沫经济崩之后,为了贴补家计,很多家庭妇女再次回归社会、再就业已经非常普遍。2014 年日本的女性就业率上升至 64%,其中,25—54 岁女性就业率更是超过 70%。

非正式员工的出现与大幅增长,是日本社会变化的又一个显著特征。曾几何时,终身雇佣制成为战后日本就业模式代表性特征。20 世纪 70 年代,经合组织(OECD)甚至把它归结为日本经济快速增长的三大主因之首。然而,世事沧海桑田,在泡沫经济崩溃之后,这一最优越的制度却在日本成为千夫所指的存在。1995 年日经连(日本经营者联盟)提出了《新时代"日本式经营"》,大张旗鼓地改造传统就业模式。于是,就诞生了一系列新的名词,派遣员工、合同工、小时工等,他们都被纳入了所谓"非正式员工"阵营。2016 年日本非正式员工数量已达 1 989 万人,在全部5 356万就业大军中,其占比超过 37%。需要特别指出的是,非正式员工的三分之二是女性,人数高达 1 347 万。

非正式员工数量大增成为日本社会贫富分化的重要原因。厚生劳动省最新公布的《工资基本结构统计调查》显示,2015 年正式员工平均工资 321.1 万日元,而非正式员工仅为 205.1 万日元,差距高达 36%。另据日本国税厅的《民间收入与实际统计》显示,二者差距更大,前者为 473 万日元,后者仅为 168 万日元,差距高达 60%。

对于收入差距迅速扩大的日本等发达国家,国际劳工组织(ILO)曾发出严厉警告,它在 2016 年《世界就业与社会展望》中曾指出,非正规就业不断扩大正在加剧社会贫富分化,到 2012 年,日本相对贫困人口已突破五分之一。

贫富分化加剧瓦解了日本社会长期稳定的基石——富裕而庞大的中产阶级。1968 年日本就跻身国民生产总值世界第二,1970 年其总人口也突破 1 亿大关,当时有九成国民认为自己处于社会的"中流地位",这就是所谓"一亿总中流"。20 世纪 90 年代开始,贫富分化把日本逐步推向另一个方向——"格差社会"。厚生劳动省 2005 年《收入再分配调查》显示,其一次收入分配的基尼系数首次突破 0.5。2006 年日本国家电视台播出了纪实片《贫困一族》,与此同时,北九州市接连发生了享受低保者饿死或自杀等事件。

这种社会贫富分化迅速波及育儿及儿童成长。根据 OECD2006 年所披露的调查数据,日本儿童贫困率早已突破 14%,高于该组织成员国的平均水平，特别是其单亲母亲家庭的儿童贫困状况最为糟糕。日本自己的统计数字也证明了这一点，单亲母亲家庭的儿童贫困率高达66%。

政府态度暧昧导致政策无力

面对如此严峻的社会问题，历届日本政府却采取了较为暧昧的应对态度，这也决定其政策方针既未能直指“儿童贫困化”的病灶，更没有直面社会贫富分化这一真正病因。1995年开始，日本政府开始把“少子老龄化”作为政策重心，千方百计从各个方面和角度鼓励和激励国民增加生育，2003年还设置了专门负责少子化对策的国务大臣。但这种治标不治本的政策显然难以成效，不仅儿童贫困率不断攀升——从1992年5%一路上扬到如今的16.3%，其政策矛头的综合生育率也不升反降，2005年出现了1.26的最低值。

从财政投入来看，日本也明显低于其他发达国家。首先，日本的“家庭相关社会支出”长期低于GDP的1%。该指标作为国家对家庭育儿支持扶助力度的关键指标，内容包括对有孩子家庭的实物发放或现金配发，如生育补贴或育儿补贴等。2003年日本家庭社会支出的GDP占比仅为0.75%，远远低于北欧及英法等国，如瑞典是3.54%。另外，一些国家还采取减税等间接方式支持家庭育儿，如美国最典型。再一个重要指标就是国家的教育支出，日本教育支出的GDP占比一直在3%左右，这也远远逊色于北欧各国的5%—7%。

在专项育儿支持政策方面，日本政府虽也先后推出各项措施，但由于政策目标不是消除儿童贫困，而是解决少子化问题，甚至有时是为了刺激经济，因此政策效力大打折扣，有些政策甚至产生负作用。例如1972年日本就设立儿童补贴制度，但在1975年提高至每月5 000日元之后到2006年就再也没有调整，其作用显然逐步“杯水车薪”。另外，其补贴对象虽然不断扩大——1988年从第三个孩子扩大到第二个孩子、1994年覆盖到所有孩子，但支持年龄却从18岁降至3岁(2000年后才逐步扩大到12岁)，演化为人人共享非常微薄的育儿补助。至此，其扶贫救弱的效果也就消失殆尽。日本还有一项专门针对困难家庭的儿童抚养津贴制度，但2002年的改革，将享受标准从家庭年收205万日元大幅调低至130万日元，津贴额度也差异化甚至减半，此次改革令该制度形同虚设。此外，日本还设有一些教育支援措施及最低生活保障制度，但由于部门林立、手续繁琐以及覆盖率低等原因，也未能发挥多大作用。

今天，安倍内阁提出了响亮的"一亿总活跃"口号。姑且不论短短十年间能否将出生率从当前1.4拉升至1.8，仅就其以区区2 000亿日元、GDP占比0.04%的财政预算投入来彻底解决"待机儿童"(不能入幼儿园儿童)和"介护离职率"(因看护老人而被迫辞职)，就已被受市场质疑，据统计当前日本待机儿童数量在6万以上，介护离职率也高达10万人规模。事实上，日本早已陷入不能再靠财政投入来解决社会问题的困境，因为超过GDP250%的沉重政府债务已令整个社会忐忑不安。改革显然是阻止和弥合社会分裂趋势的唯一途径，但选票第一的日本政治精英们又很难挥刀指向利益集团。因此，今后日本儿童问题恐怕将继续恶化。

(本章内容主要选自四篇论文，分别刊载在《董事会》2017年1期《日本中小企业接班人之困》；《世界知识》2017年17期《技能实习生制度：日本非熟练劳动力的蓄水池》；《董事会》2015年9期《东芝治理失败起底》；《世界知识》2016年10期《日本虐童案迅速增多所折射的社会问题》)

第七章 日本军工产业急于"破茧"的动力与目标

日本解禁武器出口引起了全世界的瞩目，这种急于"破茧"的原因，被理解为安倍实施国家战略转型的重要一环。但事实上，日本军工转型的"胎动"却始于上世纪末，而执政仅三年的民主党政权则大幅放宽了武器出口。结构性困境是日本军工产业急于走向世界市场的内在动力，其手段则是全球化战略，以此来实现产业发展、构筑新的竞争力的战略目标。

2016 年度，日本国防预算首次超过 5 万亿日元规模，其增速甚至超过迅速老龄化为背景的社会保障费（1.4%），同比上年度增幅为 1.5%（740 亿日元），这对于一个三分之一预算依靠发行国债为继的国家而言，其"扩充军备"的色彩异常突出。自 2012 年底，第二次安倍内阁上台以来，日本国防预算已经连续四年增长，终结了此前长达十年的连续减少趋势。然而，这种增长并不能满足日本军工产业界的发展愿望。受日本国防预算特征及其结构的影响，新年度日本实际军工产品采购经费总额仅为 7 329 亿日元，即便加上研究开发费的 780 亿日元，以及"一般物件费"中装备品的 330 亿日元，也不足 9 000 亿日元。① 因此，迈向世界市

① 防衛省『我が国の防衛と予算（案）—平成 28 年度予算の概要—』、41—45 頁。网址：www.mod.go.jp/j/yosan/2016/gaisan.pdf。

场、推进全球化战略，这更是日本军工产业界推动政府解禁武器出口、实施战略转型的最终目标。

一、"破茧"内在动力是结构性困境

泡沫经济崩溃之后，以发展自主技术为目标的国产化战略难以为继，日本军工产业陷入结构性困境——需求持续萎缩、技术进步遇阻、产业机制僵化、企业经营困难等一系列严重问题。为摆脱这种结构性困境，自 20 世纪 90 年代开始，日本政府便开始寻求摆脱困境的改革尝试。

军工产业萎缩是重要背景

泡沫经济崩溃之后，日本经济陷入"失落的 20 年"。经济长期低迷导致国家财政状况不断恶化，加之老龄少子化问题逐步严峻，国防军费预算受到极大遏制。与此同时，国际军工产业环境发生了深刻变革，技术进步加快、模块化革命加之全球化影响，跨国之间的共同合作开发成为趋势，如 F-35 战机就是美国等九国共同参与的项目，这既可利用各国技术与产业优势，也共同分担了越加巨大的开发成本。综上因素，国产化为特征的日本军工产业陷入了多重困境。据统计，1996—2006 年，拥有 130 家企业的防卫装备工业会会员企业的数据显示，其总的从业人员从 5.7 万人下降至 4.2 万人，减少了 29％。①

国内需求触顶成制约因素

战后以来一直保持增长态势的日本国防预算支出，到 20 世纪 90 年代开始触顶。90 年代中后期，日本防卫费用预算升至峰值，1997 年、1998 年均实现 4.95 万亿日元规模，相对 80 年代 2 万亿日元规模实现了倍增。但之后，这庞大的需求逐步减少，2005 年已降至 4.8 万亿日元规模。

---

① RIPS公開セミナー 2014『集団的自衛権と日本の選択』、Policy Perspectives No. 21、14 頁。

除此之外，价格和防卫费用结构变化等因素，也对军工产品需求形成了挤压效果：一是军工产品技术标准提升，价格成本上涨，但政府采购总额并没有增长；二是防卫费用构成中，人工以及粮食等费用构成占比提高，两项支出到 2012 年已占全部费用 44.6%，另外，美军基地维持及搬迁费用也有所增长，这就等于压缩了军工产品采购(图 7－1)。

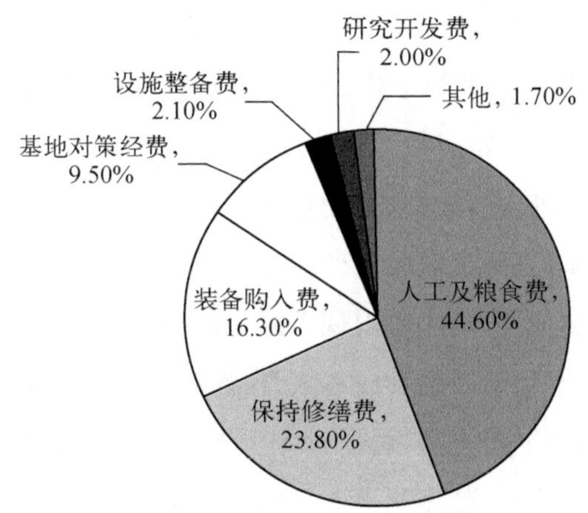

图 7－1　日本防卫费用构成(2012 年)

资料来源：防衛省『平成 24 年版防衛白書』、日本防衛省、2012 年、146 頁。

以 2012 年的防卫费用预算为具体事例来说明。这一年防卫预算总额 46 453 亿日元，与上年同比减少 172 亿日元(0.4%)。其中，新装备品合同金额为 6 970 亿日元，与上年同比增加了 457 亿日元，总占比 15%。与此相对照，装备品维修费用竟达 7 786 亿日元，虽然同比减少 17 亿日元，占比 16.76%，甚至超过新装备采购额度，这是 2005 年后出现的新问题。① 相反，过去新装备采购金额占比一直超过 20%，如 1974—1994 年间新装备品采购占比平均为 23.5%，1989 年峰值甚至高达 28%。② 总之，当前日本军工生产企业从防卫省获得的订单额度约为 2 万亿日元，

① 防衛生産・技術基盤研究会『防衛生産・技術基盤研究会最終報告書—[生きた戦略]の構築に向けて—』、2012 年、8 頁。

② ジョン・パーマ『日本の防衛産業は今後如何にあるべきか?』、防衛研究所紀要第 12 巻第 2・3 合併号 2010 年 3 月，128 頁。

这仅仅相当于日本工业生产总值的1%左右。[①] 很显然,国内需求萎缩极大地制约了日本军工产业的发展。

技术停滞导致竞争力下降

20世纪70年代,伴随日本整体产业技术发展,民生产品对军工产业发挥了推进作用,特别是半导体电子和汽车产业。20世纪90年代之后,日本军工产业技术进步效率大幅下降,其原因包括:一是在一般军用技术领域,日美之间已无多差距,美国技术难以成为技术进步源动力;二是美国在高端技术方面对技术外流存有戒心,而且这更是相关企业的核心竞争力所在,不会轻易转移日本;三是日本民生产业也出现大幅调整,特别是受中韩企业竞争压力利润减少,研发投入也出现下降,"民促军"式技术转移降速甚至停滞;四是产业高技术化带来研发成本大升,面对各国纷纷采用跨国合作来分担风险,日本却因和平宪法及"武器出口三原则"等因素而受到制度性约束。

政府垄断也阻碍了技术进步。20世纪80年代以后,为推进军工产业技术自主研发,日本政府将防卫费用中的研发占比从不足1%迅速提升至2008年的3.5%,尽管该比例仍低于美国(12.4%)、英国(8%)、法国(7.3%)等,但其绝对规模却要高于英法。然而,研发费用却全部由防卫省所属的技术研究本部所垄断,这与军工生产全部在民间形成错位,因而饱受各界批评。以政府主导的无人机项目为例,这项1996年开始研发、总共投入超过500亿日元的无人侦察机UAV,在2011年福岛核事故中几乎未派上用场。[②]

竞争缺位带来的产业生态恶化

鉴于军工生产的特殊性,加之防卫省作为"唯一客户"形成了垄断格

① 据统计,日本工业生产总额年均250万亿日元规模。参见:防衛生産・技術基盤研究会「防衛生産・技術基盤研究会最終報告書—[生きた戦略]の構築に向けて—」、2012年、7頁。

② 清谷信一「開発の総本山・技本その実力は本物か」、『週刊東洋経済』2012年1月、74頁。

局，日本军工产业运行机制越加僵化，逐步束缚了产业活力与创新动力。长期以来，防卫省所指定的主包大企业几乎垄断了军工产品订单，如三菱重工业、川崎重工业以及三菱电机等，这类军工产品相关采购排名位居前十的企业，订单占比几乎在90%以上。诚然，仅从生产效率而言，集中生产显然可以发挥成本方面的优势，但垄断却又导致创新被压制，不仅技术进步受阻，竞争缺位也造成了军工产品价格被抬升的现象。这种政府主导下的产业运行体制逐步走向僵化，致使日本国内军工产品价格普遍比国外高三倍左右。

对此，大量企业提出了质疑和异议。在防卫生产与技术基盘研究会2011年的问卷调查中，参与军品生产的大多数企业都对防卫省主导模式提出了诸多问题。例如，由于采购招标方式缺少明确的长期规划，导致企业经营成本上升；在订立合同方面，由于公开透明度不足导致竞争缺位，企业缺乏降低成本的激励机制，且相关手续烦琐等；在研发方面，防卫省的垄断及其效率低下广受诟病，多数企业提出研发功能应该转向企业；另外，现行产业政策也束缚了企业，造成了制度性约束。① 必须指出的是，日本军工企业的显著特征是军品依存度较低，一般都在15%以下(图7-2)。

外部环境巨变带来的压力

20世纪90年代以来，全球军工产业迎来一场革命，美欧企业普遍经历了一场大规模重组与改革。以全球最大的军工企业波音公司为例，它在1996年相继兼并了麦道和罗克韦尔公司，问鼎世界第一大军工企业。排名第二的BAE系统公司，也经历了航空航天公司(BAE)与马可尼电子系统公司合并的历程。洛克希德·马丁公司排名第三，它经历了更大规模重组，是由洛克希德与马丁公司合并，之后又并购了洛勒尔及其他7

① 防衛生産・技術基盤研究会『防衛生産・技術基盤研究会最終報告書—[生きた戦略]の構築に向けて—』、資料1、2012年、1—3頁。

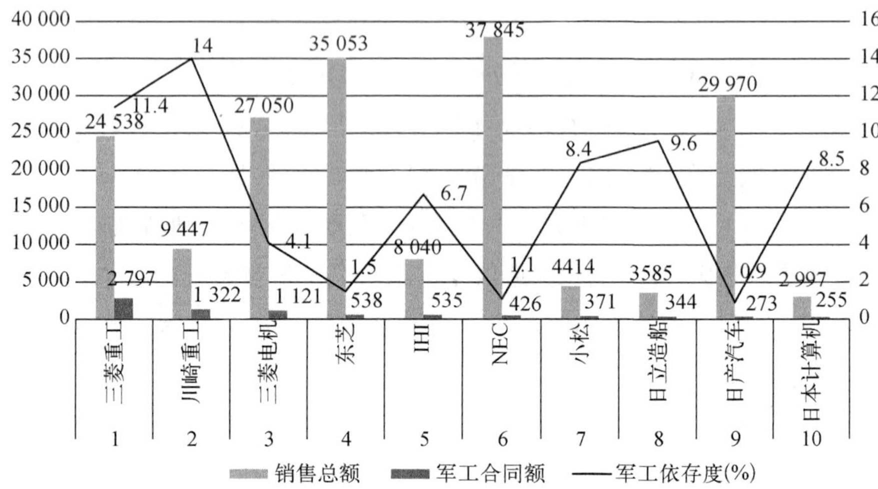

图 7－2　日本十大军工企业及其军品依存度(1999 年)(单位:亿日元)

资料来源:防衛省「主要防衛企業の防需依存度」、防衛省ホームページ、http://www.mod.go.jp/j/approach/agenda/meeting/bo-san/houkoku/si-01.html.

家相关企业。

除了企业自身的合并重组浪潮之外,业务重组或合作也成为普遍趋势。在一些大型项目领域,跨国间的合作如火如荼。如 A400M 运输机开发项目,这是由英国、法国、德国、意大利、西班牙等八国共同参与,1982 年开始的;欧洲台风战斗机(Eurofighter Typhoon)也是由英国、德国、意大利和西班牙等四国共同研发的项目,起步于 1988 年;埃姆帕(EMPEROR)舰载雷达项也是由法国和意大利共同开发的,从 1989 年开始。即便是全球军工翘楚的美国,也积极参与了跨国合作项目。如 MIDS 通信系统开发项目,就是由美国、法国、德国、意大利和西班牙等五国共同研制而成,这是 1994 年开始的项目;更令世界瞩目的是 F－35 战机开发项目,它是由美国牵头,英国、荷兰和意大利等九国共同参与开发的大型项目,起步于 2000 年;欧洲之鹰(Euro Hawk)无人侦察机项目则是由美德联手研制的,该项目始自 2005 年。

在这种全球并购、跨国合作浪潮中,几乎看不到日本企业的影子,其原因既包括和平宪法以及《武器出口三原则》的法律制度约束因素,同时还有其他原因：一是较为封闭的日本军工市场，不容易受到外部冲击；二是防卫省垄断抬升了进入门槛，新进入者难以跨越；三是生产者对军工的依存度较低，没有成为其唯一核心业务；四是日本产业界的模块化改革相对滞后。

二、战略转型从暗流涌动到大张旗鼓

面对预算触顶所带来的军需减少，以及一系列结构性问题，防卫厅（2007 年升格为防卫省）自 20 世纪 90 年代开始，就尝试改革和调整军工产业发展模式。

战略转型前的改革尝试

1996 年 5 月，以防卫厅装备局长为首的“取得改革委员会”成立，改革目标非常明确——在财政预算不断削减的背景下，如何提高防卫经费效果，促进军工产业改革。具体而言，设计了三项重点：一是彻底实施成本管理，二是激发相关者的改革意识，三是“以民促军”，积极利用外部资源。然而，截至 1998 年的此次改革并未收到预期效果。

改革未果引起防卫厅更加重视。2003 年 9 月，成立了以防卫厅长官为委员长的“综合取得改革推进委员会”，提出要“彻底改善防卫费用及军工产业问题”。此次改革切入点是采购体制，政府试图以引进产品生命周期管理的模式，来控制高技术化带来的成本上升。与此同时，政府也力促企业，加大力度激励企业降低生产成本。为了节省采购经费，防卫厅还提出一揽子采购方式，通过高效利用相关零部件与器材，降低军工设备装备的维修保养成本。

然而，此次改革仍未触及核心问题——日本政府长期坚持的“国产化战略”。甚至直到 2000 年，日本政府仍然认为应该继续坚持国产化战略方针，如通商产业省（2001 年更名为经济产业省）与防卫厅联合成立调查委员会，针对日本军工产业及其技术基础进行审议评价，其结论认为，日本应继续维持既定方针——以促进国内开发及国内生产为主导的原则。2004 年防卫厅甚至再次重申了国防装备品国产化的重要性，并列举六大理由：有利于维持适应国内地理环境与条件的装备品；有利于维持先进的技术力量；可确保装备品稳定供给；在非常时期能够迅速获得装备品；有利于维修保养及供给；可以提升海外进口的询价能力。①

直到 2008 年的《防卫白皮书》，日本政府才表达出调整国产化战略的意图。日本提出，国防将"以建立多功能、弹性化、注重实效的防卫力量"为目标②，从传统的重视"抑制效果"，向强调及时性、机动性和柔韧性的"对应能力"转变。与此相应，对军工产业将"以安全保障领域不可或缺的核心技术领域为主，重点培育和维持防卫生产及其技术基础"③，重新探讨军工产业体系及其技术基础问题。

其实，国产化是大多数国家在国防体系建设提出的目标。但事实上，受自身力量局限，特别是军工产品因技术进步而日趋复杂化和高端化，开发与保养维修成本大幅上升，仅凭一国自身力量很难确保其国防体系的安全稳定。为促进军事装备产业的活力，发达国家往往会选择一边扩大武器出口，同时也进口先进的装备，特别是开展共同开发。其实日本也难以做到百分百的国产化，以 1993—2006 年为例，其国产化采购率统计为 90%，但这些国产化中包含了委托生产部分，也就是日本政府采购的美国委托日本企业生产的军品，若去除这部分，其真正的国产化率仅为 66%。④

民主党政权的三大突破

财政压力成为日本军工产业战略加速转型的巨大动力。"3・11"大

---

① 防衛庁『平成 16 年版防衛白書』、防衛省ホームページ、http://www.clearing.mod.go.jp/hakusho_data/2004/2004/html/165141.html。

② 防衛省『平成 20 年版防衛白書』、2008 年、103 頁。

③ 防衛省『平成 20 年版防衛白書』、2008 年、112 頁。

④ ジョン・パーマ「日本の防衛産業は今後如何にあるべきか?」、『防衛研究所紀要』第 12 巻第 2・3 合併号、2010 年、135 頁。

地震之后，日本财政状况进一步恶化。民主党政权的野田内阁一边提出要推动消费税增税改革，以化解长期性财政危机；同时，他着手加速了军工产业的战略转型。在此次战略转型中，日本政府选择了三个领域作为突破口：一是解禁放宽军工产品出口，打破需求瓶颈；二是推动研发领域的国际合作，打破技术瓶颈；三是积极扶植寻找新“增长点”，打破产业发展瓶颈。

首先，放宽武器出口，突破需求瓶颈。《武器出口三原则》虽然名义上禁止了武器出口，但事实上，日本政府曾多次以“例外”来突破这种约束。1983 年初，日本政府应允美国政府提出的美日军工领域技术合作机制，日本将相关技术出口美国。当时，中曾根内阁以所谓两国“共同生产”为借口，签订了日本为美提供武器技术的协议，只是在合同文本中要求美国在未经日本同意的情况下不能转让给第三国。2004 年底，日本政府与美国签署了 BMD 共同开发共同生产协定，时任首相小泉纯一郎同样以“例外论”作出解释。据不完全统计，1991—2010 年，日本曾以各种借口为由，出口武器装备达 12 次之多。①

可以说，放宽武器出口在日本政界大有市场。到民主党最后一届内阁野田佳彦任首相时期，放松“武器出口三原则”的呼声越加高涨。2011 年 12 月 27 日，日本政府发表了以内阁官房长官名字命名的政府谈话，明确提出日本将大幅放宽武器出口禁令，认为“参与国际共同开发与生产、为国际和平活动及国际合作而提供相关装备均属例外”，大幅放宽了武器出口的条件。② 这是战后日本历史上首次大张旗鼓地宣布突破“三原则”，为 2014 年安倍内阁彻底解禁武器出口迈出了一大步。

其次，推行跨国研发合作，突破技术瓶颈。战后以来，日本在军工领域的跨国研发合作还仅限于美国。如 1983 年日本与美国签署武器共同

① 富田圭一郎「武器輸出三原則—その現況と見直し議論—」、『調査と情報』第 726 号、6—7 頁。
② MSN 産経ニュース「藤村官房長官、武器輸出三原則緩和の談話発表」、2011 年 12 月 27 日、http://sankei.jp.msn.com/politics/news/111227/plc11122713380014-n1.htm。

开发合作协定,这是应美国提出的要求,既反映了美国对日本相关技术需求,同时也可以让日本获得美国军用技术。1983 年 7 月,日美就共同开发 F1 战机后续机型 FS－X 达成协议,结成了日美企业军工联盟——三菱重工与美国通用动力公司之间的研发合作合同,川崎重工和富士重工也成为参与协作企业。该项目就成为三菱重工 F2 战机的技术源头。1992 年开始日美之间又在诸多领域签署合作意向:如火箭技术、高端炼铁及树脂等材料技术、混合动力、弹道导弹等领域,总共签署了十项合作协议。

事实上,美国也担心日本会成为自己的竞争对手,特别是当它看到日本制造业突飞猛进的发展之后。于是,美国一方面希望继续获得日本方面先进的民用技术,同时它也会找出理由拒绝与日本进行共同研究开发。例如,在联合攻击战斗机(JSF)项目上,日本就被拒之门外,而美国领导其他八国共同开发出 F－35 系列。野田佳彦上台之后,立即着手修补鸠山内阁以来日美关系形成的裂痕,在军工产业领域希望继续得到美国的合作,与此同时,他也积极拓展美国之外的共同开发项目。很显然,日本既可以由此摆脱对美依赖的从属地位,增加自身的话语权;同时,也可以借机扩大与第三国合作而推动企业技术进步。2012 年 4 月,野田首相与来访的英国首相卡梅伦共同发表声明,日英将共同开发军事装备产品,甚至包括火炮自动装填设备、舰艇发动机等领域。

再次,培育和扶植新“增长点”,突破产业瓶颈。如何突破军工产业的制度性疲劳、避免出现技术滑坡,这成为日本政府发展军工产业的战略重点。寻找新的“增长点”,这不仅对军工产业自身,甚至可以带动整个民生关联产业的大发展。以此为背景,野田内阁首先选择了宇宙产业(太空产业),其原因包括:第一,相对于其他产业,该产业具有广阔市场潜力,据美国卫星工业协会(SIA)数据,2004—2009 年全球宇宙产业年均增幅为 11.4%,2009 年市场规模已达 1 609 亿美元;[①]第二,该产业关

① 杉本修「世界の宇宙産業の動向」、『日本航空宇宙工業会工業会活動』第 683 号、2010 年、31 頁。

联产业众多，产业波及效果可期，仅以火箭为例，日本 H2A 火箭制造涉及企业就达上千家，相关部件也超过百万；[①]第三，日本在该领域具有显著优势，迄今为止，日本卫星发射数量位居世界第三，拥有独立、先进的火箭相关技术，在全国拥有 12 个火箭发射基地；第四，该行业的技术领头羊的宇宙航空研究开发机构（JAXA）完全由日本政府控股，成立于 2003 年，这对于贯彻国家战略、政策方针具有极大便利性。

日本宇宙开发起步很早。早在 1955 年，以东京大学系川英夫教授为首的项目组就开发出自主火箭发射技术。1959 年日本以和平目的向南斯拉夫出口该产品，引起美国担心被军用；1965 年日本又向印尼出口相关设备，引发马来西亚对日本强烈抗议。[②] 这也成为推动日本政府出台《武器出口三原则》的重要背景。1970 年日本成功发射人造卫星，成为世界第四个掌握该技术国家。20 世纪 90 年代，日本连续五次发射 H2 系列火箭成功，技术水平领先世界。2003 年日本政府重组了宇宙相关三大机构——宇宙科学研究所、航空宇宙技术研究所以及宇宙开发事业团，三家合并组建起 JAXA。2004 年日本又出台《宇宙开发利用基本战略》，把宇宙开发利用升级为国家战略技术地位，提出产业化发展方向。

不仅如此，日本政府还明确将宇宙战略应用于军事领域。2008 年的《宇宙基本法》（JAXA 法）曾确立了和平利用原则，日本宇宙产业一直被限定在非军事领域。野田内阁在 2011 年 9 月第 178 次临时国会施政演说中，提出要给宇宙产业重新定位。2012 年 1 月 24 日，日本政府向国会提交 JAXA 法修正案，废除和平利用条款，提出今后将用于提高导弹防御精度、研发侦察卫星及预警卫星等。在修正案获得国会通过后，内阁府很快就设立宇宙战略室，作为日本“宇宙政策司令部”，负责推进火箭及卫星的商业利用领域，迅速提升宇宙产业的国际竞争力。

---

① 日本経済新聞「H2A 技術 1000 社結集　性能支える部品 100 万点」、『日本経済新聞』2012 年 5 月 27 日。

② 「1960 年代日本のロケット技術　旧ユーゴで軍事転用」、『朝日新聞』2012 年 7 月 15 日。

安倍内阁撕掉最后的面纱

解禁武器出口只是日本国家安全战略转型的重要一环。安倍第二次登台以来，改变了传统施政手法，确立了“以经济发展促进政治夙愿”的方针。通过实施以“安倍经济学”为旗帜的一系列改革举措，试图让日本逐步摆脱长期通缩状态的经济结构，最终走上复兴之路。与此同时，他更是悄然启动安保改革，设置日本版 NSC、解禁武器出口、解释集体自卫权、修改日美防卫指针、提交安保系列法案。迄今为止，构成二战后日本安保战略的四大政策方针体系几近瓦解：“专守防卫”“非军事大国”“文官统治”等原则全遭废弃，甚至连仅余的“无核三原则”也面对普遍质疑之声。

如今，在安倍内阁宣布解禁武器出口一年多来，日本已经开展了多项军工相关的跨国合作项目。包括日美共同开发的 SM－3、日英共同开发的化学防护服、日法共同开发的水下无人机、日德共同开发的坦克技术、日澳共同开发的潜水艇技术等，日美之间还确认了今后将开始无人潜水艇的沟通研究与开发。此外，通过军事采购而获取委托生产，这也是日本进军跨国合作项目的重要手段。例如，日本防卫省已决定首先购买 42 架美国 F－35 战斗机，由此，三菱重工获得了为该战斗机生产后部机身的委托生产，为此，三菱重工专门在爱知县建立了专用生产线。2013 年 9 月三菱重工又与防卫省签署了负责生产 F－35 机身最终组装的协议，这就意味着，最终日本订单的 F－35 全部组装将由三菱重工来承担。

总之，《武器出口三原则》也只不过是日本军工产业暗地发展的“遮羞布”而已。二战后，美国一度彻底铲除日本军国主义势力，对日采取一系列非军事化措施，其中包括禁止军工生产。然而，杜鲁门主义使美国对日政策发生逆转。日本不仅重建了军事力量，还利用“美国因素”发展起强大的军工产业。但当美国试图“重新武装日本”、把日本打造成对抗共产主义桥头堡之际，以吉田茂为代表的日本政治家却以“经济为主”为国家路线的理由，提出“有限防卫”来应对美国的战略意图，避免实质性的卷入朝鲜战争，不愿被绑上美国战车。1967 年佐藤内阁正式推出了“武器出口三原则”，这与“有限防卫”如出一辙，使日本避免卷入战后美国在东亚所掀起的第二场战争——越南战争。但事实上日本并没有完全禁止武器出口，如瑞士日内瓦高级国际问题研究所的研究指出，日本的猎枪、弹药等小型武器出口位居世界第九位，2012 年对美、俄、德等国出口额高达 2.49 亿美元。① 冷战结束之后，受技术进步和生产革命影响，跨国之间的军工产品研发合作成为主流，于是，仍然坚持国产化的日本军工就面临着被“隔离”的风险，那块曾是日本避免登上“美国战车”的挡箭牌——“武器出口三原则”，就成为产业进步的严重阻碍。于是，彻底撕掉这块“遮羞布”，就成为日本政府，特别是大举实施安保战略转型的安倍内阁的急切之举。

三、国产化战略与产业竞争力构筑

虽然日本政府并没有大张旗鼓地扶植军工产业，而是让民间企业成为军工生产的主体，政府把精力转向打通技术引进的通道，并高度重视所引进技术的自主化，也就是确立军工产业的自主技术为发展目标，通过制定国产化发展战略来实现该目标，在此基础上，和平宪法下的日本悄悄构筑起强大的军工产业竞争力。

美日签署 MSA 打开了技术通道

朝鲜战争为日本军工产业“复活”提供了机遇。据统计，朝鲜战争为日本带来总计达 24 亿美元的外汇收入②，在这种“特需订货”中，受益最大的部门却是汽车产业。战争期间，日本共向美军提供了 10 280 台卡

①「日本は小型武器上位輸出国　世界の総取引額は6年で倍」、『産経新聞』2012 年 8 月 28 日。
②〔日〕内野达郎：《战后日本经济史》，赵毅等译，新华出版社，1981 年，第 87 页。

车,销售金额 2 300 万美元;[①]汽车零部件及提供维修服务等费用更高,突破了亿美元大关(12 890 万美元)。[②] 战争让美国加速调整对日政策,日本经济界看到了更大希望,他们试图以此为突破,作为战后经济复兴的突破口。

为扩大与美方接触,1951 年 2 月经团联(日本经济团体联合会 JBF)专门成立了日美经济合作恳谈会,该组织以获得美国"特需"订单及来自美国援助的长期化为目标。1952 年 3 月,战事扩大促使美国认可日本恢复制造武器的权利。日本经济界出现从"特需"转向"新特需"的呼声,"相对此前朝鲜战争以战斗消耗物资为中心,今后将以产成品的武器为新特需的中心"。[③] 获得成品武器生产订单,不仅使美日间的委托加工关系更加稳定而出现长期化特征,更重要的是,美国必须向日本开放相关技术,而打开美国技术通道恰恰是日本经济界梦寐以求的目标。

1954 年 3 月,发生了对日本军工产业发展具有里程碑意义的事件。美日签署了《日美相互安全保障法协定》(即 MSA 协定[④]),它彻底打开了美国军工技术大量流向日本的大门,令日本军工产业获得了技术源泉。其实美国早就有扶植和利用日本制造业力量的想法。1952 年 9 月,在墨西哥世界银行年度会议上美国就向日本示意,愿意为其提供 3 亿美元军事援助。[⑤] 1953 年 5 月开始,双方为此进行了深入交涉。不过,日本政府的胃口似乎更大,它希望这种援助不要仅停留在军事领域,应该包括那些生产武器用的机床及原材料。作为交换条件,美国干脆也借机

---

① トヨタ自動車株式会社編『創造限りなく:トヨタ自動車 50 年史』,トヨタ自動車,1987 年、248 頁。

② 日本通商产业省《通商产业政策史》编纂委员会:《日本通商产业政策史》第 2 卷,中国《日本通商产业政策史》编译委员会译,中国青年出版社,1994 年,第 416 页。

③ 石井晋「MSA 協定と日本—戦後型経済システムの形成(1)—」、『学習院大学経済論集』第 40 巻第 3 号、2003 年、182 頁。.

④ MSA(Mutual Security Act)即美国于 1951 年 10 月提出的《共同安全法》,目的是通过向"友好国家"提供军事、经济和技术援助,来确保美国安全和战略利益。

⑤ 石井晋「MSA 協定と日本—戦後型経済システムの形成(1)—」、『学習院大学経済論集』第 40 巻第 3 号、2003 年、179 頁。

打开向日本出口农产品的大门。多轮磋商之后，双方都做出了妥协，于是，这份安保协定成了大杂烩，它由四项子协定组成——《共同防御援助协定》《农产品购买协定》《经济措施协定》和《投资保证协定》。

签署 MSA 协议对日本意义重大，正如经团联日美经济合作恳谈会下属防卫生产委员会干部千贺铁也指出的，接受 MSA，不仅让日本获得了美国资金支持，更重要的是它极大推进了日本基础产业的现代化，带来了多种收获——“能确保必要物资，又能提高生产技术水平，进而实现生产设备的现代化”。[①] 据统计，1950—1955 年期间，日本企业接到的美国特需合同金额高达 16.18 亿美元。[②]

自主技术发展导向的确立

1957 年 5 月，日本国防会议[③]拟定的《国防基本方针》[④]获得内阁会议通过，确立以“和平和独立”为目标的防卫方针，再度重申日美同盟为安保支柱。不久，又通过《防卫力量整备目标》，作为战后第一次防卫计划大纲。除对军事力量作出规划之外，专门提出发展军工产业的基本战略。

第一次防卫大纲（1958—1960）防卫力量发展规划三个要点：18 万人的陆军自卫队；总量 12.3 万吨舰艇的海上自卫队；1 300 架飞机的航空自卫队。[⑤] 鉴于自身产业基础和生产能力，舰艇及飞机等装备大部分要从美国购买。但就是从这时开始，日本就明确提出要发展自主技术，推行渐进的国产化战略：其一，政府着力投入研发，让企业逐渐掌握重要装

---

① 石井晋「MSA 協定と日本—戦後型経済システムの形成(1)—」、『学習院大学経済論集』第 40 巻第 3 号、2003 年、190 頁。

② 日本通商产业省《通商产业政策史》编纂委员会：《日本通商产业政策史》第 2 卷，中国《日本通商产业政策史》编译委员会译，中国青年出版社，1994 年，第 414 页。

③ 1954 年日本国会通过在内阁设立国防会议的《防卫厅设立法》，1956 年正式设立国防会议，1986 年被废除，设立了新的安全保障会议。

④ 日本《国防基本方针》指出目的在于建立防止直接和间接侵略的防卫体系，提出四点基本方针：支持联合国行动；建立国家安全基础；发展自卫防御力量；依靠日美安保体制。参见：内閣官房「国防の基本方針」、http://www.cas.go.jp/jp/gaiyou/jimu/taikou/1_kokubou_kihon.pdf。

⑤ 有沢広巳『資料戦後二十年史』、日本評論社、1966 年、164 頁。

备品开发生产能力;其二,高度关注科技发展,促进新式武器装备研发;其三,与民品生产平衡,以军促民,采取弹性措施;其四,配合防卫扩充来发展军工产业,使二者同步发展。

初步构建起产业基础之后,第二次防卫大纲便提出"建立科技防卫"的目标。1961 年 7 月,国防会议拟定提交的第二次防卫大纲(1962—1966)获得通过,它提出"依靠科学技术创建精锐部队"的思想,指出仅靠发展传统常规武器,只能应对局部战争,不能适应未来局势。还特别制定了四项具体方案:第一,创建科技精锐部队,提高陆海空综合防卫能力;第二,实施设备现代化,强化后方基地建设;第三,重点开发制导武器,装备地对空导弹;第四,发展信息技术,促进民生产业。为实现上述目标,日本政府决定今后五年投入预算将年均增加 195 亿日元。[①]

到 20 世纪 70 年代,也就是第三次防卫计划(1967—1971)和第四次防卫计划(1972—1976)期间,由于初步拥有自主技术,所谓"自主国防论"开始在日本抬头,特别是中曾根康弘担任防卫厅长官成为重要倡导者。[②] 经济发展也使预算投入得到确保,大量经费投入成为此时防卫力量建设的鲜明特征:第三次防卫计划大纲预算已达 2.3 万亿日元,到第四次防卫计划再度倍增,达到 4.6 万亿日元规模,成为西方国家中军费投入仅次于美国的国家。

政府以国防预算保驾护航

国产化战略不仅强调要发展自主技术,同时,以国内采购为主的特征也成为军工产业稳步发展的重要保障。60 年代之前,在日本政府支出中,防卫相关费用一直占 10%以上,其规模稳定在 1 500 亿日元左右,这为军工产业发展提供重要条件。从绝对额来看,伴随着政府支出规模扩

---

① 内閣官房「第 2 次防衛力整備計画について」、http://www.cas.go.jp/jp/gaiyou/jimu/taikou/3_2jibou.pdf。

② 廣瀬克哉『官僚と軍人-文民統制の限界』、岩波書房、1989、137 頁。

大，1962 年之后防卫费用步入快速上升轨道，当年达到 2 170 亿日元，1965 年又突破 3 000 亿日元，1968 年再超过 4 000 亿日元。此后，几乎每年都上涨 1 000 亿日元左右，到 1974 年就突破 1 万亿日元大关。

若仅从防卫预算的政府支出占比来看，日本国防支出预算还呈现逐年下降的趋势。如 60 年代占比为政府预算的 10%左右，但到 1972 年为止，却逐步降低至 6%左右的水平。此后，国防预算基本稳定维持在该水平上。由于经历了经济高速增长奇迹，日本政府收入也经历了快速增长，这极大拉动了政府预算支出的扩大，因此，日本的国家防卫预算一直呈现着增长态势。在财政惯性作用下，90 年代日本防卫费用仍呈增长态势，直到 1998 年攀升至 4.95 万亿日元的峰值(图 7－3)。

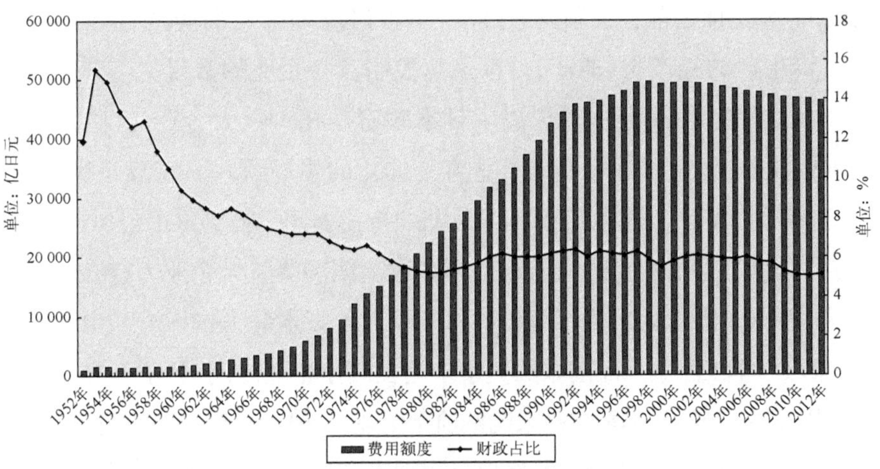

图 7－3　日本防卫相关费用的变化(1952—2012 年)

资料来源：矢野恒太記念会「日本国勢図会(2012/13)」、帝国書院、http://www.teikokushoin.co.jp/statistics/history_civics/index25.html。

非竞争型的产业发展生态

虽然日本军工产业的生产主体是民间企业，但因为国门紧闭，所以消费者仅有一家，负责军事装备采购的日本政府防卫厅(防卫省)，这就使该产业生态呈现出典型的非竞争性特征。这种特征是适应了二战后日本特殊国情的。

第一,受战后"和平宪法"制约,以经济发展作为国家大政方针的日本,军工产业不可能走向市场,加之日本政府为规避"美国战车",它自主推出"武器出口三原则"关闭了出口大门,而且,还颁布《火药类产品取缔法》《武器制造法》等,强化安全与管理的限制。第二,军工产品采购受到国家预算体制的严格约束,军工产品必须严格履行国家预算程序,而且,战后初期日本财政状况窘迫,难以迅速大量采购军工产品,所以,受委托生产的民间企业普遍以民品生产为主,军工产品仅是"副业"而已。第三,国家对于技术也进行着控制,由于军品研发经费来自于政府,由防卫省所属的技术研发本部主导,它负责选定相关参与企业,于是就形成了封闭型技术路径,其他企业也难以进入该门槛。第四,为防止技术流失,同时日本政府也有意控制竞争过度,负责研发和采购的防卫省(防卫厅)与负责生产的经产省(通产省)都刻意控制参与企业的数量。

在这种生态环境中,就形成了日本政府委托少数大企业,这些大企业分别构建各自分包体系,形成了垂直一体化的生产模式。以战斗机为例,占比最高的就是三菱重工公司,发动机主要由石川岛播磨重工公司提供,形成了三菱重工、川崎重工、富士重工、IHI 和新明和等五大企业为核心的生产格局。舰艇、坦克、武器及军需装备均形成了类似体系(图 7－4)。由于进入门槛较高,军工相关产品的采购竞争多是在两家企业之间,甚至是交互式采购。以此为背景,日本军工品采购额前十企业,一般占全部采购费用的 95%。

少数大企业的垄断格局,促使日本军工产业形成了所谓"相安而居"的产业生态。大企业作为总包企业,与日本政府的防卫省在研发、生产等领域达成默契,大企业不是以市场机制选择分包企业。很显然,这种垂直一体化的生产模式是有利于政府扶植军工产业的,相对封闭的生态环境也降低了交易成本。但是,这种非竞争性产业生态也造成一个严重问题——采购价格高昂,日本军工产品采购价格一般比海外高 3 倍左右。①

① ジョン・パーマ「日本の防衛産業は今後如何にあるべきか?」、『防衛研究所紀要』第 12 巻第 2・3 合併号、2010 年、122—123 頁。

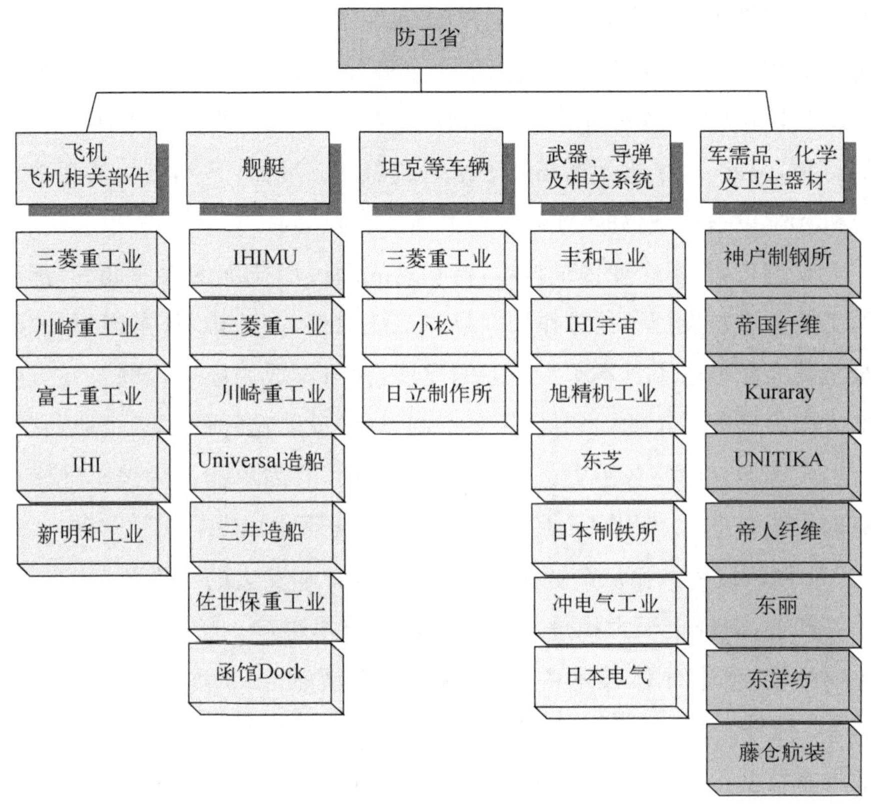

图 7－4　日本主要军工产品系列及核心企业

资料来源：週刊東洋経済「防衛産業を大解棒！自衛隊のコスト」、『週刊東洋経済』2012 年 1 月 21 日、34 頁。

民生为基础的产业发展模式

起初，以美国为主引进军工技术对日本民生产业发展发挥了极大推动作用，因为负责生产的民间企业更多依赖民品的生产为生，所以，先进的军事技术成为其开发民品的重要基础。但从 20 世纪 70 年代开始，逐步成熟并领先的日本民生产业开始反哺军工，成为军工产业研发与生产进步的重要支撑。于是，“寓军于民”就成为日本军工产业的重要特征。

1954 年日美签署 MSA 对日本工业进步发挥了至关重要的作用。

协定不仅带来了“新特需”，更重要的是，它极大改善了日本军工产品的生产效率，为日本工业迈向现代化与合理化提供了重要支撑。[①] 以光学器材为例，日本光学和东京光学等两家企业，不仅获得美国军用望远镜的订单，由此，东京光学还拓展了枪炮武器的瞄准器，日本光学甚至进入飞机光学设备领域，如轰炸瞄准器和航拍相机等。

反过来，日本企业传统技术，特别是战后民用技术的大发展等，都对军工产业进步发挥了促进作用。早在二战之前，明治维新“富国强兵”政策就曾大幅推进了日本军工产业的发展，使日本成为航空母舰及飞机生产大国。三菱重工业（当时名为东京制作所）就是这样的军工企业，它还有着生产坦克的悠久历史。在朝鲜战争期间，它因承担了为美军维修坦克而最早获准生产坦克。1961 年始，它相继研发出“61 式”“74 式”“90 式”“10 式”坦克。而从产业关联视角来看，日本发达的半导体、汽车、电子等产业，同样也极大推进了军工产业的技术进步。例如，在对美国最重要的 25 项半导体技术中，日本就有 12 项领先，8 项与美并列的成绩。[②] 另外，为数众多、技术精湛、质量可靠的日本中小企业也是军工产业的重要基石，日本的各项大型军工产品背后往往都有 1 000—2 500 家中小企业的影子，它们与主包企业之间结成了垂直高效的生产组织。[③]

四、能否成世界军工产业“黑马”

日本政府对于武器出口解禁寄予了极大期待，无论是 2009—2012 年的民主党政权还是 2012 年底重新执政的自民党政权都是如此，因为这不仅可以打破军工产业发展的瓶颈问题，而且也为经济增长带来了新突破的可能。

---

① 石井晋「MSA 協定と日本—戦後型経済システムの形成(1)—」、『学習院大学経済論集』第 40 巻第 3 号、2003 年、184 頁。

② 李大光：《寓军于民的日本军工体系透析（续）》，《国防技术基础》2008 年 11 期，第 57 页。

③「防衛産業を大解棒！ 自衛隊のコスト」、『週刊東洋経済』2012 年 1 月 21 日、36 頁。

国际军工产业的"黑马"?

"日本一直是军工行业沉睡的巨人",这是英国《金融时报》(FT)对日本防卫产业的认识,作为英国的主流媒体,该报认为"日本拥有精良的军工技术"。① 就在安倍政府宣布解禁武器出口之后仅三个月,川崎重工业等日本企业便携带国产巡逻机 P1 参加了全球最大的航空展"范堡罗国际航展",它们吸引了各国国防相关人士的关注。不仅日本企业正在"走出去",很多国家的国防官员或是军工相关企业人士也纷纷造访日本,三菱电机设在神奈川县的镰仓制作所就接待了大批来访外国人士,如英国国防部就因高度关注战斗机用对空导弹"流星(Meteor)"而邀请三菱电机共同开发;美国国防部高级研究计划局(DARPA)也为获得该工厂生产对空导弹"海麻雀(Sea Sparrow)"相关技术而向三菱电机伸出了橄榄枝。②

打开国门的日本军工产业

日本政府也在不遗余力地推进此次军工转型,实现全球化战略。在正式宣布以《防卫装备转移三原则》取代《武器出口三原则》后仅两个月,日本政府就公布了新的军工产业发展战略,它有三大战略核心:一是军工产业发展必须能确保主体性;二是军工产业要能拥有制衡力和议价权;三是要打造拥有高端技术的军工产业。首先,确保主体性,其实就是要继续坚持原来的国有化战略,即构建由日本企业全面负责研发、生产以及修理维护的全套军事装备体系,以适应日本特有的安全保障需求。其次,拥有制衡力和议价权,就是充分利用正在得到世界认可的日本强大制造业基础与技术优势,从而形成对外的制衡力与议价权,以利于进

① 利奥·刘易斯、罗宾·哈丁:《日本:解除武器出口禁令之后》,FT 中文网,2015 年 8 月 21 日。网址:http://www.ftchinese.com/story/001063598。

②《日本防卫产业之变(下):海外送秋波》,日经中文网,2014 年 4 月 18 日,http://cn.nikkei.com/columnviewpoint/column/8891-20140418.html。

口或实施国际合作。最后，打造高端技术的军工企业，即要充分利用军工产业与民生产业之间的“通用化”（Dual-use）和“去边界化”（Borderless）趋势，发挥日本高端技术制造业的技术优势，构建起先进的军工产业。

日本军工的国际竞争力

概括而言，作为世界军工产业的潜在“黑马”，日本军工产业具有如下优势：一是在舰船研发与制造等领域拥有世界先进技术与竞争优势，如苍龙级潜水艇、出云号直升机航母等舰船；二是在碳素纤维等材料、传感器及半导体零部件等领域拥有世界领先技术，全球竞争力优势突出，如三菱电机的传感器、东丽公司的碳素纤维、IHI 的发动机部件等；三是拥有高端加工制造技术，在激光、涂层、焊接加工、半导体制造与加工等制造领域，日本制造业具备世界一流的技术和竞争力；四是日本还拥有大量技术扎实、质量可靠、能够严守交货期的中小企业，它们不仅在国内支撑着三菱重工、川崎重工、富士重工等核心军工企业为中心的军工生产体系，甚至在海外获得了军工巨头的青睐。以飞机生产为例来看，早在波音 767 机型时期，日本企业参与程度就达到了 15%，这里除了 IHI 等大型企业参与之外，还有大批中小企业参与；到了波音 777 机型时代，该数字就已经提升到 21%；再到今天的最新机型——波音 787，日本企业的参与度已经达到了 35%。①

国际关注度不断提升

正是凭借上述国际竞争优势，日本企业已经赢得了海外军工界的关注。2010 年 9 月，《朝日新闻》披露了美军资助日本研究人员、利用日本技术的历史事实。该报道指出，早在 1967 年越南战争期间，美国陆军就曾资助日本物理学会，后来据原文部省调查显示，有 37 个团体接受了来

① RIPS公開セミナー 2014「集団的自衛権と日本の選択」、Policy Perspectives No. 21、6 頁。

自美国陆军的3.8亿美元资助。文章还特别指出，近年来美军对日本的研究资助出现上涨趋势，其背景就是美军试图利用日本先进的民生产业技术。①

在废除武器出口禁令之后，日本军工迈向海外的步伐正在加大。2014年7月，日本国家安全保障会议(NSC)就决定向美国出口作为拦截导弹核心部件的高性能传感器，这就是美国向中东出口的地对空拦截导弹“爱国者2(PCA2)”搭载的高性能传感器，用于识别和追踪目标而嵌入导弹头部的红外线搜索装置的核心零部件。② 毋庸置疑，日本军工产业已经步入一个新的历史时期。

五、出口解禁未能推动日本军工转机?

2014年安倍内阁解除武器出口禁令至今已经过去三年，这一期间日本军工出口似乎并无亮点可寻，特别是脱标澳大利亚潜艇项目之后，一度饱受全球各国媒体广泛关注的日本军工似乎骤然降温，从过度曝光中逐渐远离了人们的视线。

莫非日本军工产业的战略转型已经触礁失败? 诚然，由日本政府大力兜售的潜艇、反潜机以及水上飞机等大型出口计划接二连三地破灭，但这并不能代表解禁武器出口的战略目标难以实现，相反，日本军工产业的结构性困境(需求触顶、技术进步停滞、竞争机制僵化、企业经营困难)正在得到改善，特别是零部件出口显著扩大、国际合作的窗口彻底打开、社会舆论也在朝着有利于发展军工的方向转变。

政府主导型出口屡屡受挫

2016年4月，澳大利亚政府宣布其潜艇项目花落法国企业DCNS，

① 「米軍の研究助成　増加—日本技術の軍事応用も視野—」、『朝日新聞』2010年9月7日。

② 《日本将决定对美国出口导弹传感器》，日经中文网，2014年7月7日，http://cn.nikkei.com/politicsaeconomy/politicsasociety/10030-20140707.html。

让日本大失所望，安倍政权曾梦想以此作为其武器出口解禁的开门红。早在 2014 年 7 月，日本政府就与澳大利亚签署《日澳防卫装备品技术转让协定》，同年 10 月，双方防长会议上再次确认日本将参与澳大利亚潜艇项目，双方扩大相关技术交流。2015 年 5 月，两国防长电话会谈再次明确日本参加澳潜艇项目，同年 12 月，两国还启动船舶流体力学领域的共同研究。

本来势头良好，那日本为何还会错失良机呢？归纳起来主要有如下原因：一是日本缺乏海外销售武器的实践经验，此前几乎全部内销；二是过于自信，因此忽视了需求方的具体要求；三是不同利益主体之间的协调不畅，日本企业其实不愿实施本地化生产，防卫省也担心技术外泄问题，唯有日本政府在极力促成此案；四是武器出口自身的特殊性问题，一般认为需要五大阶段，即需求方的目标规格设定、研究开发、生产制造、营销与金融担保以及保养维修等，这些都不是一蹴而成的。这些原因不仅使日本痛失这份 385 亿美元大单，也造成了其后水上飞机以及反潜机项目的落败。

日本 US－2 水上飞机备受印度青睐。早在 2013 年日印首脑会谈上，双方就围绕 US－2 海上飞机决定成立合作机构（JWG）。之后，日方多次组织体验搭乘、工厂视察等方式，向印方介绍了该产品的性能及飞行要领，并展示了制造、组装以及保养等信息，还制定了在印度生产及技术转让等协议草案。翌年，日印首脑会谈决定推进防卫装备与技术合作；2015 年 12 月双方又签署《防卫装备品及技术转让协定》。但临近 2016 年日印首脑会谈之际，这个印度购买 11 架 US－2 计划却突然化为泡影，理由是印度要求必须“当地生产”。

日本政府力推出口的产品还有 P－1 反潜预警机。P－1 预警机是日本首款喷气式国产预警机，由川崎重工业公司制造，供给海上自卫队使用，主要用于海上飞行、监测他国潜水艇。最初，日本政府试图大力向英国推销，但后者最终还是选择了美国波音公司的 P－8 反潜巡逻机。接下来，日本又全力向新西兰推销，因为新西兰计划更新 6 架预警机。

P－1预警机在国内售价 140 亿日元，如果实现 6 架预警机、外加 C－2 运输机（国内价格 180 亿日元）以及这两款产品的保养服务，这份合同金额总计将超数千亿日元，成为澳潜水艇项目之后的大单。

但问题还是来自日本内部，政府内部出现反对出口的声音，认为这种军事技术若流失他国将带来极大风险。而且，海上自卫队也坚持慎重论原则。另外，日本政府犹豫不决还有另外一个原因，那就是澳潜艇订单失败带来的心理冲击。当时阿博特政权多次表达对日本技术的青睐之情，日方也以相关机密信息作为回报。此次新西兰甚至连预警机选择标准都没公布，而且它将与澳大利亚共同使用这款预警机，所以，更多人认为它会像澳大利亚一样选择美国波音。很显然，与欧美老牌军火商相比，在充满复杂关系的世界军火市场，政府主导型日本模式能否行得通还是个疑问。

部件出口扩大、国际合作铺开

零部件出口一直是日本企业参与全球军工市场的重要形式。在禁止武器及相关设备出口的《武器出口三原则》框架下，日本政府经常以所谓“例外”批准企业出口相关零部件。以 F－35 战机为例，尽管日本未能参与联合研发，但日本企业 IHI（石川岛播磨）、三菱电机、三菱重工等参与了飞机生产。

彻底解禁武器出口之后，日本政府更彻底放宽了零部件产品的出口。三菱重工对美国出口拦截导弹“爱国者－2”（PAC2）所采用的高性能传感器，该传感器位于导弹尖端部分，配有可识别和追踪目标的红外线搜索系统，具有捕捉导弹姿态和位置的功能，是引导导弹准确打击目标不可或缺的零部件。

三菱电机则出口战斗机使用的高性能雷达装置。由于使用了特殊半导体，该雷达较普通雷达具有更强的探测能力。这种雷达使用了“氮化镓”半导体元件，在其平面上排列着几百个微型天线，通过这些天线发出广角电波来探测物体。氮化镓半导体功率是传统砷化镓半导体的

1.5—2倍，从而可在更大范围内搜索敌情。为了获得更多订单，三菱电机还通过参加“范堡罗国际航展(Farnborough International Airshow)”等防卫装备品专业展出而面向欧美企业等推销产品。

舰船零部件也是重要出口内容。日本政府已允许川崎重工向英国海军舰船出口发动机零部件，如为英国劳斯莱斯供货。这种燃气轮机发动机零部件，除了可以用于民用客机与军舰之外，还被用于民用的应急电源装置。

除了日本企业积极走出去向海外推销之外，来自国外的军工企业也纷纷踏上门来，寻找可以应用于防卫产业的日本高端技术。三菱电机旗下的镰仓制作所，最近就经常接待各国国防当局官员和企业高管的频繁到访。比如，英国国防部关注的是装配战斗机的对空导弹“流星(Meteor)”，为获得装配战斗机的高性能导弹技术，英方向三菱电机发出了共同开发的提议，于是，该工厂被授权生产对空导弹“海麻雀”的后续型号。美国国防部和美国的军事技术开发总部——美国国防部高级研究计划局(DARPA)也希望对三菱电机十分关注，希望获取尖端军事技术。

推进国际合作，也是日本政府支持企业走出国门的重要手段。自从2014年4月1日废除《武器出口三原则》解禁武器出口以来，日本已经相继与西方军工大国签署了合作开发协议。首先，日法两国达成共同开发防卫装备品一致，双方决定将共同开发无人潜水艇项目。紧接着，日英两国也就安全保障与防卫合作达成一致意见，双方还开始交涉《相互提供物资与劳务协定(ACSA)》。之后，日本又与德国就相互提供坦克技术并共同开发达成一致，以此为契机，日德也打开技术合作大门。

2014年6月，日本防卫省发布《防卫生产技术基础战略》，彻底调整了自1970年以来坚持长达44年的国产化方针，决定“大力推进国际共同开发”。2015年2月，日本政府还调整了ODA大纲，废除了原来禁止向他国提供军事支援的条款，打开了政府开发援助项目可以面向军事的大门。随即，日本便以ODA方式向越南提供了6艘本国更新下来的巡视船，还向菲律宾海岸警备队提供了10艘多用途快艇(MRRV)。

社会舆论风向悄然改变

二战之后，日本社会曾长期以和平主义力量为主流，军工企业被视为“死亡商人”，这也是日本政府采纳“武器出口三原则”的真正主因。然而，最近以来这种舆论风向正在发生转变。

首先，军工企业自身认识的改变。日本企业首次参加亚洲海上航空防卫技术展(MAST Asia)是在2015年，当时只有NEC单独参展，其他日本企业则是以联合参展方式参加。正如路透社所指出的，“日本企业担心自己被视为军国主义代表，所以防卫装备产品宣传上踌躇不前”。但是，今年却大不同前，以三菱重工、川崎重工、新明和工业为代表，共有16家日本军工企业单独参展，它们高调展出或演示了导弹驱逐舰、水陆两用战车、水雷探测技术等。虽然这些企业还是把自身产品与战争相联系视为禁忌，如三菱重工宣传指出“参加此次活动，是为展示我公司在诸多领域的产品和技术”，但很显然，其目的是为了打开全球市场，特别是获得东南亚国家的青睐。

其次，大量民间企业和大学等机构正在卷入军工开发。日本学术界一直明确反对从事军事研究。早在1950年和1967年，代表整个学术界的日本学术会议就发表了《不从事为了战争的科学之声明》《不参加军事目的的科学研究之声明》。然而，今天虽然仍有多数学者表示反对军事研究，但不同声音已经出现。以防卫省“军事研究推进制度”为例，这项面向民间企业以及大学的科研招募制度，其预算已经从2015年度6亿日元，一下子骤增至2016年度的110亿日元，打造日本版“军产学复合体”的目标正在走向现实。不仅如此，人工智能等最新技术也被应用到最尖端无人武器开发之中，日本技术人员、研究者正在被纳入这一体系。

再次，日本政界对于发展军工产业的认识趋于一致，不仅执政党力推军工产业发展，作为在野党的民进党等大党也持支持态度。事实上，正是民进党(前身是民主党)执政期间，大幅放宽了武器出口禁令，为安倍彻底废除禁令奠定了政治基础，2011 年野田内阁曾发布“藤村谈话”宣布大幅放宽武器出口禁令，除此之外，它还积极推进跨国合作、率先扶植宇宙航天产业等。

最后，广大民众对于发展军工产业的认识也出现分化、反对声音弱化趋势。在全球恐怖主义泛滥、美国全球战略转型以及朝鲜半岛形势变化背景下，日本民众对于军工产业发展的认识和态度发生了分化。

总之，尽管大型出口计划并不如意，但出口解禁之后日本军工产业环境发生了巨大变化，零部件出口扩大以及国际合作的展开都将推动日本企业跨入全球合作的平台，而社会舆论的转变也将极大改善国内的产业环境。

（本章内容刊载在《日本军工急于“破茧”的内在动力与目标》，《日本蓝皮书》，社科文献出版社 2016 年；《环球》2017 年 16 期《日本军工“死亡商人”谋翻身》）

第八章　日本企业模式的形成与变革

20 世纪 80 年代，日本企业管理模式得到了世界广泛认可。正可谓“尊严来源于实力”，世界市场对于日本产品(Made in Japan)印象的转变，成为日本模式得到重视和尊重的本质原因。在欧美国家，60 年代还处于粗糙、劣质才低价的日本制品，却似乎骤然间就转变为精良而优质且廉价的象征。正如 1957 年美国人尚在大肆嘲笑皇冠和光冠汽车的劣质，而 1975 年丰田却取代大众成为美国最畅销进口品牌，更令其震撼的是，1985 年出口美国日本汽车已达 230 万台。①

日本产品所以实现华丽转身，离不开日本企业管理模式的进步。长期以来，人们对于日本模式的认识，还普遍停留在“终身雇佣、年功序列和企业内工会”等所谓三大神器论之上。但事实上，这些仅是日本模式的表现特征，其内里却是一个复杂而体系化的特征。本书将系统归纳日本模式的构成、特征和进化路径，分析其创新成功的原因，并在此基础上阐释对中国的借鉴意义。

① 日刊自動車新聞社. 自動車産業ハンドブック[R]. 1999,384—385.

一、"三大神器"的内涵及其外延

"抑扬顿挫"的三大神器论

1958年,美国学者詹姆斯·阿贝格林(James C. Abegglen)将日本管理模式归纳为终身雇佣、年功序列和企业内工会等三大特征。① 他认为日本企业的性质仍"处于前工业化时代的非工业化性质社会组织和各种关系"②,可见当时尚无任何礼赞意义。十年之后,日本跻身于资本主义世界第二大经济强国,其企业模式也开始广受关注,评价也转向褒美为主。1972年,OECD发表《对日特别调查报告书》,将终身雇佣、年功序列和企业内工会称为日本式经营"三大神器"。③ 从此,这种局限于劳动层面的管理特征,就被认为是日本经营模式的总体特征。

终身雇佣制是指,某人一旦被企业雇佣,他就将在该企业就职并不断接受其特有培训,只要企业不陷入困境,或他本人没有严重违纪,他将一直在该企业工作至退休。虽说终身雇佣与日本传统文化有着密切联系,但它更是经济发展的产物。战后日本很快实现经济复兴,并迅速进入经济高速增长阶段,庞大劳动需求使企业希望建立起稳定雇佣体制。饱受战后初期失业之苦的劳动者也渴望工作稳定。实际增长率达10%,而且保持20年的经济增长过程中,终身雇佣制逐渐形成。④

年功序列制是与终身雇佣制相辅相成的工资管理体制,它主要以年龄、学历及连续工作年限作为提薪或工资晋升标准。顾名思义,"企业内工会"是指在企业内部建立独立的工会体制,它不同于欧美的行业工会

① James C. Abegglen(1926—2007),美国学者。他曾以福特财团研究员身份赴日考察,1958年出版《日本式经营》(日本钻石社),2004年出版《新日本式经营》(日本经济新闻社)。

② アベグレン. 日本の経営[M]. ダイヤモンド社,1958,180(Abegglen, J. C., *The Japanese Factory*, *M. I. T.*, 1958).

③ OECD. 対日労働報告書[R]. 日本労働協会 1972(OECD, *Reviews of Manpower and Social Policies*, *Manpower Policy in Japan*, 1972).

④ 島田晴雄. 日本の雇用— 21世紀への再設計[M]. ちくま新書,1994,66.

体制。该工会组织的特征是对企业发展采取积极支持态度，从而形成了劳资协调体制。①

被称作“神器”，是因为这三大体制发挥了如下作用。一是保证了雇佣稳定，企业可以对人力资本进行长期投资，管理层能将精力转向市场、产品以及技术领域，员工也愿意接受各种企业培训，通过熟练技术提高能力与收入。二是促进了技术创新，企业引进新技术或新设备也不会裁员，所以员工支持企业创新，这有利于培养熟练工，日本企业也因此形成了工序创新优势。三是节省了经营成本：企业招聘、培训等相关雇佣成本大幅减少，且渐进工资制使年轻员工对未来工资形成憧憬和远期投资意识，这既为企业节省了成本也分担了风险。四是劳资协调有利于构建良好的企业文化，员工对企业形成强烈归属感，产生了强大凝聚力。五是有利于社会安定，日本失业率在发达国家中一直最低，1984—1994 年平均失业率仅为 2.3%，而同期德美英法分别为 5.4%、6.2%、9%、10.4%。②

然而，到了 20 世纪 90 年代泡沫经济崩溃而陷入“失落的 10 年”之后，关于三大神器的看法再次发生逆转，批评的声音开始高涨。③ 信息革命、全球化浪潮以及日本劳动力结构的变化等经营环境骤变，都使得三大神器式的雇佣制度难以适应。

复杂而有机的内部体系

“三大神器”仅是日本模式的外在特征，仅局限于劳动体制。实际其内部形成了复杂而有机的内部体系，其构成要素之间相互联系、相互影响，共同决定着日本模式的发展趋势。

概括而言，日本经营模式具有如下特征：一是重视长期利益的经营

---

① 日本战后也曾经出现欧美式行业工会，但因美国对日政策转变等历史因素影响，最终形成劳资协调式的企业内工会制度。参见：张玉来. 丰田公司企业创新研究——兼论日本汽车产业发展模式[M]. 天津人民出版社，2007，238—261.

② 経済企画庁. 経済白書[R]. 平成 08 年版，大蔵省印刷局，1996，463.

③ 代表性文章如：占部都美. 日本的経営論批判[J]. 国民経済雑誌 138 巻 4 号.

战略,日本企业普遍以长期经营为目标,形成了重视市场占有率而非短期利润的特征;二是集团主义和自下而上式的经营决策方式,日本企业一般采取集体决策方式,强调集团责任,形成了禀议制度、小集团活动以及提案制度等颇具特色的体制特征;三是重视长期交易的企业间关系,日本企业重视建立长期交易体制,形成了系列化和集团化组织特征;四是经营者支配和重视员工利益的公司治理特征,主银行体制、相互持股制等成为日本企业的显著特征;五是多品种小批量的生产方式,以丰田生产方式(TPS)为代表,日本模式在生产中更强调质量和成本控制、反对浪费,相继创造出 TQC 质量管理体制、JIT 准时生产体制以及 POS 信息体制等。限于篇幅原因,本书仅列举其中两大特征:禀议制度和系列体制。

禀议制度源于日本古代社会的政府官厅,按字面解释是禀报议决制度。在日本企业中,一般提出问题或解决问题的方案都是没有经营权力的现场负责者,即企业中的低层管理者。从现场主义出发,这些人最了解和熟悉现场情况。所提方案将逐级上报给各相关部门,并在各部门之间"回议""合议",并签字盖章,最后形成统一文件上交到最高层,由社长作出最终决策。据 1981 年的一项调查显示,仍有 88.3%的日本企业采纳这种禀议制度。[①] 这种禀议制度具有自下而上的决策特点,因此,相对于欧美企业而言,日本企业决策的速度似乎明显滞后。但是,由于信息在组织内部得到充分交流,所以一旦决策获批的话,其实施速度却又明显快于欧美企业。例如,丰田汽车于 1998 年才正式进入中国市场,但到 2004 年它就建立起成都、天津、长春、广州等四大生产基地,仅用 6 年时间就完成了大众历经 20 年的战略布局。

系列体制(系列承包体制)主要体现在汽车产业,它是指汽车厂商与零部件供应商之间形成的高效垂直分工体系,这也被认为是日本汽车强

① 中村健寿.オフィス環境の変化と稟議制度に関する一考察[J]..静岡県立大学短期大学部研究紀要第 10 号 1996,108.

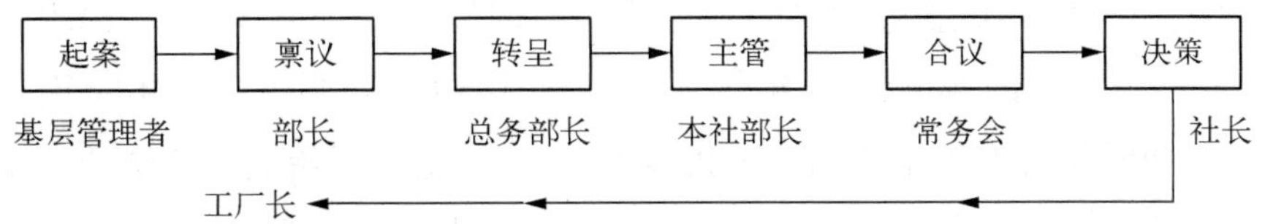

图 8-1　日本企业管理中的"禀议制度"示意图

资料来源：笔者根据日本企业管理特征制作。

大竞争力的重要成因之一。围绕某家汽车厂商，与其签约的一级供应商，以及为一级供应商供货的二级供应商，及其下游的三、四级供应商，这些组织形成了系列化的层层承包体制。除长期交易关系外，出资和派遣经营者也都是上级企业控制下级企业的重要手段。技术层面，承认图纸方式是其重要特征。这种被称作"黑匣子方式"的技术联系，给厂商和供应商均带来利益：对于前者而言，它可以摆脱资源限制、降低经营成本、分担风险、缩短开发周期等利好；对于后者而言，则可以借此提高研发能力、降低生产成本、实现技术进步以及降低经营风险等利处。①

与时俱变式的调整创新

日本管理模式并非固化不变的，伴随着经营环境的变化，该模式已发生了巨变。其中，最显著的变化在于融资方式和雇佣体制层面。1992 年泡沫经济崩溃以来，日本陷入了"失落的 10 年"。在此期间，日本企业模式中的主银行体制和相互持股制度明显衰落，年功序列制的范围也大幅缩小，但终身雇佣仍为其主要特征。

"脱主银行体制"倾向早在 20 世纪 70 年代就开始出现。企业债比例在 70 年代后期达到顶峰之后开始回落，其原因是日本政府逐步放宽了发行企业债的适应基准。② 此外，资本市场自由化对此也生产了巨大

① 张玉来. 丰田公司企业创新研究——兼论日本汽车产业发展模式[M]. 天津人民出版社，2007，143—145.

② 1987 年日本证券交易审议会放宽竞争限制，废除原担保型企业债，实施无担保企业债和无担保转换企业债制度。

影响。80年代，收益性较高企业就开始转向以发行企业债为主，出现了脱离银行融资的倾向。90年代之后，企业信用评级制度在日本全面实施。1996年又实施了全面自由化措施。于是，企业开始摆脱传统的以银行融资为主的方式。加之泡沫经济时期银行业自身出现大量坏债，其原有的企业监督功能已经丧失。90年代初期，企业间相互持股比例勉强维持在20%左右，到2003年则下降到7.6%。[①]

雇佣方面，90年代以后，伴随着长期经济不景气，很多企业大幅缩减了招聘比例。此举导致企业员工年龄构成转向高龄化，这对年功序列制下的日本企业而言，无疑将导致人力成本大增。很多企业开始废除这种定期加薪体制，引进了欧美国家的绩效工资体制。2004年日本政府一项问卷调查显示，在1 000家企业中，已引进绩效工资制的企业多达83%，计划引进的也达到13%。[②] 不过，日本多数企业仍坚持终身雇佣制。2005年日本一般员工平均连续工作年数为12年，远远高于美国的6.6年(1997年数据)，也高于欧盟14国平均10.6年的水平。

二、终身雇佣制及大变革[③]

20世纪90年代以来，伴随日本经济陷入长期低迷，曾经辉煌一时的日本式经营模式开始受到普遍质疑，日本企业自身也陷入了悲观论之中，它们开始寻求新的经营模式，并以全方位学习美国企业体制为主要特征。在人力资源领域，导入绩效主义成为雇佣体制改革的核心。素有日本式经营“神器”之称的终身雇佣体制正在面对彻底改革。

---

① 内閣府.年次経済財政報告[R]平成18年，http://www5.cao.go.jp/j-j/wp/wp-je06/06-00202.html.

② 内閣府.年次経済財政報告[R]平成18年，http://www5.cao.go.jp/j-j/wp/wp-je06/06-00202.html.

③ 本节内容主要选自张玉来：《“神器”的黯然：日本终身雇佣制改革》，刊载在《现代日本经济》(CSSCI)2008年第1期。

终身雇佣制的历史合理性

终身雇佣制是指刚刚毕业的学生一旦被某企业雇佣，他将在该企业就职并不断接受其特有培训，只要该企业不陷入严重的经营困境，或者本人没有严重违纪的话，将一直在该企业工作至退休。严格意义上讲，终身雇佣就是劳资之间所达成的长期雇佣关系。与终身雇佣制相辅相成的工资管理体制被称作年功序列制，是指企业根据职工的年龄、学历及其连续工作年限为依据，来确定其是否提薪或晋升的管理体制。

终身雇佣制既是日本经济发展的产物，反过来，它又极大地推动了经济的发展。二战后不久，日本就进入了经济高速增长阶段，于是产生了极大的雇佣需求。企业，特别是大企业为了确保雇佣稳定而倾向于建立一种长期的雇佣体制。而作为劳动者一方，饱受战争失业的痛苦经历也使其渴望稳定的就业，这种愿望得到了经济增长的支持。除经济增长原因之外，促使终身雇佣制度化的还有如下因素。

首先，“劳动三法”奠定了法律制度基础。战后，在“民主化”“非军事化”旗帜下，以美国为首的联合国占领军对日本进行了彻底改革。在劳动层面，参照美国制定了《工会法》《劳动关系调整法》和《劳动关系基准法》等所谓“劳动三法”。日本国会也于 1947 年通过《劳动省设置法》，专门设立劳动省来主管劳动事务。

其次，特殊的历史环境催生了终身雇佣制。二战失败给日本经济造成巨大冲击，大批工人遭解雇；加之军队及驻外人员和家属被遣返回国，1945 年底，日本失业人口一时间达到了 600 万之多。① 1950 年朝鲜战争所带来的“战争特需”使极度萧条的日本经济起死回生，设备投资开始大幅增加。投资拉动就业，多数企业恢复招工。一时间，企业的临时工与正式工之间所存在的巨大工资差别造成了双重结构问题。此后，经济持续高速增长很快化解了这一矛盾，劳动市场转向“需求主导”模式。人力

---

① 有泽广巳. 昭和经济史・中册[M]. 日本：日本经济新闻社，1994. p19。

资本由充裕转向短缺,稳定劳动队伍就成为企业的紧迫课题。于是,企业就倾向于与劳动者之间建立长期的劳动关系。

另外,追求市场占有率也是日本企业经营模式的突出特征,这也是终身雇佣制形成的重要条件。为了占领市场就需要不断扩大生产规模,而为了稳定经营,企业就必须首先保证劳动队伍的稳定。

终身雇佣制与经济增长

早在1972年经济合作与发展组织(OECD)在其《对日劳动报告书》中就将终身雇佣制、年功序列制和企业内工会等"三种神器"归纳为支撑日本经济高速增长的关键因素。① 作为历史产物的终身雇佣制,对于战后以来的日本企业经营乃至日本经济增长贡献极大,这主要体现在如下几个方面:

首先,保证了雇佣稳定。终身雇佣制之下,经营者不必担心劳动队伍的稳定问题。企业可以加大对人力资本进行长期投资,通过培养熟练劳动来获取稳定的投资效果。同时,雇佣稳定也使管理层能将精力主要投入到市场、产品以及技术等方面。反观劳动者一方,职工可以安心工作而无须担心失业问题,他们往往能够主动接受企业的各种培训,因为熟练的技术能力与个人收入也密切相关。

其次,促进了企业的技术创新。日本企业的技术创新特点主要是生产工序的创新,所以,劳动者的技术熟练程度成为左右创新的关键。以终身雇佣为保障,企业引进新技术或购进新设备不但不会威胁劳动者的就业稳定,相反,伴随企业竞争力的提高,也增加了劳动者收入提高的机会。因此,劳动者往往支持企业的技术更新行为。同样,对于企业加大培训来推进技术创新的做法,劳动者也是积极配合的。

再次,节省了经营成本。依托于终身雇佣体制,日本企业省却了解聘、解雇后再招聘、重复培训以及适应管理等雇佣环节,节省了包括时

① 吉田和男.日本型经营体系的功与罪[M].日本:东洋经济新报社,1995.p16。

间、资本及管理在内的大量成本投入。再者，作为工资管理体制的年功序列制也人为地大大降低了年轻职工的工资水平，使之远远低于其对企业的贡献。诚然，这种差额可以视为员工对企业的“远期投资”，因为工资是随着员工的年龄等因素在不断上涨的。但是，从时间成本来看，企业不仅因此节省了成本，同时也将部分经营风险成功地转移到员工身上。

此外，有效缓解了劳资矛盾，有利于构建良好的企业文化。终身雇佣制加强了员工对企业的归属感，促进了企业的凝聚力。而这种对企业的归属意识也能不断激发劳动者的工作热情，使之将切身利益与企业生存与发展紧密地联系起来。

最后，有利于减少失业和促进社会安定。泡沫经济破灭以前，日本的完全失业率在发达资本主义国家中一直处于最低。1984—1994 年日本的平均失业率仅为 2.3%，而德、美、英、法分别为 5.4%、6.2%、9%、10.4%。①

三大因素导致经营环境巨变

20 世纪 90 年代以来，日本企业的经营环境发生了巨变，这主要体现在经济全球化、信息革命和劳动力结构变化等三个方面。

首先，经济全球化使传统意义的国界以及国界壁垒功能大大降低，资本、信息、技术在国际的流动速度明显加快，极大地促进了资源在国际的有效分配。受此冲击，日本的劳动问题浮出水面。一方面，廉价劳动成本吸引日本资本大规模流向新兴工业国家，其国内因而出现“产业空洞化”现象。另一方面，伴随国际贸易自由化的加强，附带着廉价劳动成本信息的产品大举进入日本市场，加剧了劳动市场的压力。这首先体现在那些与之竞争性关系的产业领域，如低端电子产品，随后，又通过传导效应而扩大到其他产业。

其次，信息革命带来了巨大冲击。其一，信息技术的迅速发展使市场竞争加剧、产品寿命缩短、设备老化加速，因此，技术需要不断更新。

① 内閣府.『経済白書』平成 8 年度[R]. 経済企画庁調査局，1996，p463.

而且，原来仅属于某企业的"特殊技能"逐渐为"一般化技能"所取代。①其二，单纯依靠企业内部技术积累来实现技术创新已不再可行，企业间的技术屏蔽作用越加无效。随着外部技术市场的发达，企业内部的技术进步路径不再像原来那么重要。于是，终身雇佣制的"内部性"和缺乏流动性特征，不仅使企业丧失了保护内部技术优势的功能，而且常常阻断企业引进优秀人才或先进技术。其三，企业组织形态也受到信息革命冲击，如终身雇佣制所特有的"纵向型"人际关系受到"横向型"为特征的网络型组织关系的严峻挑战。

再次，日本国内劳动力结构的变化也开始瓦解终身雇佣体制的存在基础。近年来，日本的老龄化、少子化、女性就业以及就业观多元化等问题开始凸现出来。1998年，日本65岁以上老龄人口已达2 118万，占人口总数的16%。2003年，该数字更是跃增至2 431万，占人口总数的19%。与此相反，14岁以下人口开始减少，1998年为1 266万，占人口总数的14.8%(见表8-1)。突出问题主要表现在：一是老龄员工失业率增加，如1998年失业者当中，60—64岁的男性已占10%的比例；②二是老龄化给企业造成成本压力，因为年功序列工资制意味着雇佣高龄职工将使企业支付高额工资；三是上述问题进一步促使日本企业投资海外，加剧了国内产业空洞化趋势。

表8-1 1999与2003年日本人口情况对比 (单位：万人、%)

	A 65岁以上	B 14岁以下	C 总人口	A/C	B/C
1999年10月1日	2 118	1 874	12 668	16.7	14.8
2003年10月1日	2 431	1 790	12 761	19.0	14.0
增加量	312	−83	93	—	—
增加率	14.7	−4.4	0.7	—	—

资料来源：総務省統計局. 人口推計の概要：http://www.stat.go.jp/data/jinsui/index2.html#gaiyou(1993、2003年度)。

① 八代尚宏.『雇用改革の時代——働き方はどう変わるか』[M]. 中央公論新社1999年，p4。
② 八代尚宏.『雇用改革の時代——働き方はどう変わるか』[M]. 中央公論新社1999年，p32。

终身雇佣制的滞后性

面对已经发生巨变的经营环境，终身雇佣制已不能适应新的经济形势。1998 年，日本的完全失业率突破 4%，出现战后经济恢复以来最糟糕的雇佣形势。而且雇佣形势仍在恶化，2001 年又突破 5%（见表 8－2）。以“完全雇佣”为目标和宗旨的终身雇佣制受到了严峻挑战。

表 8－2　日本就业状况统计表（1997—2003 年）　（单位：万人）

时间	15 岁以上人口				非劳动人口	劳动人口比例（%）	完全失业率（%）
		劳动人口					
			就业人口	完全失业者			
1997	10 611	6 787	6 557	230	3 863	63.7	3.4
1998	10 728	6 793	6 514	279	3 924	63.3	4.1
1999	10 783	6 779	6 462	317	3 989	62.9	4.7
2000	10 836	6 766	6 446	320	4 057	62.4	4.7
2001	10 886	6 752	6 412	340	4 125	62.0	5.0
2002	10 927	6 689	6 330	359	4 229	61.2	5.4
2003	10 962	6 666	6 316	350	4 285	60.8	5.3

资料来源：総務省統計局『日本統計月報』，2004 年 5 月号。

首先，该体制已不能确保雇佣稳定。在经济高速增长时期，企业通过维护终身雇佣体制来确保雇佣稳定。当时，对企业而言职工就如同昂贵的机器设备，已经具备固定成本的性质。即使面对经济不景气，企业除了调整员工的工作时间或工作量之外，一般是不会解雇员工的。然而，伴随着“泡沫经济”的破灭，日本经济陷于长期萧条之中。若继续维持这种已经变得极其高昂的“固定成本”，势必给企业经营带来极大风险。于是，企业不再固守“维持开工率”，而是开始在“减量经营”上大做文章。终身雇佣制的稳定雇佣功能也就不复存在了。

其次，老龄化瓦解了终身雇佣制存在的基石。年功序列制有效地控制了年轻员工的“饭量”，这种渐进增长式薪酬体系使他们得到的报酬远远低于其付出的劳动。是“未来支付”的事实承诺在维持着这种不平衡的存在。然而，近年来日本人口结构呈现迅速老龄化趋势，伴随年轻劳动力比重的不断下降，继续执行终身雇佣体制只会加大企业的劳动成本，“逐利为天性”的企业开始感受到巨大压力。另外，在长期萧条之中企业不得不控制了招工数量，这种行为也越发加速了企业内部的老龄化趋势。所以，面对生产效率下降和总工资成本上升的双重压力，改革雇佣体制成为企业摆脱困境的紧迫课题。

再次，丧失了技术进步的机能。以往，企业之间在技术层面处于相对隔离、相对封闭的状态，企业内技术创新是企业技术进步的重要路径。信息革命打破了企业间技术封闭的藩篱，并彻底改变了技术创新模式，建立了企业外部技术市场。在这种形势下，企业已经难以故步自封，保守地防止技术流出或仅凭企业内来实现技术进步。终身雇佣制之下的“内生型”技术进步路径已不能适应新的发展趋势，如何引进优秀人才，创建流动性的人力资源队伍变得非常重要。

最后，近年来雇佣多元化趋势也极大冲击了终身雇佣制。其主要特征包括：企业雇佣形式呈现多样化趋势，正式工的数量被大幅削减而非正式工比例不断扩大，如非正式工比率已由 1990 年的 20.2%增至 2003 年的 30.3%，而女性就业率却在大幅提高，女性就业人数已由 1985 年的 1 548 万增加到 2003 年的 2 177 万人，占就业比率从 35.8%增至 40.8%。① 此外，年轻人就业观发生变化，如自由职业者和打短工的人数大幅增加，呈现多元化发展趋势。

引进绩效主义的体制创新

绩效主义源于美国，它是主张将企业员工实际工作业绩的评价结果

① 厚生労働省.『平成 15 年版働く女性の実情』https://www.mhlw.go.jp/houdou/2004/03/h0329-1a.html。

直接反映到工资或职务晋升中的一种管理理念。它提倡在员工的工资、奖金及晋升中恰如其分地体现其个人能力，具有激励员工和提高生产效率的显著效果。与终身雇佣制下的年功序列工资制不同，绩效工资制则是以实际业绩及其成效作为评价基准，将工资与特定的绩效目标联系起来。并且，比较而言，绩效工资制更具动态的特征。

90年代末以来，为摆脱经营困境，日本企业纷纷通过引进绩效工资制以及实施内部竞争机制来提高企业竞争力。如何将员工的个人目标与企业的发展目标有机地结合、如何激发员工的创新价值并有效地融入企业经营实践中来，成为企业改革创新的关键环节。2004年，日本《经济学家》杂志介绍了成功引进绩效主义的60家日本企业，几乎涵盖了各个行业领域，其中包括三井住友银行、三菱电机、丰田汽车、东京电力，甚至角川书店等企业。①

朝日啤酒公司早在1998年就引进了绩效主义管理模式。它首先在科级以上管理层推行"业务目标"标准制度，即参照公司制定的业务目标，以目标完成程度及战略措施作为业绩考评标准，将考核结果直接反映在被考核者的工资和职务晋升上。2003年，公司又将考核范围扩大到全体员工，建立了绩效主义为宗旨的人事管理体制。同时，为了避免员工盲目注重业绩目标而导致短期行为，公司还实施了评价与被评价者之间的协商机制。为了稳步推进改革，公司还明确指出：完成目标者将晋升10%工资，而未完成目标者亦不会遭到降低工资处置。即鼓励先进但不惩罚落后。

三洋电机公司也自90年代就开始了绩效主义改革尝试。此前，公司曾以熟练程度作为工资管理的评价标准，尽管比以年龄或工作期限为标准的"年功序列"有所进步，但本质上仍属于年功序列制的衍生体制。2000年，公司推出了系统化绩效管理体制，以实际业绩作为评价标准。为了配合雇佣体制改革，公司还配套出台了相应的人才开发战略。如在

① 週間エコノミスト.『日本型成果主義』[J].エコノミスト2004.3.2.pp24－25。

企业内设立“特殊技能大学”积极培训技术人才，甚至制定所谓“人才催生”计划，通过与美国波士顿大学合作等形式积极培养各种人才。

导入绩效工资制的作用

迄今为止，日本企业的雇佣体制改革已经历时十余年，总体而言，以引进绩效主义为特征的制度创新也初见成效。

首先，引进绩效主义，企业能够更有效地控制劳动成本。一是它彻底改变了原有工资结构，减少了企业的固定支出。在年功序列制下，固定工资占很大比重且工资总额逐年上升。而绩效工资大大缩减了工资结构中基本工资。二是企业能够有效控制工资总支出。绩效工资制使工资与业绩建立了正相关关系，这就意味着企业已经将工资总支出与经营效益联系起来。在效益不佳时，企业可以不再面对工资上涨的压力。三是企业对于劳动成本支出更具话语权。绩效主义分配原则增加了经营者对企业资源配置的主动权。

其次，相对于年功序列制，绩效工资制更具激励作用，有利于企业的人才培养。年功序列制之下，企业缺乏对有突出贡献员工的有效激励措施。以对公司业绩有所贡献员工所实施奖励来看，奖励额度超过一般工资水平 1.5 倍的企业欧洲达到 46％，而日本仅为 33％。[①] 在绩效工资体制下，由于工资与业绩直接挂钩，工资的激励职能也就能够发挥作用。

再者，绩效工资制促进了劳动市场的流动性。绩效主义更强调员工的自由劳动者身份，企业员工不再希望被局限于某个企业或某个部门，而是将眼光转向更适合自己的工作岗位。因此，劳动市场的“活性”大大增强。另外，由于重视实际业绩，所以绩效主义也能在一定程度上削弱劳动上的性别歧视。日本是发达国家中男女工资差别最大的国家。

长远来看，引进绩效主义不仅对日本企业、整个日本经济，甚至日本社会带来深远影响。绩效主义是一种信奉个人权利、提倡义务与报酬之

① 尾高邦雄.『日本式経営——その神話と現実』[M].中央公社論，1998 年，p25。

间对等互动的文化价值观，市场自由和机会平等是绩效主义所倡导的基本理念。这一观念被引进到日本社会之后，势必会对经济及其他领域产生重大影响。目前，日本正在实施体制改革，以政府干预为主要特征的日本经济社会正在发生着深刻变革。在这一进程中，市场自由和机会平等的理念必将产生重要影响。

然而，由于引进绩效主义而加大了日本社会的两极分化，这种现实趋势也是不容否定的。如何在改革中更好地把握效率与公平之间的平衡关系，这对日本雇佣体制改革，甚至整个体制改革都提出了严峻考验。

终身雇佣制还能走多远?

终身雇佣制属于日本经济社会的历史产物，它也曾对经济发展发挥过重要作用。然而，伴随着经济环境的巨大变化以及该体制自身活力的丧失，其历史局限性及缺陷也逐步暴露无遗。诸如：它助长了员工的依赖心理而使之缺乏自主创新精神；缔造了等级秩序而阻断了横向自由劳动市场的形成；导致了论资排辈和企业中高年龄层的人事僵化；使员工丧失了劳动的激情和热情。因此，如何适应新的经济环境来实施制度改革与创新，成为终身雇佣制所面对的重要课题。

20 世纪 90 年代以来，日本企业纷纷以引进绩效主义作为雇佣体制制度创新的重点。然而，任何创新都不能脱离其所在环境。在日本，原有经济环境所附生的相关制度规制仍然事实地存在于社会之中，它们不会也不可能迅速而主动地退出历史舞台。所以，即便引进了绩效主义，但日本仍然不可能创建起像该制度诞生地美国那样的雇佣体系。因此，当前如何能更好地将绩效主义植入终身雇佣所主导的日本社会体制之中，才是当前雇佣体制创新的关键。

在处置绩效主义与终身雇佣制的关系上，“佳能模式”堪称走出了一条独具特色的创新之路。佳能公司通过引进绩效主义来培育企业的竞争精神，它改组了企业内部的管理岗位，彻底废除了年功序列工资制。然而，佳能并没有抛弃置于年功序列之上的终身雇佣制。它认为终身雇佣制可以稳定劳动队伍，使员工安心工作，是仍然适用于日本社会的理想模式。为此，公司提出了明确的改革战略："彻底实施绩效主义，继续维持终身雇佣体制。"正如佳能总经理御手洗所言，对于生存于日本社会的佳能而言，终身雇佣体制仍是目前最合理的雇佣模式，倘若日本变成与美国一样的流动性社会的话，我们自然也会抛弃终身雇佣制。[①] 由此看来，短时期内，终身雇佣制仍将是日本雇佣体制的重要特征之一。

三、以技术进步克服禀赋约束

日本在自然资源禀赋方面显然具有先天不足的特征，因此，技术进步以及由此带来的生产效率的提高就被寄予了更大期待。以技术进步来克服禀赋约束便成为日本企业乃至日本经济发展的重要特征。

禀赋约束论的生产理念

日本是个自然资源贫瘠的国家，除了少量的煤和铜之外，再没有其他自然资源可言。对于发展工业而言，这显然属于严重的先天不足。无论是亚当·斯密，还是大卫·李嘉图，特别是要素禀赋论者，都认为自然要素禀赋制约着一个国家的发展模式。然而，日本却信奉德国李斯特的幼稚工业保护论，即一国的资本和劳动存量是在不断变化的，技术进步可以将劣势产业改造为优势产业。

今天，在全球经济中，日本制造业竞争优势一目了然。在其进出口产品结构中，该特征反映得淋漓尽致。2008 年，日本进口产品一半以上属于初级产品，仅矿物燃料、食品及原材料等三项就占进口比例 50%（图 8－2）。相反，制造产品的出口却占据了绝对比例，仅机械类产品就占出口比例 64%（图 8－3）。

---

① 尾高邦雄.『日本式経営——その神話と現実』[M]. 中央公社論，1998 年，p29。

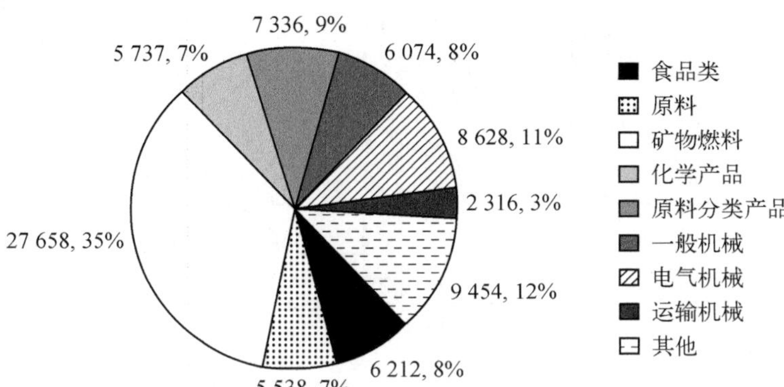

图 8－2　日本进口产品构成(2008 年)

资料来源:据日本总务省统计局资料整理制作,参见《日本的统计》2010年第 199 页。

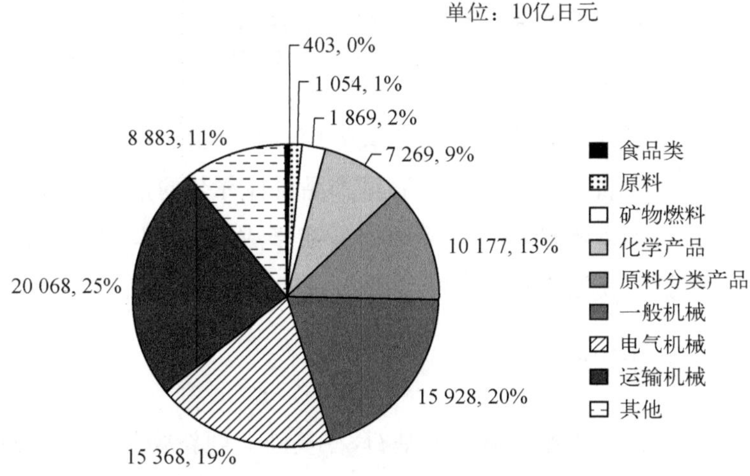

图 8－3　日本出口产品构成(2008 年)

资料来源:根据日本总务省统计局资料整理制作,参见《日本的统计》2010 年第 199 页。

先进的生产理念对日本制造业产生了重要影响。东京大学教授藤本隆宏在研究日本生产体系的过程中,提出了生产就是“信息加载体”的概念①,

① 藤本隆宏.生産システムの進化論—トヨタ自動車に見る組織能力と創発プロセス[M].有斐閣,1997,26—37.

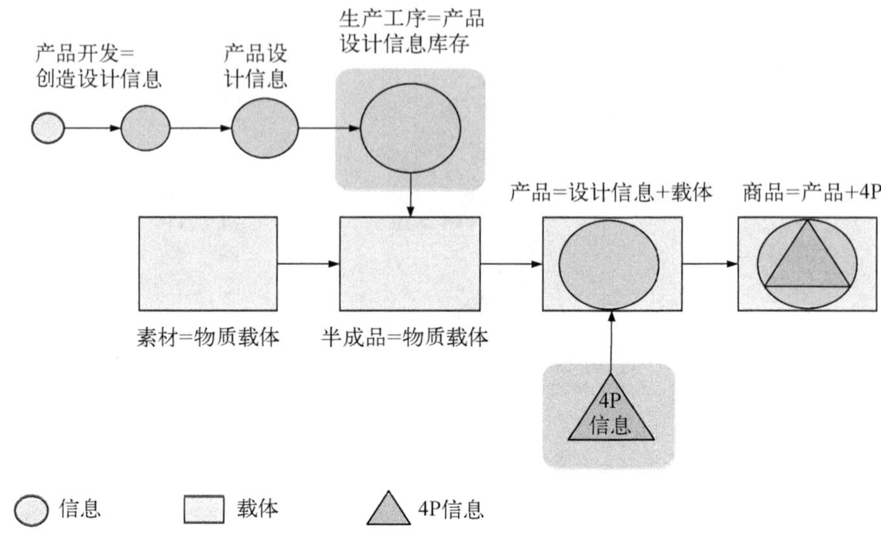

图 8-4　日本式生产理念(基本概念图)

资料来源:藤本隆宏.生産システムの進化論—トヨタ自動車に見る組織能力と創発プロセス[M].有斐閣,1997。

即产品就是将设计信息拷贝到物质载体中,而商品就是产品加上 4P 信息。① 他指出,日本生产模式突出强调产品设计环节的重要性,而生产环节只是将设计信息不断地拷贝到原材料或半成品“载体”中,也就是说,生产环节的拷贝是否完整,也决定着产品质量的优劣。

技术引进与技术创新

引进技术是日本制造崛起的基石,在基础上创新则是其崛起的真正动力。

政府在引进技术过程发挥了重要作用。明治维新之后,日本政府没有像西方国家那样任由民间力量自由发展,而是以建立官营“模范工厂”方式,由政府直接出面引进技术和设备创办现代工厂,起点是 1872 年大

① 麦卡锡提出的 Product(产品)、Price(价格)、Place(渠道)和 Promotion(促销)。

藏省引进法国技术设备创办的富冈制丝厂。[①] 十年之后，这些模范工厂又被政府以低价转给民间，但政府仍然继续引导着技术引进。1948 年通产省新设了工业技术厅，作为推进技术进步的专门政府机构，负责掌握日本技术发展水平、完善国家实验研究体制、促进工业标准化以及引进外国技术等。[②] 1952 年开始日本有组织地大规模引进国外技术(表 8-3)，此后的九年之间，日本引进的甲种技术就达 1 265 件。[③]

表 8-3 日本技术引进(1952—1960 年) (单位:件)

国别	1952	1953	1954	1955	1956	1957	1958	1959	1960	合计
美国	104	75	58	54	91	63	69	92	200	806
西德	12	6	5	9	11	7	6	16	45	117
瑞士	8	11	6	2	6	10	8	9	18	78
英国	3	3	1	3	11	3	2	7	10	43
荷兰	1	0	0	1	2	18	0	9	7	38
法国	5	4	1	4	6	4	1	7	5	37
意大利	1	1	8	0	10	3	1	1	8	33
其他	15	6	3	9	13	12	9	12	34	113
合计	149	106	82	82	150	120	96	153	327	1 265

资料来源:日本通商产业政策史第 6 卷(中译本)，中国青年出版社，1994 年，367 页。

在日本政府引导和鼓励下，企业也掀起了引进技术、实施合理化热潮。二战期间，由于与欧美技术交流被中断，导致日本技术出现停滞甚至是倒退现象。例如即使其发电、电机、铁道车辆及造船等技术水平比较高产业，与美国差距也达 10 年左右。[④] 各个企业根据自身条件选择了

① 伊文成、马家骏. 明治维新史[M]. 辽宁教育出版社，1987，492—495.

② 通商产业政策史编纂委员会. 日本通商产业政策史第 3 卷(中译本)[M]. 中国青年出版社，1994，248—257.

③ 日本技术引进按照合同分为甲乙两种，前者受日本外资法制约，后者受外汇法制约。甲种指合同期限以及报酬支付期限在一年以上，且报酬用外汇支付，其余为乙种。参见:通商产业政策史编纂委员会. 日本通商产业政策史第 6 卷(中译本)[M]. 中国青年出版社，1994，363—364.

④ 通商产业政策史编纂委员会. 日本通商产业政策史第 3 卷(中译本)[M]. 中国青年出版社，1994，249.

不同引进方式。以汽车为例，日产、日野、五十铃和三菱等选择直接引进外国产品（购买专利）方式，而丰田、本田等则选择 RE 自主研发方式。①

以上仅为纯技术领域，日本与欧美之间在生产管理技术的差距更是巨大。战后初期，普及了福特方式的美国的生产效率已为日本 8 倍左右。② 于是，赴美学习福特方式成为 50 年代的热潮。丰田在这方面一直处于领先状态，1950 年其三名高管相继访美，包括丰田工业公司丰田英二和斋藤尚一等两位常务董事，以及丰田销售公司总经理神谷正太郎。这些访问少则一个半月，多则五个月之久③，他们非常细致地考察福特方式及其相关体制，目的是如何结合自身条件引进这种方式。

实际自 1934 年成立汽车部至 1960 年为止，丰田公司学习福特方式的过程就从未停止。④ 在"硬"技术方面，以福特最现代化的鲁奇工厂为样板，丰田实施一场前所未有的设备更新，此次"生产设备现代化五年计划"（1951—1955）总耗资达 58 亿日元。⑤ 在"软"技术方面，丰田公司引进了如下要素：一是泰勒式标准作业，二是福特流水线，三是改善提案制度，四是企业培训体制（TWI），五是 QC 质量管理体制。这些都成为丰田公司此后实施技术创新的基石。

QDCF 标准与日本模式

表面上在引进和学习欧美体制，但一开始，日本就确立了抗衡欧美的目标。TPS 创始人大野耐一指出，"丰田生产方式肩负了战后日本汽车产业的宿命，其'多品种、少量'特征既是市场特性制约的结果，同时，也是为了应对欧美大量生产方式的竞争压力，为了生存就必须不断试

---

① RE（Reverse Engineering）即逆向开发，通过对某些产品进行拆卸研究，实施开发仿制。企业发展初期阶段普遍采取的技术进步方式。

② 大野耐一．トヨタ生産方式—脱規模の経営をめざして—[M]．ダイヤモンド社，1978，8.

③ トヨタ自動車株式会社．創造限りなく—トヨタ自動車 50 年史[M]．1992，249—251.

④ 藤本隆宏．生産システムの進化論—トヨタ自動車に見る組織能力と創発プロセス[M]．有斐閣，1997，99.

⑤ トヨタ自動車株式会社．創造限りなく—トヨタ自動車 50 年史[M]．1997，253.

错，最终形成了这种体系化生产模式”。①

在资金、技术、设备、劳动力素质及管理等方面，日本企业根本不能与欧美同日而语。那么自己的生存空间在哪呢？日本企业首先确立以国内市场为立足点，充分利用国家限制外资的政策。但是，战争及经济萧条又使市场需求非常弱小。于是，尽力降低成本和尽量细分市场，成为日本企业的两大着力点。因此，消除浪费、构建“多品种、小批量”生产体制就成为日本企业创新的目标。大野耐一提出要“彻底消除一切浪费”。于是，在引进福特方式过程中，丰田则以“零库存”为目标，相继开发出看板方式、准时生产体制（JIT）、自动化生产体制②，构建起多品种、小批量的倒流水生产方式。

国内市场的激烈竞争使日本企业普遍建立起低成本的竞争优势。1964 年日本成为 IMF 第八条成员国之后，国际化和资本自由化促使日本企业开始与欧美企业正面竞争。为了获得竞争优势，产品质量又成为企业创新的新目标。此后，日本制造业逐步形成了 QDCF 标准。

Q(Quality)即产品质量。日本企业普遍以“综合产品质量”为衡量标准，它是以产品能带给用户怎样的顾客满足（CS）来界定，也就是传递给客户的产品信息束具有怎样魅力和说服力。③ 综合产品质量包括设计质量和适应质量，前者是设计阶段赋予产品的功能、性能及外观，后者是这种设计质量能否完整无缺地传递给客户，它包括生产和销售等环节。为了控制产品质量，日本企业在美国统计质量控制（SQC）体系基础上，开发出全面质量控制（TQC）体系，其构成包括 QC 小组及 QC 七种工具。④

---

① 大野耐一. トヨタ生産方式—脱規模の経営を目指して—[M]. ダイヤモンド社，1978，1.

② 关于准时生产与自动生产思想，参见：张玉来. 丰田公司企业创新研究——兼论日本汽车产业发展模式[M]. 天津人民出版社，2007，143—145.

③ 藤本隆宏. 生産マネジメント入門 I [M]. 日本経済新聞社，2008，245.

④ QC 七种工具包括新旧两类，旧七种工具包括排列图、因果图、调查表、直方图、控制图、散布图和分层图；1979 年又产生所谓新七种工具，即关系图法、KJ 法、系统图法、矩阵图法、矩阵数据分析法、PDPC 法、网络图法等。

C(Cost)即产品成本。在日本企业看来,成本管理包括狭义和广义两种。狭义成本管理是通过测定和分析标准成本与实际成本之间差异,尽量将实际成本维持在标准成本附近的短期、静态管理方法。广义成本管理则融入了改善活动,并不断修改成本标准来降低成本,重视企划与设计阶段"成本规划"的作用。二者有机结合是企业成本控制能力的标志。如丰田成本管理体系就形成了"成本规划→成本维持→成本改善"完善管理体制(图 8 - 5)。它更重视成本规划,因为"规划设计阶段是降低成本的最佳阶段,它相当于制造阶段的 10 倍功效"。①

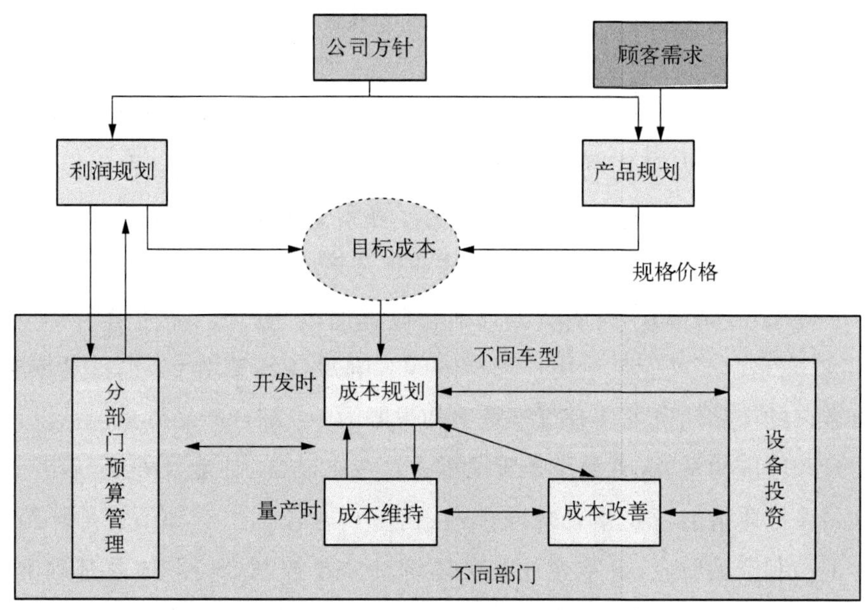

图 8 - 5　丰田成本管理体系概念图

资料来源:日本生産管理学会編.トヨタ生產方式.日刊工場新聞社、1996 年、168 頁。

D(Delivery)即产品交货期。日本企业非常重视这项指标,它们普遍认为从顾客来看,订货至交货时间长短非常关键,如果等待时间过长,即便是物美价廉产品,其购买欲望也会丧失,因此,交货期是产品

① 日野三十四.トヨタ経営システムの研究—永続的成長の原理[M].ダイヤモンド社,2002,152.

竞争力的重要构成。交货期管理既受产品开发与生产时间制约，同时也与订单式生产或计划式生产相关。日本模式强调把交货期管理与产品开发、工程管理以及库存管理结合起来，其重点是缩短开发时间、尽量减少库存、强化工程控制。日本企业的产品开发周期显著低于欧美企业，以汽车为例，80 年代日本新车开发周期平均 43 个月，而欧洲 63 个月、美国 62 个月。① 这显然与其独特的开发体制密切相关，如丰田主查体制、本田 RAD 体制（Representative Automobile Development）等。后期工程管理和库存管理同样非常重要，日本企业普遍建立了日程管理、物料需求计划（MRP）、工数计划及能力负荷分析等工具。其中，丰田的四阶段订单式生产体系非常高效，它由年度、月度、旬度及最终的组装生产计划所构成，其月度生产计划与实际生产之间误差仅为 10％。②

F（Flexibility）即生产柔性体制。日本企业普遍认为，生产体制必须能够灵活地应对多变的经营环境以及多元化的市场需求，打造这种柔性特征的生产体制成为其努力方向。如今，“多品种、小批量”为特征的 TPS 生产体制，已经广为日本制造企业所接受，甚至扩展至服务行业。然而，任何增加或减少产量及批量，都会抬升企业成本。TPS 方式则通过产品间的零部件通用化，以及生产线的共通化来克服这一难题。

20 世纪 80 年代以来，QCDF 标准已经成为日本企业所努力追求的经营目标。也就是通过不断地技术创新，来获得更高的产品质量、更低的成本投入、更短的交货周期、更柔性化的生产体制。这种组织化、制度化的创新标准，成为日本企业获得国际竞争优势的重要原因。

① Kim B. Clark , Takahiro Fujimoto. *Product Development Performance , Strategy, Organization , and Management in the World Auto Industry*. Harvard Business School Press, Boston, Massachusetts. 1995, 78.

② 藤本隆宏. 生産マネジメント入門 I [M]. 日本経済新聞社，2008，183.

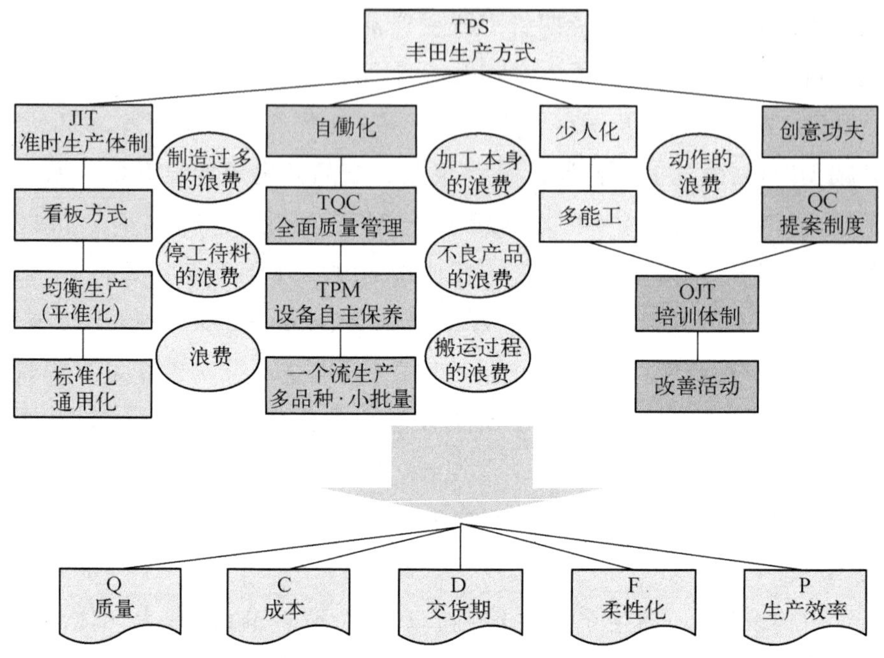

图 8－6　丰田生产方式体系构成

资料来源：笔者根据丰田生产方式特征整理制作。

四、基于现场主义的改善型创新

市场主义为企业创新的根基

科斯回答了企业产生的根本原因，即为了降低交易成本。那么，产生后的企业又将以何生存发展呢？在日本，企业是因顾客而生存的，以顾客主义为经营理念成为日本企业的重要特征。在激烈的市场竞争中，赢得了顾客的企业自然能维系和发展，失去了顾客的企业也就失去了存在价值。

日本企业的顾客主义亦称顾客第一主义、市场主义，具有显著的“市场指向型”特征。自从近代商业确立以来，日本就形成了重视顾客的传统。日语里的“顾客”一词，是必须以敬语形式来表现的。伴随着现代市场体系的确立，顾客对于企业的“上帝地位”越发明确。如丰田公司早在

1935 年就确立了"顾客第一、销售第二、制造第三"的经营理念。①

在经营实践中,抽象化的顾客主义被具体化为产品的要求,即所谓 QDR 指标:产品的质量性(Quality)、耐久性(Durability)和信赖性(Reliability)。日本企业所形成的 QCDF 标准成为实现 QDR 指标的重要支撑,也就是说,企业必须建立起科学有效的质量管理体系、成本控制体系、高效的开发生产体系、应对市场变化和多样化需求的柔性生产体系,才能保证产品的高质量,实现顾客对于产品质量性、耐久性的追求,从而建立起顾客对该产品的信赖性。

虽然确立了市场第一的经营理念,但日本企业的这种市场主义也绝非被动地适应市场,而是强调如何满足多样化市场需求,对于那些潜在需求,甚至提出了创造需求的思想。无论是索尼公司最早开发的随身听,还是松下研制的电风扇,以及精工的各种测量工具,这些新产品都是日本企业开发和创造新市场需求的努力。丰田销售公司的第一任总经理神谷正太郎,早在 1935 年第一次会见丰田喜一郎之际就指出,"需求是创造出来的,必须使汽车产品畅销,我们的量产才成为可能,成本也才能降低"。② 在他看来,企业完全可以凭借自身的主观能动性去开发和扩大市场。难能可贵的是,当时日本经济正走向全面统制,各企业纷纷谋求攀附政府之际,丰田却树立起创造需求的市场主义理念。正如熊彼特所指出的,"一般是生产者发动经济的变化,而消费者只是在必要时受到生产者的启发;消费者好像是被教导去需要新的东西,或者在某些方面不同于,或甚至完全不是他所习惯使用的东西"。③

现场主义为企业创新的摇篮

在日本实业界,现场主义早已深入人心。丰田生产方式缔造者大野

① トヨタ自動車販売株式会社. 世界への歩み—トヨタ自販 30 年史[M]. 1970,17.

② 松下茂典. トヨタ　円高乗り切り戦略[M]. ティビーエス・ブリタニカ,1987,84.

③ 约瑟夫・熊彼特. 经济发展理论[M]. 中译本,商务印书馆,1999,73.

耐一,就自称是“彻底的现场主义者”。[①] 日本模式中现场主义体现在现场的主导性特征,它强调:一切创新实践都必须来自现场。无论是顾客主义、还是成本主义,都要最终归结于现场主义。现场也是日本企业制定战略的核心依据,以“现场为核心”成为日本式经营的重要特征。

自明治维新以来,作为后发国家的日本为了迅速赶超欧美,形成了重视应用技术的传统。明治时期以来的日本大学里,一直教授着与欧美机器一起引进的技术体系,即所谓“制造学问”。而在欧美大学,却非常重视作为“学问”的科学即基础研究,而非应用技术。进入昭和时期之后,日本大学又先于欧美而普遍设立了制造学讲座,工学部成为大学里最受重视的部门。日本大量的优秀人才就读于工学部,毕业后走向了制造业。长期以来,日本大学工学部学生占20%的比例,在国际看来,这一比例是非常之高的。[②]

在日本,企业的工厂车间被称为“实验室工厂”,[③]它被认为是日本制造业的创新源地。虽然日本的标准作业和工程管理几乎全部源于福特方式,但与福特的作业及工程标准均由专业IE工程师完成的做法不同,日本的作业标准以及工程标准大多源于现场作业者,他们被赋予了相当权限。例如,丰田公司现场的任何一名作业者都有权停掉整个生产线。为了维护和培育这种来自现场的创新力,日本企业内部普遍建有完善的员工培训体制。据统计,日本企业内教育培训成本相当于整个日本GNP的3.3%,其费用总额相当于日本学校教育经费总额的60%。[④] 培训费用超过100亿日元规模的日本企业并不罕见。

---

① 大野耐一.トヨタ生産方式—脱規模の経営を目指して—[M].ダイヤモンド社,1978年,34.

② JCIP編.メイド・インジャパン—日本製造業変革への指針[M].ダイヤモンド社,1994,346.

③ JCIP編.メイド・インジャパン—日本製造業変革への指針[M].ダイヤモンド社,1994,275.

④ JCIP編.メイド・インジャパン—日本製造業変革への指針[M].ダイヤモンド社,1994,347.

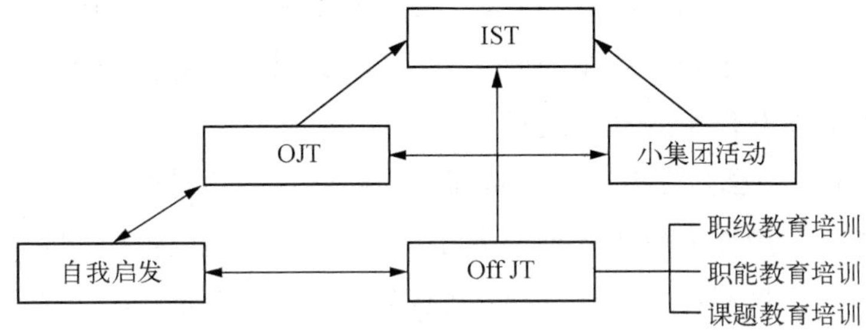

图 8-7　日本企业的现场能力开发体系

资料来源：日本生産管理学会編. トヨタ生産方式. 日刊工場新聞社、1996 年、148 頁。

而且，日本的企业管理层也多为现场出身。在丰田，不仅多数高管出身基层现场，而且，为了确保经营层不脱离现场，公司规定高管都要兼任工厂长等具有现场性质的职务。2009 年 6 月，丰田家族重新执掌丰田帅印之际，新社长丰田章男再次擎起“现场主义”大旗，提出要做“距离现场最近的社长”。① 重视现场成为丰田公司不断产生新的创意和实施企业创新的摇篮，这种传统已经成为丰田重要的经营特色。

改善主义为企业创新的动力源

“改善主义”不仅是日本经营模式的重要特征，同时它也是日本竞争力不断强化并成功的秘诀。② 日本企业的改善活动，是包括经营者和所有员工在内的全员参与式的创新活动。改善的不断积累，使得日本企业的竞争力不断提高。

创新理论的奠基人熊彼特曾认为，基于技术创新的经济发展更像一系列爆炸过程，而非温和、渐进式的变革。但在熊彼特之后，创新理论却发生了一系列新变化：一是研究重点转向技术积累方面，提出渐进创新与革命创新具有同等重要性；二是强调企业技术积累的重要性，指出外部的科学发现与进步对企业创新的作用；三是突出企业经营策略与产业

① 日本経済新聞. 新体制始動「機敏な巨艦」へ現場改革[N]. 日本経済新聞，2009-05-8，5.

② 今井正明. 改善—日本企業が国際競争で成功した経営ノウハウ[M]. 講談社，1989，37.

政策的作用,“单个企业的创新成功及其发展速度不仅依赖于企业本身的努力,还依赖于企业运作的国家环境”;[①]四是强调企业创新与发展是一个持续、相互作用的学习过程。

日本的改善主义印证了创新理论的新变化。这种强调全员参与的“改善主义”,把创新融入企业经营中的每个环节,从“保证质量、削减成本、应对生产量变化、适应交货期、确保安全性、开发新产品、提高生产效率、实施采购管理”等多个渠道出发,以改善作为合理化运动的重要工具。

日本企业的改善过程大体如下。先是选定改善的目标,一般是召开全员参与战略会议,在反思以往改善活动的基础上,确立新的改善方针,再以 QCD 标准确定具体目标。进入到改善程序之后,先是把握现状,主要是通过充分调研来实现,制定改善的基准。然后,设定具体的改善目标值。接下来是改善实施阶段,“锁定问题要因→分析其形成原因→提出解决对策→实施解决方案→维持改善成果→反思并确立新的改善目标”。

以丰田改善活动为例。它包括两类改善活动:自上而下式改善活动和现场提案式改善活动。其主流是依靠现场员工提案、并自主实施的所谓现场改善活动。现场改善的中坚力量是班、组长为核心的质量提案小组(QC 小组)。改善程序一般是“作业改善→设备改善→工序改善→产品改善”。公司技术人员也要加入现场改善活动,目的是使技术部门与现场之间建立紧密联系。

五、日本改善型创新的启示

1868 年,当日本实施明治维新之际,英国工业革命已经完成一个多世纪。但日本很快完成了第一次工业革命的“补课”,并赶上了第二次工

---

① 克里斯托夫·弗里曼. 创新与增长[J]. 马克·道格森编. 创新集聚——产业创新手册(中译本),清华大学出版社,2000,94.

业革命，这就使日本摆脱了像印度和中国那样沦为殖民地或半殖民地国家的厄运。第二次世界大战之后，战败国的日本竟然迅速崛起于废墟之上，甚至在 1968 年发展为资本主义阵营第二大经济强国。日本一百年的工业史证明，技术创新完全可以克服自然禀赋配置的严重不足。

日本企业管理模式是建立在向西方学习的基础之上，其基于现场主义的改善型创新特征异常显著，它具有深刻的启示意义。

其一，创新离不开传统。历史来看，引进学习似乎是日本走向工业化所挥之不去的。然而，在其引进学习过程中，自主创新一直与之如影随形，而创新的基础恰恰就是日本自身的传统。例如，在引进福特方式过程中，日本人融入其传统文化中的集体主义元素，它把标准作业划分基准落实到小组，而非美国式的个人。QC 小组、员工提案制度以及 TQC 等，均为全员参与模式，它强调的是集体主义精神。对于形成过程中的中国模式而言，如何结合自身传统至关重要。

其二，企业创新必须以市场为中心。日本企业形成了顾客主义、成本主义和现场主义，这些都是围绕市场出发的。以市场为中心，丰田公司创造性地开发出拉动生产方式。改革开放以来，中国经济增长长期以出口和投资拉动为特征，内需受到严重抑制。如何通过开发国内需求、如何建立中国式顾客主义，这些都是考验中国模式进化发展的重要课题。

其三，任何创新都必须源于现场。强调现场主义，是日本制造业形成国际竞争优势的关键。在美国，企业管理层一般来自于 MBA 毕业的职业经理人。但在日本却几乎没有形成专门职业经理人市场，因为日本管理层几乎全部来自于现场。由于受欧美影响，在我国也正在逐步形成职业经理人市场。如何建立不脱离现场的企业经营，同样考验着中国模式的发展。

其四，以改善为重要的创新形式。20 世纪 80 年代，美国曾掀起一场改善热潮，日语拼写的“KAIZEN”一词一度占据了各大报刊杂志的主导位置。因为美国人发现具有强大竞争力的日本产品竟然是通过一点一滴的改善实现的。如今，中国制造也开始重视自己的形象，那么，改善工具是否可以为我们一用呢？

综上，作为赶超型管理模式，显然绕不开学习与引进的过程。而在这一过程中，革命性或破坏性创新的可能性微乎其微，因此，扎扎实实的改善型创新方式就变得异常重要。日本管理模式的进化史证明了这一点。2500 年之前，思想家老子就告诉我们："合抱之木，生于毫末；九层之台，起于累土；千里之行，始于足下。"可见，传统基础对于创新何等至关重要。我国古代另一位思想家荀子也告诉我们，"故不积跬步，无以至千里；不积小流，无以成江海。"这其中蕴含着我们该如何实现赶超的哲理。

（本章内容主要选自两篇论文，分别刊载在《现代日本经济》2008 年第 1 期《"神器"的黯然：日本终身雇佣制改革》；《现代日本经济》2011 年第 3 期《日本企业管理模式及其进化路径》）

第九章　企业案例：丰田“现场主义”与战略转型

在丰田百年经营史上，经历了三次大的战略转型：一是在其前汽车时代，1926年丰田从一家纺织企业，转身成为一家生产织布机的机械制造商；第二次是转向汽车时代，1937年丰田从织布机生产商转向了被德鲁克称作“工业中的工业”的汽车制造商；第三次转型则是在信息化时代的今天，丰田家第四代继承人丰田章男近日表示，将带领丰田这艘巨轮走向适应时代的服务化航向，他称此次变革为丰田的“生死之战”，因为在他眼中的汽车产业已经迎来百年巨变。

尽管创新与变革一直是丰田经营历程中的主旋律，但它自身所拥有的那些“遗传基因”却始终相伴，“现场主义”就是其中最典型的特征。

一、系列承包与垂直一体化模式

产业链漫长是汽车产业所具有的显著特征，仅其上游产业就涉及钢铁、机械、橡胶、石化、电子、纺织等，因此它也被德鲁克称为“工业中的工业”。而且，一台汽车的零部件数量多达两三万种，组装工序也有两千多道，这就使任何一家汽车产商都不可能完全承担汽车制造的全部任务。

因此,厂商与零部件企业之间采取的组织方式是否有效,就显得格外重要。由于多种复杂原因,各国甚至在不同厂商之间形成了不同的生产组织方式。

针对日本汽车厂商与零部件企业之间的企业关系而言,国内外学术界基本达成如下三个共识:其一,20 世纪 80—90 年代日本汽车零部件供应体系与欧美之间存在着结构和行为方面的差异;其二,日本供应体系的某些特征对于日本汽车制造业的国际竞争力有所贡献;其三,该体系逐渐形成于二战后的 50—70 年代。① 长期以来,日本汽车零部件供应体系形成了以某家汽车厂商为中心的、系列化的生产组织集团,在该集团内又形成了金字塔式的结构特征:汽车厂商、向汽车厂商直接供货的一级供应商、为一级供应商供货的二级供应商以及更低端的三级或四级供应商,这就是所谓日本式的系列承包体制。

形成系列承包体系的环境

关于日本汽车产业的这种系列承包体制产生的原因,可以简单归结为市场、政府及企业等多元主体之间的共同作用结果。这里面包括日本市场所特有的制度性约束、政府以产业政策为主的强干预措施、企业主要是汽车厂商为了降低交易成本而实施的组织化措施。

日本是亚洲唯一的发达资本主义国家,但由于起步较晚,其经济体制与欧美有着显著不同的特征,形成了具有日本特点的市场机制,这就形成了系列承包体制的外部环境。例如,由于直接金融体制的长期不发达,在日本形成了所谓主银行体制②,也就是企业外部融资以某一家银行为中心,该银行因与企业之间建立了密切关系而降低了代理成本。同时,该银行交易客户之间也容易形成企业集团。再者,法人相互持股也

---

① 藤本隆宏,零部件购销与企业间关系,植草益. 日本的产业组织——理论与现实的前沿,经济管理出版社,2000 年,第 49 页。

② 金森久雄、香西泰、大守隆. 日本経済読本(第 16 版)、2004 年、183—185 頁。

是日本经济体制的重要特征，包括银行在内的企业集团之间实现了相互持有股份，日本企业的股份平均有 70%为法人所持有①，这种带有"人质"和"担保"性质的企业间关系也推进了企业间交易关系的长期性。此外，日本企业的追求市场份额②、员工重视型治理结构等特征，对于系列承包体制的形成显然也具有推进和保障功效。

政府及其产业政策为主的经济干预显然对于催生系列承包体制发挥了重要作用。二战前的汽车产业起步阶段，日本政府通过一系列政策措施对本国汽车产业实施保护和扶植，从 1918 年《军用汽车补助法》、1929 年设立"国产振兴委员会"、1931 年设立"建立汽车产业调查委员会"、1935 年颁布《汽车工业法要纲》，到 1936 年出台《汽车制造事业法》而最终将美国通用和福特"逐出国门"为止，政府重点扶植起日产、丰田和东京汽车工业公司等三大厂商，之后，伴随着日本走向统制经济，政府开始支持厂商对零部件供应商的支配，从而形成了战前汽车零部件供应体系的"系列化"。③

二战之后，日本汽车产业获得了实质性发展。在经历是否发展乘用车产业争论之后④，日本政府决定将汽车产业作为支柱产业，产业政策的扶植重点也从汽车厂商逐步转向供应商。政府支持汽车厂商通过与外企合作方式引进相关技术，予以外汇支持，以此来填补日本汽车产业的技术空白。零部件供应体系也因此一度形成进口或厂商内制的特征（表 9－1）。

① 胥鹏. 日本企业的公司治理结构，植草益. 日本的产业组织——理论与现实的前沿，经济管理出版社，2000 年，第 29 页。

② Blinder, A. S. [1992], "International Perspective: Trading With Japan: Why the U. S. Loses-Even on a Level Playing Field", *Business Economics*, *27*.

③ 相关内容参见张玉来. 丰田公司企业创新研究——兼论日本汽车产业发展模式研究，天津人民出版社，2007 年，第一章、第五章。

④ 在是否以乘用车为主发展汽车产业问题上，日本政府及其产业界曾发生过激烈争论。以运输省以及运输界为主提出了所谓"乘用车工业无用论"的观点，一度导致国外轿车大批进口。但很快，日本政府就明确了保护民族汽车产业的态度，特别是发展乘用车生产。参见米川伸一等：《战后日本经营史 Ⅱ》，东洋经济新闻社，1990 年，第 98 页。

表 9-1 日本汽车厂商对外技术合作概要(1952—1953 年)

日本公司	日产公司	日野公司	五十铃公司	新三菱重工公司
合作对象	英国奥斯汀公司	法国雷诺公司	英国罗伊斯公司	美国奥弗兰德公司
引进技术	奥斯汀 A—40	雷诺 4CV	希尔曼闵克斯	四轮驱动(吉普)
合同期限	7 年	7 年	5 年	5 年
支付方式	专利转让费 第 2 年:2% 第 3 年:3.5% 第 4 年以后:5%	专利转让费 (同日产)	一次性支付 4 900 万(股票) 专利转让 >2 000 台: 25 英镑/台	>3 000 台: 100 美元/台 2 500—3 000 台: 125 美元/台 <2 500 台: 150 美元/台
批准时间	1952 年 12 月	1953 年 3 月	1953 年 3 月	1953 年 9 月

资料来源:根据日刊汽车新闻社编《汽车年鉴》(1954,p40)整理。

通过引进技术建立起以乘用车为主的汽车工业基础之后,政府的产业政策扶植重点也转向生产零部件的中小企业。“支持引进技术、限制进口零部件”,这是日本政府扶植本国中小企业的重要方针。一方面,对进口实施限制:限制零部件进口数量、提高进口关税、对外商投资实施管制、实施不同种类产品税等。另一方面,对国内企业实施融资扶植,如 1948 年颁布《汽车工业基本对策》,支持汽车厂商及供应商获得国家复兴金融计划的融资。而发挥了重要影响的政策是《振兴机械工业临时措施法》(简称“机振法”),它把发展汽车零部件产业作为支持汽车产业发展的首要课题。“机振法”先后经过两次更新,1956 年颁布实施、1961 年经过调整后推出第二期“机振法”、1966 年又推出了第三期“机振法”。该法主要是通过日本开发银行和中小企业金融公库对零部件企业实施融资支持,鼓励其进口国外先进机械设备,降低零部件生产成本、提高产品质量。据统计,在《机振法》支持下,日本汽车零部件企业的设备改善率达 78%,生产效率提高 11%—39%、生产成本更是降低了 9%—64%。①

① 通商产业政策史编委会:《日本通商产业政策史》第 6 卷(中译本),中国青年出版社,1994 年,第 513、515 页。

在政府政策支持之下,汽车厂商伴随自身力量的强大也开始扩大对供应商的影响力,通过组织化而构建自身的供应体系。在这一过程中,两大历史因素发挥了助推作用:其一是所谓“朝鲜特需”,即因朝鲜战争带来了汽车需求的快速增长,这既包括对美军汽车及零部件的供给需求,也包括因朝鲜特需带来经济复苏而引发日本国内汽车需求上升;其二是1960年日本进入汽车时代,使得汽车需求骤然膨胀。二者均是因为需求骤然扩大,厂商为了扩大供给而把原本“内制”为主的零部件迅速转向“外购”为主,以此释放其受限的产能,于是,零部件供应商的数量和规模大幅增长。为了保证生产稳定、并保证质量和降低成本,汽车厂商开始加强对供应商的管理,从而培养各自的系列化的供应体系。

在构建供应体系方面,丰田公司走在了前面。战后,丰田最早改变“零部件内制化”方针,转向对外采购为主。为了便于管理,丰田继组建东海、关东、关西等三大“协丰会”组织(表9-2),并以向其提供技术支持来稳定这种长期交易关系。如1952年以“系列诊断”为名,对其供应体系进行全面分析和评价,提供技术指导。1953年成立“质量管理委员会”,深入供应商工厂进行调查和现场指导,实施合理化改造。通过这些努力,丰田实现了技术上对供应商的监督与指导权。60年代中期,伴随着所谓“资本自由化”①,注资或人员派遣也成为汽车厂商强化和维持系列关系的重要手段。为了便于管理,对供应商实施分级分层管理,要求一级供应商要注重与二、三级供应商之间的联系,并主动承担起二级以下供应商的技术与经营指导。70年代以后,丰田明确指出“一级供应商完全承担二级以下供应商的技术指导工作,对此丰田今后不再插手”。②

---

① 是指20世纪60年代日本实施的开放资本账户,使资本能够自由移动的一系列改革。

②《质量管理》第21卷、第1号,第43、44页。

表 9－2　丰田公司的供应商组织(1982 年)

组织名称		设立时间	加盟企业数	业务种类
协丰会(1999 年三家协丰会合并为一家)	东海协丰会	1943 年	136 家	零部件相关
	关东协丰会	1946 年	63 家	零部件相关
	关西协丰会	1947 年	25 家	零部件相关
精丰会			23 家	模具、各种测量仪表相关
荣丰会		1983 年	37 家	建设、设备、工程相关
合计			284 家	

资料来源：佐藤义信《丰田集团的战略与实证分析》，白桃书房，1988 年，第 81 页。

金字塔型生产组织体系

由汽车厂商所主导的纵向一体化分工体制，使整个汽车生产体系形成所谓“金字塔式”结构。某整车厂商居于金字塔顶端，一级供应商构成第二层，为数众多的二、三级供应商则居于最底层。根据日本政府中小企业厅调查，日本汽车产业三级供应商多达 4.7 万家(1977 年数据)①，这些聚集在“金字塔”最底边的供应商，多属规模很小的零细企业或家族企业。②

通常情况下，当厂商推出新产品之际，要对其旗下“金字塔”进行结构调整。实际这也是汽车厂商对于生产资源进行一场重新配置，其中最重要的就是如何划分新车产品的设计与生产任务，这也成为重新设定“金字塔”结构边界问题。在系列承包体制下，厂商对于供应商的考核以及级别确认，决定其参与汽车厂商新产品设计的深度如何。例如，被厂商确定为一级供应商的企业，往往能够一开始就参与新产品的设计过程，而所谓二、三级供应商最多只能参与到一级供应商的零部件设计过

① 佐藤义信：《丰田集团的战略与实证分析》，白桃书房，1988 年，第 80 页。

② 所谓零细企业即《日本中小企业基本法》中的“小规模企业者”，一般员工在 20 人以下(商业及服务行业 5 人以下)小企业。参见日本《中小企业法》2009 年版，第二条第五款。

程，而这种参与程度对于零部件厂商的发展和竞争力培育都至关重要。

一般而言，日本的汽车厂商与供应商之间交易关系包括三种基本形式：委托型、承包型和纯粹市场型。前两种形式要求买卖双方必须保持紧密的联系，因而往往结成了企业集团性质的联盟关系。于是，在金字塔式生产组织中，根据与厂商的联系程度，供应商可以划分为系列企业、承包企业，以及独立型企业。系列企业虽然具有一定独立性，但因为随时需要接受厂商指导或援助，因此建立起相对稳定的交易关系，并逐步在资本、金融、人事、生产、技术、销售等环节与厂商关系密切，形成集团性质的组织关系。承包企业，也就是供应商从厂商那里承包某些部件进行生产，它具有"支配—从属"关系，在生产和技术方面也必须要接受厂商指导。独立型企业则是建立起契约关系，它也往往向多个厂商供货，具有较强的资本与经营自主权，它一般不明确加入任何厂商的企业集团。

日本汽车产业这种金字塔式系列承包体制具有三大基本特征：零部件的高外购率、工程设计的高内制率、供应商的多样性。

第一，零部件高外购率。它包括两层含义，即零部件产品生产制造以及产品设计的高外购率。汽车制造不同于其他产业，每台汽车包括多达两三万个零部件，同时，这些零部件组装到一起又必须具很高的产品质量要求。因此，不仅整个汽车的生产过程要具有高度统一性和协调性，而且在产品设计层面也必须做到高度统一。也正因为该原因，汽车产业最初阶段具有明显的高内制率特征。例如，在亨利・福特时代，几乎所有零部件都是福特公司自己生产。到了阿尔弗雷德・斯隆时代，虽然追求多元化，但他也只是在通用内部成立独立的零部件分公司。直到20世纪80年代，通用汽车的零部件自制率仍然高达70%。[①] 然而，作为后发国家，日本汽车厂商一开始规模较小，自身资源受到严重约束，而外

① 詹姆斯・P・沃麦克，丹尼尔・T・琼斯，丹尼尔・鲁斯《改变世界的机器》，商务印书馆，1999年，第159—160页。

部的市场以及政府扶植等因素,促使在日本形成了大批独立的供应商。于是,高外购率成为日本汽车产业的显著特征。然而,厂商又必须能够控制零部件的产品质量,于是,厂商就通过各种方式强化对供应商的影响力,这就促成了日本特色的系列承包体制。例如,70 年代丰田汽车的外购比率高达 70%以上。

第二,工程设计的高内制率。这与第一个特征密切相关,因为厂商试图尽力控制产品质量,而通过工程设计以及相关设备的统一,能够极大促进生产的统一性,可以借此来弥补生产上高度分工的缺点。以丰田公司为例,从丰田公司所属工厂到其供应商,全部生产过程所使用的生产模具、生产工具、专用机械以及作业机器人等,绝大多数都是丰田公司自行设计和生产的。其诸多优势十分明显:①在设计上能够充分满足实际生产所需要的各种功能;②在不考虑外购标准件批量效应的情况下,它能节省大量成本和空间;③内部开发的机械设备不仅方便使用,而且也利于修理和保养,成本也能大幅降低。1941 年从丰田独立出来的丰田工机公司,专门负责向丰田集团内部提供各种机床及工具生产。①

第三,供应商的多样化。系列承包体制下的供应商呈现出多层次、规模差异性特征。系列承包体制虽然呈现出金字塔式整体特征,但实际上它却一直处于动态变化之中。①其内部供应关系并非固化的,如一级供应商不仅向厂商供货,有时也会向二级供应商供货,而二级供应商也可能直接向厂商供货。因此,整个生产体系实际上是非常复杂的,一般只能按照主要交易关系进行分层。②在供货方面,供应商虽然会尽量确保所属"系列",但供应商也会不断扩大供应范围,厂商对此也持支持态度,因此,"系列"并非封闭的,而是呈现开放式特征。例如丰田系的供应商也可以向马自达或日产供货。③供应商规模及其竞争能力也是参差不齐的,同一级别的供应商往往在规模、技术能力以及竞争力上存在极

① 2006 年 1 月 1 日丰田工机公司与光洋精机合并,新成立了 JTEKT 公司,丰田公司持有 22.54%股份,为其第一大股东。参见 JIEKT 公司主页:http://www.jtekt.co.jp/ir/stockinfo.html#p02。

大差异。例如日本电装公司虽然属于丰田公司的一级供应商，但它已经成长为超大型企业①，其供应对象已远不止于丰田系列，还包括本田技研、铃木、通用、克莱斯勒、菲亚特等国内外汽车厂商。

承认图纸方式与低成本开发

汽车厂商及供应商间技术关系大致可分为市场交易（supplier proprietary parts）、承认图纸（black box parts）和贷与图纸（detail-controlled parts）等三大基本模式。市场交易型是指，供应商独立地完成从设计到销售的零部件全部生产过程，它与厂商之间未形成密切的技术联系。承认图纸模式则是由厂商提供目标成本、性能要求、外形尺寸及安装部位等基本信息，而详细设计、试制、试验以及生产加工均由供应商完成。这就需要双方建立起密切的技术联系，供应商必须参与到厂商新车型的产品设计过程。贷与图纸模式是指由厂商负责设计图纸，然后交由供应商进行生产。后者只能进行某些小幅设计变更，对新车设计的参与程度较低。

在日本的系列承包体制中，承认图纸方式是其技术层面的显著特征。该模式最早是在丰田集团内部出现的。1960 年，日本因进入汽车时代而汽车需求出现骤然增长，为了满足多样化发展需求，汽车厂商的生产开发任务呈现几何式增长，这就促使厂商将零部件生产连同其设计业务一并交由供应商完成。1961 年丰田在内部颁布《设计研究规定》，开始采取承认图纸方式。此后，承认图纸方式不断得到完善并实现公开化。1980 年丰田马克Ⅱ轿车的承认图纸方式占全部零部件供应比率的 30%，1992 年该数字更是扩至 37%。② 日本汽车厂商普遍采纳承认图纸方式，是在两次石油危机后的 80 年代。汽车厂商普遍采取产品多样化战略来开拓市场，特别是投入开发节省油耗的新型产品。于是，开发业

① 电装公司 2009 年销售额近 3 万亿日元，经常利润 1 527 亿日元，员工总数突破 12 万人。参见电装公司主页：http://www.denso.co.jp/ja/aboutdenso/corporate/profile/index.html。

② 藤本隆宏：《生产体制进化论》，有斐阁，1997 年，第 217 页。

务负担迅速增大，这就促使厂商纷纷引进承认图纸方式。根据日本零部件工业协会(JAPIA)1993年问卷调查显示，将近四分之三的零部件企业是以承认图纸模式作为与汽车厂商的主要技术交易方式。①

承认图纸方式具有如下竞争优势：

第一，对于厂商而言：一是可以摆脱资源制约，把设计也交给供应商之后，厂商可以集中资源进行产品的整体研发；二是有效降低其经营成本，因缩短了厂商生产链而缓解了成本压力；三是供应商分担了厂商的经营风险；四是缩短了产品开发周期，80年代日本新车平均开发周期3.5年，而欧美则在5年左右；②五是提高了产品质量水平，质量责任归属明确加之更专业化设计，从而提高了质量水平。

第二，对于供应商而言：一是因得到厂商支持而提高了技术研发能力，促进了企业的技术进步；二是得到了厂商的技术转移，因为供应商可以更深入地参与到整个产品过程，技术转移得以实现；三是有利于降低生产成本，自主设计可以有效地结合自身实际，促进了生产合理化；四是降低了供应商的经营风险，因为它避免了厂商的内制化，并对外部竞争也筑起了进入壁垒。

第三，承认图纸方式提升了日本汽车产业整体竞争力。日本的系列承包体制形成了对外封闭、对内开放的组织特征，在承认图纸方式下，因为供应商可以参与厂商的新产品设计过程，而其供货对象又不止一家厂商，因此，以供应商为媒介，整个产业界形成了信息流与技术流。

不过，承认图纸方式也具有潜在负面作用。一是可能导致厂商陷入技术空洞化，若厂商过分追求零部件及其设计外购化，势必会降低其自身技术研发能力，对供应商形成了技术依赖；二是可能导致厂商技术流失，因供应商参与到产品研发过程，技术转移也可能导致技术流失，特别是供应商的供应对象扩大之际；三是供应商也可能产生或扩大对厂商的

---

① 调查显示：55%企业接受厂商《规格书》、19%是接受厂商简易图纸；贷与图纸模式和市场模式为数很少，仅为20%和6%。藤本隆宏：《生产体制进化论》，有斐阁，1997年，第197页。

② 藤本隆宏，生産マネジメント2[M]日本経済新聞出版社，2007，p193.

依赖性，因为它离不开厂商的技术扶植与支持。

二、模块化创新的成效与代价

20世纪80年代，日本汽车产业开始步入巅峰时代：1980年其海内外生产总量突破千万大关，达到1 104万台；1985年达到1 227万台，与美国、欧洲形成三足鼎立之势。① 然而，正是在这种高歌猛进之际，被视为日本汽车产业竞争力源泉的传统系列承包体制也悄然发生了一场新的变革：模块化设计开始涌现并普及。这场变革，不仅促使汽车厂商纷纷调整设计体制，甚至也影响到传统的零部件供应体系。

日本电装的模块化尝试

日本电装公司（即现在的电装公司）是模块化设计的始作俑者，而且，此次变革为电装公司的快速发展奠定了坚实基础，它甚至动摇了日本金字塔式系列供应体制的结构——厂商对于供应商的强大支配权威开始衰减，其主因是模块化设计改变了厂商与供应商共同设计的技术关系。

日本电装原本是丰田公司产品开发部门的“电装部”，二战后，受美国对日解散财阀政策的影响②，1949年从丰田独立出来，成立了“日本电装株式会社”。此后，长期作为丰田最重要的零部件供应商之一。1996年公司更名为株式会社电装公司（DENSO），目前，已经成长为年销售额近3万亿日元、员工突破12万人的超大型跨国企业。不过，丰田仍保持着其最大股东的身份。③

1981年，日本电装研发出一款具有划时代意义的新型汽车散热器——SR散热器，它的上市，对世界散热器生产厂商造成极大震撼。这是

---

① 日刊自動車新聞社、自動車産業ハンドブック、1999年版、第302—303頁。

② 二战战败后，美国为主的盟军（GHQ）占领了日本。日本财阀被认为是日本法西斯的支柱，因此，美国主导下日本政府出台了《关于解散持股公司的备忘录》，即解散财阀令。

③ 截至2009年3月，丰田公司持有电装22.54％股份，此外丰田自动织机持有7.85％股份，两者合计超过30％。株式会社デンソー（E01892）有価証券報告書，2009年3月期。

日本电装公司针对两次石油危机以来市场新变化所进行的开发革命,其开发理念是新产品要满足市场多样化需求,同时也要符合产品短寿命化的趋势,而且,生产环节又必须适应丰田式的准时生产(JIT)和柔性化生产(FMS)理念,从而彻底实现"小型化、轻量化、高性能化和零部件少数化"的开发目标。此次变革成为日本汽车产业界零部件模块化设计的首次尝试。

日本电装内部的技术人员称此次变革为"柔性自动化与设计"的产品研发创新[①],其实质其实就是一次"模块化设计"的实践。此次设计过程坚持了三个原则:一是以加工组装自动化为目标,实施标准化;二是以组装简便化和满足客户需求多样化为目标,实施多样化与标准化同步;三是把生产线建成多品种的流动体系。日本电装公司着力点在于部件标准化方面,主要包括三项举措:① 实施基本构造的标准化,将散热管由原来两列改造为一列,但性能仍与原来一致,以此来削减零部件数量;② 装配接口以及集配水部分实现标准化,将承担集配水功能的水箱、水管、入口等部件一体化;③ 评价方法也由组装效率评价法,转换为综合评价法,即分别从组装难度、组装作业量、组装次数以及零部件数量为依据进行评价。经过努力,日本电装的SR散热器由传统散热器的213件部件降低到145件,削减率为30%;组装综合评价也由23 434点降至16 901点,提高了1.5倍效率(表9-3)。

表9-3 日本电装公司新旧散热器零部件比较

		传统水箱	SR水箱
零部件数量	核心部件(散热)	203(100)	137(67)
	装配·集配水部件	10(100)	8(80)
	整体	213(100)	145(68)
组装效率评价法		23 434	16 091

资料来源:太田和宏、花井嶺郎. フレキシブルオートメーションと設計—自動車用ラジエータを事例として—日本機械学会誌、1988年4月,73页。

① 太田和宏、花井嶺郎. フレキシブルオートメーションと設計—自動車用ラジエータを事例として—日本機械学会誌、1988年4月.

而且，SR 散热器在长宽外形以及密度(厚度)方面也实现了标准化。SR 散热器长度共 7 种类型，从 280 毫米至 425 毫米，即以 20 毫米为标准间隔：(425－280)/7＝20 毫升。翅片管(Finned tube)的宽度共 11 种类型，从 328 毫米至 668 毫米，即以 30 毫升为标准间隔：(668－328)/11＝30 毫升；翅片厚度为 4 种类型，从 2.3 毫米至 3.5 毫米，即以 0.3 毫米为间隔，即(3.5－2.3)/4＝0.3 毫米。由于实现了标准化，因此，零部件种类也就实现了多样化组合。在上述标准基础上，SR 散热器可以衍生出7×11×4＝308 种类型的散热器，这就可以实现满足多样化顾客需求的开发目标。

表 9－4　日本电装模块化组合的多样化

散热器型号	长度标准	类型
H(20 毫米)	280—425	7 种类型
W(30 毫米)	328—668	11 种类型
f・p(0.3 毫米)	2.3—3.5	4 种类型

资料来源：太田和宏、花井嶺郎．フレキシブルオートメーションと設計一自動車用ラジエータを事例として一日本機械学会誌、1988 年 4 月，第 74 頁。

SR 散热器，经过实施 VE(价值分析)而彻底实现了小型、轻量、高性能、少数零部件等设计开发目标，实现了“产品多样化和零部件少数化兼而得之”。模块化设计解决了产品多样化与零部件少数化之间相互对立的难题，实现了二者的兼得，从而组合产生了“核心多样性”(表 9－4)，即“少数部件、多种产品”的结果。

诚然，日本电装公司此次模块化设计变革所以成功，也是与丰田产品设计理念密切相关的。长期以来，丰田汽车秉承了所谓“要制造适合于零部件汽车”的设计方针，也就是说，提供给丰田的各种零部件可以相对稳定，日本电装在此次模块化尝试中，使 SR 散热器在外形方面适应了厂商需求的固有形式。

开发中心体制与通用化尝试

丰田公司的模块化尝试开始于80年代末期,它是以提高开发效率为目标的,即以更高效的新产品开发率来适应产品多样化发展趋势。1989年,针对技术部骨干工程师以及年轻技术人员,丰田调研了工作不满意状况。为确保调查的客观性,它还特别引进外部咨询顾问进行一年的调研,结果发现主查和工程师制度均出现了效率下降问题。1991年11月,在丰田集团质量管理大会上,丰田TQC推进部发布所谓《新开发体系构想》,开始了模块化设计的尝试。

丰田传统开发体制是"不同车型不同开发组织",也就是说,新产品A、B、C等不同车型都配有相互独立的"企划—设计—试制·评价—事前生产(试产)"等一整套严格的开发组织程序,因此,丰田新车型一般都要经过48个月左右才能进入到量产阶段。"新开发构想"提出了"部件通用化"设计原则,即发动机等关键部件要通用于不同车型,以"适用各种车型"为基本设计规则,打破了不同车型之间的严格界限。

那些原本专用于不同车型的相同零部件,被划分为α、β、γ……不同等级,由于实现了通用化设计,这些零部件可以进行多种"组合",于是,理论上就可以产生出α×β×γ×……=X多种新的车型。而且,"设计—试制·评价—试产"等环节的时间可以得以压缩,更多时间用于"企划"阶段。

为了贯彻实施这种新的开发构想,丰田公司进行了其有史以来最大规模的开发环节的组织调整。通过同业调查,丰田发现美国通用(GM)公司实施了高级车、中型车和小型车的模块化开发组织,这样有助于实现零部件共通化和削减成本。于是,1992年丰田成立"FP21组织委员会",负责组织引进开发中心体制。丰田成立了四大开发中心,其分工方式是:第一开发中心担任FR式(前置后驱型)大中型乘用车开发;第二开发中心则负责FF式(前置前驱型)小型乘用车开发;第三开发中心负责商用车和RV型车开发;第四开发中心负责发动机、驱动系及汽车电子技术等基础共通技术开发。

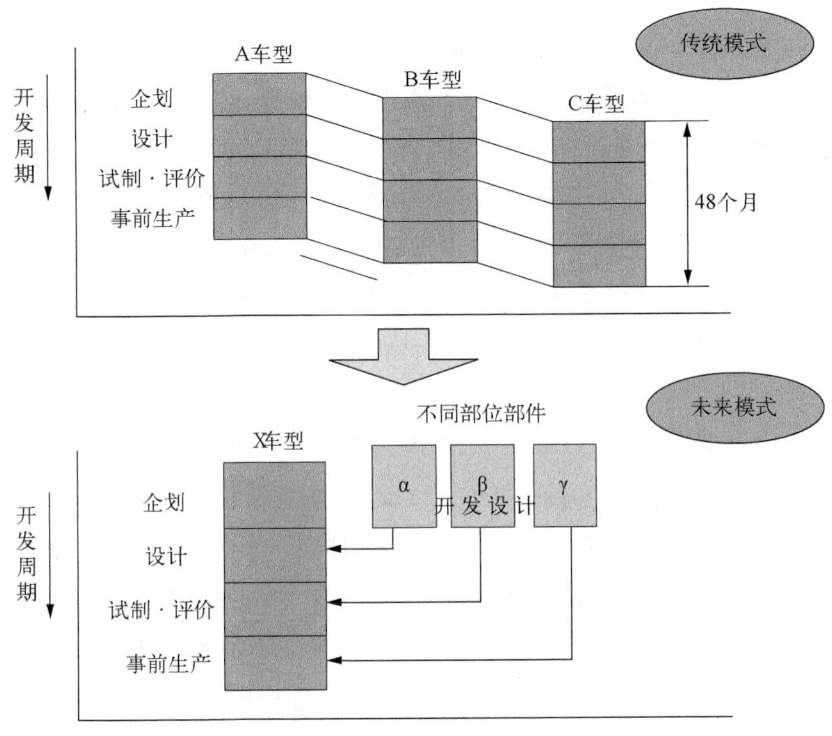

图 9－1　丰田汽车新开发体系构想

资料来源:『变化したTQC』,『日経産業新聞』1992 年 3 月 25 日。

在开发任务分配环节,丰田实施了所谓“Mother 制度”机制,设立了标准开发体制。四大开发中心除承担横向车型开发任务之外,还要设定各有侧重的技术研发。例如,第一开发中心除负责大中型乘用车整体开发之外,还要承担车身及底盘技术的重点开发任务;第四开发中心除承担一般发动机、驱动以及电子技术外,还要负责未来发动机和电子技术研发任务。对开发人员的业务分担,丰田也提出所谓“职务充实(Job enrichment)＋职务扩大(Job enlargement)”的改革方案,也就是以不增加开发负担为前提,核定研发人员承担的车型范围,扩大其统括业务范围。以雨刷系统设计人员为例,数十年经验的研究人员具备了高度专门化知识,此次改革首先限定其负责车型范围,同时,其设计领域要向车身设计等横向领域拓展。

丰田公司转向开发中心体制的目的包括三点:一是为了避免开发人员因过度分工而陷入研究视野过于狭窄的弊病;二是回归统括各种要素

式的主查体制；[1]三是在强化商品力的同时大力缩短开发周期。

丰田公司转向开发中心体制产生了羊群效应，许多汽车企业纷纷效仿。例如，日产公司于1993年3月、马自达公司于1993年8月、福特公司于1995年1月都纷纷转向开发中心体制。然而，由于事前准备不足以及未作充分调研考察等原因，追随者设立开发中心的效果参差不齐。规模过小的马自达公司于1996年6月率先放弃开发中心体制，回归了传统的功能型部门体制。设立了5个研发中心的福特公司，也于三年之后的1998年压缩整合为3个研发中心。与此相反，经过近9年的实践之后，2001年丰田又成立了第五开发中心，专门负责电子研发。

丰田的开发中心体制取得了丰硕成就：如其开发成本较此前大幅缩减了30%，资源也节省了约10%。[2] 丰田RAV4车型是其转向开发中心体制后，所研发的第一款车型，该车的40%零部件实现了与其他车型共用。而且，成效还不仅限于资源层面，开发中心体制还帮助丰田开发出了创世纪的新商品，以1997年的普锐斯(PLUS)为代表[3]，丰田公司研发出一系列被外界称为“不像丰田”的新产品。

产品多样化与零部件少数化

对于汽车厂商而言，产品多样化与零部件少数化一直是其矢志不渝所追求的两大战略目标，前者意味着将有机会占有更多市场份额而获得更多利润；后者则意味着可以大幅降低生产成本。但是，这两者似乎又像“鱼和熊掌而不可兼得”，产品多样化自然需要更多的零部件，相反，零部件少数化则意味着必然减少最终产品。然而，模块化设计为解决这一难题提供了答案，零部件少数化基础上实现产品多样化已经变得不再困难。

多样化需求既是市场发展的必然趋势，同时也是产业成熟的重要标

---

① 主查体制，丰田等日本汽车厂商所实施的开发人全权负责体制。丰田每个车型都设有主查，从产品开发、采购到试产、量产、销售以及售后服务，主查都具有主导权。

② 日野三十四. トヨタ経営システムの研究[M]. ダイヤモンド社，東京，2002. p94.

③ PLUS汽车，世界上第一款实用型混合动力汽车。

志。如福特汽车曾以 T 型车统治了汽车产业近十年，但很快被阿尔弗雷德·斯隆领导下的通用汽车击败，斯隆采取了广域价值战略，即多元化产品战略。到 20 世纪 90 年代，汽车市场的多样化趋势更是显著。销售车型规格数量比是反映这种变化趋势的最佳工具，而所谓车型规格，就是汽车厂商在其基本车型款式的基础上，通过搭载不同发动机、不同车身或喷涂不同颜色、加装某些配置而衍生出来的更多规格产品。

从 1984 年至 1990 年，丰田汽车的车型规格总量由 1.9 万款增加至 3.7 万款，增长了近两倍（图 9－2），这充分表现出日本汽车市场的多元化发展趋势。具体来看，六年间，月销售 50 台以上的单一规格车辆的销售构成比已由 50％降至 45％，而这部分车辆占其规格构成比也由 6.6％降至 1.9％；相反，月销售一台的单一规格车辆的销售构成比则由 6.2％上升至 9.5％，这部分车辆的规格构成比也从 49.3％上升至 58.9％。总平均来看，单一规格销售台数也由 1984 年 4 月份的 7.9 台降至 1990 年 11 月份的 6.2 台。

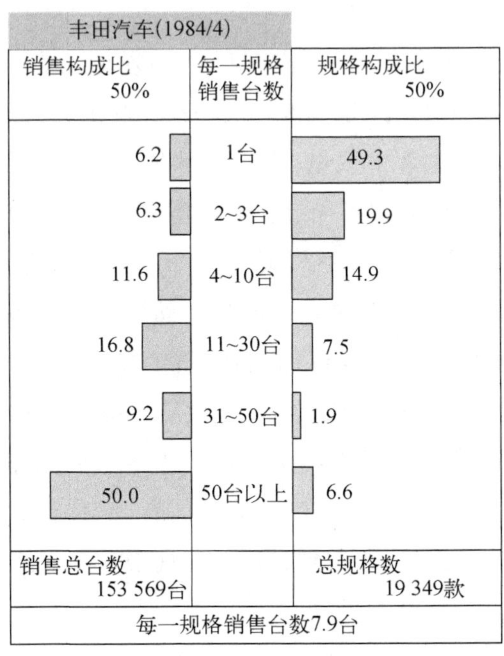

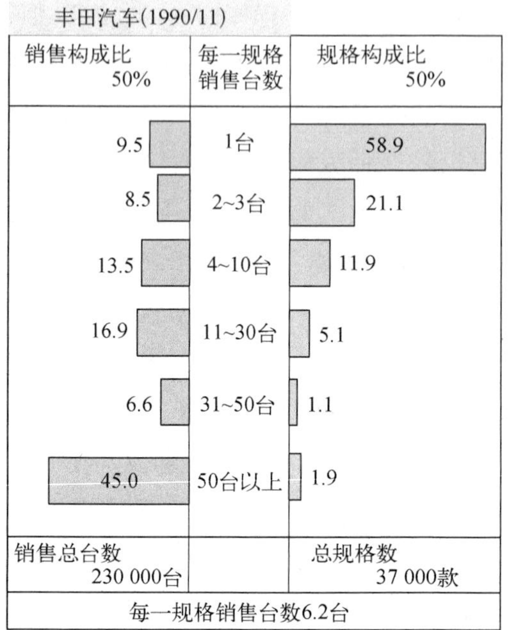

图 9－2　丰田汽车车型款式销售构成

资料来源:笔者根据相关资料整理制作。

为了适应产品多样化趋势,汽车厂商必须扩大自身拥有的车型数量。另一方面,为了削减经营成本,它又必须能够防止零部件数量的膨胀,甚至是主动降低零部件数量,实现零部件少数化的目标。而这些都可以依靠模块化设计,通过各种"组合"创新来实现。

发动机是汽车产品的"心脏"部件,一个汽车厂商所拥有的发动机数量显然与其车型数量密切相关。一般是发动机数量越多,车型款式也会越多。但是,在实际当中,这与厂商的"组合"能力密切相关,因此,车型与发动机数量比就成为衡量某家汽车厂商竞争能力的关键系数之一。

90 年代初期,丰田公司的发动机款式为 35 种,其车型数量达到 51 款(图 9－3)。① 与此相对照,日产公司也拥有 35 种款式发动机,但其车型数量却为 45 款。而且,考虑到日产几乎每款发动机又都配备 FF、FR

① 日野三十四,トヨタ経営システムの研究[M].ダイヤモンド社,東京,2002. p221.

方式以及两驱或四驱配置，因此，其实际发动机拥有量会更多。马自达公司的发动机款式为 34 种，其车型数量却仅为为 32 款，比丰田汽车要少 19 款。而且，因为马自达采用转子发动机的专有技术，所以其汽油和柴油机之间的大多数零部件不能通用。此外，图中显示，三菱汽车和本田技研的车型发动机数量比也高于丰田的水平线。不过，考虑到当时两家汽车销量仅为丰田的 1/5 左右，它们需要通过产品多样化去吸引市场需求，因此，其车型发动机数量比可以视为与丰田相当。

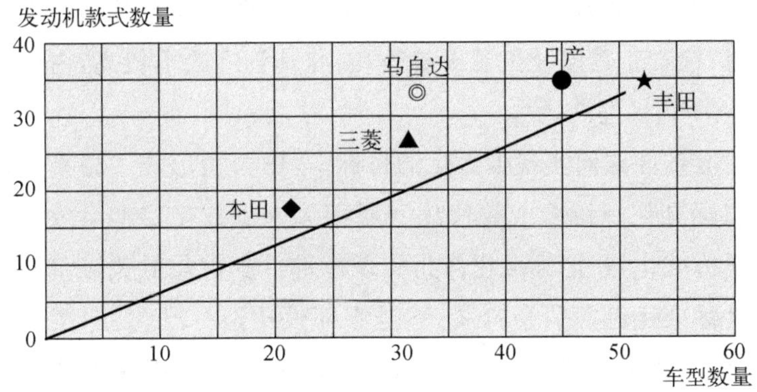

图 9－3 日本汽车厂商车型数量与发动机款式数量(90 年代初期)

资料来源：日野三十四. トヨタ経営システムの研究[M]. ダイヤモンド社，東京，2002。

注：车型数量：(乘用车 & 小型卡车)车名×驱动方式。

发动机数量：发动机型式×发动机排列×排气量。

车型与发动机数量比还仅仅是模块化设计的一个表象数据，若要想真正实现产品多样化和零部件少数化的目标，还必须扎扎实实地从零部件基础工作做起，而零部件通用化恰恰是必经之路。事实上，一贯秉承成本主义经营风格的丰田公司，早就有着零部件通用化的丰富实践经验。第一次创新尝试是在第一次石油危机之后，丰田掀起了一场从设计阶段开始的零部件通用化变革，这是一次倾全组织之力所推进改革实践，收到了明显效果。当时任职于丰田汽车技术管理部的福岛左千男撰文记述了此次通用化过程。① 第二次创新尝试是在泡沫经济崩溃之后，

① 福岛左千男，从产品企划阶段开始的丰田零部件通用化，《IE》杂志，1978 年临时增刊。

丰田成立了“车型款式·零部件种类适当化委员会”,任命统括第一、第二和第三开发中心的和田明广专务董事为委员长,领导实施此次零部件通用化。

在汽车行业,由于汽车产品一般会被使用20—30年左右,所以,即使该款汽车停止生产,其零部件供应却至少要持续生产20年。因此,各厂商的零部件管理数量要远远高于现产车型,而且,当推出新产品及其派生品之际,零部件管理数量会急剧增加。据统计,1995年丰田零部件管理数量就达150万之多。① 而且,零部件管理还要涉及制造零部件的各种模具、检查工具以及机械设备等,因此其管理成本很高,占到汽车行业总成本的45%左右。②

针对零部件如何实现少数化的目标,丰田公司形成了独具特色的路径模式:“标准化→统合或替代化→通用化→少数化。”丰田公司一直都非常重视标准化,并把标准化作为实现零部件少数化的关键基础。丰田的零部件标准化包含两个含义:一是零部件构造标准化,即零部件自身的标准化;再就是整体标准化,也就是把所有零部件视为整体实施标准化。丰田建立起完善的BOM体系,规定像螺钉螺母之类通用性强的零部件,若未得到设计管理部认可是绝对不允许进行重新设计开发的。

标准化之后就是着手削减零部件数量,其主要手段是所谓功能统合化或替代化。所谓统合化是将那些同为汽车某一种功能服务,但在结构上是分开的零部件,实施“功能统合化”。例如通过一体化冲压技术,将原本分开的零部件作为一体化;再如通过合成树脂化把分割吸气管一体化等。功能代替化就是减少同种功能的零部件,例如大幅减少螺钉、螺母、垫圈、拉链等连接部位零部件的数量。这种功能统合和功能替代措施,不仅能减少零部件数量和种类,同时也能提升零部件的强度和刚性,实现轻量化、减少杂音、提高组装效率等多种利处。

---

① 黑岩惠,面向21世纪的汽车基础完善,《汽车技术》,1996年1月。

② 铃江岁夫、高桥昭夫,VRP(Variety Reduction Program)技术—产品成本下降手册,日本能率协会,1988年。

通用化主要是指相同零部件可用于不同汽车产品，这是实现产品"重新组合"的关键。丰田的通用化措施包括"流用化""共用化""相互替代"等三种方法，"流用化"是在新车设计中，考虑将现有零部件应用于新产品上；而"共用化"则是在新产品设计中，新开发零部件可应用于多种新产品；"相互替代"则是从设计到生产都考虑到现有零部件之间的可互换性，从而可以废除某些部件。

通过零部件的标准化、统合或替代化、通用化，丰田实现了零部件的少数化目标。不过，伴随着新产品的不断推出，零部件的自然增长量仍然非常庞大，因此，零部件少数化成为丰田长期的经营任务，它甚至认为零部件管理数量的控制成为 21 世纪最大的经营课题。

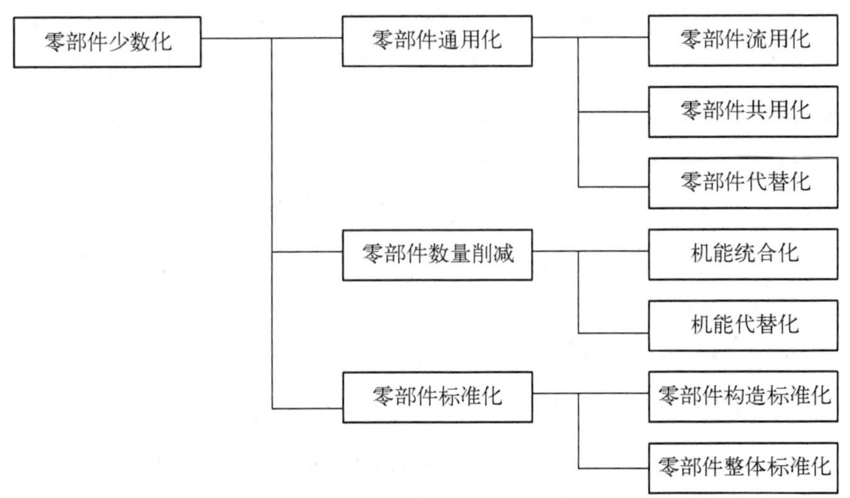

图 9-4　丰田汽车零部件少数化导向图

资料来源：笔者根据丰田公司网站信息整理制作。

经过模块化设计创新尝试之后，丰田汽车原有系列承包体制发生了根本性变化，或者说丰田与供应商之间的组织关系发生了革命性变化。然而，这种以模块化为特征的新的组织制度，由于存在制度性欠缺，从而导致其陷入深刻的质量危机。

模块化的负面：质量门事件

首先是以一起车祸为导火索。2009 年 8 月，一名加利福尼亚公路巡逻队队员驾驶一辆雷克萨斯 ES350 行驶在圣迭戈附近时，汽车出现突然加速而失控现象，结果造成车上 4 名乘员全部遇难。汽车失控瞬间的求救电话成为投诉丰田的重要证据，“我们的加速器卡住了，没有刹车……”。伴随这段电话录音在美国及世界各种媒体上反复播放，丰田汽车的安全问题一夜成为举世瞩目的焦点。

接下来，就是丰田汽车的一连串召回。先是“脚垫门”事件，9 月 29 日，丰田宣布在美国召回凯美瑞等 380 万台汽车。接着是“踏板门”事件，11 月 25 日，丰田又宣布在美国对 8 种车型共计 426 万台汽车实施自主维修，无偿交换加速踏板。2010 年 1 月 21 日，丰田再次宣布在美国召回卡罗拉、RAV4 等 8 种车型 230 万台汽车。1 月 27 日，丰田又追加 5 种车型共计 109 万台汽车的自主维修。而且，危机很快跃出了美国而蔓延全世界。1 月 28 日，丰田宣布在中国召回 RAV4 等 7.5 万台汽车产品。翌日，又宣布在欧洲召回雅力士等 8 种车型计 180 万台汽车。事态还在恶化，代表着丰田最尖端技术水平的混合动力车型也被纳入召回范围，而且烈火烧至其日本国内大本营，揭开了所谓“刹车门”事件。2 月 9 日，丰田宣布召回第三代普锐斯等 4 种车型，范围涉及日本国内 22.3 万台，全球共 43.7 万台。

表 9－5　丰田汽车全球大规模召回(2009.9—2010.2)

时间	对象	数量(台)	地区	备注
2009.9.29	凯美瑞等	380 万	美国	第 1 次召回
2009.11.25	雷克萨斯等 8 种车型	426 万	美国	自主修理
2010.1.21	卡罗拉、RAV4 等 8 种	230 万	美国	第 2 次召回
2010.1.27	普锐斯等 5 种	109 万	美国	自主修理
2010.1.28	RAV4	7.5 万	中国	第 3 次召回
2010.1.29	雅力士等 8 种	180 万	欧洲	第 4 次召回
2010.2.9	普锐斯等 4 种	43.7 万	日本＋全球	第 5 次召回

资料来源：笔者根据相关报道整理制作。

而且，危机远没有结束，一些内幕开始被不断披露。2 月 21 日，丰田向美国众议院所属监督与政府改革委员会提交了一份内部文件，该文件披露早在 2007 年丰田就曾通过游说美国监管机构而实施了有限召回，这为丰田“节省了约 1.24 亿美元”。伴随着对丰田投诉案件的增加，危机的源头也不断被向前追溯。资料显示：踏板门事件起源于 2001 年的新版凯美瑞轿车，当时是为了节油而采用了一种新型油门踏板。2004 年初就有人向美国高速管理局投诉该车型偶尔会出现加速现象。另据美国消费者安全调查公司资料显示：2005、2006 年，美国高速管理局曾接到数百个涉及类似投诉。

目光转到日本，其实早在 2004 年丰田就出现了质量危机。2004 年 8 月，在熊本县境内一辆丰田越野车（HILUS）因转向突然失灵而发生事故。在长达两年之久的漫长调查之后，2006 年 7 月，熊本县警方将丰田主管质量的三名现、原任部长送交检察机关。当时，警方甚至指控丰田公司涉嫌隐瞒了产品缺欠问题。

三、回归现场主义原点的变革

“现场主义”堪称是丰田公司实施企业创新的原点。早在其前汽车的织机时代，作为公司缔造者的丰田佐吉便提出“实地第一主义”的经营理念。他认为，技术创新必须来源于实践，并在实践中去发展。作为丰田汽车的创始人，丰田喜一郎从父亲那里接过了这个接力棒，彻底贯彻了现场主义经营原则。之后，每遇到挫折或坎坷，丰田经营者们都会首先检视企业现场主义原则贯彻状况，比如 2009 年质量门危机之际，丰田章男便擎起“全面回归现场主义”的大旗，重新构建了公司的发展战略与体制。

现场主义为原点的丰田模式

大凡涉及日本式经营，一般都会提到“现场主义”的经营理念。概言之,“现场主义”就是始终以各种经营现场作为企业制定经营战略的核心依据,这种以“现场为核心”的经营模式也被视为日本式经营重要特征之一。在日本实业界,“现场主义”更是早已深入人心。如丰田生产方式缔造者丰田公司原副社长大野耐一就自称是“彻底的现场主义者”①,他把经营现场视为管理的信息源泉。

制造业闻名遐迩的丰田生产方式(TPS),其两大支柱——“自働化”与“准时化”思想均源于“现场主义”。前者源于丰田公司创始人丰田佐吉在实践中提出的“实地第一主义”,后者则由丰田汽车创始人丰田喜一郎所提出,同样来源于生产实践。② 秉承这种现场主义理念,大野耐一又将反浪费思想和改善方式融入生产过程,最终创造出被称为人类第三代生产方式的丰田生产方式。③

“现场主义”被丰田视为其经营原点,它被不断传承和改善,并演化为丰田企业文化的 DNA。2001 年丰田公司内部出版了《丰田之路2001》,其中,现场主义被概括为“现地现物主义”,与“挑战、改善、尊敬、团队”等精神一起被列为企业的核心文化精神。④ 2008 年丰田实现赶超美国通用公司,成为世界第一大汽车厂商之际,渡边捷昭社长再度把成功原因归结为现场主义:“无论外因还是内因,总之,丰田在遇到困难时就会回归原点,而这种经营原点就是现场,尤其是制造现场。”⑤

然而,之后的丰田经营实践却偏离了现场主义。20 世纪 80 年代中期以来,伴随全球化战略的展开,丰田走上了扩张路线。而随着经营规模及组织体制的膨胀,其传统的“现场主义”理念也逐步为“盈利主义”和

---

① 大野耐一.トヨタ生産方式——脱規模の経営をめざして[M].ダイヤモンド社,東京,1978.34.

② 张玉来.丰田公司企业创新研究[M].天津人民出版社,天津,2007,p69、p144.

③ 詹姆斯·P.沃麦克,丹尼尔·T.琼斯,丹尼尔·鲁斯.改变世界的机器[M].商务印书馆,1999 年.

④ ジェフリー·K·ライカー,マイケル·ホセウス.トヨタ経営大全 2 企業文化(上)[M].日経 BP 社,東京,2009.29.

⑤ KIGYOKA NETWORK.【特別対談】オンキヨー大朏直人会長×トヨタ自動車渡辺捷昭社長[EB]. http://kigyoka.com/kigyoka/public/news/news.jsp? id=866,2008-5-23.

“规模主义”所取代。于是,利润丰厚的美国市场被丰田视为战略重点,2004年丰田汽车的美国销量突破200万台,2008年更达到262万台,夺得16%的市场份额。2006年其营业利润高达1.37万亿日元,比2000年增长3.4倍,不仅成为日本企业的利润第一,而且也是全球汽车界盈利最高的企业。[①] 正是因为陶醉在巨额利润之中,丰田完全没有预料到此次金融危机的爆发,严重失衡的全球战略体制致使丰田陷入58年不遇的巨额赤字:公司决算2009年3月期(2008.4—2009.3)出现4 610亿日元巨额赤字。[②]

偏离“现场主义”给丰田带来最直接的严重后果是内部信息受阻。事实上,早在2008年9月即雷曼兄弟公司破产前两个月,丰田在美基层销售店已经预感到危机的“山雨欲来之势”,当时销售店普遍出现“库存增加、小型车销售停滞”现象。然而,由于丰田决策层执着于如何抓住通用低迷之机实现“美日逆转”,也就是在美国本土也超过通用成为销量第一,这就造成基层“声音”难以被顺利传抵上层。于是,直到危机爆发之后,美国丰田高层才发出“刹车踩得太晚了”的慨叹。[③]

面对“百年不遇”的金融危机,丰田彻底反思其经营战略。它首先改组高层,推出丰田家族的招牌来统一思想。丰田喜一郎嫡孙丰田章男出任新社长,此次丰田家族重新掌舵企业的现象被日本媒体称作丰田家“大政奉还”。[④] 丰田章男下车伊始便高擎起“现场主义”大旗。为重构“现场至上”的企业文化,他首先身先士卒地深入经营的各个现场。如2009年5月他竟以普通赛手身份参加了德国纽伦堡举办的汽车拉力赛,此举是为彰显其重视现场的经营姿态。他也毫不讳言地指出:“我非常希望听到距离现场最近的声音,但现在公司内这种文化似乎正在消

① トヨタ自動車株式会社.有価証券報告書[R].独立行政法人国立印刷局、各年度.

② トヨタ自動車株式会社.2009年3月期決算説明会[R].2009-5-8.

③ 日本経済新聞.新体制始動「機敏な巨艦」へ現場改革[N].日本経済新聞,2009-6-23(13).

④ 明治维新前夕的1867年,德川幕府最后一位将军德川庆喜主动把政权交还明治天皇,结束了德川家族对日本长达265年的统治,这在日本历史上被称作“大政奉还”。

失”。[①] 在新体制发布会上，丰田章男高调阐释了“现场主义”经营理念。“现场是企业经营的本质。因为是基层员工支撑着公司的各个经营现场，所以每位员工的成长都与企业竞争力紧密联系在一起……与员工们一起思考、一起成长，这既是企业经营的核心，也是我的信念。”[②]他甚至明确提出要做“距离现场最近的社长”。

以“现场主义”作为企业核心发展战略，丰田新体制重新构建起“六级体制”的全球业务战略、强化矩阵式组织战略、彻底调整长期以来的产品战略。

全球“六极体制”的新战略

本着“现场主义”经营理念，丰田全面重构其全球发展战略。首先是打破原来独倚美国市场的失衡体制，以“兼顾眼前实际、远瞻未来发展”为原则，构筑所谓全球六极体制，包括美、欧、日三大传统市场以及亚洲新兴市场，特别是中国、中东、中南美及非洲市场。

金融危机前，由于利润主要来源于美国而形成了丰田全球“单极战略体制”。2000 年以来，美国新车销量一直维持在 1 700 万台左右，丰田销量自 2004 年以来一直保持 200 万台以上，占 15%市场份额。从丰田汽车全部销量来看，美国市场占三分之一左右。若考虑美国市场大型车为主的特征，其利润贡献率甚至达到丰田全部利润的一半以上。在巨额利润的驱使下，丰田在美国实施大举扩张战略。截至 2008 年底，它在美国已建立 10 个生产据点（员工数 23 615 名）。[③] 其中，除 TABC 创建于 1971 年之外，其余均在 1984 年以后创建，特别是集中在 90 年代以后（7 据点）。为生产美国热销的大型皮卡，丰田还在密西西比州再创建一家

① 米川直己. レース出場　豊田章男氏の二つの涙[N]. 毎日新聞，2009 - 6 - 23(4).

② トヨタ自動車株式会社. 新体制発表会見スピーチ[EB]. http://www2.toyota.co.jp/jp/about_toyota/message/index.html，2009 - 6 - 25.

③ トヨタ自動車株式会社. トヨタの概況 2009　データで見る世界の中のトヨタ[R]. トヨタ自動車株式会社. 26.

新工厂,但其2010年投产计划被金融危机阻断。

受金融危机影响,2008年美国丰田汽车销量与上年同比减少1/4,仅北美丰田就出现3 163亿日元巨额赤字。[①] 而且,受危机的惯性影响,2009年度其销量仍将继续减少。丰田这种“单极体制”的风险性在此次危机中暴露无遗。

以回归“现场主义”为目标,丰田章男大刀阔斧地调整其全球战略。根据世界汽车市场发展的新趋势,他决定彻底摒弃偏重美国的“单极体制”,构建真正具有全球化特征的“六极体制”:传统的日、美、欧三大成熟市场;最具发展潜力的中国、豪亚及中非中等三大新兴市场(豪亚:澳大利亚与除中国外的亚洲;中非中:中近东、非洲和中南美)。[②] 为精确把握来自“六大现场”的信息,丰田章男将此重任分别委任给5位副社长中的4位,以此贯彻“现场主义”经营目标。

其具体分工如下。曾亲手开拓美国市场,1997年起就进入美国丰田决策层、具有丰富市场经验的副社长布野幸利,转攻新兴市场,负责担纲中国、豪亚和中非中等三大市场的开拓;生产技术出身的副社长新美笃志,负责巩固北美市场,此举也是为了弥补迅速扩张战略以来美国丰田在产品质量上出现的一系列问题,以此重塑其质量第一的品牌形象;生产管理出身、具有丰富欧洲管理经验的副社长佐佐木真一,继续担纲“列强林立”的欧洲市场,此举意在拓展欧洲市场的同时,更要紧密把握主要竞争对手的最新信息,因为在丰田眼中,最具竞争力的对手还是欧洲老牌汽车厂商,如德国大众、奔驰、宝马等;富有国内市场经验、曾承担过花冠营业本部长的副社长一丸阳一郎,继续被委以拓展国内市场的重任,面对日本国内的人口老龄化以及“年轻人远离汽车”现象,汽车市场呈现出萎缩状况,如何继续巩固国内40%市场份额,显然是丰田的一项艰巨重任。

---

① トヨタ自動車株式会社. 2009年3月期決算説明会[R]. 2009-5-8.

② トヨタ自動車株式会社. 役員人事及び組織改正について[EB]. http://www.toyota.co.jp/jp/news/09/Jun/nt09_0605.html,2009-6-23.

在“全球六极”战略框架下,丰田章男提出“要制造符合各地区、不同顾客需求的产品”为战略方针。伴随社会发展和技术进步,消费者需求呈现出明显的多样化特征。而且,不同国家或地区也具有不同的传统和文化。因此,在全球化趋势之下,像丰田这样的跨国公司必须自如地应对不同的产品需求。针对“各极”不同特征,丰田也制定出相应的具体战略方针(见图 9-5)。丰田要力争准确把握全球市场每个局部的任何细微变化,同时,针对这些变化采取迅速对应策略,以此作为“六极体制”的组织要求。对此,副社长新美笃志把丰田新战略形容为建设“小丰田”战略,因为每一极都是非常重要的,所以各极要“既承担起其权限和责任,同时也要促进丰田产品越加符合各地实际需求”。①

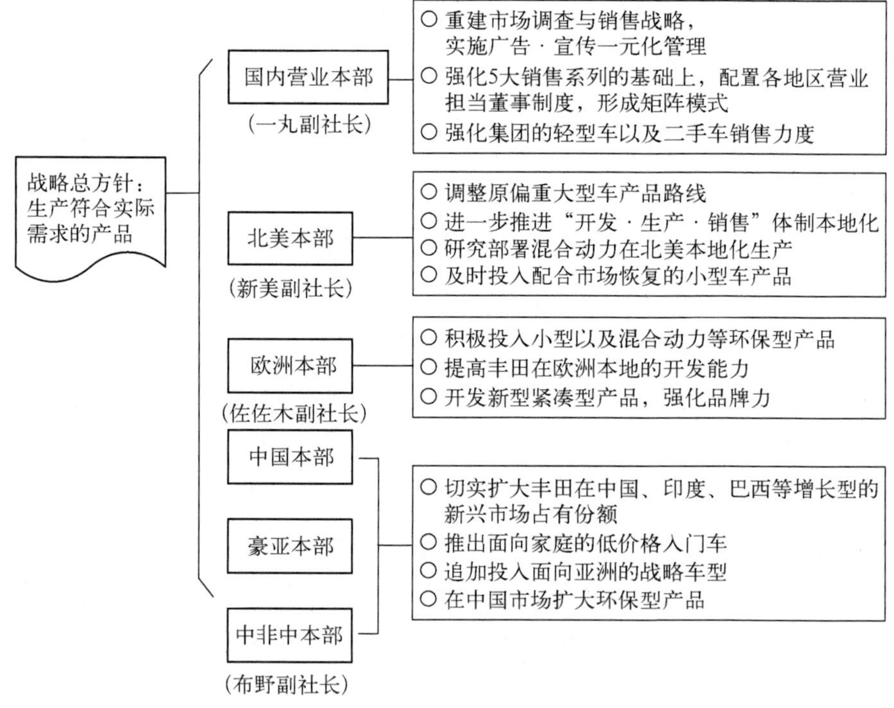

图 9-5　丰田全球六极体制及其战略方针

资料来源:笔者根据丰田公司内部《社报》及相关资料制作。

---

① 日本経済新聞.新体制始動「機敏な巨艦」へ現場改革[N].日本経済新聞,2009-6-23(13).

基于现场主义的矩阵组织

伴随经营规模的扩大，尤其是海外事业的拓展，丰田的组织机构也逐渐庞大。1985 年丰田员工总数首次突破 6 万大关[1]，此后，其国内员工一直维持在 7 万以内，但海外员工开始大增，截至 2009 年 3 月，丰田全球员工总数达 32 万人。[2] 组织机构也随之膨胀，1987 年其部门（部级）为 124 个，2004 年达到 220 个。[3] 组织机构的膨胀显然会相应带来内部信息传递的滞缓，这个问题在此次危机中充分暴露。因此，组织战略调整也成为丰田新战略的重点。此次改革“以推进本部制来强化纵向管理，以突出矩阵结构来促进横向管理”为特征，组织战略也提出“现场主义”。

在组织建设上，丰田一直强调矩阵式结构特征。在纵向方面，为尽量缩减管理层，丰田采取了“基干和役员”等两层干部体制。[4] 为强化纵向管理效率，丰田在 2003 年引进本部制，即按不同领域设立本部，本部长往往由代表董事以上级别出任。在横向方面，丰田在内部建立了三级会议体制，以此来强化部门之间的横向沟通（图 9－6）。

董事会作为公司的最高领导机构，由其选举会长和社长等最高领导。[5] 如本届丰田董事会中，代表董事 29 名、一般董事 50 名，此外还有监事 7 名。[6] 在丰田公司，三级会议体制成为公司战略制定及执行的重

---

① 相对于产量而言，丰田员工数一直控制在较小规模：1960 年产量 15 万台/员工 1 万人；1964 年 42 万台/2 万人；1967 年 83 万台/3 万人；1970 年 160 万台/4 万人；1980 年 329 万台/5 万人。参见トヨタ自動車株式会社. 創造限りなく　トヨタ自動車 50 年史・資料集[C]. 1987. 227.

② トヨタ自動車株式会社. 会社概要[EB]. http://www2. toyota. co. jp/jp/about_toyota/outline/，2009－8－30.

③ トヨタ自動車株式会社. 定期職制異動について[EB]. http://www2. toyota. co. jp/jp/news/04/12/nt04_073a. html，2004－12－28.

④ 丰田的基干层属于执行干部，分 3 级，相当于科长、副部长和部长级别；役员层属于决策层，也分 3 级，一般役员、常务役员和专务役员。

⑤ 在丰田，董事分为一般董事（役員）和代表董事（取締役），代表董事属于决策层，包括会长、社长、副社长、专务董事及董事；一般董事属于高层，会兼任各职能部门部长，但级别高于部长。

⑥ トヨタ自動車株式会社. 役員人事及び組織改正について[EB]. http://www. toyota. co. jp/jp/news/09/Jun/nt09_0605. html，2009－6－23.

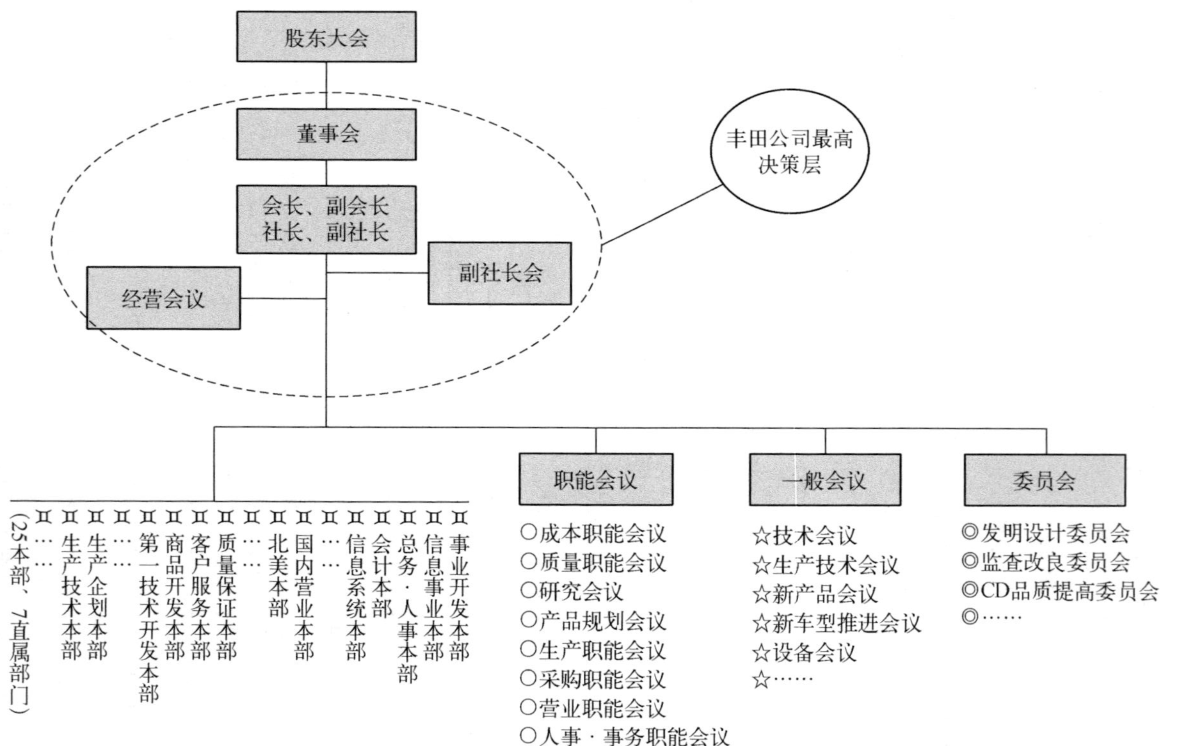

图 9－6　丰田公司管理组织体制

资料来源：笔者根据《トヨタ自動車社内報》等资料整理。

要机构。首先是“副社长会议”，它掌握着公司的最高决策权。其次是“经营会议”，一般由全体董事以上级别组成，负责审议决定公司内部的综合执行战略。第三级包括“职能会议”“一般会议”和“委员会”等三大会议体，其具体分工是：职能会议主要围绕着质量、成本、人事、技术、生产、营销等问题，制定公司的相关子经营战略，其议长一般由常务或专务董事担任；一般会议主要集中在产品研发、量产准备、采购等特定部门，审议新产品开发、设备投资及市场战略等重要问题，议长由一般董事出任；委员会则是为弥补经营战略欠缺或解决某些时段性问题而成立，如丰田曾设立“日元升值对策委员会”。① 上述三级会议体制成为丰田矩阵式组织体制的关键所在。此外，主查体制（Chief Engineer）也对横向管理发挥着重要作用。

本次组织战略改革重点在于通过强化本部体制来提高纵向管理效率、通过强调现场主义来推进横向管理，具体包括如下四点特征。

其一，最高决策层任用了大量“现场主义”者。首先体现在代表董事会构成上，丰田公司外“复归者”受到重用。如丰田销售店统括公司（Toyota Adminsta Corp.）会长前川真基被调回总部任命为国内营业本部长，全面统辖国内销售业务。丰田物流公司社长伊原保守也被召回，出任经营企划本部长，全权负责经营企划、调查、信息事业及环境等业务。名古屋中部国际机场社长稻叶良睍出任北美本部长，负责北美销售业务。这些“复归者”原本都是丰田内精英，他们谙熟各自领域的现场情况，被称作丰田“现场主义者”。其次体现在任职中的“使贤任能、人尽其才”。如副社长内山田竹志是被从生产领域调回其擅长的技术开发领域，负责统领全公司的技术研发。副社长新美笃志担纲生产制造领域并兼管海外北美市场，这显然出于北美丰田汽车质量问题，2009 年 9 月丰田在美国召回 380 万台汽车，堪称其史上最大规模召回；②此外，北美已

① 日野三十四. トヨタ経営システムの研究[M]. ダイヤモンド社，東京，2002. 125—137.

② YAHOOニュース. トヨタ社の暴走事故件数、当局の発表上回る＝米紙[EB]. http://headlines. yahoo. co. jp/hl? a=20091109 - 00000565-reu-bus_all，2009 - 11 - 9.

成为丰田本土外的最大生产基地，生产制造非常关键。另外，技监林南八也被提拔为代表董事，负责协调生产企划、生产技术以及制造等三大本部，彻底推进 TPS 教育，其目的显然也在于控制产品质量。

其二，本次组织战略调整突出强调了本部制职能，以此强化纵向管理的效率。此次改革提出建立"本部长管理下的完整业务体制"，即促使各本部形成独立的经营事业领域，实现相关业务的统合性和完整性。以新设立的商品开发本部为例，原技术开发领域的商品统括部、EQ 推进部及四大研发中心（即雷克萨斯中心、第一、第二轿车中心、商务车中心）全部归属其麾下，形成了相对独立、完整的产品开发体系。

其三，突出职能化与专业化两大基轴，进行重组和集约化组织改革。职能化即从横向角度出发，以质量、成本、技术、人事等领域为核心，强化组织效率；专业化则是强化纵向各领域，如技术、生产及销售等部门，以本部制提高纵向效率。重组中，丰田要求各本部及其所属部门要充分体现"植根于服务现场"的组织特征。如营业部门的机构调整就反映了这种战略目标，原全球营业企划本部被撤销，针对当前全球汽车市场发展特征设立了六大本部，其中唯有中国本部被原封不动地保留，作为重点开拓对象。

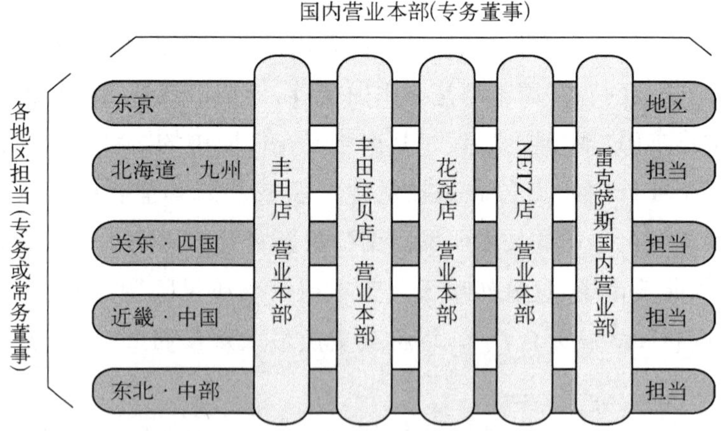

图 9－7　丰田矩阵式国内销售体制

资料来源：笔者根据《トヨタ自動車社内報》等资料整理制作。

其四，继续坚持重点项目制度，积极投入开发高度复杂化的尖端、领先技术。在研发领域专门设立 FC 技术领域，并由一名常务董事专门负责。而且，与之配套，相应在生产环节也设立 FC 生产技术部，形成跨部门的"专业化"开发模式。[①] 此举显然对强化组织内的横向关系具有重要作用。

虽然此次组织调整之后部门数量不减反增，由原 251 部门增至 254 个[②]，但是，由于强化了本部制职能，很多纵向部门被有序地统括在各领域本部制之下，因此，其行政效率得到极大提高。而且，通过强化横向管理，整个组织管理效率得到改善。以国内营业本部为例，在强化营业本部职能的同时，丰田又设立常务董事直接负责某地区的担当制度，由此形成矩阵式网状销售组织（图 9－7）。显然，对于日本这样的成熟市场而言，通过该模式的"深耕"，既能维护和开拓市场，亦可精确把握市场的最新动向。

产品战略的"回归与突破"

在产品战略方面，丰田新体制扭转原来"大型、高档化"产品战略倾向，提出"重视小型、开发新锐"的新战略，呈现出既有"回归"、又有"突破"的两大特征。所谓回归，即朝着丰田最擅长、也是最成功的低成本战略回归；所谓突破，则是体现在如何把握汽车未来技术方面，即凭借丰田领先的混合动力技术来构建业界新技术标准。

"生产质优价廉国产车"曾是丰田长期坚持的产品战略。在丰田 1952 年《国产轿车研发方针》中，"质优价廉"被定义为丰田汽车的产品战略基轴。[③] 此后，凭借成本领先战略，丰田以低成本、低燃耗的小型车在北美等海外市场攻城略地，大获成功。1989 年丰田实施产品战略升级，

---

① トヨタ自動車社内報. TOYOTAクリエイション7[J]. 2009. 7. 1.

② トヨタ自動車株式会社. 役員人事及び組織改正について[EB]. http://www.toyota.co.jp/jp/news/09/Jun/nt09_0605.html，2009－6－23.

③ トヨタ自動車株式会社. 創造限りなく　トヨタ自動車 50 年史[M]. 1987. 268.

开始进军高端产品,在北美创立雷克萨斯(Lexus)品牌。但丰田仍然是凭借低成本的竞争优势,在豪华车市场站稳了脚跟。金融危机前,雷克萨斯在美国年销量达到30万台以上。然而,伴随丰田全球扩张战略的实施,其产品战略也开始转向"大型、高档化"倾向,逐步以利润丰厚的大型车和高级车作为企业发展的重要支柱。这也是丰田产品在全球失衡的重要原因。在新兴市场的BRICs国家中①,丰田所占市场份额与其世界产销第一的地位形成极大反差。2007年,丰田全球销量943万台,占世界总销量7 084万台的12.5%份额。② 但在当前"一枝独秀"的中国市场,丰田的市场份额仅在6%左右,与其"2010年实现10%"的中期目标相去甚远。在印度和巴西市场其表现更差,份额仅在2%左右。

正是在全球大举扩张过程中,不知不觉中丰田将堪称其"看家本领"的小型车市场拱手让人了。而当金融危机骤然而至之际,丰田才猛然警醒。面对严峻的现实,它提出"回归与突破"的新战略。

第一,回归成本领先战略,重新以小型车为"产品生命线"。长期关注美国市场使丰田产品线呈现明显"大型化、高档化"特征,这甚至使之轻视大本营——国内市场的重要变化。近年来,排量660cc、全长3.4m所谓轻型车在日本销量大增,2006年甚至超过新车总销量的35%份额。③ 在竞争对手几乎全部进入该市场之际,唯有丰田一直没有涉足轻型车市场。而且,其小型车代表卡罗拉销量也多次被本田飞度赶超。海外市场更是如此,丰田小型车产品线相对薄弱。针对此现状,丰田提出以"适时、及时推出适应全球各地市场需求的产品"为产品战略目标,彻底回归成本领先战略。它将采纳所谓"正面进攻法",即改变以往以既有成功车型来开拓新兴市场的传统做法,而是专门针对新兴市场,"量身定

① BRICs即巴西(Brazil)、俄罗斯(Russia)、印度(India)、中国(China)等所谓"金砖四国"国名英文字头缩写。

② FOURIN.世界自動車メーカー年鑑2009[C].2008.;FOURIN.世界自動車統計年刊2008[C].2008.

③ 小関和夫.軽自動車の歴史を振り返る[J].JAMAGAZINE vol.43,2009(2).5—6.

做”适应当地的专用车型。如丰田章男透露其 IMV（Innovative International Multi-purpose Vehicle）项目将适用中国，在中国推出家庭入门型车，并开发环保产品。

第二，回归顾客第一主义，实施现场主义定价策略。这在终端市场已得到验证，今年 5 月混合动力轿车第 3 代普锐斯（Prius）以 205 万日元低价上市，这大大低于坊间预测的 235 万日元，该车型上市仅 1 个月就创纪录地实现 18 万台订单。7 月，它又推出雷克萨斯混合动力车型 HS250h，其 23Km/L 的超低燃耗却以最低 395 万日元上市，这种“高档低价、高配低耗”的定价策略对竞争对手形成极大威胁。而且，该策略不仅适用于终端客户，同时也针对供应商。在丰田 2009 年供应商大会上，丰田章男明确提出回归“现场主义定价”原则，纠正丰田在扩张过程中形成的“唯利润定价”原则。

第三，突破产业技术瓶颈，创建全球技术标准。当前，汽车业已经走到新的拐点：如何应对严峻的能源紧张与环境污染问题。在未来技术方面，三大主流趋势（电动、燃料电池及混合动力）中，目前真正实用化技术唯有混合动力技术。丰田早在 1997 年便推出世界上第一款量产化混合动力普锐斯，十年之后的 2007 年，其销量突破百万。如何利用已占先机，成为丰田发展的重要契机。“扩大混动车型、创建业界标准”成为丰田产品战略突破的两大举措。首先，丰田提出将在 2010 年实现所有产品混合动力化、同时构建丰田全球“环保产品”的四极体制，即在日、美、中、欧投产混动车型。其次，大力输出丰田混合动力生产技术及设备，努力创建全球业界新标准。7 月，丰田与马自达达成向其提供混合动力生产技术协议，转让电池、控制系统及发电机等关键技术。① 其实，早在 2004 年、2006 年丰田就向美国福特、日产公司提供相关设备，但都控制在较小规模。此次向马自达转让技术首次达到量产规模，丰田不仅能够获得转让资金，量产效果也能促进丰田削减电池及控制系统成本。为了

① 日本経済新聞.トヨタ　マツダにハイブリッド供与へ[N].日本経済新聞，2009－7－16.

创建业界标准,丰田又与富士重工、通用达成合作意向,而通过后者的国际合作关系,丰田技术将会覆盖更多厂商(图 9-8)。

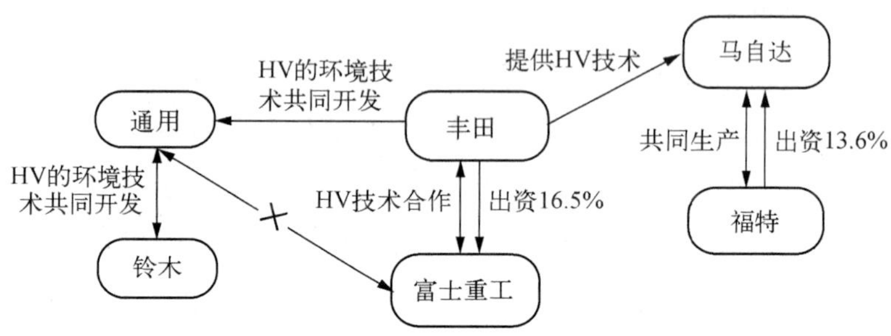

图 9-8　丰田公司混合动力技术(HV)合作关系

资料来源:《日本经济新闻》,2009 年 7 月 16 日刊。

危机同时也是契机。有着成功克服 1950 年经营危机、两次石油危机以及日元升值冲击等丰富经验的丰田公司,在面对世界汽车产业陷入全面危机之际,已经开始大幅调整其经营战略,在回归"现场主义"经营理念的同时,制定了一系列战略调整措施。然而,产业环境在不断变化、企业自身所掌握的资源也处于动态之中,因此,丰田此次战略调整能否帮助其度过危机、是否能够使之重新获得竞争优势,这还有待于今后其战略实施情况来验证。

四、走向服务化的第三次转型

2018 年 1 月的拉斯维加斯,见证了丰田公司吹响其经营史上第三次转型的号角。在此次国际电子消费品展(CES)上,丰田汽车创始人之孙丰田章男社长宣布,他将带领这家全球最盈利的汽车厂商转向一家移动服务公司(MaaS 即 Mobility as a Service),为此,它还特别展出了一款新产品"e-Palette Concept"——多功能移动服务电动汽车。

胜者的危机意识

丰田从不缺乏危机意识。作为丰田创始人,丰田佐吉是日本近代史上的大发明家,他一生获得百余项专利,因此他也入选日本小学教材。丰田佐吉一直强调要向欧美学习先进技术,他本人曾于1910年游历美欧各国,耗时长达8个月,他还要求身边的人一定要到欧美考察,把这种“外游”视为企业技术进步的重要手段。其子丰田喜一郎就是在1921年和1929年两次对英美考察过程中,深深感悟到汽车时代即将来临,因此才毅然带领丰田走上了汽车制造之路。

丰田堪称日本工业发展史上非常典型的胜利者。历经两次世界大战、日本战时统制经济、两次石油危机以及泡沫经济崩溃等无数打击之后,丰田从一家名不见经传的纺织企业,逐步发展为今天全球最大的汽车厂商。如今,它已在全球27个国家拥有50个生产基地,其员工总数超过36万名。2005年丰田销售额就突破20万亿日元,当前已逼近30万亿日元大关(2017年2 613亿美元);营业利润方面,2006年就突破2万亿日元,2017财年23 998亿日元(约合213亿美元),遥遥领先于全球所有整车厂商。而且,丰田还拥有庞大的现金储备,其规模达365亿美元,是德国大众集团的12倍。

然而,基于强烈的危机意识,丰田早早确立了“无债经营”理念,这是其经营制胜的重要因素之一。1949年,它成为美国对日民主改革中“解散财阀”的对象,公司被迫“分割”重组,日本电装等企业就是此时与丰田“分家”的。“产销分离”为主要特征的此次重组,让丰田深深意识到“举债经营”的被动,时任社长石田退三便提出“无债经营”的目标。在长期推行成本管理、金融创新以及生产方式革命等改革实践之后,1979年,当时两家丰田公司(即“产销分离”的丰田工业公司和丰田销售公司)偿还了全部长期借款,实现了无债经营。

20世纪80年代,稳健的资本运营模式以及强大的盈利能力,让其获得“丰田银行”的称号。1984年,它以销售额5.5万亿日元、经营利润5 218亿日元跃居日本企业第一,其手头资金竟突破万亿规模,仅金融收益就达千亿日元,该业绩超过了日本排名第五的三和银行。然而,丰田并未陶醉于这种“胜利者的喜悦”,经历两次石油危机的冲击之后,强烈的危机意识让它暗下决心:必须掀起一场新的技术革命!这就是丰田开发混动技术的真正背景。

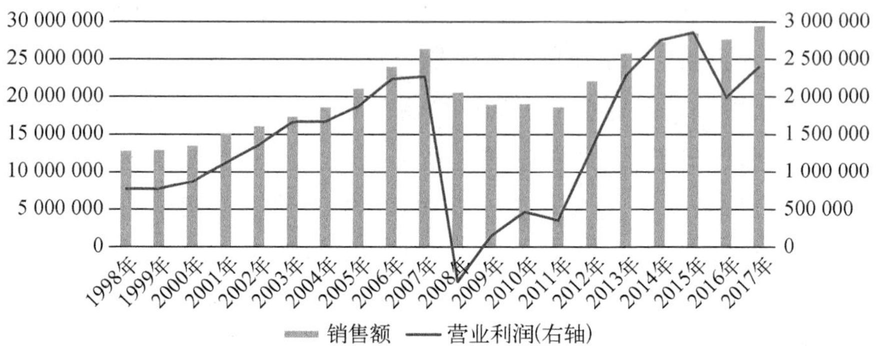

图 9-9　丰田公司近 20 年的经营业绩(1998—2017 年)(单位:百万日元)

资料来源:笔者根据丰田公司财务报告整理制作。

1997 年丰田推出世界第一款量产化混合动力汽车普锐斯(PRIUS)。其实,早在 1968 年它就尝试挑战新技术,1973 年石油危机促使它正式确立了混合动力研发项目。1994 年丰田确立"21 世纪汽车"项目,提出"燃耗性能要提高 100%"的目标。经过 30 年的艰苦努力,丰田终于获得成功,第一代普锐斯创造了百公里燃耗 3.57 升的历史记录。今天,其成熟的混合动力技术令竞争对手望尘莫及,截至 2017 年 1 月,丰田混动车型全球累计销量已突破 1 000 万台。

不仅如此,作为企业环境战略,丰田并没有把宝全押在混合动力上。在开发混合动力的同时,1992 年还确立了燃料电池汽车开发项目,2002 年开始在日美两国试销燃料电池 SUV 车。2014 年,丰田又推出了世界第一款量产化氢燃料电池车"未来"。相对于电动汽车而言,它具有零污染(氢氧反应后的排放只是水)、充电快(3 分钟)、行驶距离长(650 公里)等优势。当然,燃料电池车距离普及还有很多课题,如居高不下的价格以及燃料补给站等基础设施建设等。为了加速解决这些阻碍,丰田大胆选择了技术开放战略,2015 年 1 月,丰田宣布对外公开 5 680 项燃料电池领域的技术专利,外界可以无偿使用这些技术成果。

跨界威胁与四面楚歌

2008 年金融危机之后，丰田销售业绩稳步回升，2013 年营业利润便重新登上 2 万亿日元台阶。然而，就在外界公认其顺风顺水之际，丰田章男却突然抛出危机论。2017 年 4 月，在丰田新员工入职大会上，这位丰田传人却严肃指出：“在这个激荡的时代，我们甚至不能预知明天会发生什么。所以，作为一家企业既要拥有毫不动摇的经营基轴，同时还必须随时做好改变现状的思想准备。”这一年对丰田极具特殊的历史意义，它既是缔造者丰田佐吉诞生 150 周年，也恰好是丰田汽车创立 80 周年。

一年之后，在拉斯维加斯 CES 展台上，丰田章男又出人意料地宣布，丰田竞争对手不再是大众、通用以及本田等传统车商，谷歌（Google）、苹果（Apple）以及脸谱（Facebook）等科技巨头才是真正的威胁。此次丰田的危机感源自于汽车业界之外，换言之，正是这些独角兽企业的跨界进攻才让丰田感受到了真正威胁。

其实，在此次跨界威胁来临之前，丰田刚刚实现对大众模块化平台战略的赶超，这就是其所谓 TNGA 架构（Toyota New Global Architecture），它重新让丰田掌握了低成本的撒手锏，甚至助力丰田夺回了竞争优势。但是，丰田向模块化转型却比大众汽车晚了二十多年，此举让大众在世界汽车行业独领风骚。

然而，就在丰田准备重新扬帆起航之际，整个汽车产业却发生了一场“地壳运动”：内部革命如火如荼，既有由特斯拉、宁德时代（CATL）等新秀所掀起的电动车革命新潮流，由大型零部件供应商所主导的“下克上”运动也暗潮涌动；外部势力也是大兵压境，既有谷歌、百度等科技巨头引领的自动驾驶革命，也有优步、亚马逊等主推的共享经济新模式，还有英特尔、英伟达（NVDA）驱动的半导体新部件……除此之外，全球化趋势的国际市场环境也发生了巨变，以特朗普的“美国第一”为代表的贸易保护主义的抬头也将对世界汽车产生冲击。

正像丰田章男所言，汽车产业已经迎来了百年变革的洪流，其中，最令丰田担心的恐怕就是跨界威胁。同样是在拉斯维加斯,英特尔副总裁、自动化解决方案部门总经理 Kathy Winter 首次系统披露了该公司在无人驾驶领域的战略定位、产品计划、竞争优势等,她表示“在自动驾驶半导体领域,英特尔在计算能力和消费电力等两个领域已经取得压倒性优势”。事实上,2016 年 6 月英特尔已经宣布与宝马集团和 Mobileye(以色列)携手,将在 2021 年推出无人驾驶汽车。其实,在半导体领域还有两大巨头早就对汽车市场虎视眈眈,一是在人工智能领域拔得头筹的英伟达(NVIDIA),其产品早已为特斯拉和德国车商供货(如奥迪 A8 的自动驾驶款);再就是智能手机半导体领域的佼佼者高通(Qualcomm),2016 年 10 月它斥资 470 亿美元,收购了车载微电脑市场占有率排名世界第一的荷兰 NXP 公司,其目标是占据未来汽车产品的“大脑”中枢。

谷歌公司自动驾驶技术已经遥遥领先。2012 年 4 月谷歌就展示了其先进的自动驾驶技术,5 月获得了内华达州的第一张无人驾驶牌照。这一时期谷歌主要是和丰田合作,其 7 辆试验车中,6 辆是丰田的普锐斯。2014 年谷歌推出了第一辆自己研发生产的无人驾驶汽车,2018 年初谷歌 Alphabet 宣布其自动驾驶总测试里程已突破 500 万英里大关。除谷歌之外,苹果公司据说也早已启动汽车项目,最近曝光的商业窃密案也表明,该公司早就组织超过千人规模的无人驾驶汽车项目(Project Titan),而且,库克在去年接受采访也曾透露相关讯息,截至今年 5 月苹果已有 62 辆自动驾驶汽车上路。此外,中国互联网公司百度、科技企业腾讯等也已进军自动驾驶领域。

当然,日本电子企业也早已跃跃欲试,如松下已在车载锂电池方面居于领先地位,索尼、先锋、TDK、村田制作所等也纷纷进军车载传感器市场。另外,长期在汽车零部件领域拼打的瑞萨电子、电装等企业也积极开拓人工智能等新的领域。

“软硬双修”的服务化之路

在丰田敏感地捕捉到时代气息之后,它便开始积极谋篇布局,积极备战汽车产业的百年巨变。面临第三次转型的丰田,确立了一项基本方针“软硬兼施,大举走向服务化”。“硬”的方面就是指丰田在生产制造领域所构筑起来的强大优势和丰富经验:这既包括曾被誉为带来人类生产方式革命的精益生产方式(TPS),也包括独具特色的成本控制体制及其质量管理体系(TQC),以及丰田特色的创意提案与员工培训模式等,此外,丰田还在产品研发及专利技术等领域拥有大量储备。“软”的方面主要是将人工智能、物联网技术以及 IT 等新科技与汽车产业进行新的融合,这就是丰田转型目标所在的“MaaS”(移动服务)。

具体而言,在巩固传统优势方面,丰田一方面加大推进产业力量整合,如相继与斯巴鲁(2005 年开始)、马自达(2015 年)、铃木(2017 年)等日本厂商签署资本协议或业务合作关系,构建起以丰田汽车为核心的强大汽车联盟集团,彻底改变了日本汽车原有八大厂商的基本格局;另一方面,丰田最近还开始着手进行集团内业务重组和结构改革,放弃了传统的“全部自主”的经营方针。在丰田经营历史上,为了防止出现零部件供应商的“下克上”事件,它一直坚持由“丰田主导所有技术”的基本原则以及构建了“复数供应商”体制。也就是说,汽车相关任何一个部件,丰田都能随时做到“自制”,为此,丰田甚至曾经涉足通用性最高的轮胎研发;而且,丰田汽车所有部件的供应商都是两家以上,万一出现仅有一家供应商时,丰田便会亲自投资生产制造该部件。

从 2015 年开始,丰田便开始进行业务大改革,在集团内进行大规模业务重组。例如,电装公司成为丰田集团内的发动机和驱动部件的大本营;爱信精机则主攻变速箱业务,其自动变速箱已经是世界首位;柴油发动机集中到丰田自动织机。今年初,丰田步入第二轮业务大重组,它计划将电子部件移交电装、锂离子电池业务交给静冈的子公司 PEVE。

上述举措的目标就是让丰田腾出精力,集中资源向服务化之路转型。丰田把首选目标聚焦电动车,它计划在该领域迅速赶超已经遥遥领先的特斯拉等汽车新秀。2016 年底,丰田章男设立了自己直辖的 EV 事业企划室,但他很快觉得仅凭丰田一己之力难以迅速成功。2017 年 9

月,丰田与马自达、电装共同成立以开发 EV 基础技术为目的的新公司(EV C. A. Spirit)之后,它又拉入了斯巴鲁、铃木、大发和日野等四家公司,形成了日本企业大联合阵势。在新公司运营中,丰田极力避免"居高临下的姿态",目的是为了学习各家公司之长,尽管它对公司出资占比高达 90%。对于丰田而言,这种与零部件厂商及昔日竞争对手在研发阶段进行合作的案例还非常罕见。

一年之后,丰田在电池开发上再进一步,它宣布与松下进行合作。"同是日本生长壮大的两家公司将能引领电动化时代",丰田章男在发布会上信誓旦旦。此前,松下也曾为丰田混合动力车型提供电池,两家公司关系较为紧密。不过,丰田更看重的应该是松下是特斯拉的电池供应商。丰田还同时制定了宏大计划——到 2030 年丰田旗下电动车将占到整个汽车销量的一半以上,即年销 550 万台以上,其中,作为 ZEV(零排放车型)的 EV 和 FCV 车型合计达到 100 万台以上。为此,丰田计划将在车载电池开发及生产上投入 1.5 万亿日元。

不仅如此,丰田还参加了日本新能源产业技术综合开发机构(NEDO)组织的全固态电池项目,该项目计划在 2022 年度前实现目标。如今,包括松下、日产、本田在内,已经有 23 家日本企业加盟,其目的就是要举全日本之力推进研发,实现日本在全球电池产业领域的复权。

进军自动驾驶以及人工智能、移动服务,这才是丰田转型的中长期目标,更是丰田章男"竞争对手已不再是汽车厂商"的本意,谷歌、苹果、脸谱等科技巨头已经成为丰田今后要赶超的新目标。2016 年 1 月,丰田宣布在美国硅谷成立新公司 TRI(Toyota Research Institute),在 5 年内注资 10 亿美元致力于人工智能技术研发。之后,丰田还与微软合作,在美国成立了一家名为"Toyota Connected"的独立公司,目标是希望能够成为管理大型车辆和各种相关服务的出行服务平台。紧接着,丰田汽车又宣布投资美国最大打车公司优步(Uber),双方在汽车租赁方面合作,公司推出新的汽车租赁方式,消费者可以贷款购买丰田汽车,并通过在 Uber 服务的收入还贷。

新兴市场也成为丰田试水“服务化”的试验田。2018 年 6 月，丰田宣布向东南亚最大网约车企业 Grab 投资 10 亿美元，它计划利用该网约车企所拥有的大数据，进一步开发金融等服务领域，积极探索从“拥有”转向“共享”的时代新趋势，从而将服务作为公司新的盈利领域。除数据之外，丰田还计划充分利用 Grab 在提供服务过程中形成的二次数据，进而开发有效利用数据的金融服务。在拥有 6 亿多人口的东南亚，很多人没有银行账户，无法利用金融服务。Grab 利用乘客和驾驶员等客户基础，可以将业务领域扩大至自主移动结算服务“GrabPay”等金融领域。

据普华永道咨询公司（Pw Cconsulting）的推算，出行即服务的市场规模到 2030 年仅在美欧和中国就有望达到 1.5 万亿美元。丰田的目标是转变为提供将汽车和各项服务结合起来的“出行即服务（Mobility as a service，MaaS）”的企业。关键就是数据，如果拥有利用者的行动范围和频度等数据，不仅是网约车，还能用于电子商务（EC）和食品配送等新服务。此外，还将推进自动驾驶技术与服务的融合。

丰田已经迈出新的一步，能否继续成为时代的弄潮儿，这值得我们拭目以待。

（本章内容分别刊载在《现代日本经济》2010 年第 3 期《回归“现场主义”：丰田战略转型》；《董事会》2018 年第 7 期《危机意识、跨界与服务化丰田第三次转型》）

第十章　能源危机与日本危机治理模式

2011 年爆发的东日本大地震，彻底摧毁了日本所谓“核安全神话”，瓦解了其长期构筑的能源安全体系，致使日本难以兑现《京都议定书》中所做的国际承诺。大地震之后，伴随本国政权更替以及全球范围的核电去留问题争论，日本政府最终不得不转变能源发展战略，重构新的能源体系。

事实上，日本危机治理模式正是建立在这种危机应对的实践基础之上。日本危机治理模式具有循序渐进、不断完善的演进特征，与日本政治、经济和文化等因素密切相关，形成了制度化、标准化和信息化特征。

一、日本能源消费结构及其演变

一国的能源消费规模、消费结构及其发展趋势，是该国政府制定构建怎样的能源供给模式，特别是通过政府政策来干预市场供需的重要依据。二战之后，特别是经济复兴期结束，日本经济开始步入高增长阶段的 1955 年之后，如何实现稳定的能源供给体制，成为日本政府难以回避的重要课题。

日本能源消费的三个阶段

概括而言，日本能源消费大致经历了三个典型阶段。第一阶段是1955—1970年前后的经济高速增长时期，其特征是能源消费各部门全面增长，而且，能源消费增速甚至超过国民生产总值的增速。不过，得益于当时国际社会稳定，市场提供了廉价且稳定的石油供应，能源没有成为经济增长的重要课题。第二阶段是1970—1990年为止，日本经济增长经历了稳定增长和泡沫经济增长等两大阶段，受两次石油危机冲击，日本产业部门普遍实施"省能源化"改革措施，日本产业结构从"重厚长大"型成功转型为"短小轻薄"型特征。因此，经济增长的同时，产业部门能源消费下降导致整个日本能源消费增速得到控制。第三阶段是泡沫经济崩溃之后，由于各种家用电器及电子通信设备的快速普及，家庭部门以及业务部门（写字楼、宾馆以及商厦等服务业部门）的能源消费出现快速增长势头，这拉动了整个日本能源消费的增长。

从产业部门、民生部门（包括家庭部门和业务部门）及运输部门等三大能源消费部门来看，其特征是：1973—2011年，产业部门的能源消费发展平缓，甚至在20世纪80年代以及2000年之后出现了下降趋势，2011年产业部门消费量是1973年的0.9倍；与此相反，运输部门和民生部门均出现了能源消费倍增，前者为1.9倍，后者更是达到2.4倍增长，在民生部门中的家庭部门增长为2.1倍、业务部门为2.8倍。①

日本能源消费结构的演变

受上述各个部门消费规模变化影响，日本能源消费结构也发生了深刻变化：一是产业部门从1973年在全部能源消费中占比的高达65.5%下滑至42.8%；二是民生部门（家庭和业务部门组成）的能源消费中占比则从18.1%攀升至33.8%；三是运输部门也出现增长，从占比16.4%增

---

① 経済産業省．エネルギー白書2013[R]．2013.6.14，p100.

长至23.3%(如图10-1)。①

也就是说,从1973年至今,日本能源消费结构发生了巨大变化,制造业已经不再是唯一的能源消费大户,今后伴随着日本企业不断实施海外转移的步伐还将出现减少趋势;相反,个人家庭消费以及服务业在经济中的比重越加增大,其能源消费占比也在不断提升;再就是汽车等交通工具的能源消费,这既包括了个人在家庭轿车、公共交通工具的能源消耗,也包括了能源消费增长势头更快的运输服务业。

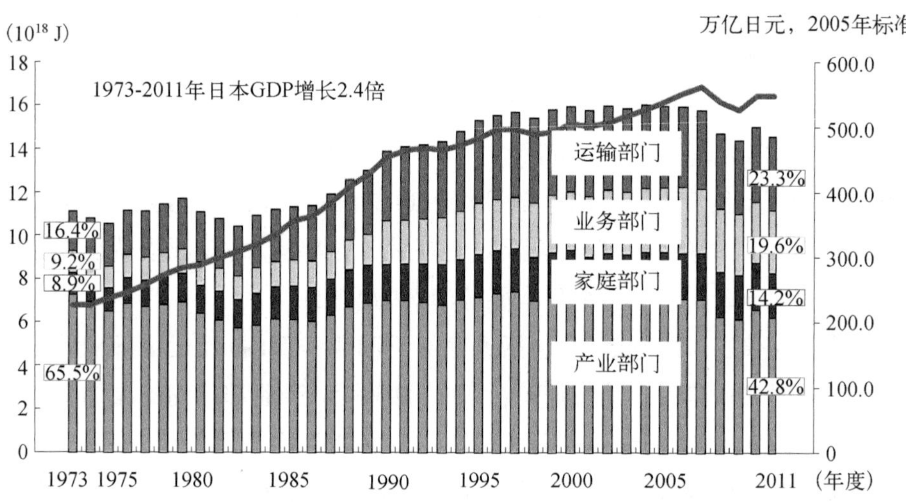

图10-1 日本最终能源消费与实际GDP增长(1973—2011年)

资料来源:経済産業省.エネルギー白書2013[R].p100.

注:左侧纵坐标单位为能源消耗量10^{18}J;右侧纵坐标为GDP单位万亿日元;横坐标为年度。

日本能源消费的三大特征

总之,日本能源消费结构形成了如下三大特征:

第一,制造业为主的产业部门实现了能源消费结构多元化目标,其总占比也大幅降低。

产业部门主要包括制造业、农林水产业、矿业和建设业,服务业被划

① 経済産業省.エネルギー白書2013[R].2013.6.14,p100.

分到民生部门的业务部门。以 2011 年为例，产业部门能源消费总占比为 42.8%，其中，制造业占其 9 成左右。

事实上，第一次石油危机之前的 1965—1973 年，日本制造业能源消费曾出现快速增长趋势，其增速甚至超过 GDP 增长幅度，达到年均 11.8%。[①]但是，受第一次石油危机冲击，之后日本制造业能源消费出现大幅减少趋势，1973—1986 年期间出现年均减少 1.8%的现象。之后，在泡沫经济影响下，产业部门能源消费水平曾一度反弹回升。但 2008 年金融危机之后则再度呈现下行趋势，特别是 2011 年东日本大地震之后，电力供应紧张使得多数企业采取各种“省能源措施”，整体消费水平再度下降。2011 年，日本制造业生产单位能耗比（工矿业生产指数 IIP 单位能耗消费）比 1973 年缩减了 44.6%（图 10 - 2）。

几乎与单位能源消费水平下降同步，制造业为主的产业部门也实现了能源消费结构的多元化目标。1973 年制造业能源消费结构中，石油占比超过一半，为 58.5%、煤制品 22.7%、电力为 14.9%，三者总计 96%。到了 2011 年，石油消费占比已经降至 39%、煤制品微降至 21.5%、电力略升为 17.2%，新变化主要是依靠技术进步得来的：凭借煤炭燃烧率大幅提高的技术，煤炭占比从 0.8%大增至 6.7%；利用新能源技术，新能源占比从 1.5%骤增至 10.8%，除此之外，作为清洁能源的天然气也有所增长，从 1.5%上升至 4.8%。很显然，技术进步推进了产业部门能源消费的多元化特征。

第二，消费理念与消费模式转型极大提升了民生部门的能源消费占比。

2011 年包括个人家庭和服务业为主的业务部门在内，整个民生部门的能源消费占比相比 1973 年几乎实现了倍增，从占比 18%提升至 34%。而在整个民生部门的能源消费中，家庭部门占比为 42%，业务部门则达到 58%。

---

① 経済産業省.エネルギー白書 2013[R].2013.6.14，p105.

日本的家庭部门能源消费主要体现在制冷、供暖、热水供应、厨房用动力及照明等方面。伴随着收入水平提高,人们更趋向于生活的便利性与舒适性,加之,家庭核心化等社会结构变化因素,个人能源消费量出现了快速增长。若以 1973 年度家庭部门能源消耗为 100 的话,2011 年度该指数则变成 208.9,实现了 2 倍以上增长。而且,伴随家用电器产品的大型化和多功能化,该部门能源消耗构成也发生变化。1965 年家庭能源消费最大领域是热水供应,占比 33.8%,但到 2011 年该数字已降至 28.3%;相反,动力及照明则从原来 19%上升至第一位,达 34.7%。另外,家庭部门的能源消费结构也发生了变化,1965 年其能源消费三分之一以上为煤炭,之后主要转以煤油为主;1973 年煤炭已降至 6%,煤油、电力和煤气则各占三分之一左右。此后,家电产品普及带来电力消费骤升,2011 年占比超 5 成(50.6%)。①

业务部门能源消费主要体现在 9 大领域:写字楼、大型商场、批发零售、饮食店、学校、宾馆、医院、剧场娱乐城及其他服务业(养老福利院等)。营业面积增加、各种电器设备普及是能源消费水平提升的两大主因。从各领域消费占比来看,以前是宾馆消费占比最高,如今则转向办公楼、批发零售为主。该部门能源消费用途包括:供暖、制冷、热水、厨房及动力照明等五大类,其中,动力照明的消费量显著增加,2011 年消费占比已近一半(49%)。相反,70 年代占比高达 43%的供暖能耗则降至 17%,这得益于建筑材料及建筑隔热的技术进步。

在能源消费结构方面,电力消费已经成为主要能源消费源,占比从 1965 年 16%升至 2011 年 44%。第二位是燃气,从 1965 年 15%增为 2011 年 33%。石油消费则显著下降,由 1965 年占比超过一半(54%)降至 22%。②

第三,运输部门能源消费增长迅速,特别是人的移动相关领域。

---

① 経済産業省. エネルギー白書 2013[R]. 2013. 6. 14,p108.

② 経済産業省. エネルギー白書 2013[R]. 2013. 6. 14,pp109—111.

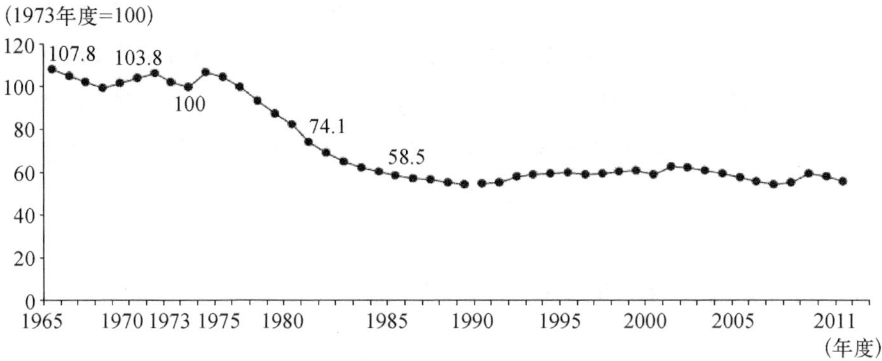

图 10－2　日本制造业单位能源消费比的变化(IIP 为基准)

资料来源：日本経済産業省. エネルギー白書 2013[R]. 2013. 6，p106.

注：以制造业 IIP 为基准，1973 年为 100.

运输部门能源消费总占比从 1973 年 16.4%升至 2011 年 23.3%，提高了 1.9 倍。而且，受乘用车普及以及人们消费观念改变影响，运输部门两大领域——旅客与货物的能源消费占比出现逆转：1965 年旅客占 4 成、货物占 6 成；2011 年则变成旅客占 6 成(62%)、货物占 4 成(38%)。另外，从消费源构成来看，汽油占比超半(58.2%)，其次是柴油占 28.8%，电力仅占 2%。

轿车进入家庭是该部门能源消费大幅提高的决定性因素。1965—1973 年，旅客能源消费年均增幅高达 13.4%，这恰恰是日本普及家庭轿车的时代。1968 年日本汽车保有量超过 1 000 万台，1972 年超过 2 000 万台。① 1965 年铁道、公共汽车、航空等公共交通能源消费分别为 18.4%、11.4%和 6%，而轿车能源消费占比则达 63%，1973 年更是高达 80%。2011 年汽车保有量 8 000 万台，其中轿车 6 000 万台，轿车能源消耗占比超过 85%。受此特征影响，汽油消费成为最大消费源类别，从 1965 年占比 53%升至 2011 年 80%。②

货运部门同样以汽车能源消费占比最高为特征，区别是能源消费种

① 経済産業省. エネルギー白書 2013[R]. 2013. 6. 14，p9.

② 経済産業省. エネルギー白書 2013[R]. 2013. 6. 14，pp112—113.

类以柴油为主。货运能源消费主要以海运和卡车为主，其中，海运占比呈现下降趋势，从 1970 年占比 23%降至 1990 年的 8.5%；卡车（包括营业性和自家用卡车）则呈现显著增长趋势，从 1965 年占比 63%增至 2011 年的占比 90%。另外，从能源消费总量来看，货物部门在 1995 年达到峰值后开始下降，2000 年之后的降幅更加明显。

二、日本能源供给体系的形成及特征

日本是个能源资源极度匮乏的国家，其一次能源自给率仅为 4.4%，[①]在世界主要国家中，仅仅高于韩国（2%），而远远低于美（68%）、英（65%）、中（91%）、印（74%）等国（如图 10－3）。由于严重依赖能源进口，因此，日本能源供给非常容易受到全球局势影响。为了尽量降低这种风险，调整一次能源供给构成就成为其确保能源稳定供给的重要手段之一。受两次石油危机冲击的影响，日本努力降低了一次能源供给中石油的占比，从 1973 年占比 75.5%一路下降至 2011 年的 43.1%。与此相反，其他一次能源占比则得到加强，如煤炭、天然气构成比逐步超过 20%，分别为 22%和 23.3%。

三大流程与四个环节

从整个系统的角度出发，确保供给链条的安全性是日本构筑能源供给安全的关键。日本能源供给体系包括三大流程：能源采购环节（即进口原油、煤炭、天然气等各种一次能源的环节）→能源生产环节（即通过发电或精炼进口能源来提供二次能源的环节）→能源流通环节（即通过电力供应网络或加油站等销售或供给渠道，将最终消费能源提供给终端

① 自给率：一国生产及生活所需一次能源的国内供应比率。20 世纪 70 年代，核电开始成为一次能源重要组成，1985 年的能源供应占比首次超过 9%，1995 年之后占比一度超过 12%。由于核电原料铀具有密度高、容易存储特点，因此被称作日本的“准国产能源”。若将核电作为自给能源的话，2010 年日本能源自给率为 19.5%。不过，2011 年“3·11”大地震摧毁了日本的核电安全神话。

消费者们的环节)。

此外,终端消费者的"消费"环节其实也应纳入整个能源链条,即能源链包括"采购""生产""流通"以及"消费"等四大环节。"能源链"的概念就是指为保证维持现代社会功能所不可或缺的能源供应,来满足企业及家庭等最终消费的需求,从而建立起一条完整的、甚至是跨越国界的"生产(采购)、流通、消费"的能源链。同时,为确保这条漫长链条的顺畅,就需要不断地创新和改善,技术开发就成为非常重要的解决方式。

体系特征:稳定、环保、经济性与安全性

长期以来,能源供应体系安全一直是日本政府高度关注的领域,"能源是日本经济与产业的生命线,确保其稳定供给就是国家之重要课题"。①自20世纪70年代以来,地球温暖化为代表的环境问题趋于愈加严峻,这对能源体系提出了新的挑战。为适应这种新的形势,2002年6月日本政府颁布《能源政策基本法》。作为能源政策的法律基石,它提出三条基本理念:确保稳定供给(Energy security)、保证利于环境(Environment)、保证具有经济效率(Economic efficiency),形成了日本能源政策制定领域的所谓"3E+S"模式——即上述三点与能源供给体系的"安全性"(Safety)。

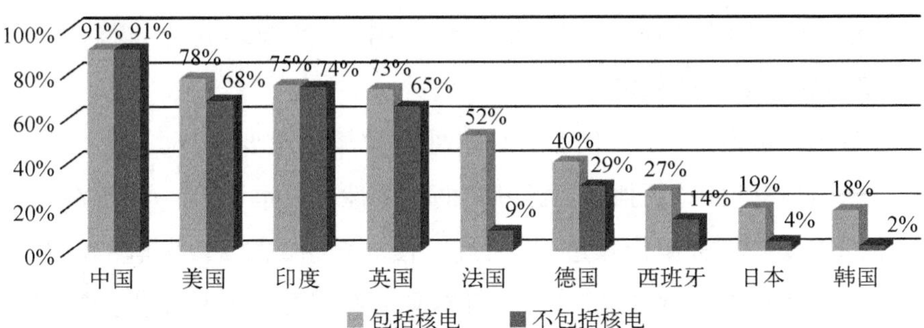

图10-3　世界主要国家的能源自给率(2010年)

资料来源:IEA "Energy Balance of OECD Countries 2012"; IEA "Energy Balance of Non-OECD Countries 2012"。

---

① 二階俊博.「2006年版エネルギー白書の発行に当たって」,経済産業産業大臣、2006年8月。

这种能源政策模式也经历了不断演进的过程。其实,步入经济高速增长之初的1960年,日本能源自给率曾一度高达58%,因为当时主要依靠国内的煤炭及水力等自然资源供给。但很快,国际廉价石油就成为日本能源构成的主力。到1970年,日本能源自给率就已经迅速降至14.9%的低位。[①] 1973年第一次石油危机重创了日本经济,"维护石油供给"成为当时能源政策的核心战略,这一直持续到20世纪80年代。进入90年代,日本政府提出要关注能源供给"经济效率"问题,提出一系列改革国内各种规制的措施。然而,伴随环境成为举世瞩目的焦点问题,特别是签署《京都议定书》之后,日本政府把"利于环境"也作为制定能源政策的重要指针。2000年之后,石油价格上涨导致国际能源形势紧张。"确保资源稳定"再次成为日本能源政策重点,继2002年推出《能源政策基本法》之后,2010年日本政府又确立了《能源基本计划》,但这一以"发展核电为主"的计划却很快因遭遇"3·11"大地震而搁浅。

能源体系的政策保障

为确保整个能源链条的稳定、环保、高效和安全,日本政府主要针对相关重点环节而采取了行之有效、颇具特色的举措。

第一,在"采购"环节,通过协调综合国力、实施多元化与替代等措施,确保能源供给的稳定。

首先,"能源外交"一直作为日本外交政策的重要一环。"3·11"大地震后,日本外务省更强调能源外交的重要性:"日本90%一次能源以及过半的主要矿物资源依赖进口,而且,(福岛核事故之后)发电部门对化石燃料的依存度再度增强。因此,日本必须在能源资源稳定供给方面加强外交努力。"[②]为此,日本政府还提出了四点具体措施:一是加强驻外

① 経済産業省.エネルギー白書2013[R].2013.6.14,p104.

② 外務省.エネルギー安全保障—安定的かつクリーンなエネルギー供給を目指して[R].2013.10.4.

使领馆对资源相关信息的收集与分析，成立“在外使领馆能源・矿物资源战略会议”，创设“能源・矿物资源专门官员制度”；二是强化与资源国之间的全面互惠合作关系，其形式包括任命驻外大使展开全方位外交、加强首脑及外务大臣级别外交会晤、利用政府援助资金（ODA）、签署两国间投资协定或EPA/FTA等，与能源资源国家建立稳定关系；三是利用相关国际框架与规则，来保证能源市场的稳定性、应对紧急事态，如加强与IEA、IEF等机构合作、积极参与ECT、EITI条约等；[①]四是确保能源国际运输安全，主动打击海盗行动、强化与各国合作、强化日美合作等。

除了重视能源外交之外，日本政府还积极推行“进口多元化战略”和“石油替代政策”，极力避免对中东及石油能源的严重依赖。两次石油危机之后，日本加大从中国、印度尼西亚以及俄罗斯等其他国家进口原油。到1987年，日本从中东地区进口原油占比已经从1967年高达91.2%比例降至67.9%。但是，这种努力似乎并不见效，到2011年日本对中东原油进口占比再度升至85.1%。[②] 除此之外，日本政府还通过提供风险资金等方式，扶植日本能源勘探企业到世界各地开发、培育关联企业。如2004年成立了独立行政法人“石油天然气金属矿物资源机构”（JOGMEC）。国际协力银行（JBIC）、日本贸易保险（NEXI）等政府系的金融机构或投资机构也积极对海外资源开发提供各种支持。

“石油替代政策”主要是拓展气体能源，包括液化天然气LNG和液化石油气LP以及煤炭能源等。1969年开始日本便从美国阿拉斯加、东南亚以及中东地区进口液化天然气（LNG），到2011年，天然气已占日本一次能源供给的23.3%，进口量达8 318万吨，其中，70%用于发电，30%为城市燃气用。[③] 70年代它又开始进口液化石油气（LP），此前主要是由日本国内石油精炼企业提供。到2011年，其进口量已达1 270万

① IEA：国际能源署；IEF：国际能源论坛；ECT：能源宪章条约；EITI：采掘业透明度行动计划。

② 経済産業省.エネルギー白書2013[R].2013.6.14，p114.

③ 経済産業省.エネルギー白書2013[R].2013.6.14，p118.

吨,主要用于家庭和工业燃气。煤炭也成为替代石油的重要能源之一,1970 年日本进口煤炭首次超过国产煤炭产量,1988 年突破 1 亿吨,2011 年达到 17 537 万吨,其一次能源消耗占比升至 22%。

核电也是"替代石油政策"的非石化能源。自 1954 年开始,日本发电企业开始兴建核电站,截至 2011 年 2 月,日本运行商业核电机组达到 54 座,成为仅次于美国和法国的世界第三大核电国家。2010 年其核电发电量的一次能源消占比达 11.3%。① 民主党领导的日本政府曾计划大力推进核电以兑现《京都议定书》的国际承诺,实现减排任务。它计划到 2030 年兴建 14 座核电站,核电设备利用率从 2008 年 60%提升至 90%,核电电力供应比率 2020 年提升至 50%,2030 年提至 70%。②

第二,在"生产"环节,重视效率、建立应急储备、完善制度、依靠技术进步。

发挥市场规律的作用,追求"具有经济效率"(Economic Efficiency)——这一直是日本政府建设能源供给体系的方向和目标。1951 年日本放开民间企业进口石油禁令,但由于当时外汇资源紧张,而实施了"外汇配给制度"。1962 年根据《贸易汇率自由化计划大纲》(1960)规定,对石油进口采取自由化措施,颁布《石油业法》,通过放开石油精炼业许可制,来实现石油供给的稳定和低价目标。为应对石油危机,1973 年日本政府颁布《国民生活安定紧急措施法》和《石油供需适当化法》(即"紧急石油二法"),加强政府调控的同时,重点以调整供需关系来缓解价格压力。1975 年又推出《石油储备法》,明确了政府与市场之间的分工,前者制定科学的储备目标,石油业者承担必要的储备义务。1981 年日本实现"90 天石油储备计划",1998 年又实现"140 天石油储备计划"。③

---

① 経済産業省. エネルギー白書 2013[R]. 2013. 6. 14,p103.

② 日本政府. エネルギー基本計画[R]. 2010 年 6 月,p27.

③ 起初《石油储备法》主要要求民间企业义务储油,1978 年开始开始实施国家储备,即由国有石油公团进行国家储备建设,如 1998 年实现的"140 天石油储备"中,民间企业义务是 70 天,其余由国家法人机构承担。経済産業省. エネルギー白書 2013[R]. 2013. 6. 14,p191. 此外,1987 年日本政府还对 LP 实施 50 天储备义务。

产品质量管理也成为日本政府干预市场的重要着力点。1976 年日本颁布《挥发油销售业法》，对汽油供应及质量保证进行了明确规定。1985 年又颁布《特定石油制品进口临时措施法》，在促进汽油、柴油、煤油等进口的同时，规范了进入石油精炼业的企业标准和产品质量。

逐步开放市场，降低进入门槛是日本政府导入充分竞争的有力举措。80 年代中后期以来，规制缓和也成为能源政策改革的重要举措。为了提升日本石油产业的国际竞争力，日本政府改革目标就是通过扩大流通环节自由度，释放市场活力。1987—1993 年进行了第一次规模较大的规制改革，政府先后放开二次和一次精炼设备许可；废除对汽油、煤油生产及原油处理的一系列政府指导；废除重油进口关税配额制度（TQ）。1996—2002 年又实施了第二次大规模规制改革，重点改革进口规制措施：1995 年颁布《石油关联整备法》，扩大石油产品进口自由化；1997 年修改石油产品出口认可制，放开出口管理；2002 年彻底废除《石油业法》，实现了石油产业自由化目标。

政府采取的环境保护措施也重点集中于生产环节。60 年代日本曾出现严重环境污染问题，这迫使日本政府把环保纳入能源“生产”环节，成为政府调控的重要目标。1968 年出台了《大气污染防止法》，重点针对硫氧化物（SO_X）、氮氧化物（NO_X）等排放物质实施严格限制，此举导致各种排烟脱硫设备迅速进入市场并迅速发展。1975 年日本政府又颁布汽油无铅化措施，对汽车尾气排放进行更严厉的控制。2005 年强化了各种柴油车辆的尾气限制，实现了对尾气排放管控的全覆盖。

第三，在“流通”环节，以电力改革为重点，推进化石产品自由竞争。

作为提供给终端消费者的二次能源产品，主要就是两大类别——电力和化石燃料产品，就当前日本消费特征而言，二者的市场占比为 46% 和 54%。[①] 日本政府长期关注电力事业改革，特别是 1995 年以来已先

① みずほ銀行. エネルギー関連産業の競争力強化に向けた取り組み[R]. みずほ産業調査/42,2013 年 No. 2,p42.

后实施了四次大规模改革，其目标就是促进市场竞争、提高电力供应效率。在化石燃料产品领域，日本政府的改革重点是不断推进零售自由化的范围。除了针对二次能源产品自身供应体系的改革之外，日本政府还把能源转换损失作为政策改革的重点，因为从一次能源供给向二次能源供应转换过程中，一般会产生超过3成以上的能源损失，特别是发电过程的能源转换损失高达29%左右。① 为此，日本政府鼓励相关企业积极实施技术创新，依靠技术进步来改善能源转换效率，提升能源供给效率。

1995年日本政府启动第一次电力事业制度改革，目标是将“市场机制导入发电领域”，主要措施就是降低进入电力事业门槛，允许非电力企业向电力公司批发销售电力，鼓励了自发电以及送配电设备相关企业加入区域供电系统。1999年开始第二次电力事业改革，日本政府把改革矛头指向电力零售，废除电力合同的相关规定。2000年相当于日本电力供应量的26%实现了自由化，2004年达到40%、2005年进一步升至63%。② 作为电力改革的重要成果包括：一是已有78家企业进入供电市场（截止2013年初），提供电力总量194万kW·h（截至2011年底）；二是2011年大地震前，日本电价逐渐下降，1994—2009年间电费总共下降约20%。③

除电力改革之外，日本还进行了四次大规模燃气改革。1995年放开了用气大户的自由购买空间，废除了原有燃气事业区域垄断体制，年用气量超过200万立方米大客户可自由选择燃气供应商。1999年又把年用气量超过100万立方米客户也纳入自由购买领域；2004年扩大到50万立方米的中等客户、2008年放宽至年10万立方米小客户。此外，燃气

① 此外，化石燃料从一次能源转换为二次能源也会产生5%左右的能源损耗。参见：みずほ銀行. エネルギー関連産業の競争力強化に向けた取り組み[R]. みずほ産業調査/42，2013年No. 2，p42.

② 経済産業省. エネルギー白書2013[R]. 2013. 6. 14，p223.

③ 経済産業省. エネルギー白書2013[R]. 2013. 6. 14，p224.

价格以及委托供应制度方面也进行了相应改革。

三、能源危机后的战略转型

长期以来，日本通过举国之力建立起一条稳定的能源供应链，其突出目标就是要确保所谓能源供给的安全稳定性。但是，由于该体系对海外市场具有严重的依赖性，各种一次能源进口比例均在9成以上，加之环境问题、特别是地球温暖化问题越加成为全人类所瞩目的焦点问题，而且，能源价格高企也对日本的国民生活以及产业竞争力形成巨大冲击。在此背景下，日本能源链的脆弱性的一面也就愈加凸显出来。

以核能为基石的新能源框架

为了继续确保这条"生命线"不出问题，2002年日本政府出台了《能源政策基本法》，计划以3年左右时间为周期，定期制定能源供需相关的长期性、综合性计划。2003年日本政府制定实施了第一次《能源基本计划》，2007年推出了第二次《能源基本计划》。然而，伴随着东亚经济圈的崛起，新兴市场国家对能源需求更加旺盛，2008年国际原油价格上涨至史无前例的140美元/桶。与此同时，环境问题也越加严峻。2008年北海道洞爷湖环境会议通过了2050年全球温室气体减排50%的目标。2009年的联合国气候变动首脑会议上，日本政府承诺将在2020年实现比1990年减排25%的目标。

2009年日本民主党政权提出把"能源"与"环境"两大问题联系起来，制定所谓"解决问题型"国家战略，宣布要走出一条前所未有的"第三条道路"。12月日本政府推出了《新增长战略》，把日本建设为"环境能源大国"。2010年10月，日本政府公布了新的2010《能源基本计划》。

2010《能源基本计划》制定了以20年为"时间轴"的长期规划，再次明确了"3E"目标——确保稳定供给、利于环境、具有经济效率，在此基础上，打造出具有国际竞争力的日本能源产业技术和体系。为此，它提出了七个基本观点：一是强调综合能源安全保障的观点，包括五个要素——自给率、省能源、多样化、供应链和应急能力；二是提倡地球温暖化对策的观点，即明确提出中长期减排目标，使之与经济增长相结合，建立最先进的省能源、低碳技术；三是以能源为基础的经济增长的观点出发，发挥日本技术优势，培育能源产业；四是一定要确保安全的观点，为此要坚持科学合理性和透明性，并渗透到生产和流通及消费等各个环节；五是坚持确保运用市场机制来实现效率性的观点，即建立效率、透明的市场环境，从而实现能源供给的效率性；六是积极改革能源产业结构的观点，即要通过新技术和新的服务来扩大产业规模，特别是培育国际竞争力，以迎接“能源大竞争时代”；七是坚持国民相互理解的观点，即要积极向国民提供更多信息来赢得国民的理解，“与国民共同创造”新的能源社会。①

2010《能源基本计划》提出了极为大胆的远景目标——2030 年比 1990 年二氧化碳排放削减 30%。而为了实现这个宏伟目标，日本政府制定了 5 个具体指标：一是能源自给率和化石燃料自主开发比率均实现倍增（双倍增计划）②，从而使日本自主能源比率从当前的 38%提升至 2030 年的 70%；③二是电力供应中的零排放电源（核电及可再生能源）占比到 2030 年达到 70%（当前为 34%）；三是家庭部门能源消耗的二氧化碳排放减半；四是产业部门实现世界最高水平的能源利用效率；五是发挥日本国际竞争力，在国际能源相关市场获得最高份额。④

低碳社会的发展蓝图

日本政府还勾勒出实现上述目标的最佳能源组合蓝图，它提出“要

① 日本政府．エネルギー基本計画[R]．2010．6，pp5—8．

② 2010 年包括核电在内的日本能源自给率为 18%（去除核电仅为 2%），其化石燃料自主开发比率（即有日本企业参与全球能源开发权益能源在全部能源中的占比）为 26%。

③ 自主能源比率不同于能源自给率，它是指日本企业所参与的全球能源开发权益的能源供应量占国家全部能源供给量的比例。

④ 日本政府．エネルギー基本計画[R]．2010．6，p9．

最大限度地引进非化石能源”，同时提高化石燃料的利用效率。在非化石燃料中，首先就是核电，日本政府指出“核电是能够同时满足供给稳定、适应环境和经济效率三种需求的基础能源”①，因此，今后要在确保安全的前提下，不断赢得国民信赖，新设核电站并提高设备利用率。接下来，可再生能源也被纳入非化石能源之中，但其成本和稳定性则是最大课题。对于传统的化石燃料，它强调了国际市场将面临更加激烈的竞争环境，日本应在确保稳定供应的同时，提高利用效率，这里列举了石油、天然气、煤炭以及 LP 液化石油气。此外，该计划还提出了氢燃料能源、日本沿海能源资源等课题以及智能电网建设等。

针对能源链的最终消费环节，2010《能源基本计划》提出了构筑“低碳社会”的基本蓝图。对于产业部门而言，日本政府计划要构筑世界最高水平的省能源・低碳素技术，为此通过设备更新而导入最尖端的技术，实施省能源措施，重点推进工业废热发电(cogeneration)及新型热泵系统等。对于家庭部门，要通过引进世界最先进的省能源设备、高效率的家电、照明系统以及充分利用太阳能发电等。对于业务部门，除了引进 IT 设备强化节能管理以及高效率的照明、电器设备之外，实施零能耗建筑(ZEB)普及计划等。对于运输部门，不仅要对汽车自身、还要充实完善充电设备、高速道路交通系统(ITS)以及物流管理效率等，实施运输形态转换(modal shift)等措施。此外，该计划还特别强调了“横断性”措施的重要性，也就是通过智能城市建设、导入智能系统等降低综合能耗。

事实上，发展核电是 2010《能源基本计划》的核心支柱。该计划毫不隐讳地宣称，核电是目前为止唯一能满足所谓“3E 模式”的基础能源，它具备了“稳定供给、利于环境、具有经济效率”的三大特性，因此，要取得国民理解和信赖的同时，“首先由国家迈出第一步”，以发展核电作为日本“中长期毫不动摇”的国家战略。② 到 2020 年为止，日本要再新建 9 座

---

① 日本政府.エネルギー基本計画[R].2010.6,p10.

② 日本政府.エネルギー基本計画[R].2010.6,p27.

核电站，并把核电设备利用率提升至85%。[①] 而且，截至2030年，日本要至少新建14座核电站，其设备利用率达到90%的目标。与此同时，日本核电还要“走出去”，以此贡献于世界能源体系的稳定以及地球温暖化问题的解决。

“第三条道路”梦想的破碎

很显然，2010《能源基本计划》把“赌注”全部押在了核电发展上，也就是期待以这种“零排放”能源支柱，来支撑起日本“能源环境大国”之梦。然而，大自然并没有成全日本民主党提出的这条“第三条道路”，东日本大地震彻底摧毁了这个能源美梦。

2011年3月11日爆发的东日本大地震成为日本能源战略的重要转折点。此次巨震，不仅彻底摧毁了日本的所谓“核安全神话”，而且，它还基本瓦解了长期以来日本所精心构筑的能源安全体系，此外，此次灾害也被视为日本难以兑现其《京都议定书》中所做国际承诺的关键原因。[②] 2011年全年度日本核电站设备利用率降至23.7%，降至此项调查开始实施的1967年度以来的最低水平。2013年9月16日，位于福井县的大饭核电站4号机组停运，至此日本核电站在时隔1年零2个月之后再次全部停运。

能源战略转型成为震后日本政府必须面对的严峻课题，政策摇摆不定成为最近日本能源战略的突出特征。其原因既有政权更迭的因素，也包括社会各界关于核电认识的分歧。福岛核事故以来，日本社会上掀起了一场关于核电去留的大争论，社会各界对于核电的态度出现了严重分化。2012年底，安倍晋三率领自民党重返政坛，在能源战略上他宣布告别民主党政权所确立的“弃核战略”——2012年9月14日，民

① 2008年日本国内54座商业核电站设备利用率为60%。

② 日本の事実上の離脱に産業界は「歓迎」[N/OL]. MSN 産経ニュース，2011.12.10. http://sankei.jp.msn.com/economy/news/111210/biz11121021150005-n1.htm。

主党执政的日本政府公布了《创新型能源环境战略》，宣布放弃其于两年前（2010 年 6 月）通过的《能源基本计划》，宣布放弃所谓"核电立国"的能源战略。① 2014 年 4 月，自民党执政的日本内阁会议通过了新《能源基本计划》，核电被定义为"重要的基荷电源"。不言而喻，重启核电成为安倍内阁能源战略的基本方针。但是，如何重塑新的能源发展蓝图仍是日本面临的紧迫课题，日本能源战略转型仍处于进行时状态。

战略转型与探索新道路

很显然，日本能源战略转型将朝向怎样目标、其政策组合又将如何构成、其未来发展模式将呈现怎样特征，这些都与其当前能源供需现状、既有能源体系、所面对课题等背景因素密切相关。本书从"能源链"的视角出发，从分析日本能源消费结构、既有能源供给体系、发展瓶颈等入手，探讨日本能源战略转型的方向、内容构成及其发展趋势。

而就在日本核电全部停运的一年前，2012 年 9 月 14 日日本政府宣布实施新的能源战略——《革新性能源环境战略》。该战略彻底反省了以核电为支柱的能源发展方针，提出今后的方针是要最大限度地发展绿色能源，在减少核电依存度的同时，控制对化石燃料的依存度。它提出了三大战略支柱：一是"尽早实现不依赖核电的社会"，二是"实现绿色能源革命"，三是"保证能源稳定供给"。②

2012 年 9 月颁布的《革新性能源环境战略》是民主党政权对于其 2010《能源基本计划》的彻底反省，作为三大战略支柱之首，它明确提出将来日本社会要摆脱对核电依赖，即提出了"去核化"方针。由于 12 月众院大选中，安倍领导的自民党击败民主党重返日本政坛，其能源战略

① 《能源基本计划》确立了日本"核电立国战略"，它计划到 2020 年前新增 9 座核电站，核电设备利用率提升至 85%；而且，到 2030 年为止，至少新增 14 座核电站，设备利用率达 90%的目标。到 2020 年日本电力来源占比中，核电为主的零排放电源要达到 50%，2030 年达 70%的目标。参见：経済産業省. エネルギー基本計画[R]2010 年 6 月、p27.

② エネルギー・環境会議. 革新的エネルギー・環境戦略[R]. 2012. 9. 14，p2.

无疑也将再度调整，是否真正废核仍然难以确定，但日本民众的反核浪潮风起云涌，日本已经处于能源战略转型的关键时期。

“从零起点探讨前政权的能源环境战略，包括能源稳定供给、降低能源成本等观点在内，（本届政府）将重新构筑负责任的能源政策。”①这是2013年1月25日召开的第3次日本经济再生本部会议上，安倍晋三首相对经济产业大臣作出的指示。在2月28日的第183次国会一般施政演说中，安倍指出“在确认安全性的前提下将重启核电设备。今后要最大限度地实施省能源和引进可再生能源，尽量降低对核电的依存度。同时，实施彻底的电力系统改革”。②

关于日本能源战略的发展趋势，第2次产业竞争力会议（2013年2月18日）上，日本经济产业大臣茂木对所谓《“多样化供给体制与智能型消费行动的能源先进国”行动计划》进行了说明，他强调了削减能源成本的重要性。该行动计划指出两个重点：一是东日本大地震以及新兴国家发展导致能源需求增大的国际环境下，日本面临着新的能源约束环境，因此，日本要以建设“多样化供给体制和智能型消费行动的能源先进国”为目标，实施能源供给来源的多元化措施、建立价格低廉型能源“生产（采购）”体制、恰当高效的能源“流通”体制、智能型能源“消费”体制；二是建立新的能源政策，从生产、流通以及消费等各个层面同时着手，以克服能源约束、降低能源成本。茂木还再次强调了“能源是繁荣的产业活动以及富裕的国民生活的生命线”。

毋庸置疑，从采购、生产、流通以及消费等“能源链”的全领域同时着手，来解决日本能源供给困境成为日本新的《能源基本计划》的基本方针。而且，事实上日本已经开始实施更大力度的“能源外交”，安倍在2013年9月访问加拿大期间，就明确了日本加大进口页岩气资源的战略方针。

---

① 経済産業省.エネルギー白書2013[R].2013.6.14，p95.
② 経済産業省.エネルギー白書2013[R].2013.6.14，p97.

9月24日，日本安倍首相与加拿大总理哈珀举行会谈，双方就加拿大向日本出口页岩气展开合作达成一致。根据该计划，加拿大将于2018年底放开向日本出口页岩气。加上2017年起将从美国进口的部分，预计到2020年前后页岩气可占到日本天然气需求的30%左右。[①] 很显然，日本试图借此降低液化天然气(LNG)的进口价格，从而起到抑制电费上涨的作用。东日本大地震之后，天然气火力发电已经占到日本发电量的50%以上。此前，加拿大也一直试图通过管道专出口美国，但由于美国成功开发页岩气，从而由消费国一跃变成生产国。正在寻求新市场的加拿大与希望进口来源多样化的日本正好一拍即合。与需要经过巴拿马运河运输的美国产天然液化气相比，从加拿大运到日本只需一半时间(10天左右)。运费也相应便宜，因此价格可能压缩至目前日本从卡塔尔等地进口的一半左右。

概括而言，“3・11”大地震不仅使民主党政权提出的以核电为支柱的未来能源体系蓝图破灭，而且，也暴露了日本能源供给体系的脆弱性一面，特别是长期以来的所谓日本“核电安全神话”也随之烟消云散。核事故导致日本能源供给体制遭受严重损失，而且，也带来了日本国内产业环境的严重恶化，“产业六重苦”一度成为日本企业离开日本的重要催化剂。即便是在自民党政权推出所谓“安倍经济学”一系列改革之后，日本经济虽然呈现出向好势头，但诸多根源性问题仍然成为考验日本经济中长期发展的重要考验，能源安全就是其中之一。

10月21日，日本财务省发布9月份贸易统计(速报)，其中贸易收支呈现9 321亿日元赤字，并未反映出安倍经济学的成效。而且，9月份还创下了日本最大单月赤字规模，而2013年度上半期(4—9月)的贸易赤字为4.989 2万亿日元，同样也是半年期的最大规模赤字。那么持续贸易赤字的原因何在呢？原因之一就是东日本大地震之后的核电停运。受福岛第一核电事故影响，国内核电在震后基本处于停运状态。为了补

① 日经中文网.页岩气将达日本天然气需求的30%[N/OL].2013年9月25日。

充不足的电力,2010 年度占比还仅是 6 成的火力发电,到 2012 年度已经增长到 9 成左右。多数核电站目前仍然处于难以再启动的状态,因此本年度燃料费超过 7.5 万亿日元,比震前倍增。[①] 另外一个重要原因同样与能源问题有着密切关联性,那就是日本产业空洞化问题——过去与汽车一起作为出口支柱的电器产品,如今从中国进口已经超过出口。根据电子信息技术产业协会数据,薄型电视机 2013 年 1—7 月出口额约 100 亿日元,仅是进口额的十分之一。智能手机产品也大半以上是从中国进口。这不仅限于美国苹果、韩国三星产品,连索尼、夏普等国内厂商的智能手机也几乎都是在海外组装生产。而这些企业走出日本的重要背景就是国内产业环境的恶化。

但是,我们也要必须看到,日本是世界上能源利用效率最高的国家,以单位 GDP 的一次能源消耗量来看,其一直位居世界前列。直到 2005 年,中国、印度等新兴市场国家的单位 GDP 一次能源消耗量仍是日本的 5 倍,美国以及欧盟 27 国的能源消耗水平也要普遍高于日本。[②] 先进的省能源及能源转换技术均是日本能源产业的重要竞争力,这些将在未来的日本能源战略转型中发挥怎样作用,非常值得我们密切关注。

四、自然灾害与危机治理机制的形成

正如核能计划破产一样,日本危机治理机制就是在应对自然灾害过程中逐步构建起来的。地处亚欧与太平洋等两大板块交界,日本仅占有全球陆地面积 0.25%。每年在这个狭长的岛链国土上,所发生的里氏 6 级以上地震却为世界的五分之一以上。直到 20 世纪 60 年代之前,日本因台风或地震等大型灾害而死亡的人数年均达数千人左右。然而,伴随日本危机治理机制的建立和逐步完善,其灾害应对能力得到大幅提升。迄今为止,除 1995 年阪神大地震和 2011 年东日本大地震造成大规模伤

---

① 朝日新聞.円安膨らむ輸入ーー貿易赤字、過去最長 15ヶ月[N].2013 年 10 月 22 日 5 面。
② 経済産業省.エネルギー白書 2013[R].2013.6.14,p102.

亡之外，其年均因灾死亡人数已降至百人左右的低水平。

日本危机治理机制的形成

南海地震拉开危机应对机制的序幕。1946 年 12 月，和歌山县南部爆发里氏 8 级的南海地震，此次灾害造成 1 443 名民众遇难、超过 3 万间房屋倒塌的惨剧。以此为契机，日本政府于 1947 年、1949 年相继通过《灾害救助法》和《水防法》，开始着手构建灾害应对体系。1948 年 6 月，在日本海一侧，福井县又发生里氏 7.1 级地震，造成 3 769 人遇难、4 万多间房屋被毁。此次地震还导致平原地带房屋大量受损，损坏率超过 60%。于是，日本政府开始关注建筑抗震问题，1950 年颁布《建筑基准法》，首次对各类建筑提出抗震安全标准，同时，也对各地区整体规划提出设计要求。

伊势台风使日本灾害危机应对机制初具雏形。1959 年 9 月，一场名为 Vera 的超强台风袭击了日本中部伊势湾地区，其最大风力达每秒 75 米，和歌山、奈良、三重和岐阜等四县受灾最重。台风共造成 5 000 多人丧生、15 万间房屋被毁、受灾人数超过 150 万，中部最大城市名古屋市区面积 1/3 被水浸泡。此次灾害之后，日本政府相继颁布三部重要法律：1960 年的《治山治水紧急措施法》、1961 年的《灾害对策基本法》、1962 年的《重大灾害特别财政援助法》。政府规定每年 9 月 1 日为全国防灾日，它成为普及防灾意识、表彰防灾先进人士、举办防灾训练活动的重要节日。更重要的是，1962 年日本政府设立中央防灾会议，并将其定位为全国救灾的最高领导机构，规定首相要亲自担任该会议议长，如今它已作为内阁府最重要的政策会议之一。① 1963 年，日本中央防灾会议首次推出《防灾基本计划》，它从综合性、长期性角度出发，对灾害预防、应对及

① 日本内阁府设有五大重要政策会议，即经济财政咨询会议、综合科学技术会议、国家战略特区咨询会议、中央防灾会议和男女共同参画会议等。内阁府：http://www.cao.go.jp/about/doc/soshikizu.pdf[2018 - 10 - 8]。

复兴等作了具体规定。

重大灾害成为灾害危机应对机制逐步完善的节点。在应对雪灾、地震、火山喷发、暴雨以及核泄漏等各类灾害过程中，日本的灾害危机应对机制也不断得到完善和补充。例如，以 1961 年日本海沿岸普降暴雪为契机，日本政府于 1962 年颁布了《暴雪地区对策特别措施法》；以 1964 年新潟县的里氏 7.5 级地震为由，1966 年日本政府颁布实施《地震保险法》，首次推出地震险种，以确保受灾者生活稳定、减少灾害损失，日本政府还对地震保险承担了再保险义务。

阪神大地震是日本危机应对机制的重要里程碑。1995 年阪神大地震是日本遭遇的首次城市直下型地震，此次里氏 7.3 级地震以神户市为中心共造成 6 437 人遇难、69 万栋建筑物受损，经济损失超过 10 万亿日元。此次灾难对日本既有灾害危机应对机制提出严峻挑战。由于通信网络被毁，日本政府一度不能掌握地震实时状况。直至震后 6 小时，日本国土厅才成立“对策本部”，由首相牵头的国家级“对策本部”更是在三天后才得以建立。救灾行动迟缓，遭到各界强烈批评。吸取此次教训，日本政府彻底修改了《防灾基本计划》：一是明确了中央及地方政府、相关机构甚至居民等相关主体责任；二是防灾计划内容得到大幅充实——建立广域支援体制、设置现地对策本部、兴建避难场所、接受海外援助、改善志愿者参与条件等措施；三是厘清了危机应对三阶段——即预防、应急和灾后重建的具体对策。与此相应，还制定修改了 7 部相关法律：1995 年出台《地震防灾对策特别措施法》和《关于促进建筑物抗震改装法》，修改《灾害对策基本法》和《大地震对策特别措施法》；1996 年颁布《特定非常灾害受害者权益保护特别措施法》；1997 年出台《关于促进密集市区的防灾街区整备法》；1998 年推出《受灾者生活重建支持法》。日本灾害危机应对机制得到大幅完善。

创设内阁府提升危机应对效率。在不断完善危机治理机制的同时，日本政府也开始注重提升危机应对效率。2001 年，为有效协调各省厅之间的跨部门合作、强化执行力，日本政府设立了内阁府机构。其由首相直接领导，主要成员包括内阁官房长官、特命担当大臣及副大臣、大臣事务官等。内阁府成为日本危机应对机制的中枢机构，成为打破各省厅条条分割、贯彻中央政府决策的核心组织。

日本大地震全面考验其危机应对机制。2011 年 3 月 11 日，日本东北地区爆发的里氏 9 级大地震带来一场复合型灾难——集地震、海啸和核泄漏于一身。它总计造成 1.8 万人遇难或失踪、近 40 万房屋被毁，经济损失达 16 万亿日元。虽然在核事故处理方面日本政府反应乏力，但总体上此次危机应对迅速、救助及时、处理高效。一是预警机制发挥效力，气象厅在大地震爆发后 2 分钟内连续播报 15 次警报通知；二是组织机制反应迅速，震后 4 分钟，日本内阁就召开紧急会议成立灾害对策中心，防卫省设立“灾害对策本部”，28 分钟后，史无前例地成立了由首相任本部长的“紧急灾害对策本部”；①三是救灾行动及时实施，震后仅 11 分钟，海上自卫队便出动 UH-60J 直升机开始救援；四是迅速启动救助机制，3 月 12 日夜，内阁会议通过启动《重大灾害特别财政援助法》《特定非常灾害特别措施法》，认定青森、岩手、宫城、福岛、茨城、栃木、千叶、东京等八个灾区适用《灾害救助法》；3 月 22 日认定除东京外七个地区适用《受灾者生活重建支援法》；五是救灾活动快捷高效，截至 5 月 17 日，地震救援队总计营救出 26 708 人；②六是危机治理机制得到进一步完善，日本政府颁布修改 4 部法律——2011 年颁布《关于海啸对策推进法》《关于创建海啸防灾区域法》；2012 年修改《灾害对策基本法》，颁布《原子力规制委员会设置法》等。

危机治理机制的制度化建设

循序渐进、不断完善的法律制度体系。频发的自然灾害是日本政府

---

① 张玉来等：《黑色 3・11——日本大地震与危机应对》，中国财政经济出版社，2011 年 5 月，第 46 页。

② 内閣府緊急災害対策本部：《平成 23 年(2011 年)東北地方太平洋沖地震(東日本大震災)について》，2011 年 5 月 17 日。

考虑构建长效治理机制的重要原因。于是，立法先行、依法救灾就成为日本政府应对各种灾害的首要程序。而且，在经历每次灾害之后，日本政府必将对相关法律进行修改完善。自 1947 年颁布《灾害救助法》以来，迄今为止，日本政府颁布实施的危机应对相关法律达 51 部，包括 7 部基本法、18 部灾害预防法、3 部灾害应急对策法、23 部灾后复兴建设法。依法行政、依法防灾，对日本危机治理发挥了极大作用。借助构建法律体系，逐步实现危机治理机制的制度化建设，这是日本危机治理模式的重要特征。无论是面对突发自然灾害，还是应对公共安全重大事件，日本政府必然会启动制度化的危机治理机制，而且，每次灾害之后，必然要总结经验教训，再进一步完善现行机制的制度合理性。

1961 年的《灾害对策基本法》堪称日本应对灾害危机的基本大法。日本政府目标是通过建立一部灾害应对的基本法，借以消除防灾体系中出现各主体的条块分割等制度性缺陷，实现灾害应对的系统化，综合防灾、计划性防灾等目标。《灾害对策基本法》经历了多次修改完善，最典型一次就是阪神大地震，而且，在一年之内竟然进行两次全面修改。此次修改重点提升了危机应对效率问题。修改之前，在突发严重自然灾害之际，首相必须先宣布国家进入紧急状态，然后才能经内阁讨论而设立“紧急灾害对策本部”。修改之后，首相无须宣布紧急状态就可设立“紧急灾害对策本部”；甚至首相可以不经内阁讨论而直接设立“非常灾害对策本部”。新法还扩大了地方政府、自卫队、警察署等相关机构的灾害处理权力。

多元化、交叉式组织体系。在组织制度体系方面，日本政府不仅设立了三大常设组织——内阁府防灾机构、综合防灾会议、专业性防灾机构，为有效应对不同程度的突发灾害，它还设定了三级应急组织体系：即中央政府级机制、都道府县级以及市町村级灾害应对机制。

内阁府设立于 2001 年，它承担制定国家战略、确立相关领域重大改革项目等重要使命，也是日本国家应对危机的最高中枢组织。内阁府受首相直接领导，内阁官房长官、特命全权大臣、官房副长官、副大臣以及大臣政务官成为核心成员。此外，五大咨询会议均设在内阁府统辖之下——即经济财政咨询会议、综合科学技术会议、国家战略特区咨询会议、中央防灾会议和男女共同参画会议。

作为日本灾害应对计划的重要企划机构，综合防灾会议分为三个等级：中央政府所属的中央防灾会议、都道府县的防灾会议、市町村的防灾会议。中央防灾会议规格最高，由首相任会长，成员包括相关内阁成员、指定公共机构负责人及知名专家等，负责制定和推进防灾基本计划、紧急应对措施计划，接受中央政府相关机构的咨询，审议各类防灾事项等。中央防灾会议下设多个专门委员会，负责就专门事项进行调查以及制定相关计划等。各级地方防灾会议同样由地方最高首长出任会长，主要负责制定和推行各地的防灾计划，也承担着收集相关信息、联络和协调各部门等任务。

专业防灾机构主要由各级消防、警察组织以及外围的自卫队、相关医疗机构组成。日本消防人员分为专职和兼职两种，专职消防人员主要指那些部署在全国各地的消防本部(共 791 个)，配备着将近 16 万名专业消防队员；兼职消防人员是以地方公务员为主所组成的消防团，全国共有 2 234 个消防团，人员配备规模 87 万人。① 此外，中央和地方消防也各有分工，如中央的消防厅负责提升消防技能以及配置最新消防器材等，目标是保障消防队员安全有效地展开作业；与此相对应，设在市町村的消防本部则以各地具体消防事务为主要任务。除消防系统外，警察系统也是紧急灾害救助的重要力量。在遭遇大型灾难之际，自卫队则成为重要后援。

作为突发灾害的指挥系统，各级政府或相关机构要组建相应级别的灾害对策本部，以统筹全局、调动资源、组织救灾。政府系统灾害对策本部包括四级：市町村级、都道府县级所组建的一般“灾害对策本部”、中央政府所组建的“非常灾害对策本部”和“紧急灾害对策本部”。灾害对策

① 総務省消防庁.『消防防災行政の現状と展望』2013 年，第 11 頁。

本部也可在灾害当地设立现场对策本部,以代为执行对策本部的相关权利,全权处理现场救灾。中央级的灾害应对组织——非常灾害对策本部和紧急灾害对策本部,一般都是由首相亲自挂帅、以中央防灾会议作为核心组织机构,此外,其成员还包括 24 个指定中央省厅机构、63 家指定公共机构(相关独立行政法人、日本银行、日本红十字会、NHK、电力、煤气公司、NTT 等)。[①] 作为地方级灾害应急体制的一般灾害对策本部,由地方最高行政首长出任本部长,其所属防灾会议作为核心组织机构,成员包括指定的地方行政或公共机构。

相对固化、稳定的预算保障体系。长期以来,在日本政府各项预算支出中,灾害对策相关预算基本与军费规模相当。例如在 1995—2004 年间,日本用于防灾相关的支出年平均额为 4.5 万亿日元,占一般财政预算总额的 5%左右。而且,这种防灾相关预算支出的项目也相对固化、稳定,如防灾相关的科学技术研究支出额约占 1%;灾害预防相关支出额约占 20%;国土修整与维护支出额最多,约占 50%;再就是灾后重建,其相关支出额在 25%左右。稳定的灾害预算成为日本危机应对机制发展完善的重要保障。

危机治理机制的程序标准化

从构成业务特征来看,日本灾害危机治理机制可分为两大部分——危机管理准备业务、模拟演习与训练业务,被称为"日本式危机管理体系的两大支柱"。[②] 前者主要指由危机管理部门设计和组织实施的相关业务,涵盖了"危机预防—危机应对—灾后重建"等全部危机应对过程。危

① 中央省厅指定机构包括:内阁府、国家公安委员会、警察厅、金融厅、消费者厅、总务省、消防厅、法务省、外务省、财务省、文部科学省、文化厅、厚生劳动省、农林水产省、经济产业省、资源能源厅、中小企业厅、国土交通省、国土地理院、气象厅、海上保安厅、环境省、原子力规制委员会和防卫省等。内阁府主页:防災対策・制度 http://www.bousai.go.jp/taisaku/soshiki/s_gyousei.html.

② 佐藤洋.『日本における危機管理システムの動向とクライシスアセスメント手法』,『安全工学』2004Vol. 43 No. 5,第 291 頁。

机管理准备业务往往基于过去经验或启发，进而想定将要发生的危机，并为此做出必要准备业务。然而，这种设计是否具有实效性则是最关键的，而能够对此作出检验的标准就是模拟演习与训练业务——即另一支柱的业务模块。灾害危机治理机制一般可分为"危机预防""危机应对"和"灾后重建"等三大程序，但日本式危机治理特征则添加了"应对计划""研究开发""国民防灾"等相关程序，最终形成"防灾计划→研究开发→危机预防→国民防灾→危机应对→灾后重建"的日本危机治理程序链，而且这些程序具有显著标准化特征。

防灾计划程序。作为灾害危机治理机制的首要程序，防灾计划由各级防灾会议或相关指定行政及公共机构负责制定，大致形成三类防灾计划：《防灾基本计划》《防灾业务计划》和《区域防灾计划》。《防灾基本计划》由中央防灾会议负责制定，是日本最高级别灾害危机应对实施纲领。作为综合防灾长期计划，它还对各种防灾业务计划、地方防灾计划的标准做出明确规范。而且，该计划要根据历年实际灾害状况以及灾害对策执行的效果，结合最新防灾科研成果，在重新研讨之后进行必要的修改与完善。《防灾业务计划》由相关职能省厅或行政机构负责制定，主要为确保灾害发生时，确保行政、电力、煤气、通信、运输等应急功能正常运转。《区域防灾计划》则由各级地方政府来制定，目标是明确本地防灾机构职责，制定灾害预防、预警避难、防灾演练、现场调查、灾情搜集、灾害救助、卫生防疫等具体对策，做好灾害应对所须人力、设施设备、物资以及资金准备等。

研究开发程序。日本的灾害危机治理一直强调"科技防灾"，因此，研究开发一直占据非常重要的地位。2006年日本《科学技术基本政策》提出的"第三期科学技术基本计划"方针中明确提出，日本今后长期政策目标是"要建成以安全为豪、世界第一安全国家"，中期政策目标是"确保国土和社会安全、生活安全国家"。它列出了十项防灾相关课题作为国家研究开发的重点，包括：地震观测、监测、预测调查研究；地质调查研究；耐震化与强化灾害对应、复旧、复兴计划来减轻灾害技术；火山喷发预测技术；风水灾害·土砂灾害·雪灾等观测、预测以及灾害减轻技术；卫星观测和监视自然灾害技术；救助出动与应急对策技术；创建超强灾害应对社会研究；确保安全和减轻事故的设施技术等。另外，紧急地震速报技术的实用化研究，也一直是日本灾害研究的重点，它是利用地震P波与S波之间的瞬间时差，采取相关措施减轻灾害损失，如紧急关闭电水气、列车急停、电梯控制等。

危机预防程序。危机预防是危机应对机制中的重点所在，该程序主要包括：日常国土维护、灾害风险观测及预报警报、信息通信体制建设、综合防灾信息系统建设、防灾安全据点建设、避难劝告判断与传达机制、灾害时需要救援者对策以及防灾训练等内容。日常国土维护被列为日本财政预算常项，每年政府都要拨专款修缮河道、防沙治山以及港口海岸建设。2002年日本政府还推出《社会资本整备重点计划》，引进社会资本来提升国土维护效率和效果。2003年还出台《森林整备保全事业计划》，推进森林和治山事业。

信息通信体制和综合防灾信息系统是日本政府"硬件"建设重点，它不仅建立了中央防灾无线网、消防防灾无线网和各级政府防灾行政无线网，形成了立体交叉式无间断通讯体系。而且，日本还专门针对灾害状况而建立综合防灾信息系统，如DIS(地震防灾信息系统)、RAS(卫星受灾信息确认系统)、PF(防灾信息共有平台)等，均是领先世界的技术体系。防灾据点建设也是预防灾害的重要措施，日本内阁府在东京湾临海地区有明之丘(东京都江东区)、东扇岛(神奈川县川崎市)等地划定防灾据点。此外，学校和公园等公共设施也是防灾避难中心，那里都设有专门储备防灾仓库，储存了紧急避险用淡水、食品和燃料。

国民防灾程序。包括：制定国民防灾基本计划、防灾日与防灾周活动、防灾教育培训、防灾志愿者活动和企业防灾。为最大限度减轻灾害损失，日本积极提倡所谓"官民协调"防灾，提出所谓"三助"方式——每个国民或企业的"自助"、区域内各主体间的"共助"、中央和地方政府的"共助"。日本政府制定详细的国民防灾基本计划，内容包括：动员国民更广泛地参与防灾；开发富有魅力的防灾知识宣传；激励企业和家庭积极投入防灾；推进更广泛的防灾合作；激励社会各界的广泛参与。政府规定每年9月1日为“防灾日”，8月30日至9月5日为“防灾周”，期间，大力普及防灾知识，在全国各地举办防灾展览会、各种讲座以及防灾训练、防灾宣传班等形式多样的活动。学校甚至把防灾教育作为重点纳入综合学习教程。

推动企业制定“事业持续计划”（BCP）也成为日本政府国民防灾重点。所谓BCP，就是企业遭遇灾害也能不中断重要业务，即便万一业务中断也能在目标期限内恢复的计划，以此避免企业丧失客户或市场份额，导致企业竞争力衰退等。2005年中央防灾会议专门调查会编制了《事业持续指南》，推动企业制定BCP。同时，政府也鼓励企业积极采取防灾措施，2006年日本政策投资银行制定《防灾对策促进事业》，设立企业灾害应对融资制度。

危机应对程序。相对于复杂、缜密的危机预防程序而言，危机应对程序反而显得简洁、明快。其关键要素是实施救助、救急和医疗，而为使这三要素顺利实施，国家及地方政府首先要能迅速准确地掌握灾害信息，依照灾害状况建立相应灾害对策本部，进而启动灾害危机应急系统。广域支援体制也是重要的危机应对措施。在发生超出地方政府应对能力的大型灾害之际，日本政府将实施警察厅（警察广域紧急援助队）、消防厅（紧急消防援助队）、海上保安厅以及其他都道府县的援助，更严重的要派遣自卫队进行更高级别的广域支援。这也包括灾害派遣医疗队、救护班，以及把重伤患者救助到灾害之外的灾害据点医院等。

灾后复建与复兴程序。灾后复建与复兴程序以迅速、高效为目标，以支持受灾者重建生活为重点的原则。日本在重大灾害后复兴一般也成立相应的专门组织机构。如1995年阪神大地震之后就曾成立以首相为本部长的“阪神・淡路复兴对策本部”，以此来最大限度地调动相关资源，以实现灾后迅速重建。其具体内容主要包括：1. 灾害复建事业，主要是国家支持下重建土木、文教及相关公共设施；2. 灾害融资，重点面向农林渔业、中小企业主或低收入阶层;3. 灾害补偿与灾害保险,重点补偿农林水产业者;4. 减免税收,对受灾者减免或延迟缴纳所得税及居民税等;5. 地方交付税与地方债,对受灾地区补偿特别交付税,许可其发行地方债等;6. 指定重大灾害,对于指定为"重大灾害"的复建事业予以特别支持措施;7. 支持有计划的复兴,对于迅速制定复兴计划予以相关援助;8. 支持生活重建,向受灾者发放灾害慰问金或生活重建资金等。

危机治理机制的信息化建设

信息化建设一直是日本政府危机治理机制建设的重点所在。迄今为止,日本已建立起覆盖全国的防灾通信"四网"体系——即作为"主动脉"的中央防灾无线网络、作为专业防灾的消防无线网络、作为"毛细血管"的地方政府防灾通信系统,以及作为重大灾害补充的通信运营商提供的非常通信系统。除此之外,日本还建立了应对各种专门灾害的通信网,包括水防通信网、紧急联络通信网、警用通信网、防卫用通信网、海上保安用通信网以及气象用通信网等。

作为全国防灾通信网"中枢"系统,"中央防灾无线网"的建设目的是在发生大规模灾害时,避免出现因灾或集中使用导致的通信中断现象,以确保灾害应急体制各主体之间、灾害发生地与灾害对策本部之间、灾害对策本部与各都道府县之间,以及灾害紧急联络网的信息畅通。该无线网包括固定通信线路(包含影像传输线路)、卫星通信线路、移动通信线路等三种方式构成。

"消防防灾无线网"属于连接消防署与各都道府县之间的无线网,该网由地面系统和卫星系统等两大通信系统所构成。地面通信系统除可以用电话或传真方式向全国都道府县通报灾情信息之外,也用来收集或传达灾害相关信息。卫星通信系统(区域卫星通信网)则是连接消防署与全国 4 200 个地方公共团体之间的信息网络。

"防灾行政无线网"分都道府县和市町村两级,是连接都道府县以及市町村与指定行政机关或相关防灾机构的通信网络,专门收集或传递相关灾害信息。市町村级防灾行政无线网一般延伸到街区级，通过该系统，政府可把相关信息及时地传递给家庭、学校、医院等机构，成为灾害发生时重要通信渠道。市町村防灾行政无线系统包括无线播报和移动通信两个系统，其普及率在2010年分别达76.1%和82.3%。①

"防灾相互通信网"主要是为应对地震、飓风等大规模灾害发生时解决现场通信问题。日本政府专门建成了"防灾相互通信网"，可把现场信息迅速传递给警察署、海上保安厅、国土交通厅、消防厅等各防灾机关，彼此交换各种现场救灾信息，高效并有针对性地进行灾害救援与指挥。

无线通信技术。为了适应复杂的自然地形地貌，加之无线通信技术已非常普及，日本防灾通信网络基本依托于无线通信技术。包括中央防灾无线网、消防防灾无线网、都道府县防灾行政无线网以及市町村防灾行政无线网等，均广泛使用了无线通信技术。

移动通信技术。日本是世界移动通信应用大国，其手机普及率非常之高。日本SGI等公司还专门开发出一种自然灾害人身安全确认系统，该功能主要由可以无线上网并带有全球定位功能的手机来实现。中央和地方救灾总部可以通过网络向手机使用人发送确认安全的电子邮件，手机主人则以手机邮件方式回复。于是，救灾总部的信息终端就会显示每个受访者的具体位置和基本状况，这对做好灾害紧急救助工作十分有助。

无线射频识别技术。该技术在日本的应用较为广泛，防灾救灾方面应用趋于成熟。譬如，在发生灾害时，在避难路面贴上无线射频识别标签，避难者就可以通过便携装置清楚辨别哪里是安全避难场所。若有人被埋在废墟堆下，即便是不能动弹或呼救的话，内置无线射频识别标签的手机，也能告诉搜救人员被埋者的具体位置。此外，无线射频识别标签还可用于人与物、人与场所的对话。例如在救援物资上贴上该标签，

① 総務省消防庁防災情報室.『消防庁における消防防災通信ネットワークについて』2011年9月29日，台頁。

就能准确把握救援物资数量，然后根据避难所人数来发放该物资，尽可能做到合理分配。甚至在无法辨认伤员或死者身份时，也可通过其携带的无线射频识别标签来获得相关信息，以准确地判别身份。这在应对重大灾害时往往能发挥重要作用。

临时无线基站技术。在发生强烈地震或海啸等严重自然灾害之际，无线基站很容易遭到破坏，这往往会导致移动通信系统陷于瘫痪。为了确保紧急状态下的移动通信功能，日本相关企业开发出可由摩托车运载、充当临时无线基站的无线通信装置，这解决了移动通信的信号传输问题。这种"临时基站"可以接收受害者手机信号，确认其安全状况，并把相关信息传递给急救人员。该装置充电后可连续工作 4 小时，而且摩托车也可为其充电，电波传输范围直径达 1 公里，基本能满足现场通信的需要。

网络通信技术。日本气象厅已开始利用网络技术实施"紧急地震迅速预报"，这能大大减轻受灾程度。具体而言，它是把家庭或办公室的家电产品、房门等与因特网连接起来，由电脑自动控制，当地震测量装置捕捉到震源纵波之后，便可在 3—5 秒后发布紧急预报，该系统接到预报之后，则能立刻切断相关电源。这是充分利用地震的横波与纵波之间的瞬间时差原理，从而在短暂时间内采取紧急措施，减轻地震损失。目前，该系统已开始在日本全国推广应用。此外，网络技术也可用于建筑物减震。

综上，日本所建立的公共危机治理模式是以灾害应对为主要目标的，这种基于实践型的危机治理模式仍处于不断完善过程。在 2011 年日本大地震之后，美国的 ICS(Incident Command System)危机治理模式对日本的影响力逐渐增强，特别是在福岛核事故处理问题上饱受批评的日本政府，开始越加重视提升危机处理效率，出现向一元化危机治理方式转型的新趋势。

（本章内容主要选自两篇论文，分别刊载在《"能源链"系统创新与日本能源战略转型》，《日本经济蓝皮书》，社科文献出版社 2015 年；《人民论坛》2014 年 2 期《日本公共危机治理模式及其演进》）

第十一章　日本对外经济关系

2018年10月24日，安倍晋三在国会发表施政演说中明确提出，要在任内实现"战后日本外交总决算"，这是他第三次当选自民党总裁——其执政期限将持续到2021年——之后发表的外交基本方针。二战之后，由于安全保障方面必须依赖美国，日本外交也深受美国的影响，但即便如此，日本外交还是不断追求自主性，逐步形成了"日美同盟""近邻合作"和"经济外交"等三大外交支柱。① 而且，这种努力其实早在二战结束不久就已经开始，那就是日本对东南亚的外交。

一、日本对东南亚战略溯源及其演变②

日本在东南亚依旧保持着强大影响力，而且是名义双收——日本不仅是该地区受访者心目中最值得信赖的国家，而且，日本企业在该地区一直大幅盈利，2014年受调查当地五千家日企的经常利润超过2万亿日元。然而，追溯历史，东南亚在二战中也曾沦于日本侵略者铁蹄之下，

---

① 外務省.『第186回国会における岸田外務大臣の外交演説』平成26年1月24日：外務省：https://www.mofa.go.jp/mofaj/fp/pp/page18_000183.html。[2018-10-16]

② 本节内容发表在《世界知识》2017年8期《日本如何在东南亚构建"强大影响力"》。

“大东亚共荣圈”给该地区人民造成严重伤害。那么，日本到底是如何改变形象，构筑起强大影响力的呢？

以东南亚为“夹缝外交”突破口

二战战败，曾让日本失去了外交权。当时，美国为摧毁日本军国主义根源而对其实施严厉改革。但得益于杜鲁门主义和冷战格局的迅速形成，美国对日政策很快发生逆转，日本被其视为远东地区抵抗共产主义的桥头堡。1951 年美国纠集 52 个国家组织了对日媾和会议，签署了《对日和平条约》(即《旧金山和约》)。这份和约因美国袒护而使日本的战争责任大打折扣，这引发了印度尼西亚、菲律宾等东南亚国家的强烈不满。1952 年《旧金山条约》和《日美安全保障条约》同时生效，以日美同盟为核心，日本得以重返国际社会。它相继加入国际货币基金组织、世界银行、关税与贸易总协定等国际组织，并于 1956 年成为联合国成员。

借力美国，在“夹缝中”开展独立外交，这是战后初期日本的外交现实。于是，它把东南亚作为外交突破口，这是因为该地区不仅拥有丰富的资源和广阔的市场，其地理位置也至关重要，是连接中东石油与东亚的重要国际通道。二战时期，日本就曾遭受美欧物资封锁而急于“南下”侵占东南亚。战后，以“轻武装、重经济”为国家发展路线的日本，同样面临着资源、能源以及市场问题，而解决方式又仅有外交手段。

在精心“梳洗打扮”之后，日本把自己塑造为“亚洲一员”，这也是战后日本外交三原则内容之一。在 1957 年日本发表的战后第一本《外交蓝皮书》中，正式提出外交三原则：即以联合国为中心、与自由主义各国协调以及坚持做亚洲一员。“亚洲一员”显然是为了获得亚洲各国的共鸣与信赖，以日本与亚洲国家之间的“地理、人员、历史、文化、心理以及精神之间的纽带”，来强调其亚洲地位。这样，既可以消除其侵略者的负面形象，还可能借助日美同盟和迅速发展的国家经济实力而成为亚洲代表。

渡桥理论也是这一时期提出的。刚刚从战争废墟中站起来的日本，必须依靠美国力量才能实现外交突破。在第二本《外交蓝皮书》中，日本提出要作为东南亚各国的“友好国家”，携手美国一起实现亚洲的和平与繁荣，它勾勒出一幅日、美、(东南)亚“大三角”合作构想——由日本来协调美国和东南亚，因为前者拘泥于意识形态和冷战思维，后者则处于反殖民主义思潮之下，这样就能把美国资金、日本技术以及东南亚丰富资源有机结合起来。

从“赔偿外交”到“经援外交”的大发展

以战争赔偿打开外交关系，这是战后日本与东南亚各国建交的基本逻辑。按照《旧金山条约》第 14 条规定，日本应向战争中受伤害国家赔偿。1954 年开始，日本相继与缅甸、菲律宾、印度尼西亚和越南(南越)签署了《赔偿协定》。另外，针对放弃赔偿权的老挝和柬埔寨，日本政府则实施了无偿经济援助。

不过，赔偿内容非常独特，它是由日本提供“劳务或产品”。这种战争赔偿使日本企业敲开了东南亚市场的大门，成为日本与东南亚各国建立经济联系的契机。这也正是岸信介等日本政客们所梦寐以求的，包括后来日元贷款为主的经济援助在内，“赔偿外交”和“经援外交”成为日本对东南亚外交的重要特征。

日本对缅、菲、印尼及越南的赔偿规模总计达到 3 643 亿日元，但实际上这些国家几乎得不到一枚硬通货，而是只能接受来自日本的产品实物或劳务服务——前者要么是刚刚起步的日本重化工业产品，要么就是淘汰的旧设备、车辆、船舶等，但这却为日本企业打开了东南亚市场；后者包括打捞沉船、清理河道、兴建电站、水库、化肥厂以及各种培训中心等，也成为日本机械、化肥以及农药产品开拓市场的渠道，况且它还有助于解决国内劳动过剩。

日本领导人一直重视东南亚市场，岸信介就是典型代表。他一直主张只有东南亚才“能让(日本)一亿人吃上饭”,为此,他不仅重视赔偿外交,还提出要进行经济援助,占领这块“美苏两大阵营力量的真空地带”。在这些人的强力推动下,诞生了一批以开发海外市场为目标的政府及民间经济合作机构,日本贸易振兴会、阿拉伯石油公司、海外企业技术合作斡旋本部、东南亚开发合作基金、海外技术人员研修协会以及海外经济合作基金等。

强烈的政府背景,让这种经援外交染上了浓厚的政治色彩。最典型案例就是1965年《日韩基本条约》,日本以11亿美元援助换取了两国关系正常化。经援外交的目的可以概括为三类:一是利用经援干涉其国内政治,二是利用经援展开政治游说,三是培植各种政商人脉。

伴随着日本经济力量发展以及政府投入的增加,其对东南亚援助也迅速赶超欧美等传统势力。1968年日本对东南亚经援规模突破5亿美元,仅次于美国位居第二。1976年日本对东南亚实施政府开发援助(ODA)额度攀升至16.9亿美元,大大超过第二位美国的13亿美元。①

“经济支配”触发了强烈反日浪潮

20世纪70年代中期,日本对东南亚形成了“经济支配”地位。这主要表现在:一是日本经援迅速上升,日元贷款成各国外援主体;二是日企投资快速增加,形成独霸市场之势;三是各国对外贸易,严重依赖日本。这种状况引发了东南亚各国的普遍担心,它们认为日本已经有能力操控本国经济,甚至出现了日本是在重新构筑“大东亚共荣圈”的批评声音。于是,东南亚爆发了一场声势浩大的反日运动,代表性案例就是1972年泰国抵制日货运动、1974年田中访问东南亚期间各国爆发大规模反日游行。

---

① 井原伸浩.『1970年代東南アジアにおける日本の「経済支配」イメージの再検討』,『メディアと社会』2016年第8号,p13。

表 11－1　日本在 ASEAN 五国经济中的地位(1973 年、1975 年)

(单位:%)

	外援中日本 ODA 占比		外国投资中日企占比		外贸中日本占比	
	1973 年	1975 年	1973 年	1975 年	1973 年	1975 年
泰国	55.7	72.9	37.6	38.5	31.6	30.5
马来西亚	39.0	89.9	10.0	21.3	20.1	17.0
新加坡	15.2	76.5	6.0	13.4	14.0	13.6
印度尼西亚	27.6	37.6	20.2	43.0	41.9	38.8
菲律宾	66.3	95.7	1.1	17.5	32.6	31.2

资料来源:DAC,通产省《经济合作现在与问题》(1974—1976),JETRO《海外投资现状》(1977)。

日本外务省专门调查了日本在东南亚地区国际形象迅速恶化的原因。首先,贸易失衡是第一主因,当时东盟五国对日贸易依存度高达22%,除新加坡外,各国最大贸易伙伴均为日本。而且,各国对日出口均以天然资源为主,很多人认为日本是在掠夺东南亚资源。其次,日企投资对本国经济形成"支配"趋势。当时在东南亚,虽然日企并非最大投资者,但由于其投资往往集中于特定业种,容易形成行业垄断,比如泰国化学纤维、摩托车及玻璃生产被日企百分百垄断;二是日企商品竞争力强,有泛滥之势;三是合资项目中日企出资过高,容易控制经营权。批评声音最高的是日本经援问题,其原因有三:一是日本经援目标性强,如吉田茂首相曾直言"赔偿就是投资",受援方担心被迫开放市场;二是经援往往附带条件,如日本对泰国发放第二次日元贷款时要求必须采购日本商品;三是 ODA 为主的经援突出了政府导向特征;四是受援国出现大量贪污腐败问题。

"福田主义"成日本东南亚战略基石

为彻底扭转陷入困境的东南亚外交,1978 年访问东南亚的福田赳夫首相发表了"福田主义",它彻底调整了战后日本东南亚基本战略,从冷战略格局下日美同盟的阴影中走出,提出了和平、互信、对等的战略原则。

它也被称作"福田三原则"。第一,日本信守和平、不做军事大国;第二,要与东南亚成为互信的真朋友;第三,对等合作,共同建设和平繁荣的东南亚。强调和平、非军事化是为了彻底摆脱战前侵略者形象,让东南亚各国消除对日本的担心恐惧。做真朋友,就是要在政治、经济领域之外,比如社会、文化等更广泛领域与东南亚加深交流,走向"心与心的交流",目标显然是反日浪潮。强调地位对等就是为让东南亚各国消除对日本经济支配以及政治操控的担心。

值得关注的是福田主义出台的国际背景。越南战争结束之后,美国从越南撤军造成东南亚局势发生巨变,美国希望日本能填补这个权力真空,但现实是东南亚各国普遍对日本抱有强烈戒心。因此,日本必须彻底扭转形象,改变以往"赔偿外交"和"经援外交"中所体现的近乎赤裸裸的市场与资源"欲望"。

之后的日本领导人继承了福田主义,日本对东南亚外交发生显著变化。一是援助力度继续加强,福田内阁提出的"五年内援助质量实现倍增"计划提前三年完成,1980 年日本对外援助总额已经高达 33 亿美元。二是建立起高层政治对话和紧密联系,创设了日本与 ASEAN 外相会议,这甚至为 1994 年成立的东南亚论坛(ARF)奠定了基础。三是日本单方面成立了形式各样的基金或交流项目,大力推进与东南亚的人文交往。

表 11-2 福田主义后日本设立的东南亚交流项目

时间	项目名称及内容	时任首相
1977 年	ASEAN 文化基金,旨在促进文化交流	福田赳夫
1979 年	外务省青年招聘事业(SAYIP),每年邀请东南亚青年领袖访日	大平正芳
1979 年	ASEAN 青年奖学金,每年为东南亚留日学生提供奖学金	大平正芳
1981 年	ASEAN 人才培育项目	铃木善幸
1982 年	ASEAN 区域研究振兴计划,资助学术交流	铃木善幸

续表

时间	项目名称及内容	时任首相
1983 年	21 世纪友谊计划，东南亚学生访日研修、旅游、交流	中曾根康弘
1987 年	东南亚文化之使	竹下登
1987 年	日本・ASEAN 综合文化交流计划	竹下登
1997 年	日本・ASEAN 跨国文化之使	桥本龙太郎
1999 年	东南亚人才培养与交流计划	小渊惠三
2002 年	日本・ASEAN 全面经济合作构想	小泉纯一郎
2012 年	日本・ASEAN 经济合作路线	野田佳彦
2016 年	日本・ASEAN 十年战略合作路线图	安倍晋三

资料来源：笔者根据相关资料整理制作。

2013 年安倍晋三似乎试图调整东南亚战略基石的福田主义，他提出了“日本对东南亚新五原则”。不过，除前两点的“价值观外交”和“航行自由”充分体现日美同盟影子之外，其他三原则无非仍是福田主义的翻版。总之，面对经济增长势头迅猛、人口超过 6 亿的巨大市场，而且地理位置非常关键，特别是这里还拥有丰富的年轻劳动力，日本企业乃至日本政府仍将继续高度关注并倾力开拓东南亚。

日本企业海外经营的“大本营”

如今，企业海外经营已经成为日本经济的核心支柱。2011 年日本对外贸易出现 1980 年以来的首次全年赤字，这种状况一直持续到 2016 年。但是，该国对外经常收支却一直继续呈现顺差状态，原因就是日本企业海外盈利大幅增长，反映这一数据的“第一次所得收支”在 2016 年突破了 18 万亿日元，创下历史新高。

强劲发展的海外事业已经成为长期低迷的日本经济的中流砥柱。日本政府调查显示，2014 年海外日企的销售额已突破 272 万亿日元，其规模竟相当于其国内生产总值（GDP）的一半以上（53%）。对于投身海外的日本企业而言，东南亚早已成为“大本营”，这里不仅是其最早涉足开拓的海外市场,今天也成为其全球化经营的重要据点。

20 世纪 50 年代,以日本政府对东南亚的赔偿和援助为依托,日本企业就开始开发该市场,当时主要是以资源贸易为主。70 年代,日元开始升值,一些企业便把东南亚作为生产基地。不过,大规模投资则是在 80 年代中后期,日美、日欧贸易摩擦以及日元升值成为重要背景因素。1985 年"广场协议"之后,日企把东南亚作为海外投资的重点,着手构建东亚生产网络。由于恰逢东南亚大力推进工业化进程,加之日本政府对该地区大规模开发援助(ODA)极大改善了基础设施,为日企大规模进驻铺平道路。

2012 年因钓鱼岛争端中日两国关系急转直下,受此大局影响,加之日本经济界兴起的"中国+1"战略热①,日企对东南亚投资再度高歌猛进,2013 年投资额倍增至 234 亿美元。据日本帝国数据银行统计,投资 ASEAN 的日企已达 11 328 家,这是 1973 年日本·ASEAN 橡胶论坛以来前所未有的现象。

日本似乎也做好了深耕东南亚市场的准备,缅甸就是很好例证。2011 年缅甸民主化改革之后,日本便迅速全方位接近这个拥有 6 200 万人口的大市场。它以巨额日元贷款为有力武器,2016 年安倍表示今后五年将支持缅甸 8 000 亿日元,在政府带动下,民间企业更是跃跃欲试,日企对缅甸投资呈上升势头。

迄今为止,东南亚俨然已成日本企业的大本营。第一,这里聚集着为数众多的日本企业,《东洋经济》统计显示,投资亚洲日企的总占比超过六成,其中东南亚比例最高,超过了总占比的 24%。第二,从投资余额来看,截至 2015 年日本对 ASEAN 十国直接投资已达 1 669 亿美元,其全部占比 13%。第三,日企产品在东南亚市场具有极高占有率,以汽车为例,泰国和印度尼西亚的日本汽车品牌分别为 89%和 96%。第四,这里还是日本企业东亚生产网络的重要节点,除部分产成品出口欧美日等

① "中国+1"战略,是指把生产基地设在中国的日企,为了降低风险而在中国之外建立新的生产基地。

发达国家市场，大量中间产品则支持当地企业或出口中国。

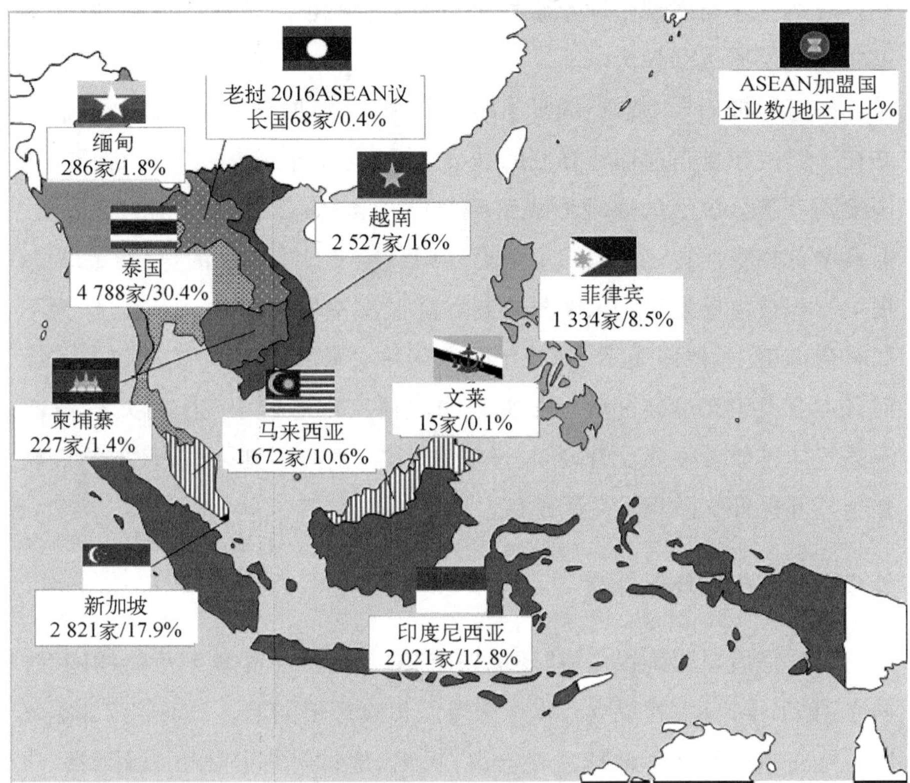

图 11－1　日本企业投资 ASEAN 基本状况(2016 年 4 月底)

资料来源：経済産業省.『海外事業活動基本調査』：http://www.meti.go.jp/statistics/tyo/kaigaizi/。

然而，日本企业之所以能够在东南亚经营成功，除企业自身的经营战略之外，更离不开日本政府对东南亚外交的大背景。而二战之后，日本一直将东南亚作为对外拓展的支柱，实施了一系列外交战略与措施。

二、环保外交及其背后的战略意图[①]

2007 年 12 月 15 日，延长一天的联合国气候变化大会终于在印度尼

① 本节内容主要发表在《国际问题研究》2008 年第 5 期的《试析日本的环保外交》。

西亚闭幕,经过两星期的激烈交锋,最终通过了所谓“巴厘岛路线图”。在以发达国家与发展中国家激烈博弈为主要特征的此次会议中,发达国家之间的矛盾也凸现出来。

一直积极倡导“减排”的日本略显低调,它与加拿大一起离开欧盟而站在了坚持减排自愿而非强制的立场上,这与半年前其在德国召开的八国集团首脑会议上的表现形成鲜明对照。当时,尽管是峰会的新面孔,但日本首相安倍晋三还是竭尽全力高调宣传了日本创意的《美丽星球50提案》,积极倡导发达国家率先控制和降低温室气体排放。而且,作为下届峰会东道主,他还表示2008年的八国峰会仍以环保为核心议题。缘何日本会发生态度转变呢?数据表明,自《京都协议书》生效以来,日本温室气体排放量不降反升,年均递增8%。① 由此可知,此次日本的表现并非其环保外交政策发生了逆转。

处心积虑的积极环保外交

日本是最早明确提出将“环境外交”纳入国家对外政策范畴的国家。早在1971年,日本就成立环境厅来专门负责环境问题。1989年,日本政府主持在东京召开了地球环境会议,提出《地球环保技术开发计划》,向世界表明其对全球环境问题的关注和热情,并表示要向发展中国家提供环保技术与资金支持。同年,在其《外交蓝皮书》中首次将“环境问题”与“和平事业、ODA援助、国际文化交流事业”等既有主题相提并论,“环境外交”开始成为其重要的外交课题。②

进入90年代,日本“环境外交”越加活跃:政府、政党、学术界乃至企业界纷纷建言,提出各种构想计划,从多维角度推动“环境外交”。如日本企业界核心代表组织——经济团体联合会于1991年提出了《地球环

① 徐鹏:《巴厘岛气候会议上的博弈》,载于《人民日报海外版》,新华网:http://news.xinhuanet.com/world/2007-12/15/content_7252717.htm。

② 日本外务省主页:http://globalwarming.mofa.go.jp/mofaj/gaiko/bluebook/1989/h01-1-3.htm。

境宪章》，呼吁企业要重视环境问题。同年，以原首相竹下登为会长，组建了地球环境行动会议组织（GEA），该机构大批网罗日本官、产、学各界颇具影响力的人物，并经常组织环保相关的国际会议。1992年，在巴西里约热内卢召开的联合国环境与发展大会为日本展开“环境外交”提供了重要舞台。以竹下登、海部俊树等两名前首相为首，日本派出了113人的庞大代表团出席会议。会议中，日本再次强调将在全球环保方面发挥主导作用，并承诺五年内为环保事业提供9 000—10 000亿日元援助[①]，远远超过欧盟承诺的40亿美元和美国承诺的10亿美元援助额。

此后，为切实拓展“环境外交”，日本政府又以外务省为中心，围绕“ODA对外援助事业”整合、重组了政府内部各种外交资源。例如，通商产业省为配合“环保外交”提出了《地球再生计划》，实施“环保与债务互换”制度，减免发展中国家债务，扩大对外环保援助。后又提出所谓“阳光计划”，积极向发展中国家转让太阳能、风能、海洋能和生物能技术。

1997年，气候变化框架公约缔约方第三次会议在日本京都召开。在日本及欧盟等国的推动下，大会通过颇具历史意义的《关于气候变动的联合国框架条约京都议定书》（《京都议定书》）。它明确规定到2010年，所有发达国家的二氧化碳等6种温室气体的排放量要比1990年整体减少5.2%；具体而言，2008—2012年欧盟、美国和日本要分别承担8%、7%和6%的减排义务。日本以及欧盟各国早在2002年就批准了该议定书，但由于美国布什政府于2001年宣布拒绝批准，致使《京都议定书》直到2005年2月才因俄罗斯的批准而生效。

长期以来，发达国家之间围绕气候变化问题进行着激烈的角逐。就整体特征而言，日本积极倡导保护地球环境，在国内不断推出新的政策措施来努力改善环境；在国际上，积极与欧盟等国协调合作，共同推进气候变化框架公约的实施，试图取得环保外交的主导权。

---

① 日本国际合作机构（JICA）主页：http://www.jica.go.jp/branch/ific/jigyo/report/field/pdf/200512_env_02.pdf。

置身全球范围的战略考量

日本所以积极投身于全球环保事业,其目的绝非只是“大公无私”地保护地球环境,而是围绕自身利益的深度考量。因此,其“醉翁之意”绝不在于环保这瓶“好酒”,而在乎如下的“山水之间”。

其一,顺应环境保护问题已经成为全人类共识的大趋势,树立良好国际形象。

1972 年,联合国在瑞典斯德哥尔摩召开人类环境会议并发表《人类环境宣言》,自此,环境问题成为重要的国际政治问题。此后,国际社会力图通过制定国际条约来规范破坏环境的行为,并通过技术交流、国际合作来改善生存环境。如 1979 年制订《跨国界大气污染条约》、1988 年制订关于保护臭氧层的《蒙特利尔议定书》、1992 年的里约热内卢环发大会通过了《关于环境与发展的里约宣言》《联合国气候变化框架公约》《生物多样性条约》等文件。1997 年,世界第一个具有法律约束力的、旨在防止全球变暖的国际公约《京都议定书》诞生。

事实表明,环境已经成为全世界各国人民所共同关注的重要问题。在国际关系领域,它也已经上升为“高政治”问题。因此,一国在环保外交中的表现将成为其能否树立良好国际形象的重要因素。对此,战后以来一直试图跃升为外交大国的日本是绝不会错失良机的。

其二,在国际关系领域,环境问题正在变得与“和平与安全”同等重要,而其与社会经济发展的密切关联程度又使之更具直接和现实的外交意义。能否夺得环保外交的主导权既是一国参与国际事务能力的重要体现,同时也能为该国带来巨大的政治和经济利益。

全球生态系统的整体性关联和环境污染的无国界性,使环境问题不可能局限于特定地区和特定对象,环境破坏的恶果将使世界各国无一例外地受到直接或间接危害。相反,环境保护也能带来经济效益,而环境自身及其技术标准如何制订又与各国利益息息相关。这也就意味着谁能在环境外交中夺得主导权,或是做出更大贡献,不仅影响其国际影响,甚至也将带来政治和经济利益。战后以来，日本竭力扩大国际影响，特别是成为经济大国之后，它又将政治大国甚至军事大国作为其外交努力的目标。然而，由于历史问题等复杂原因，日本在国际格局中始终处于一种独特的政治地位，其政治动向也非常容易引起别国警惕。比较而言，展开环境外交所遇到的阻力相对要小得多。

其三，就当前国内外复杂形势而言，积极参与环境外交也更加符合日本的切身利益。

在成为所谓"环保大国"之前的 20 世纪 60、70 年代，日本曾经也是世界上污染最严重的国家之一。例如，1961 年三重县四日市发生因空气污染而导致哮喘病和因海水污染而造成鱼虾大面积死亡现象。此外，还发生了熊本县的水俣病事件、新潟县的有机水银中毒事件、富山县的"痛痛病"等。"切肤之痛"曾给日本国民造成巨大冲击，在这种国情之下，日本政府不得不高度重视已经上升为政治问题的环境保护。

再者，日本必须顾虑周边的国际环境。冷战结束以来，伴随着经济全球化的步伐，亚洲地区的经济发展取得了举世瞩目的成就。然而，根据发达国家经验来看，该地区的环境也势必面临十分严峻局势。而作为邻国、同时也是容易遭受全球变暖导致海平面上升威胁的岛国，日本难以对此视而不见。

此外，凭借自身先进的环保技术，日本更不会错过环境外交中的巨大商业机会。仅以已经生效的《京都议定书》为例，其清洁发展机制(CDM)①就将产生巨大商机。以今年 4 月温家宝总理访日为例，双方在召开"日中能源合作讨论会"之际签署了两项环保合作协议，而该协议就成为日本有效充抵其在《京都议定书》中所承担的减排义务的重要工具，参与其中的九州电力、住友商事、新日本石油以及三井物产等日本企业

① CMD 是《京都议定书》为缔约国提供回旋余地而设定的一种弹性方案，即允许承担着减排义务的国家通过提供资金和技术方式，在他国投资旨在减少温室气体排放的项目，该减排额可以充抵投资国义务。

就得到了巨大利益。[①] 今后,随着中国环境治理的深入展开,这些掌有技术专长的日本企业将有更多获利机会。

日本环保产业之"短长"

首先,作为"环保大国",日本在治理环境方面具有世界领先的"软实力",这涵盖于政府的政策规划、完善的法律体系、良好的教育机制以及治理环境的丰富经验等等。就其特征而言,包括如下四个方面:其一,"以法治污"堪称日本环境治理的重要特征。60 年代后期,面对日趋严重的公害问题[②],日本相继制定实施了一系列法律法规,如 1967 年《公害对策基本法》、1968 年《大气污染防止法》和《噪音规制法》等。1970 年,日本第 65 届国会集中审议了当时备受社会瞩目的污染问题,修改和制订了《公害对策基本法》等 14 项环保法律,形成了较为完善的法律体系,因此本届国会也被称作"公害国会"。其二,地方政府的"先试先行"也是日本环境治理的重要特征。由于更谙熟所在区域的污染实际,所以,地方政府能够制订更具针对性、更加严格和更加有效的标准或措施。其三,作为环境治理的监督机制,信息公开制度成为日本环境保护的重要保证。信息公开促进了行政透明,同时也促进了市民对环境保护的参与程度。此外,重视环境教育也提高了国民的普遍环境意识。如今,在日本已经形成了重视环境保护的制度环境和公众习惯。

其次,在长期环境治理和改善过程中,日本企业开发和积累了多项领先世界的环保技术。"燃料替换、节省能源、产业结构升级、排烟脱硫"是日本成功治理空气污染的重要经验[③],在这些实践中企业逐步掌握了先进的环保技术。例如:日本太阳能电池技术遥遥领先于世界水平。2005 年,夏普、京瓷、三洋电机等企业已占五成左右的世界市场份额,并

① 日本《经济学家周刊》2007 年 5 月 15 日刊,第 23 页。
② 在日本,这种追求经济增长而导致的环境破坏被称为"公害"。
③ 南川秀树:《日本的公害经验与国际合作》,载《日本公共政策学会年报》,1998 年。

连续7年独占鳌头。风力发电技术方面，日本也正在悄然取代趋于停滞的欧洲诸国，1996年，其国内装机容量已超过一座核发电站的1 000兆瓦，发电机也实现以1 000千瓦级别为主。日本的氢燃料市场规模也非常巨大，据估算2010年将达1万亿日元规模，2020年更将跃至8万亿日元①，而日本企业的家用氢燃料电池已实现成本大幅降低，量产已成可能。

事实上，真正堪称日本最先进的环保技术却是充分利用IT技术的ESCO能源节省技术。② 据ESCO事业推进协会的估算，2004年的国内市场规模已达447亿日元，而潜在规模超过2.5万亿日元。三菱电机、日立制作所、东京瓦斯、东京电力、山武、大林组等电机、能源以及建筑企业共同参与了此项业务。另外，同样是利用IT技术的大厦能源管理系统(BEMS)和家庭能源管理系统(HEMS)也备受市场瞩目。根据经济产业省的规划目标，到2030年BEMS与HEMS的全国普及率将分别达到56%和100%③。此外，高端技术领域的将热能转变为电能的热电变换技术，也正备受日本企业关注。石川岛播磨重工业、小松、宇部兴产、东芝和雅马哈等企业，正在积极从事此项技术研究。

诚然，作为环保大国，日本已经具备了领先于世界的先进环保技术和制度环境。然而，面对当前技术瓶颈等复杂因素，它在很多方面的表现仍然差强人意。例如，近年来，日本环境改善的步伐不仅明显放慢，甚至在某些方面还有所退步。环境省调查数据显示，1990年以来，日本空气中的二氧化碳和光化学污染物含量均高于1985年，尤其是后者表现出明显恶化的趋势(表11－3)。再者，在西方八国(G8)中，日本的人均二氧化碳排量曾经长期处于较低水平(1990年前，仅略高于意大利)，但在

① 日本《经济学家周刊》，2007年5月15日刊，第22页。

② ESCO即"Energy Service Company"的缩写。它主要是面向大型楼宇业主提供节省能源提案、设备以及维修管理等服务。其主要客户对象是总面积在1万平方米以上、消费大量能源的医院、宾馆、商厦所属大厦。

③ 日本《经济学家周刊》，2007年5月15日刊，第23页。

90 年代之后，当其他国家均处于下降或保持稳定态势之下，日本却出现了不减反增的现象。该数字已由 1971 年的 7 吨增至 2003 年的 9.6 吨①，这显然有悖于环保大国的发展道路。

表 11－3 日本大气污染的变化情况（年平均浓度）

	二氧化碳（ppm）		颗粒悬浮物（mg/m^3）		光化学污染物（ppm）		二氧化硫（ppm）	
	一般局	自排局	一般局	自排局	一般局	自排局	一般局	自排局
1970 年度	0.035	0.042	—	—	—	—	0.034	—
1975 年度	0.021	0.044	0.050	0.084	*0.054	*0.057	0.015	0.021
1980 年度	0.016	0.033	0.042	0.053	0.036	0.027	0.009	0.014
1985 年度	0.014	0.030	0.035	0.048	0.039	0.029	0.006	0.010
1990 年度	0.016	0.032	0.037	0.050	0.042	0.035	0.006	0.012
1995 年度	0.017	0.032	0.034	0.047	0.044	0.033	0.005	0.008
2000 年度	0.017	0.030	0.031	0.044	0.034	0.033	0.005	0.006
2005 年度	0.015	0.027	0.027	0.031	0.047	0.038	0.004	0.004

注：1. "一般局"是指一般大气环境监测点，而"自排局"是指道路附近大气监测点。

2. * 为 1976 年度的测定数值。

资料来源：日本政府环境省《环境综合数据》：http://www.env.go.jp/air/osen/index.html。

此外，在执行《京都议定书》所承担的义务过程中，日本并没有展现出环保大国的应有姿态，即并非积极实施"技术减排"而是依靠从发展中国家购买排放权来"苟且偷生"。按照规定，2008 年至 2012 年日本须将其二氧化碳排放量较 1990 年削减 6%。事实上，2005 年《京都议定书》生效之际，日本的实际排放量未减反增了 8%。在宣布履行该协议之后，日本就启用了 CDM 系统，即通过"购买手段"以"帮助别国环保来换取排放权"。于是，日本企业不是积极展开"技术减排"，而是直奔中、印以及东南亚等发展中国家，通过提供技术援助，来获取"排放权"。有些企业甚至对排放权进行囤积、信托、卖给政府，或者直接到市场上倒卖，以此"大发横财"。例如，2005 年丸红公司与英国 ICECAP 签署购买排放权

① 日本环境省《环境统计集》http://www.env.go.jp/doc/toukei/contents/index.html。

协议，即2008年以后可每年从后者购得50万吨排放权。这家英国公司以伦敦为据点，从南非、印度和中国等地购入排放权。事实上，丸红自身也在不断扩大从发展中国家大量购入排放权。

综上，日本所以投身全球环保事业，积极展开环境外交，其目的绝非单纯为了改善地球环境，其背后的政治追求、经济愿望乃至打造良好国际形象，均是为了自身利益、为其政治大国的夙愿在不懈努力而已。而且，出于现实主义外交理念以及为企业捞取经济利益的目的，日本并没有通过"技术减排"来履行国际义务，这显然也有悖于全球环保事业的真正目标。

三、积极捍卫多边自由贸易体制[①]

"为了不让TPP泡汤，安倍拼了。"这是《日本经济新闻》的一篇报道，它讲述了特朗普当选下届美国总统之后，安倍首相如何竭尽全力阻止其叫停TPP。其实，早在2016年9月，安倍访美之际曾特别安排与特朗普经济顾问威尔伯·罗斯秘密会见，甚至"约好"要在特当选后"第一个打电话来表达祝贺"。但他同时高调会见了希拉里，显然日本还是把"宝"压在了对方。亡羊补牢——除了电话祝贺，奔赴秘鲁APEC的安倍特别绕道美国，"破格"拜谒了这位候任总统，特别重申日美同盟和TPP意义。

但是，安倍的努力似乎是竹篮打水，就在他在利马大谈"没有美国的TPP将失去意义"的同一天，特朗普公开宣称上任第一天就将退出TPP。那么，安倍为何如此为TPP拼命呢？日本政府给出的解释是，TPP将是日本经济实现中长期强劲增长的基石，它还能为日本带来80万就业岗位、GDP能提升13.6万亿日元规模。其实，日方的期待还远不止于此，它有更多更深层意义。

① 本节内容主要发表在《环球财经》2017年1、2合刊《全球化"逆流"将给日本经济带来严峻挑战》。

美日之间的 TPP 博弈

"友谊的小船说翻就翻。"这句 2016 年网络热语恰好可以形象地形容 TPP——跨太平洋伙伴关系协定(Trans-Pacific Partnership Agreement),美日两国堪称小船的掌舵者,因为它们在其中的 GDP 占比合计达到 83%,分别为 60%和 23%。2008 年美国成为"船长",而一直到 2011 年,日本的态度是一直不情愿搭上这艘船。但之后,日本突然态度逆转,积极与美国探讨"上船"的条件。然而,正当谈好条件、这艘小船即将扬帆之际,船长却弃船而去,于是就上演了日本振臂高呼"同舟共济"的一幕。

从 2002 年新西兰、智利和新加坡等三国发起倡议创建跨太平洋 FTA 机制,直到 2016 年 2 月十二国正式签署协议为止,TPP 谈判历程走过了整整 12 年,其坎坷艰难跃然纸上。而今,该组织最大推手——美国却打起退堂鼓,事实叫停了 TPP。因为按照所达成的协议,六个国家且其 GDP 总量超过十二国总计的 85%以上,走完国内审批程序 TPP 才能生效,但美国一国的 GDP 占比就是 6 成。

直到 2008 年,美国才宣布加入跨太平洋战略经济伙伴关系协议(TPSEP)谈判。于是,原本智利、新西兰、新加坡和文莱等所谓小国俱乐部组织(P4),就摇身一变成为美国主导的所谓高水平"21 世纪的贸易协定"(P8)。很显然,它是作为奥巴马政权实现战略目标的重要支撑——不仅服务于其对外亚太再平衡战略,也关系到其内部再工业化战略。美国主导的战略意图至少有三点:一是遏制中国的安全保障意图;二是构建美国领导的新贸易规则,加入环境、劳动、投资、政府采购、技术标准甚至国企地位等新内容;三是服务于美国企业利益,实现再工业化目标。

而日本决定加入 TPP 谈判的政权并非当前的安倍内阁。2011 年 11 月,民主党政权的野田内阁宣布参加 TPP 谈判,其战略定位是"TPP 实质就是日美间的自由贸易协定(FTA)"。当时日本政府认为,日本制造业对该项制度带来机遇充满期待,与美国合作显然会产生重大商机,日本将因此而迎来再一次"开国"。当时在野的自民党对此是持否定态度的，直到2012年国会大选，安倍竞选口号仍是坚决反对TPP。

“梅开二度”履新之后，安倍外访第一个国家选择了美国。在华盛顿，他向奥巴马总统明确了参加TPP谈判的积极态度。接下来就是漫长的谈判过程，围绕工业品关税、农业保护以及知识产权等问题，日美之间进行了激烈地讨价还价。就在日本逐渐失去耐心之际，美国做出了令其意想不到的让步——最具代表性的就是医药品数据保护期限不是美制药业界提出的12年，而改成8年；日本开放大米市场问题上，也达成与日本方案非常接近的每年7万吨进口配额体制。2015年10月5日，TPP谈判的十二国举行联合宣布达成基本协议——签署了覆盖全部31个领域的大型贸易协定，宣布将取消99.9%的工业品关税，形成了包括知识产权和环境保护在内的广泛规则。

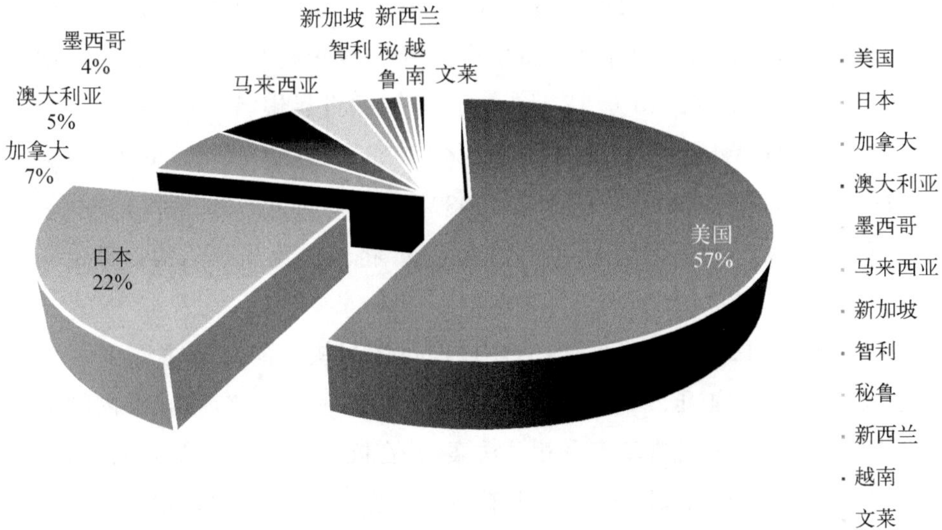

图 11－2　TPP 十二国的 GDP 占比

资料来源：IMF-World Economic Outlook Database(2013年4月版)。

美国的“君子豹变”逆转了形势，TPP变得前途叵测。2016年2月4日，TPP十二国在新西兰签署了协定文件，启动国内议会批准程序。但是，当美国政府机构国际贸易委员会(ITC)5月向国会提交TPP成果分析报告之后，却激起国内反对TPP的言论，其中一个要因就是它预测截至 2032 年 TPP 仅能推高美国 GDP0.15%的增长。于是乎民主党与共和党的两位总统候选人同时举起反对 TPP 的大旗。

日本非常担忧没有美国的 TPP，因为这不仅会失去美国立即撤销汽车零部件关税等巨大利好之外，更重要的是，其“日美为核心为亚太地区构建新经济秩序”的战略目标将由此落空。与此相反，这一局面将有利于东亚区域全面经济伙伴关系协定（RCEP）磋商的全面正式启动，极有可能构筑起由中国主导的贸易体制。

日本“另起炉灶”的深层原因

加入 TPP 到底能为日本带来哪些经济效果呢？

日本政府测算显示，TPP 能让日本实际 GDP 提升 2.6%（民间消费 1.59%、投资 0.57%、政府消费 0.43%、出口 0.6%），换算成 2014 年度 GDP 的话，就有约 14 万亿日元的经济效果。更重要的是，它为日本新增 80 万的就业机会（2015 年 12 月 24 日）。另据世界银行测算，截至 2030 年为止，TPP 将能推高日本 GDP2.7%（2016 年 1 月 6 日）。此外，美国彼得森国际经济所结论也认为，到 2030 年 TPP 将为日本带来 1 250 亿美元（约合 15 万亿日元）的年收入，其 GDP 将被提升 2.5%，出口额也同比增加 23%左右（2016 年 1 月 25 日）。

正是对 TPP 寄予了厚望，日本政府试图尽快在国会通过 TPP 相关法案，以给美国施压。在 TPP 协议正式签署仅一个月之后，日本内阁会议就通过了 TPP 批准草案及相关法案，并在同一天（3 月 8 日）匆忙递交国会审议。日本众议院成立 TPP 特别委员会，4 月 5 日就开始审议这些法案，还计划 4 月内认可通过。然而，事与愿违，众议院审议遭到了在野党猛烈抨击，加之熊本地震及 7 月的参议院选举等因素，导致其未能在 190 届通常国会获得通过。TPP 被推迟到 9 月份的第 192 届临时国会审议。直到 12 月 9 日，TPP 及相关法案才最终在日本走完审批程序。然而，它面对的却是特朗普宣布要退出 TPP。

若美国真的退出 TPP，对于希冀以 TPP 推进“安倍经济学”的日本而言，国会审议通过的 TPP 关联法案也只能画饼充饥了。

从日本角度而言，其经济对外有两大依赖：一是亚洲国家为主体的 RCEP（区域全面经济伙伴关系）协议国家；再就是 TPP 协议各国，这堪称日本经济外部的“两大车轮”。以 2014 年为例，日本对 TPP 各国出口额 2 136 亿日元，总出口占比 31%；其对 RCEP 各国总出口为 3 075 亿美元，总出口占比 45%。上述两大地区合计占到日本出口总量的约 76%。

日本各界期待实现 TPP 的声音为何水涨船高呢？其实际效果到底有多大？事实上，很多日本专家认为实现 TPP 将会为日本带来三个层次的效果。首先是取消关税的效果，这与日本政府测算几乎相同。一方面 TPP 可以让日本以低价进口外国食品和原材料等，消费者因此而节省下的资金又将用作购买其他商品，由此，消费整体将随之拉升，其正面效应每年或超 6 万亿日元规模。当然，受外国产品挤压，日本以大米等农产品为中心的国内生产也将减少 2.9 万亿日元。由此，正反效应差额将是正的 3.2 万亿日元。

第二个层次就是除关税以外，还可以因投资规则通用化和加盟国限制放宽而获得更多项目。日本政策研究大学院大学高级研究员川崎研一对此进行了估算，他认为，由于强化财产保护以及放宽外资限制将推动外国企业积极进驻，因此，设备投资和就业将随之扩大。

第三个层次被称为“动态效果”，也就是说，它可以刺激和改善日本经济状况。美国布兰迪斯大学教授 Peter Petri 认为，TPP 对日本经济的效果从中期来看，“每年 GDP 将被推高 2%，超过 10 万亿日元”。其影响路径是优秀的外国企业或优良的外国产品进入日本，日本国内企业面临竞争。于是，陷入困境的企业将通过技术革新、裁员或重组加强经营，日本产业实力因此而得到锻炼，推动其开拓全球市场的步伐。另外，TPP 还将促进日本国内制度改革，有助于国家整体生产效率的提高和增长。

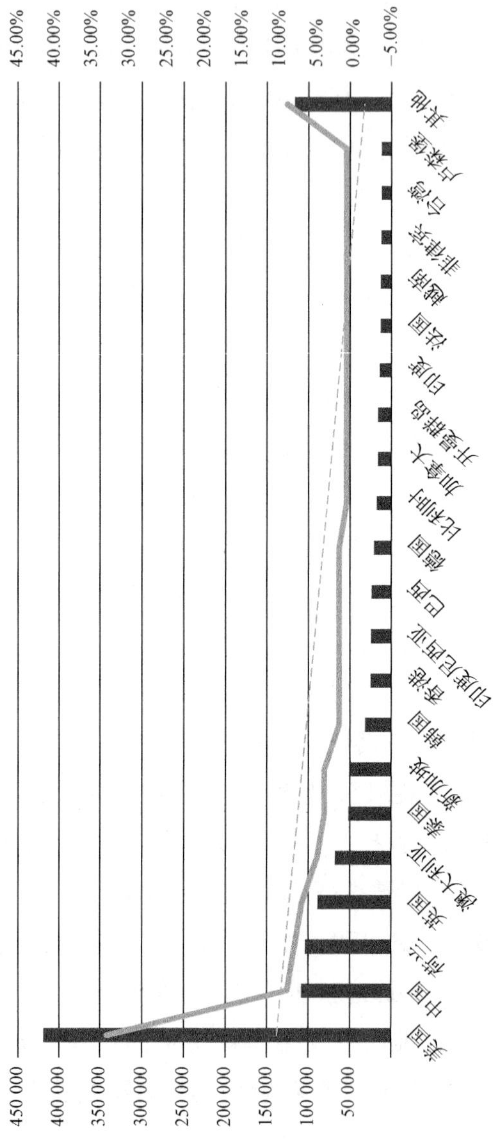

图 11－3　日本对主要国家直接投资余额(2015 年底)

资料来源：JETRO，日本对外直接投资(2016 年)。

注：坐标左轴为投资额(单位 100 万美元)；坐标右轴为总占比(%)。

除上述三大层次效果之外，日本经济界的主流还认为，参加 TPP 本身能够避免将日本排除在外的协定，排除因此导致日本企业海外市场被夺走的事态发生。算上这种“机会损失”的话，日本从 TPP 中获益部分会进一步增加。上述因素都是日本坚决捍卫 TPP 的深层动力。

全球化是日本的生存之道

“千万不要忘记战后日本是如何从资源小国走向富强的原因。”——这是《日本经济新闻》2017 年元旦社论，它强调日本负有高举自由主义旗帜的神圣责任。该文还特别强调，日本应该支持贸易立国的新兴市场国家，今后除了继续劝说特朗普领导的美国回归 TPP，还应努力推进缔结日本与欧盟、与中韩之间的 FTA，以此来维护全球化趋势。

日本一直是世界上屈指可数的贸易大国，2015 年度其对外贸易总量仍达 1.2 万亿美元，位居中国、美国、德国之后的世界第四。而且，一直到 2011 年，日本长期维持了贸易黑字状况，实现了贸易立国的基本方针。

其实，贸易并非日本对外经济联系的唯一重要指标，海外生产和对世界市场的依赖才更是考察日本经济外部联系的关键。“四分之一生产在国外”“六成销售靠海外”——这是日本经济对外依存的真实写照。根据日本经济产业省调查显示，2014 年度日本制造业海外生产比率已经攀升至 24.3%，也就是说，日本制造已经有近四分之一是在日本之外的地区进行的。日本对外直接投资数据也证明了这一点。2015 年日本对外直接投资额为 1 308 亿美元，虽然同比上年减少了 4.1%，但这仍是 2011 年以来连续 5 年保持 1 000 亿美元以上的规模。特别是对美国投资已连续 6 年位居第一，成为其对外投资的突出特征。

“六成销售在海外”，这是日本企业严重依赖世界市场的现状。日本贸易振兴机构（JETRO）最新数据显示，2015 年日本企业海外销售占比已经创纪录地达到 58.3%的历史高位。从其各地区销售占比来看，美国占比最高。2015 年，受美国经济复苏影响，日本企业在美国销售额同比提升 2.4%，占比达到 25.9%。排在第二位的是亚洲大洋洲地区，占比为 18.4%。接下来是日企在欧洲的销售，总占比为 8.9%。站在日本企业视角来看，由于“内需”今后仍将因少子老龄化日趋严重而不断萎缩，其海外依存率仍将继续走高。

所以，贸易、生产和销售都是日本全球化的重要指标，正基于此，日本也形成了规模庞大的海外资产。一是其对外直接投资（FDI）余额，2014 年日本企业的海外投资余额就已超过 1 万亿美元大关，2015 年底达到 12 590 亿美元。二是对外资产余额，截至 2015 年底，日本对外资产余额连续 6 年增加，达到 948.7 万亿日元规模，它充分证明了日本企业、政府及个人在海外经营投资活动的活跃。三是扣除债务之后的对外净资产，日本已经连续 25 年保持了世界第一大债权国的地位，而且是遥遥领先的状态。同样是 2015 年底的数据，日本对外净资产为 339 万亿日元，遥遥领先于排名第二的德国（195 万亿日元）。

然而，日本经济之所以不断加大对外依存，其关键原因在于其国内经济所面临的巨大风险。一是财政危机与重建问题，其根源在于日本老龄少子化现象的日趋严重，这既是日本潜在经济增长率不断下降的主因，也是今后的最大风险。2015 年日本主权债务余额与 GDP 之比已高达 231%，位列发达国家之首，其净债务 GDP 比也高达 126%。二是改革结构失衡问题日趋严重。以通货再胀为理论基础的“安倍经济学”的改革，本应是“三驾马车”并驾齐驱，但现实却出现了“央行独舞”的显著特征，其负面作用今后将逐步发酵，财政危机风险将不断加大。三是劳动生产率下降将是困扰日本经济的难题。日本企业一度陷入“孤岛化”误区，其产品与技术曾出现严重与国际标准脱钩的现象，造成日本全要素生产率（TFP）落后于美、德等国。特别是老龄少子化问题拉低了日本的潜在经济增长率，如今已经降至 0%的低位水平。

表面上看，在发达工业七国中日本的出口 GDP 占比排名倒数第二，这就形成了日本经济似乎并不怎么依赖海外的假象。但换个角度，从“外需”对经济增长率的贡献度来看，日本则位居 G7 当中的第一位，其贡

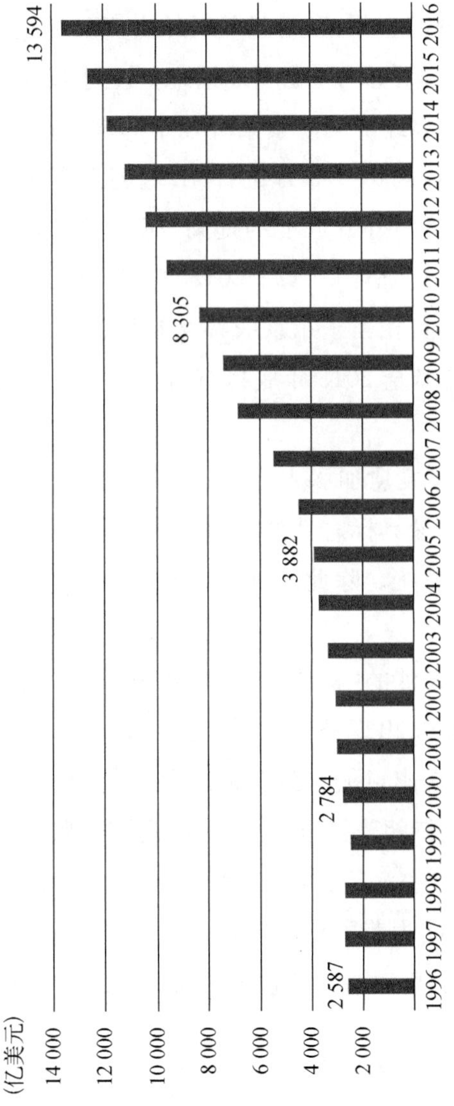

图 11－4　日本对外直接投资余额(单位:100 万美元)

资料来源:JETRO,日本对外直接投资(2016 年)。

献度高达26%,甚至远远超过了第二位的德国(外需GDP贡献度19%)。究其原因,主要包括三点:第一,日本资源短缺,几乎所有生产资料都依赖进口,尽管其整体金额并不高。第二,日本早已成为对外投资大国,2015年仅次于美国、跻身世界第二,且其对外投资以制造业投资为突出特征,加之日本企业普遍采取了"地产地销"与"全球布局"战略,这就等于把日本经济发展与世界经济动向紧紧绑在了一起。以2014年为例,日本企业的海外盈利已经高达6.5万亿日元,这还没有包括出口盈利部分。第三,伴随日本经济对外开放度的提高,海外投资者逐渐成为影响日本经济的重要力量。据统计,2012—2015年,海外投资者净买入日本股票达到18.5万亿日元,相当于东京股票交易量的70%。如全球最大政府基金挪威政府养老基金2015年底持有日本股票已达5.95万亿日元。

然而,正当日本全球化程度愈加深入之际,2016年的全世界却出现了明显的反全球化浪潮——最具标志性的事件就是6月份的英国脱欧和11月份特朗普当选美国总统。除此之外,欧洲反移民倾向也成为反全球化潮流的重要构成。

最近,推升美国道琼斯大涨的"特朗普行情"也波及日本股市,特别是日元贬值让更多日企预期将出现外需主导的经济好转。但毋庸置疑的是,由于美国政府的巨额支出可能导致其财政恶化,从长期来看或成为经济下滑的因素。特别是特朗普将退出TPP以及英国脱欧步入实质阶段,加之其他欧洲国家保守主义抬头,都将成为世界经济的负面因素。

TPP最终成功与否,将成为美国对全球化态度的试金石,一旦经济全球化形势逆转,日本经济将面对极其严峻的考验。

四、日美欧一体化趋势与日本立场

最近,日美欧似乎正在走出"特朗普冲击",迈向经贸一体化道路。其拐点是2018年7月17日达成的日欧EPA,这项旨在2019年春季生效的贸易协议将催生出全球最大的自由贸易圈。之后，又上演了一出美欧和解，特朗普总统与欧盟委员会主席容克发表一份联合声明，宣称停止纠葛走向协商。两周之后，日美也开始所谓 FFR（自由、公正和互惠）的部长级贸易磋商，试图构建双边新贸易体制。接下来又是美墨（西哥）宣布达成新贸易协议，NAFTA 似乎也在“起死回生”。

是什么让日美欧化干戈为玉帛，此前的矛盾隔阂真的已一笔勾销了？事情恐怕没有这么简单，其背后还有更深层的错综复杂关系。

世界经济格局迎来“川普动荡”

英国脱欧、美国第一主义、欧洲大规模反移民运动以及 WTO 陷入多哈回合困境等，动荡不安成为今年全球社会发展的突出特征。问题的本质在于冷战之后世界经济格局发生了巨变，加之技术进步以及模块化生产方式革命等因素，二战后所建立的全球经济秩序遭遇了严重挑战，作为传统规则“缔造者”的美国，甚至率先变成了规则的“破坏者”。

它首先体现在发达国家与新兴市场国家之间力量对比的变化。根据 IMF 数据，1980 年新兴市场国家的全球 GDP 占比仅为 22.9%，直到 2000 年也不过 25%。但之后形势大变，2010 年其占比突破 34%，2015 年甚至逼近 40%(38.8%)。① 与此相反，发达国家 GDP 占比近年来迅速下降，2017 年日美欧全球占比已从 2007 年 63%下滑至 52%，降幅 11%！这一过程中，中国经济崛起最引人注目，目前其 GDP 全球占比已经突破 15%，而在加入 WTO 之前的 2000 年却仅为 3.6%。中国对意、法、英、德、日等 G7 成员的赶超仅用了十几年，这引发了美国的高度警觉，奥巴马时代就试图以 TPP 对之进行“围剿”，2018 年的美国国防战略报告把中国定义为美国长期“战略竞争对手”。

其实，全球价值链体系的形成与调整才是世界经济格局变化的深层原因。冷战结束令东西之间政治解冻，随之而来的 IT 革命、模块化革命

---

① 日本経済産業省. 通商白書 2012 年版，p6.

又带来了国际分工，最终形成了横跨各国的全球价值链体系，实现了低成本全球资源配置。苹果公司堪称最具代表性的时代变革“弄潮儿”，它组织起一个“美国设计、日韩采购、中国生产、世界销售”的全球价值链。正是因为及时融入了该价值链，中国才向世界展示了迅速崛起的“大戏”，不仅其经济总量迅速赶超至世界第二，其贸易规模更是跃居世界第一，而且，“苹果因素”也极大推升了对内直接投资的增长，其全球占比从加入 WTO 前的 2.5%迅速拉升至 2016 年的 5.1%。

由于变革仍在继续，加之各国的利益诉求难以协调和统一，这就导致了“规则落伍于时代”的现象，二战之后创建的全球经贸体制越发难以适应实际需求。以迅猛发展的电子商务为例，这一 1979 年英国最先创造的“在线销售”模式在“蛰居”近 20 年之后，终于伴随因特网普及而得以在全世界迅速蔓延，2015 年其规模已超过 25 万亿美元。[①] 中国再次被世界瞩目，它很快就发展成全球最大的电子商务市场。面对这一新生事物，旧体制无可避免地出现监管缺位，虽然 WTO1998 年就进行了是否课税等讨论，但意见纷杂难以达成共识，各国便从自身利益出发制定了各不相同的规则。

面对动荡不定的新形势，美国曾试图以构建 TPP 的新框架来再次领航，但特朗普上台之后却“另起炉灶”——他放弃“多边”而提倡“双边”，其本质是要维护“美国第一”。于是，乱局变得更为严重。

日本的“适应性”与主导意愿

相较于美国的“焦躁”，日本似乎更“适应”世界经济的新格局，与此同时，也努力争夺对世界经济贸易体制新框架的主导权。

日本的“适应性”主要源于三个原因：一是日本在全球价值链的占位不断上移；二是日企全球化经营不断深化，国际竞争力得到提升；三是日本经济更依赖于全球自由贸易体制，多边框架其最佳选择。

---

① JETRO. 世界貿易投資報告 2017 年版，p89.

一般认为，自泡沫经济崩溃之后日本就已一蹶不振，近年频发的企业丑闻更让人们对此深信不疑。但事实却并非如此。截至 2017 年 3 月日本全行业企业经常利润是 1992 年的 3.7 倍，企业利润剩余（除金融保险业）也突破 406 万亿日元，相当于 GDP 八成以上。① 企业盈利能力明显提升，制造业大企业销售利润率已突破 8%，紧逼美国而超过了英德等欧洲企业。② 向价值链上游转移是日企盈利能力提升的重要原因。以半导体为例，曾占全球半壁江山的日本半导体终端产品，到 2010 年已下滑至不足四分之一。然而，在高附加值的半导体设备及材料领域，日本却控制了四成和七成市场。

成功的全球经营是日本适应性另一体现。数据显示，当前日本已是“四分之一生产”和“六成销售”在海外，也就是说，仅从 GDP 视角已难以准确把握日本经济的实力。其对外投资也印证了这一点，2017 年底日本对外直接投资额 15 508 亿美元，其中，对美投资高达 4 913 亿美元，对英、荷以及中国的投资均超千亿美元。

为了确保海外利益，日本高度关注世界新框架的发展，试图获得主导权。以 TPP 为例，日本一波三折的态度转变就是很好例证。新西兰、智利、新加坡、文莱等“P4”早在 2002 年就倡议构建太平洋 FTA 机制，但这艘“小船”未能激发日本关注。在美国成为“船长”并明确“航向”（高水平贸易协定）之后，担心错过这班“公共汽车”的日本变得态度积极。在美国“弃船”之后，日本却以“全面、先进”的贸易体制（CPTPP）而继续推进。今年 6 月，还率先在国会通过，试图领航全球多边贸易机制发展，并以此牵制贸易保护主义的美国。

对美关系是日本主导战略的核心。因为美国不仅是旧秩序制定者，同时也拥有着全球最强的经济力量（2017 年世界 GDP 占比 24%），加之日美同盟又使日本在安全保障方面依赖美国。日本一方面通过 TPP 多边框架等“外围”来对美国形成压力，同时也从正面出击，向美方提出

① 財務省.「年次別法人企業統計調査　概要」平成 28 年度，https://www.mof.go.jp/pri/reference/ssc/results/h28.pdf，[2017-9-1]

② 张玉来. 日本制造业新特征及其转型之痛，《现代日本经济》2018 年第 4 期，pp36-39。

FFR 双边磋商，主动回应美国倡导的两国 FTA。此外，它还加大进口美国 LNG(甚至不惜转卖东南亚)，显示积极消解贸易逆差的努力，还向美方陈情，告知在美日企不仅促进了当地就业，还创造了 700 亿美元出口贡献。[①]

与欧盟签署 EPA 也是日本“围魏救赵”的重要成果。记者会上，安倍没有过分渲染这个全球 GDP 占比 3 成[②]、贸易额 4 成的巨大贸易圈[③]，而突出强调了其战略意义，“对进一步宣扬自由贸易体制的重要性具有重大意义”。

全球价值链面临重塑的巨大压力

2005 年托马斯·弗里德曼出版的《世界是平的》在全世界引起了轰动，经济全球化、全球价值链以及技术进步确实极大改变了世界。之后，皮凯蒂在其《21 世纪资本论》也指出西方世界收入分配差距在不断扩大，尽管作者并未明确反对经济全球化，但显然也在对资本主义发展提出质疑。

发达国家与新兴市场国家之间力量对比骤变让前者难以适应。根据 IMF 统计数据显示，1980 年之际，全球新兴市场国家的 GDP 总占比仅为 22.9%，甚至到 2000 年也不过 25%。然而，之后却形势大变：2010 年新兴市场国家占比突破全球 GDP 的 34%，2015 年甚至逼近 40%(38.8%)。与此相反，发达国家 GDP 占比却出现迅速下降，2017 年的日美欧全球占比下滑至 52%，十年前则是 63%。

调整当前有利于新兴市场国家的全球价值链，西方社会不断出现反思和质疑全球化的声音，英国脱欧、特朗普“美国第一主义”以及近年欧洲地区爆发的大规模反移民运动等，都成为经济全球化的逆流。例如，

---

① 日经中文网. 日本对美贸易的杀手锏是安倍，2018. 7. 30：http://cn. nikkei. com/columnviewpoint/viewpoint/31524 - 2018 - 07 - 30 - 05 - 00 - 47. html。

② 日欧(盟)GDP 总和约为 21.3 万亿美元，占世界的 28.4%。

③ 2017 年 EU 进出口总额 117 277 亿美元，日本进出口总额 13 682 亿美元，二者合计占世界(350 620 亿美元)的 37.35%。JETRO. 世界貿易投資報告 2018 年版，p9.

特朗普时代"美国第一主义"理念变得极其赤裸，他甚至动用政治手腕，要把全球价值链更多转移到美国，甚至要求跨国公司扩大对美国的投资。

如何应对这场美国掀起的全球价值链重塑，这对参与其中的世界各国都形成严峻考验。例如，特朗普已成功对北美自贸体（NAFTA）进行了"改造"，甚至连名称都变成了美加墨协定（USMCA）。作为全球价值链重要构成的"东亚生产网络"同样也将面临这种压力，正在进行的中美贸易谈判、日美贸易谈判都是这场巨大博弈的角力场。

（本章内容主要选自三篇论文，分别刊载在《世界知识》2017 年 8 期《日本如何在东南亚构建"强大影响力"》；《国际问题研究》2008 年第 5 期《试析日本的环保外交》；《环球财经》2017 年 1、2 期合刊《全球化"逆流"将给日本经济带来严峻挑战》等）

第十二章　日本对华经济战略与中日经济关系

中日经济关系是全球最重要的双边经济关系之一。中日同为东亚生产网络的核心——中国是世界制造中心，日本则是重要的零部件供给中心。基于在全球产业链上的互补关系，两国贸易呈现出显著的以中间品为主的特征。中日经济关系成为两国经济改革与结构调整不容忽视的重要因素。然而，经济层面的互惠共赢却遭受到两国政治对峙的严峻挑战。2012 年 9 月日本政府对钓鱼岛实施的“国有化”闹剧使两国关系严重倒退，而长期冰封的政治关系已严重威胁两国经济关系的发展。中日经济关系的结构性调整不仅对两国，同时对东亚，乃至全球经济产生重要影响。

一、日本对华经济战略的演进

二战以来，受国际国内等各种因素的影响，日本对华战略处于不断调整之中。就其特征而言，大致可分四个阶段：第一阶段(1949—971)“官主导”下的民间外交时期，特征是以发展经贸为目标；第二阶段(1972—1990)，“和平友好”旗帜下的全面发展时期，主要是跟随美国务实外交，全面发展中日关系的同时，实现技术换能源战略；第三阶段(1991—

2005)对华自主外交时期,将中日关系定位为日本外交支柱,确立起经济为纲的对华战略;第四阶段(2006 至今)将中日关系提升至战略高度,以"战略互惠"为战略目标,特别强调经济的重要性。在日本对华战略中,发展经济始终是一条主线和基轴。

"官主导"的民间贸易模式

1971 年,尚未建交的中日贸易总额已达 9 亿美元,[①]甚至超过了早已建交的日苏贸易额 8.2 亿美元。[②] 这种非建交贸易发展既与日本推行的"官主导"民间贸易模式战略密切相关,同时也离不开中国政府的重要作用。

1951 年旧金山《对日和平条约》,使日本恢复了国家主权。但限于日美特殊关系,日本并没有完全的外交自主权。在此背景下,日本政府仍然将如何与新中国开展关系的所谓"中国问题"作为外交重大课题。日本对新中国采取了"承认事实"的基本立场:"日本政府坦率地承认与日本有着悠久历史关系,且拥有 8 亿人口的中华人民共和国政府存在的事实。"[③]在实际操作中,它确立了三项基本原则:促进中日民间交流、互不干涉内政、相互尊重。对华战略形成了"官主导"民间贸易模式为核心。

50 年代,日本国内形成了为经济复兴而有必要恢复中日贸易的共识。[④] 1952 年 6 月,日中贸易促进会的帆足计等国会议员,绕道苏联访问中国,与中国签署了《第一次中日民间贸易协定》。于是,美国"遏制"

① 日本財務省.日中貿易額の推移(通関実績)[R].日本外務省ホームページ: http://www.mofa.go.jp/mofaj/area/china/boeki.html.

② 日本外務省.わが外交の近況(昭和 46 年)第 15 号[R/OL].外交青書,昭和 46 年: http://www.mofa.go.jp/mofaj/gaiko/bluebook/1971/s46-2-1-6.htm#a4.

③ 日本外務省.わが外交の近況(昭和 46 年)第 15 号[R/OL].外交青書,昭和 46 年: http://www.mofa.go.jp/mofaj/gaiko/bluebook/1971/s46-1-2-3.htm#a3.

④ 木村隆和.LT 貿易の奇跡:官製日中「民間」貿易協定が目指したもの[D].北海道大学,2009-08-20:110.

中国的高墙被打开了一个缺口。① 此后，双方先后共签署了四次民间贸易协定。然而，1958 年 5 月爆发的“长崎国旗事件”②却一度中断了中日之间的经贸关系。此后，中国对日政策采取了所谓“断而不绝”的外交方针。③ 在 1959 年日本社会党浅沼稻次郎访华之际，中方明确提出政经不分的“政治三原则”，要求日方“保证不再发表敌视中国的言论、不参与制造‘两个中国’的阴谋、不阻挠两国民间正常关系的发展”。

1960 年 7 月，强调以发展经济为纲的池田勇人内阁成立后，日本外交政策也为之一变，提出要“发展不同社会体制和政治信条的共产圈国家的友好关系”，特别是要改善与中国大陆的关系。④ 1962 年 10 月，中日之间签署了《关于发展中日两国民间贸易的备忘录》，中日进入了以双方签字人命名的廖(廖承志)高(高碕达之助)贸易体制时代。这种由双方官方共同推动的“民间贸易”模式，一直延续到中日正式建交。

从“技术换能源”到全面发展

1972 年 2 月，美国“越顶外交”促使日本迅速改变了对华立场，日本提出“均衡外交”的基本方针。在强调“继续维持与美国之间最紧密友好合作关系的同时，增进与亚太及西欧各国传统友好关系，并推进与中国和苏联之间的友好关系”。⑤ 对于中日关系，它以“和平友好”为方针，把重点发展经贸作为基本战略。

---

① 陈敦德. 中日首个民间贸易协定签订内幕(三)[N/OL]. 新民晚报，2007 - 04 - 18：http://xmwb.news365.com.cn/ygb/200704/t20070418_1380912.htm.

② 1958 年 5 月 2 日，日本长崎举办的中国邮票剪纸展览会上，一名醉酒暴徒公然撕毁中国国旗，而日本竟作为“毁坏器皿”案件草草处理。此举激起了中方的强烈愤慨，中国政府宣布停止签发对日贸易特许证、不再延期渔业协定、中断和取消多批访日代表团等反击措施。

③ 中国外交部外交档案馆所藏史料. 我对中国、日本民间交流的方针[Z]. 档案编号：105 - 00899 - 08，1958 - 06 - 25.

④ 日本外務省. わが外交の近況(第 5 号)[R/OL]. 外交青書，昭和 36 年：http://www.mofa.go.jp/mofaj/gaiko/bluebook/1961/s36 - 1 - 1.htm#5.

⑤ 日本外務省. わが外交の近況(昭和 48 年)[R/OL]. 外交青書，1973：http://www.mofa.go.jp/mofaj/gaiko/bluebook/1973/s48 - 1 - 2 - 1.htm#m196.

在和平友好的旗帜之下，中日关系取得全面发展。双方先后在贸易、航空、海运、渔业、商标、税收等方面签署了双边协议，建立起相关领域的交流交往通道。而为了促进双边经贸发展，1978 年 2 月中日还特别签署了《中日长期贸易协议》，创造了政府主导的所谓“技术—能源”贸易模式。即由中国向日本出口原油和煤炭，而日本则向中国出口技术、成套设备与器材。仅此专项贸易，双方就约定要在 8 年内实现 200 亿美元的交易额。① 此举不仅大大拓宽了双边贸易渠道，同时也产生了巨大拉动效果。

这种政府推动的“技术换能源”模式，完全具备了“各取所需”的互惠贸易特征。对于日本而言，自第一次石油危机之后，能源安全成为威胁其经济发展的主要课题。因此，拓展能源供给渠道成为其维护经济安全的重要战略。而当时的中国，除经济需求之外仍具有相对充裕的原油和煤炭资源，从中国进口原油和煤炭显然符合日本的国家利益。对于中国而言，由于受美国遏制战略的影响，从国外引进技术、设备及器材的渠道长期被严重堵塞。因此，开拓“日本渠道”显然同样具有重要战略价值。

表 12 - 1　中日早期的“技术-能源”贸易框架(1978—1982 年)

年度	中国出口能源(单位:万吨)			日本出口技术(单位:亿美元)	
	原油	炼焦煤	动力煤	技术与成套设备	建设器材
1978	700	15—30	15—20	70—80	20—30
1979	760	50	15—20	70—80	20—30
1980	800	100	50—60	70—80	20—30
1981	950	150	100—120	70—80	20—30
1982	1 500	200	150—170	70—80	20—30

资料来源:田桓. 战后中日关系文献集 1971—1995[M]. 中国社会科学出版社，1997:220—222.

除经贸领域之外，中日间其他领域也处于全面发展时期。双方开始

① 田桓. 战后中日关系文献集 1971—1995[M]. 中国社会科学出版社，1997:220—222.

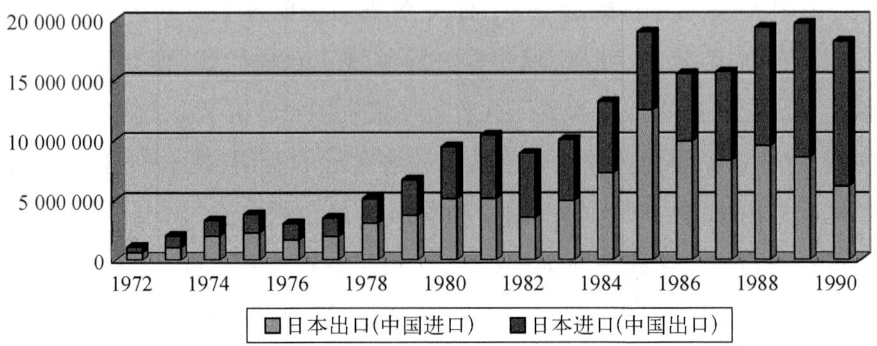

图 12－1　中日邦交后的贸易额变迁(1972—1990 年)(单位:千美元)

资料来源:笔者根据相关资料制作。

共同筹建文化交流渠道,1979 年 1 月日本传统文化歌舞伎访华,日本开始酝酿接纳中国留学生。中国政府大力协助日本的在华日本人残留孤儿工作,1981—1986 年,双方共同实施了 15 次访日寻亲活动,在1 488 名参加者中,533 名得到了身份确认。① 同时,日本政府也启动了对华援助项目,在铁道、港口、通信、水力发电等方面,给予中国发展大力支持。此外,双方还重点加强了青少年之间的交流,1984 年成立日中友好 21 世纪委员会,并在北京建立中日青年交流中心,当年还实施了 3 000 名日本青年访华的大型活动。在全面发展形势中,中日间的人员往来迅速增加,从 1972 年建交之初 9 000 人次快速增长到 1987 年的 49 万人次。②

自主外交与对华战略调整

20 世纪 90 年代,日本进入所谓"战后日本外交第三阶段"③,强调重

① 日本外務省. わが外交の近況(昭和 62 年)[R/OL]. 外交青書,1987: http://www.mofa.go.jp/mofaj/gaiko/bluebook/1987/s62－30102.htm.

② 日本外務省. わが外交の近況(昭和 63 年)[R/OL]. 外交青書,1988: http://www.mofa.go.jp/mofaj/gaiko/bluebook/1988/s63－3－1－2.htm.

③ 第一时期是 1945—1972 年,所谓战后处理与复兴时代;第二时期是 20 世纪 70、80 年代,所谓"西方发达民主主义工业国"时代。参见:日本外務省. わが外交の近況(平成 3 年版)[R/OL]. 外交青書,1991: http://www.mofa.go.jp/mofaj/gaiko/bluebook/1991/h03－1－2.htm.

视亚洲太平洋事务，积极展开自主外交战略。在对华关系上提出了“日中关系成为日本外交的重要支柱之一”。[①] 1991 年 8 月日本首相海部俊树访华，打破自 1989 年 6 月 4 日以来，以美国为首的西方国家的对华遏制战略，实现了中日之间政治对话。翌年 1 月，日本外相渡边美智雄访华，提出构建“贡献于国际社会的中日关系”，提议在军备、裁军、人权、民主、环境等国际社会普遍关注的领域，与中国展开高层对话。同年 10 月，日本天皇夫妇访华，中日关系彻底转好。

在政治推动下，中日经济关系迅速恢复并呈现快速增长势头。继 1990 年暂时出现 7.5％负增长之后，1991 年就开始迅速回升，增幅达 25.4％，中日贸易额首次突破 200 亿美元大关（228 亿美元）。1991—1995 年，中日贸易额增幅均超过 20％，并于 1995 年突破 500 亿美元。此后，中日贸易发展势头更是迅猛：2002 年突破 1 000 亿美元大关；短短 4 年后的 2006 年，又突破 2 000 亿美元大关。[②] 中国超过美国成为日本最大贸易国，日本也是继美国之后中国的第二大贸易国。

而且，中日经济关系还出现了新的突破——对华直接投资出现实质性增长，日本成为西方七国集团中最大对华投资国。日本对华投资大致可分三大阶段：80 年代摸索阶段、90 年代工厂转移阶段、2001 年后市场开拓阶段。第一阶段因中国尚处于改革开放初期，日本企业多处于观望状态，其投资重点仍是美国。第二阶段受日元大幅升值的影响，日本企业也确信中国不会再倒退到计划经济，于是大举进入中国。第三阶段则以中国加入 WTO 为契机，它使日本企业认识到中国庞大的市场需求，从而吸引其大批踊跃投资中国。

在中日关系中，经济关系最为重要。起初是由政治力量推动了经济关系的发展，而伴随着双边经济关系的愈加紧密，经济力量反过来又对

---

① 日本外務省．外交青書（平成 4 年版）[R/OL]．1992：http://www.mofa.go.jp/mofaj/gaiko/bluebook/1992/h04-3-1.htm#f12.

② 日本財務省．日中貿易額の推移（通関実績）[R/OL]．日本外務省：http://www.mofa.go.jp/mofaj/area/china/boeki.html.

政治产生了反制作用。自所谓"中国特需论"抬头之后,日本政府就开始着手调整对华战略。2006 年,安倍内阁明确提出要构筑战略互惠型中日关系,日本政府主动将双边关系提升至战略高度。

二、以"经济为纲"的对华经济战略

"中国特需"与小泉"参拜外交逻辑"

2001 年中国正式加入 WTO 之后,中国经济开始步入快速发展轨道。中国 GDP 从当年的 10.9 万亿迅速增长到 2006 年的 21 万亿,2008 年更是超过 30 万亿人民币。不到十年增长了两倍。中国经济腾飞对日本经济产生了极大拉动效果,这被日本学界称为"中国特需"。① 受此影响,2003 年日本经济终于走出泡沫阴影,结束了"失落的十年"而转向增长。于是,在曾经甚嚣尘上的"中国威胁论"也被"中国特需论"取代。与此同时,日本对华战略也进行调整,而这种调整恰恰发生在以对华强硬著称的小泉时代。

2001 年 9 月,日本政府组织产官学各界精英组成所谓"对外关系项目组"。② 历时一年研究之后,该项目组提出所谓《21 世纪日本外交基本战略》报告。该报告非常重视中日关系:一是定位,它把中日关系定位为"21 世纪初期日本外交政策中最重要的课题";二是现状分析,它认为中日关系处于"协调与共存""竞争与摩擦"的相互交织状态之中;三是处理原则,它提出了处理中日关系的一条重要原则:"政治不能过度干预到经济世界。"③这份报告书对于日本对华战略调整产生了重要影响。

---

① 朱炎.中国の急成長が日本経済に貢献するメカニズム[J].『エコノミスト』82 巻 26 号,2004.5.11:27.

② 该小组包括外交评论家冈本行夫、庆应大学教授小此木政夫、东京大学教授北冈伸一、国际协力银行副总裁田波耕治、前日本驻华大使谷野作太郎、丰田汽车会长张富士夫、防卫大学校长西原正、东京大学教授山内昌之、日本贸易振兴会理事长渡边修等人。

③ 对外関係タスクフォース.21 世紀日本外交の基本戦略—新たな時代、新たなビジョン、新たな外交—[R/OL].首相官邸,平成 14 年 11 月 28 日:http://www.kantei.go.jp/jp/kakugikettei/2002/1128tf.html#2-2.

2003年日本外务省《外交蓝皮书》中，中日关系被定位为“日本最重要的双边关系之一”。也就是说，在日本外交重心中，中国成为与美国同等重要的国家。长期以来，“日美同盟”一直是日本外交的基石，因为不仅政治军事层面，经济上日本也曾长期依赖美国。然而，中国迅速崛起改变了这种局面，日本政府认识到：“构筑与中国之间稳定的友好合作关系，对于确保日本的安全与繁荣极其重要。”①于是，“经济为纲”开始成为日本对华战略的核心所在。2003年4月的博鳌亚洲论坛上，小泉公开反对“中国威胁论”，提出“中国经济发展对日本不是‘威胁’，而是机遇。中日经济关系并非‘对立’，而是‘相互补充的关系’”。②

2004年中日贸易额超过日美贸易额，中国成为日本最大的贸易伙伴。于是，“美国经济打喷嚏日本就会感冒”的说法，变成了“中国经济打喷嚏日本就会感冒”。③ 于是，伴随着中日经济关系的增强，其对政治的反制作用开始显现。以“对华最强硬派”的小泉内阁为例，在参拜靖国神社问题上，他并非无所顾忌和肆无忌惮的。除2006年下台前夕，他选择在8月15日参拜之外，其余5次都是精心策划了“出其不意”的时间。而且，每次参拜之后，他都会采取一系列措施去主动修复中日关系。显然，在真正触及中日敏感问题的小泉也是非常“小心翼翼”的。下表统计了小泉参拜前后的外交轨迹，它淋漓尽致地表现了这一特征。

表12－2　小泉首相参拜靖国神社及其“外交逻辑”

时间		大事件	备注
2001	4.26	小泉纯一郎当选日本首相	此前作出“参拜”承诺
	7.9	日本执政三党干事长访华	对华示好

① 日本外務省.外交青書(平成15年版)[R/OL].2003：http://www.mofa.go.jp/mofaj/gaiko/bluebook/2003/gaikou/html/honpen/index.html.

② 日本外務省.外交青書(平成15年版)[R/OL].2003：http://www.mofa.go.jp/mofaj/gaiko/bluebook/2003/gaikou/html/honpen/index.html.

③ 牧洋次郎.中国がクシャミをすると主導権を奪われた日本経済[J].「エコノミスト」2004.7.11臨時増刊.

续表

时间		大事件	备注
2001	8.13	小泉参拜靖国神社	第一次参拜
	10.8	小泉访华（参观卢沟桥、抗日战争纪念馆）	亲自修复，表示反省、道歉
	10.21	小泉出席上海 APEC 会议与江泽民主席会谈	亲自修复
	11.15	小泉出席中日韩三国领导人会议与朱镕基总理会谈	亲自修复
2002	4.2	中日邦交正常化 30 周年“中国年”“日本年”开幕式	4.2—4.9 “制造”友好氛围（“造好”）
	4.4	小泉会见访日的李鹏委员长	
	4.12	小泉出席第一届博鳌论坛，与朱镕基总理会谈	提倡中日经济合作
	4.21	小泉参拜靖国神社	第二次参拜
	6.19	泰国 ACD 会议日本川口外相与中国唐家璇外长会晤	指示修复
	7.30	文莱“10＋3”会议，中日外相再会晤	指示修复
	9.8—10	川口外相访华江泽民主席会见	指示修复
	10.27	墨西哥 APEC 会议小泉与江泽民会谈	亲自修复
	11.4	金边“10＋3”会议小泉与朱镕基会谈	亲自修复
2003	1.14	小泉参拜靖国神社（强调私人性质）	第三次参拜
	4.6	川口外相访华，温家宝总理唐家璇国务委员会见	6—8 指示修复
	5.18	日本执政三党干事长访华胡锦涛主席会见	18—20 指示修复
	5.31	圣彼得堡 300 周年小泉与胡锦涛会谈	亲自修复
	8.9	官房长官福田康夫访华	9—11 指示修复

续表

时间		大事件	备注
2003	8.10	李肇星外长访日	10—13“造好”
	9.1	防卫厅长官石破茂访华	1—4“造好”
	9.4	吴邦国委员长访日	4—10“造好”
	10.7	印尼“10+3”会议小泉与温家宝会谈	亲自“造好”
	10.20	泰国 APEC 会议小泉与胡锦涛会谈	亲自“造好”
2004	1.1	小泉参拜靖国神社	第四次参拜
	4.3	川口外相访华	3—4 指示修复
	9.12	川口外相访华唐家璇会见	指示修复
	9.20	众议院议长河野洋平访华胡锦涛吴邦国曾庆红会见	20—25 指示修复
	10.9	越南李肇星与町村信孝进行中日外长会谈	指示修复
	11.18	智利 APEC 部长会议中日外长会谈	指示修复
	11.22	智利 APEC 小泉与胡锦涛会谈	亲自修复
	11.30	老挝“10+3”小泉与温家宝会谈	亲自修复
2005	4.17	町村外相访华	17—18“造好”
	4.23	印尼亚非峰会小泉与胡锦涛会谈	“造好”
	5.7	京都中日韩外长会议	“造好”
	5.14	中日第一次战略对话(北京)	“造好”
	5.21	日本执政党干事长访华胡锦涛唐家璇会见	21—22“造好”
	5.27	“10+3”外长会议	“造好”
	6.23	中日第二次战略对话(东京)	23—24“造好”
	10.14	中日第三次战略对话(北京)	14—17“造好”
	10.17	小泉参拜靖国神社	第五次参拜
2006	2.10	中日第四次战略对话(东京)	10—11 指示修复
	3.31	日本日中友好七团体访华胡锦涛会见	指示修复

续表

时间		大事件	备注
2006	5.7	中日第五次战略对话（北京、贵州）	7—9 指示修复
	7.27	马来西亚东盟论坛外长会议麻生外相与李肇星会谈	指示修复
	8.15	小泉参拜靖国神社	第六次参拜
	9.26	小泉内阁结束	安倍内阁开始全面修复

“以经济为纲”对华战略的确立

小泉下台之后，同样被视为鹰派人物的安倍晋三执政。然而。安倍不仅公开放弃了对华强硬立场，反而是大举修复中日关系。他将中国作为其上台后出访第一个国家，并在访华期间，提出构筑中日“基于战略利益的互惠关系”，此次访问被称为“破冰之旅”。①

安倍内阁提出了“自由与繁荣之弧”的外交新思维。在继续强化日美同盟的同时，以联合国为中心展开国际协调活动，同时强化与中国、韩国、俄罗斯等近邻关系为外交支柱。② 对华战略上，安倍提出要突破小泉时代的“政冷”局面，将政治因素视为与经济因素同等重要的两个“车轮”，展开全方位对华外交。经济为纲的对华战略被提升至“战略高度”，形成了以经济为纲的对华战略基轴。

安倍提出的“战略互惠”，比小泉时代所确立的“政治不要过多干预到经济世界”有了更大进步，即政治因素不仅不干预经济世界，反而还要支持经济发展。在经济层面，日本对中国的依赖程度愈加深刻，具体体现在如下三大领域：其一，经贸层面，2006 年包括香港在内的日中贸易总额达到 2 493 亿美元，连续三年超过日美贸易额；③其二，投资层面，2006

① 魏红欣.“破冰”到“融冰”：中日合作始于经济[N]. 人民日报，2007. 4. 11.

② 日本外務省. 外交青書（平成 19 年版）[R/OL]. 2007：http://www.mofa.go.jp/mofaj/gaiko/bluebook/2007/html/framefiles/honbun.html.

③ 日本外務省. 外交青書（平成 19 年版）[R/OL]. 2007：http://www.mofa.go.jp/mofaj/gaiko/bluebook/2007/html/framefiles/honbun.html.

年日本对华投资46亿美元，在华日本企业达到1.3万家；其三，资源领域，以稀土为代表的稀有金属严重依赖中国进口，2006年日本消费的3.8万吨稀土中，88%来自中国，此外铟、镓、锂等稀有金属也多依赖中国进口。①

显然，这种严重依赖使得日本政府不会改变"经济为纲"的对华战略的。安倍之后的历届自民党执政内阁也都秉承了这种"战略互惠"方针，大力推进中日关系。经过2007年4月温家宝访日、12月福田康夫首相访华之后，中日关系大幅改善。而2008年5月中国国家主席胡锦涛访日，迎来了中日关系新的转折点。其一，彻底打破了双方政治领域交往的"坚冰"，中国最高政治元首实现了1998年以来时隔十年的再度访日；其二，双方明确了构建新型战略互惠外交关系，提出要推进相互理解、相互信赖，实现扩大互惠合作。

三、产业互补型经济关系

伴随着经济全球化不断深入，产业内贸易及外包委托生产规模不断扩大，加之跨国企业实施全球资源配置等因素，中间品开始成为贸易构成的主体。从1995年到2009年，全球中间品出口规模已经从27 740亿美元倍增至53 730美元，年平均增长率为4.8%。② 中间品贸易的发展，极大地推进了全球产业分工体系的形成以及区域一体化进程。东亚地区成为世界生产加工中心，2009年其中间品进口总额超过出口，其最终产品出口北美、欧盟以及东亚本地各约三分之一。

中国逐渐成为东亚生产加工中心，2009年其中间品进口占到整个亚

① 関本真紀. レアアース、インジウム、ガリウム、リチウムの需給状況[R]. 平成20年度，JOGMEC非鉄金属関連成果発表会2008.

② ユベール・エスカット、猪俣哲史編著:『東アジアの貿易構造と国際価値連鎖』アジア経済研究所，2011年，第77頁。

洲的33%以上。[①] 日本则成为中间品出口中心,承担着中国、韩国、东盟等国家和地区的零部件供给。作为全球第二和第三大经济体,中国与日本之间建立了紧密的经济联系。它们不仅成为全球制造中心——东亚经济圈的驱动双核,双边贸易量也仅次于中美位居世界第二,日本还是中国实际利用外资的最大来源国。另外,两国未来在环境、金融、能源以及"宜老社会"建设等领域的合作空间巨大。

经济重心东移与东亚生产网络

冷战结束前后,信息技术革命打开了通往全球化生产之路,模块化革命[②]更是使生产分工变得简单易行,一个全球产业分工体系逐步形成。全球经济格局发生的深刻变革,远远超过国际政治格局变化的速度和深度。如今,以东亚为主的新兴经济体已经成长为全球经济的重要支柱,世界经济结构也从原来以欧美日为主体的框架,逐步演变成为今天以东亚经济圈、欧盟经济圈和北美自贸区为核心的新体系。

第二次世界大战之后至20世纪90年代,世界经济运行的三大核心是西欧国家、美国和日本。直到1990年,作为欧盟(EU)前身的欧洲经济共同体区域内贸易已达9 923亿美元规模,是整个东亚地区的3.4倍(2 909亿美元)。作为北美自由贸易区(NAFTA)前身的美加自贸区,其贸易规模也达2 106亿美元。在东亚地区,以日本为中心的贸易规模为3 730亿美元,而当时中日双边贸易额仅有375亿美元。[③]

步入21世纪后,全球经济格局已经悄然巨变。虽然欧美日仍是世界经济的主导力量,但新兴国家已经崛起为全球经济的重要力量。到了

---

① ユベール・エスカット、猪俣哲史編著:『東アジアの貿易構造と国際価値連鎖』アジア経済研究所,2011年,第81頁。

② 模块化(Modularity)革命是指20世纪60年代以来,在计算机生产领域出现以按模块为单元进行设计生产的生产方式革命。70年代以后,这种生产方式蔓延至整个半导体产业,90年代,又伴随信息技术革命和IT化浪潮而向汽车等产业拓展。今天,模块化已成为经济学与管理学界一个非常重要的概念。

③ 経済産業省:『通商白書2012』第178頁。

2010 年，全球经济重心“东移”的特征更加显著。作为一个整体，东亚经济圈已经彻底取代了过去由欧美日所主导的世界制造中心。该经济圈大致由两大阵营所构成：一个是以中国为主体、东盟为补充的组装加工中心；另一个是以日本为主体、韩国逐步加入并成为重要力量的中间品生产中心。加之日本以及韩国对中国和东盟的直接投资不断增长，一个紧密关联、产业链互补特征显著、区域分工完善的东亚经济圈逐步形成。2008 年东亚生产的最终消费品出口美国达 2 500 亿美元规模，对欧盟 27 国的出口为 2 200 亿美元，两者占总出口比分别为 28.6%和 25.7%。①

与欧盟经济圈和北美自由贸易圈相比，东亚经济圈具有三大显著特征：其一，东亚属于典型的生产分工型经济圈，不同于 1951 年《巴黎条约》起步、由各阶段性条约所组成的缔约型经济圈型的欧盟；其二，东亚式的产业分工模式，使发达国家与发展中国家建立起紧密联系，与此相反，尽管欧盟和北美自由贸易区内部各国经济发展水平也参差不齐，但基本上以发达工业国家为主导力量；其三，东亚经济圈对内贸易以零部件等中间品为主，对外贸易则以最终消费品为主，并以北美自由贸易区和欧盟两大经济圈为重要出口目的地，成为典型的世界出口加工生产中心。

东亚四极体制与中日“驱动双核”

在东亚经济圈中，中国、日本、韩国和东盟之间建立起紧密的经济关系，形成了相互补充的东亚生产网络（见图 12－2）。中国成为世界生产加工中心，2010 年对北美贸易规模达到 4 285 亿美元，对欧盟出口也达到 3 729 亿美元。2013 年，中国货物进出口总额更是达到 4.16 万亿美元规模，其中对美国出口顺差达 2 159 亿美元、对欧盟顺差 1 190亿美元；相反对日本有 120 亿美元的逆差。由于中日关系遇冷，中国企业出现以韩国、台湾替代从日本进口零部件的趋势，导致中国

① 経済産業省：『通商白書 2012』第 180 頁。

大陆对韩国出现 919 亿美元、对台湾地区出现 1 160 亿美元规模的贸易逆差。

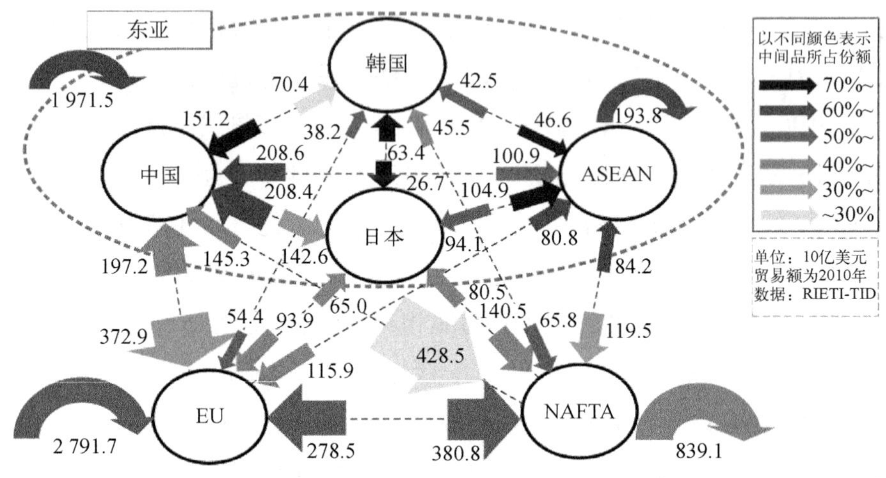

图 12－2　东亚生产网络与世界主要经济区域贸易图(2010 年)

资料来源：経済産業省：「通商白書 2013」，第 57 頁。

迅速发展的区域内中间品贸易成为东亚产业分工状况的真实写照。在中国加入世界贸易组织(WTO)之前的 2000 年，日本虽然已经是东亚中间品的最大出口国，但其对东盟、中国和韩国的中间品出口规模仍停留在1 018亿美元，韩国还不到日本一半，为 454 亿美元，整个东亚四极之间的中间品贸易规模为 2 358 亿美元。然而，到了 2009 年，以中国为中心的中间品贸易规模实现了倍增：中日之间的中间品贸易额达到 1 238 亿美元；中韩之间也达到 1 040 亿美元；中国与东盟之间为 1 077 亿美元(见图 12－3)。

2009 年中国、日本、韩国和东盟“四极体制”之间的中间品贸易规模总量达到 10 556 亿美元，充分印证了东亚地区已经建立起紧密协调的生产网络的事实。该生产网络具有如下显著特征：

第一，东亚地区已经建立起紧密的互补性产业分工关系。在东亚四极之间，中间品贸易流向具有显著的双向性特征，这表明了贸易双方之间的经济产业融合度。例如，在贸易规模最大的中日之间，2009 年日本

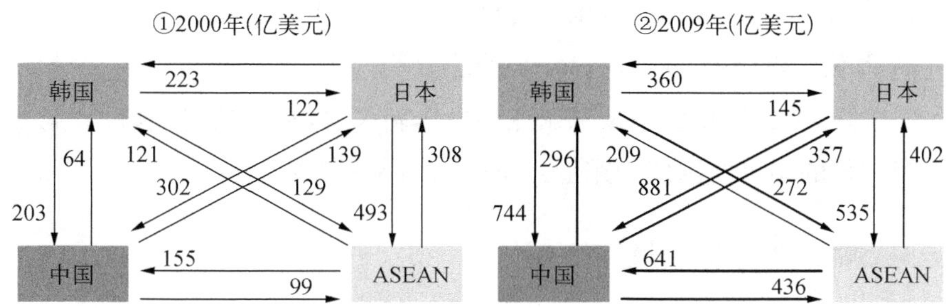

图 12－3　东亚中间品贸易与"四极体制"

资料来源：柳瀬「東アジア生産ネットワークの变化と震災余波」,『住友信託銀行調査月報』2011 年 5 月号,第 2 頁。

出口中国高达 881 亿美元,但同时,中国对日本的出口也已经增至 357 亿美元规模,比 2000 年增长了 2.57 倍。

第二,同为东亚地区的生产加工中心,中国虽与东盟建立起紧密的关联,但中国的发展速度远远高于东盟。从 2000 年的东亚中间品贸易来看,东盟的规模已经有 1 305 亿美元,而当时中国仅为 962 亿美元。从进口中间品贸易来看,东盟是 721 亿美元,中国仅有 660 亿美元。但 2009 年这种情况发生逆转,中国中间品贸易规模达到 3 355 亿美元,远远超过东盟的2 495亿美元;从中间品进口来看,中国进口 2 266 亿美元,东盟为 1 243 亿美元。

第三,同为东亚地区的中间品供给中心,日韩之间联系紧密,但韩国发展速度更快,甚至出现替代日本的趋势。2000 年日本对东亚的中间品贸易规模已经达 1 587 亿美元,特别是出口额达到 1 018 亿美元;而韩国当时总规模仅为 862 亿美元,出口额 454 亿美元,不及日本的一半。但到了 2009 年,韩国中间品贸易规模增长了 2.4 倍,达 2 026 亿美元;日本则增长了 1.7 倍,为 2 680 亿美元。

第四,考虑海外直接投资因素,日本不仅仍是东亚最大的中间品供给中心,它还通过对外直接投资广泛参与到中国、东盟和韩国的生产加工中。日本一直是东盟地区的最大投资国,对华投资也列发达国家之首,并且还是韩国的重要投资国。截至 2011 年底,在日本对外总共 74.8

万亿日元累计投资余额中，东盟占比 11.5%(8.6 万亿)，中国占比 8.6%(6.4 万亿)，韩国占比 1.9%(1.4 万亿)。①

总之，从经济规模总量和东亚四极体制来看，很显然，位居世界第二和第三位的中日两国成为东亚经济圈的两大核心驱动力。

走向战略互惠型的中日经济关系

战后中日经济关系起步于 1952 年的《第一次中日民间贸易协定》，但直到中国实施改革开放政策之前，两国经济关系仅限于传统的贸易关系，且贸易额在两国实现邦交正常化前的 1971 年仅为 9 亿美元规模。1978 年邓小平访日之后，日本对华投资的大门打开，双边贸易也开始增加。日本对华投资高潮出现在 2001 年中国加入世界贸易组织后，伴随大批日企来华经营，两国经济关系发展到更广领域和更深层次。

第一，中日双边贸易特征体现了产业互补特征。

长期以来，日本一直是中国最大的进口国，体现了“全球制造加工中心”离不开“中间品供给中心”的现象，表明两国之间产业互补特征显著。具体而言，中日间的中间品贸易具有如下特征：一是中间品贸易占比不断增长，两国产业融合度不断提升；二是中国对日出口中的中间品不断增长(2012 年为 37.2%)，中国产业升级开始加速；三是日本对华出口中间品占比有所降低，但仍维持在总额的三分之二左右(2012 年为 65.7%)。②

从中日贸易总额发展趋势来看，除了 2008 年全球金融危机爆发导致 2009 年双边贸易下降之外，基本维持了稳定增长趋势。在钓鱼岛争端激化的 2012 年，中日贸易总额虽然同比下降 3.9%，但仍维持在 3 295 亿美元，稳居中美贸易额(4 847 亿美元)之后，排名全球两国间贸易的第

① 日本銀行：『直接投資残高(地域別かつ業種別)』. http://www.boj.or.jp/statistics/br/bop/index.htm/，2014 年 3 月 21 日。

② 増田耕太郎：「中国の対日中間財貿易」、『季刊　国際貿易と投資』Autumn2013/No.93，第 136 頁。

二位。对于日本而言，自 2007 年以来中国就超过美国成为其第一大贸易伙伴。相反，对于中国而言，日本则一直是其最大进口国，特别是零部件进口占比最高。

中日两国贸易发展趋势也体现了近年全球产业分工的发展轨迹。中国加入世界贸易组织后，跨国公司对华投资加速，把中国作为其全球体系下的生产加工中心。中日间的产业互补特征更加显著，2003 年中日贸易突破 20 万亿日元（约合 2 600 亿美元）大关，到 2010 年达到 26.5 万亿日元，突破 3 000 亿美元大关（见图 12－4）。

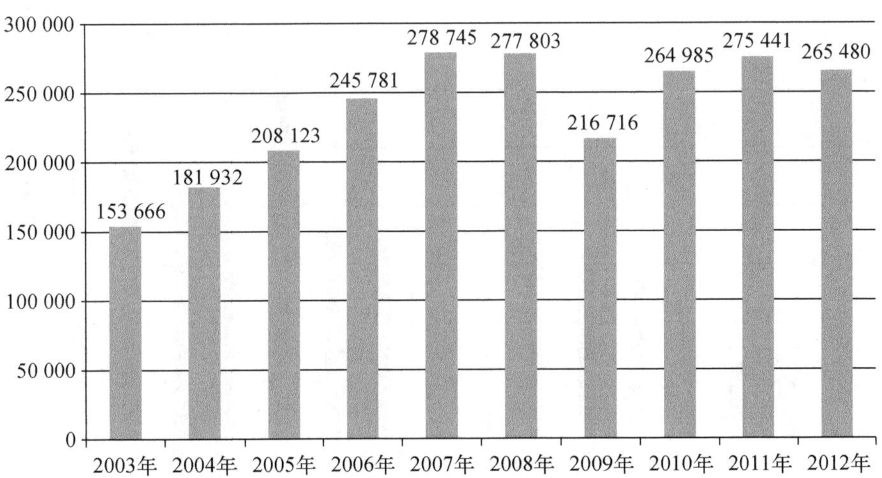

图 12－4　中日贸易的发展趋势（2003—2012 年）（单位：亿日元）

数据来源：笔者根据日本财务省贸易统计制作。

第二，日本是中国最大的外资和技术来源。

中国改革开放以来，除香港地区之外，外资的最大来源就是日本。在发达工业国家中，日本对华投资始终位居前列。截至 2010 年，日本对华累计投资达到 735.6 亿美元，占中国实际利用外资的 6.6%。相反，中国对日投资刚刚起步，今后伴随日本国内经济结构变化及其相关改革的实施，中国对日投资的潜力巨大。

1985 年的日美“广场协议”是日本大举实施对外投资的重要起点。对华投资也起步于此，但是，日企真正掀起大规模对华投资热潮却是中国加入WTO之后。2001年日本对华投资首次突破20亿美元规模,2004年又突破了50亿美元大关(见图12-5)。2011年东日本大地震之后,日本对华投资出现新的热潮,当年对华投资出现同比骤增74%,突破100亿美元大关,总计投资达126亿美元。2012年继续保持增长,创下了对华投资134亿的峰值。除了在发达国家中对华投资数额第一以外,日本对华投资结构以制造业为主(占比超过60%),对促进中国的技术进步贡献较大。

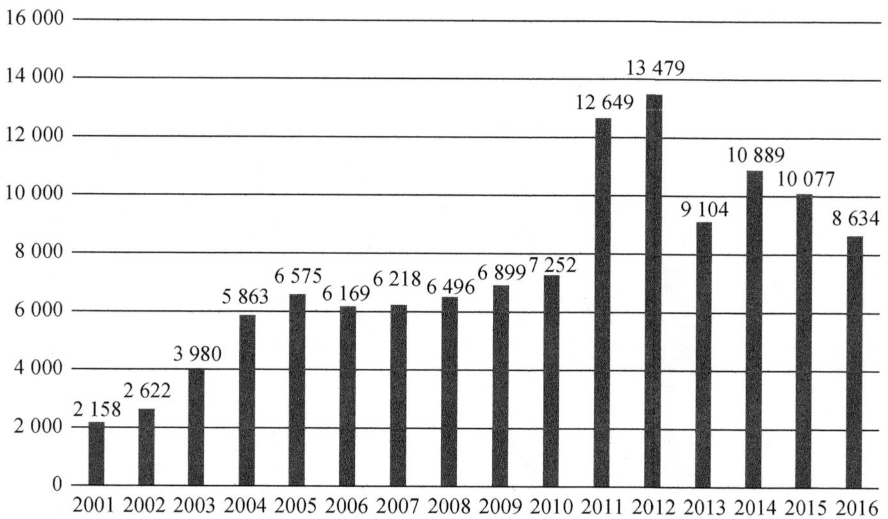

图12-5 日本对华投资趋势(2001—2012年)(单位:100万美元)
资料来源:根据JETRO数据整理制作。

第三,中日未来经济合作空间巨大,对世界具有重要影响。

作为东亚经济圈的驱动双核,中日之间已经建立起非常紧密的经济关联,而且,鉴于两国经济发展的互补性,互惠共赢特征明显,未来合作空间巨大。以金融合作为例,2012年中日金融合作刚刚起步,中国成为日本国债的海外最大持有国,截至2012年年底持有量已达20万亿日元。与此相应,日本也持有中国国债达650亿元人民币,并成为发达国家中第一个将人民币作为外汇储备的国家。而且,在日本设立分支机构的中国四大国有银行(工行、农行、中行、建行)最近吸收存款能力迅速增强,截至2013年

9 月，存款余额已达 9 925 亿日元，占驻日外资银行总量的 15%。①

中日之间的金融合作将有利于降低交易成本，有利于两国经济关系的发展和深化。除此之外，鉴于两国当前所面临的课题以及未来发展趋势，双方在环境、能源、就业以及“宜老社会”建设等领域进行合作，具有很大潜力和广阔的空间。

四、在华日企与中日经济关系

在中日两国关系的构成中，除了双方各级政府间的交往之外，还包括企业以及民众之间的交往，前者是官方的、宏观层面的“上层机制”；后者则是更具微观意义的底层结构。伴随全球化趋势的不断发展，后者的重要性愈加突出。

两国之间的上层机制极易受各类突发事件或结构性因素影响，相反，底层结构则相对更稳定，更能发挥两国关系的稳定器作用。受历史问题等复杂因素的影响，中日关系的上层机制表现得非常脆弱。然而，长期以来，以对华直接投资形式来华的日本企业成为两国关系底层结构中的重要组成部分。现实经济利益，以及这些企业长期在华发展后对中国产生的利益归属感，成为稳定双边关系的重要因素。自小泉内阁时代中日关系出现所谓“政冷经热”现象以来，每当中日关系陷入困境之际，互惠共赢的中日经济关系就显示出重要性。

投资规模大、企业数量多

根据中国商务部统计，在发达国家对华投资中，日本一直居于前列，甚至多年名列第一。截至 2013 年 4 月，日本对华投资累计已超过 900 亿美元，在华注册的日本企业也超过两万家。

① 玉木淳，森本学：「日中、金融は急接近　4 大銀が日本で預金 1 兆円調達」、『日本経済新聞』2014. 4. 28。

日本对华直接投资开始于1987年，但直到1994年之前，一直处于10亿美元之下的较小规模。在中国加入世界贸易组织（WTO）之后，日本企业海外投资重点转向亚洲，特别青睐中国市场。截至2012年，对中国大陆地区投资的日本企业有6 479家，若包括对香港的投资在内则达到7 700家，占日本实施对外投资23 351家企业的33％，中国成为日本企业海外投资数量最多的国家（见图12－6）。

尽管中国成为日本企业投资数量最多的国家，但投资总额却一直低于美国。以对华投资骤增的2011年为例，日本企业对华投资规模超过1万亿日元，在日本对外投资中占比11％，而同年对美投资占比12.6％。2012年，日企对美投资突破2万亿日元大关，达到2.56万亿日元，是对华投资额的2倍。①。

对华投资以制造业为主

据日本政府统计，2011年在华日企销售产值27.4万亿日元，约合21 910亿元人民币（按100日元兑换8元人民币计算），若按照25％增加值率计算，在华日企增加值为5 478亿元人民币。根据中国国家统计局数据，2011年我国国内生产总值（GDP）为47.15万亿人民币，在华日资企业对GDP的贡献率为1.16％。

2011年，在华日企销售产值中，制造业销售产值为19.1万亿日元，约合15 266亿元人民币，占比69.7％；非制造业销售产值为8.3万亿日元，约合6 646亿元人民币，占比30.3％。在制造业中，汽车及相关产业占比最大，产值约5 891亿元，占日资全部销售产值近3成。此外，信息通信设备和电子机械合计3 776亿元。可见，日本企业在我国汽车、电子机械、信息通信设备等领域技术贡献率更高。

① 日本貿易振興機構（JETRO）『2013年上半期の対中直接投資動向』2014年1月，第10頁。

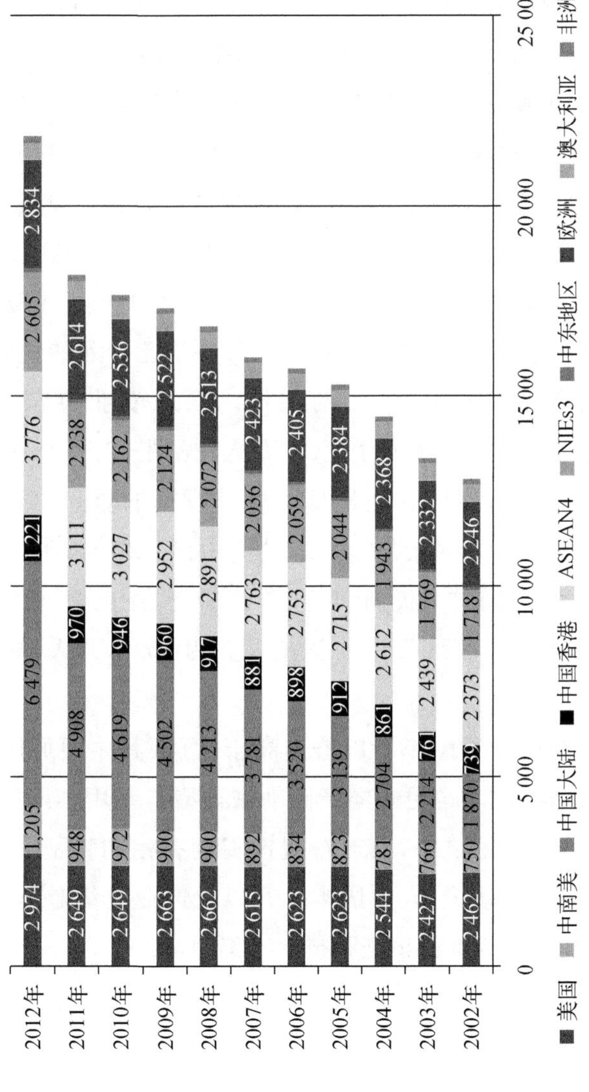

图 12－6　主要国家地区的日本企业投资数量(2002—2012 年)

资料来源:日本経済産業省:『第 43 回海外事業活動基本調査』,2013.

就业贡献在日本对外投资中最高

伴随日本对华投资不断增加,日企就业人数开始快速增长。2002 年为 69.7 万人,2004 年突破百万,2012 年达到 159 万人,若包括香港在内则达到 167.8 万。[①] 而且,考虑在华日企主要以制造业为主,特别是集中在汽车产业等领域,这些产业具有产业链长等显著特征,因此其间接就业效果更大。以汽车产业为例,每台汽车零部件多达 3 万个以上,这就决定汽车厂商上游供应商众多的特征,也产生了关联就业的效果。

从整个日本海外投资来看,在华日企就业贡献率最高。日本海外最大投资对象国是美国,在美日企的销售产值也一直最高。同样以 2011 年度为例,在美日企创造了高达 47.3 万亿日元的销售产值,几乎是在华日企产值(27.4 万亿)的 2 倍。而从就业贡献率来看,2011 年在美日企就业人数却仅为 56.9 万人(见图 12 - 7),不及在华日企的一半(36%)。欧洲地区也是日本海外投资的重点,2011 年日企在欧洲投资规模达 398.4 亿美元,是投资中国 126.49 亿美元的 3 倍多(见图 12 - 8)。同样,欧洲日企的销售产值也高于中国,达 31.33万亿日元。然而,在欧日企的就业人数为 46.5 万人,更是远远低于中国。

诚然,在华日企就业贡献率所以普遍高于欧美,其主要原因是以制造业为主的投资结构,同时也更倾向于劳动密集型。利用本地廉价劳动力是日企对华投资的原因之一,其对东盟投资也有相同特征。不过,今后伴随着中国劳动人口减少、人力成本上升以及产业升级趋势,未来的对华投资有望更倾向于资本密集型和技术密集型。

---

① 日本経済産業省:『第 43 回海外事業活動基本調査』,2013.

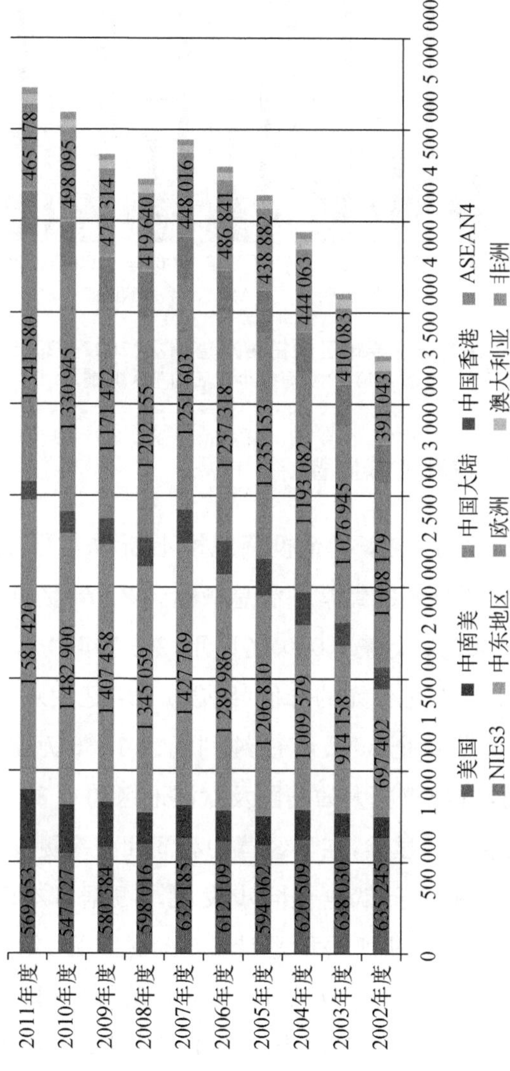

图 12－7　全球各地日本企业雇佣人数（2002—2011 年）

资料来源：日本政府经济产业省：《第 42 次海外事业活动基本调查》，2012.

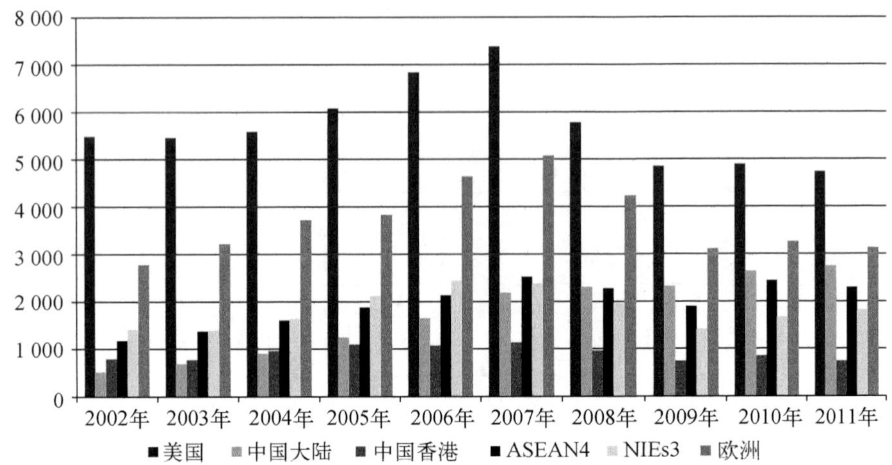

图 12-8 日企在全球主要地区的销售产值情况(2002—2011 年)

资料来源:日本政府经济产业省:《第 42 次海外事业活动基本调查》,2012.

本土化经营不断提高、盈利上涨显著

中国加入 WTO 之后,在华日企投资规模不断增大,其经营利润也不断上升。2002 年在华日企的经常利润总额达到 2 575 亿日元,2004 年超过 4 000 亿日元,2006 年突破 7 000 亿日元,2007 年攀升至 1 万亿日元,2010 年达到了 1.92 万亿日元的峰值(约合 1 537 亿元)。

在纯利润方面,在华日企 2011 年度纯利润达 1.36 万亿日元(约合 1 089亿元),超过其投资规模更大的美国及欧洲地区的 1.35 万亿日元和 8 050 亿日元纯利润收入。显然,在华经营的利润回报率更高。①

同样,在华日企的税收贡献也在同步发展。根据日本政府调查显示,2011 年在华日企缴纳企业所得税总计 2 995 亿日元(约合 239.6 亿元)。2011 年我国企业所得税总收入 16 760 亿元,在华日企纳税占比 1.43%。从利润最终走向来看,2011 年在华日企内部留存 383 亿元,高于作为资金返还回流日本的 328 亿元。

① 日本経済産業省:『第 42 回海外事業活動基本調査』,2012.

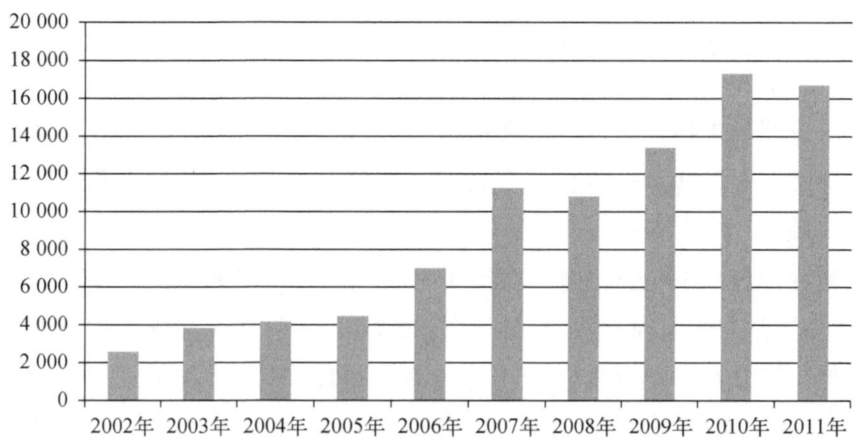

图 12－9　在华日企经常利润变化(2002—2011 年)(单位:亿日元)

资料来源:日本政府经济产业省调查 2013.

注重企业形象塑造积极参与公益事业

根据日本国际交流基金 2009 年《在华日资企业社会贡献调查》显示,在华日企超过一半左右参与当地的社会贡献活动,其内容包括:救灾援助、社区活动、环境保护以及教育活动等。此外,一些企业还创办独具特色的公益事业,典型案例如"东芝杯"师范生技能大赛、瑞穗奖励基金、佳能"希望之光"、欧姆龙残疾人支持事业、电通中日广告人才培养项目等。

五、"岛争"对中日经济关系冲击

2010 年 9 月,日本海上保安厅巡逻船与中国渔船相撞事件令中日关系迎来了历史性转折点。之后,围绕"撞船事件"中日之间进行了一场复杂博弈,最终在 2012 年 9 月因日本政府实施所谓对钓鱼岛"国有化措施",中日关系跌入到复交之后的历史谷底。直到 2018 年 10 月,在长达 7 年之久的时间内,作为世界第二大和第三大经济国的中日之间一直没有首脑互访。

“撞船事件”成中日关系转折点

按照日本媒体所逐步披露的事实,该事件经历了如下过程。2010年9月7日的10时15分左右,在钓鱼岛(日本称之为“尖阁群岛”)附近海域,日本石垣海上保安部巡逻船“与那国”号(1 349吨)与一艘中国拖网渔船(166吨)相撞。在约40分钟之后,该渔船又与日本巡逻船“水城”号(197吨)相撞。当日下午,日本第11管区海上保安本部命令该艘中国渔船停船并实施了上船检查。是夜,日本政府决定逮捕中方船长,并扣留渔船和船上其他14名船员为物证、人证。同时,日本政府官房长官仙谷由人于是夜紧急召集外务省及海上保安厅干部进行协商,其后,日本政府作出决定并对外公布:“将船长带到最近的检查机关,按照日本司法程序进行处理。”①

接下来,围绕该事件,中日之间进行了多次、反复地交涉。此间,中国政府曾先后5次紧急召见日本驻华大使,要求先放人。9月13日,日本海上保安厅释放了14名中国船员和中国渔船。19日,日本又宣布“依法”延长对中国船长的扣押。于是,中国政府也宣布采取停止部级以上双边交流的反制措施。然而,5天之后的9月24日,日本那霸地方检察厅突然宣布释放中方船长,而按日本法律规定,此次延长拘留是理应到28日的②,于是,撞船事件也因此暂告一段落。

表12-3 中日“撞船事件”交涉梗概

<table>
<tr><td>7日</td><td colspan="2">钓鱼岛海域发生日本海上保安厅巡逻船与中国渔船相撞事件</td></tr>
<tr><td rowspan="2">8日</td><td>日本</td><td>以妨碍执行公务为名,逮捕中国船长、并扣押14名船员</td></tr>
<tr><td>日本</td><td>首相菅直人表示,“将按照日本法律,严肃处理”</td></tr>
</table>

①「中国漁船船長を逮捕へ　尖閣付近巡視船に接触」[N].『朝日新聞』2010.9.8:1版.

② 日本《刑事诉讼法》规定,拘留期限以10天为限,但检察官可以延长拘留,期限也是10天。参见:日本国「刑事訴訟法」,菅野和夫他,ポケット六法[Z].有斐閣,2008:1550—1551.

续表

9 日	中国	外交部发言人姜瑜指出,“希望日方正视事态严重性,将严重影响中日关系”
	中国	宣布派遣渔政船到附近海域
11 日	中国	宣布暂停围绕中日共同开发东海油气田的交涉活动
12 日	中国	国务委员戴秉国凌晨紧急召见日本大使丹羽宇一郎
13 日	日本	释放 14 名中国船员和中国渔船
17 日	中国	向东海油田搬运开采器材(日本政府指称)
	中国	某企业宣布取消 1 万人旅日计划
18 日	中国	北京、上海等地发生反日示威
19 日	日本	宣布延期拘留中方船长
	中国	宣布取消双方部级以上交流
20 日	日本	外相前原诚司宣布,“日本检方将以日本国内法严肃查处”
	中国	宣布邀请日本青年千人访华团延期
21 日	中国	宣布取消联合国大会期间的中日首相会谈
	中国	温家宝总理指出“不得已采取对抗措施,日方若不放人将采取进一步措施”
22 日	中国	北京市旅游局提示谨慎组织访日旅行
23 日	中国	对日暂停稀土出口(日方报道)
24 日	日本	那霸地检宣布保留释放船长

资料来源:「日中摩擦　検察に重圧」『朝日新聞』2010 年 9 月 25 日第 2 版。

事实表明,此次“撞船事件”完全为日本政治力量的“作俑”使然。而且,当看到事态严重性及其难控状态之后,政治力量又试图以地方检方为挡箭牌,欲草草收场了事。最直观的表现是:在宣布释放中方船长之后,上至日本首相、下到相关主管大臣,均以“未介入”为由,逃避各方指责。

民主党政权的处理及其背后

此次事件与日本执政党——民主党的党代表选举密切相关。“撞船事件”爆发的 9 月 7 日,距离党代表选举仅有一周时间。由于当选党代表,就将意味着能成为新一任日本首相。因此,现任首相菅直人的主要精力几乎全部在选举之上。而时任国土交通大臣的前原诚司,正是菅直人能够连选的最有力支持者,其麾下的前原派组织——"凌云会"拥有着26名国会议员,是民主党内一支重要力量。而此次撞船事件的"始作俑者"——日本海上保安厅,恰恰就归属于国土交通省。一贯强调"中国威胁论"的前原诚司,被日本媒体称为"民主党内的对华强硬派"。事实表明,正是前原下令逮捕了中方船长。① 而为了能够继续执政,菅直人选择和接受了前原的对华强硬路线。实现再次当选后,菅直人又任命前原接替出任民主党干事长的冈田克己而担任外相。显然,此举使中日关系更是"雪上加霜"。

在事件的最后处理上,日本政治力量显然是以那霸地检作为应对国内指责的挡箭牌。尽管日本政府一再强调"放人"属于检方当局"综合判断"的结果,政府力量并没有介入事件的处理过程。但是,这种说法明显与一贯强调"国家应由政治主导"的民主党宗旨背道而驰。而且,最近披露的事实也表明,政治因素不仅介入该事件的最终处理,甚至发挥了关键作用。起初,菅直人首相循着前原诚司的"强硬路线",明确宣称该事件必须"依照日本国内法严肃处理"。② 但是,伴随事态的逐步升级,他很快意识到"前期的做法似乎有问题"。于是,即在其将赴美参加联合国大会之前的9月22日,他指示部下要"要尽快处理此事"。③ 日本地检突然释放中方船长也是征得了日本政府的同意。据报道,9月24日上午10点左右,那霸地检和福冈高检、日本最高检经过协商决定释放中国船长。之后,该决定被迅速上报法务大臣柳田稔(11:55)、官房副长官泷野欣弥(12:30)、官房长官仙谷由人(12:30)和外务大臣前原诚司(14:00)。④ 所

① 「前原氏『おれが逮捕決めた』」[N].『朝日新聞』2010-9-28第2版.

② 「日中摩擦　検察に重圧」[N].『朝日新聞』2010-9-25第2版.

③ 「『もっと早くできないのか』首相、訪米中の解決促す」[N].『朝日新聞』2010-9-28第1版.

④ 「釈放理由、官邸に事前報告=尖閣漁船衝突事件」[N/OL].『時事通信』2010-10-12:http://headlines.yahoo.co.jp/hl?a=20101012-00000060-jij-pol。

以，日本政府所谓“政治未介入”的说辞，显然是立不住脚的。

此次“撞船事件”的严重性恐怕是日本民主党政府始料不及的。首先，它打破了中日之间在领土争端问题上达成的长期默契原则，而该原则恰恰是中日关系发展的重要基石。早在1972年中日建交前夕，中国总理周恩来就提出将钓鱼岛等岛屿归属问题暂时搁置，等待条件成熟时再行解决，双方就此达成了共识。1978年，中日签署和平友好条约之际，邓小平副总理再次明确了钓鱼岛问题可留日后慢慢解决。于是，中日就领土争端达成了“搁置争议”的默契原则。此后，围绕钓鱼岛尽管不时伴有各类冲突发生，但均未打破两国政府所达成的默契原则。最典型事例是2004年3月24日7名中国保钓人士登岛事件，当时日本冲绳警察本部以“非法入国”为由逮捕7人，但两天后小泉政府则宣布释放上述人士。“制造”此次“撞船事件”之后，日本民主党政府竟然宣布“适用于国内法”，此举显然“冒天下之大不韪”，它直接冲毁了中日关系的外交基石。

其次，领土问题历来都是双边关系中最为敏感的领域，对于中日关系而言尤甚。中日之间所以能够建交并签署和平条约，正是因在领土问题上智慧地选择了“搁置争议”原则。而且，中日关系的发展事实也表明，这种顾全大局的明智之举对中日双方都是有利的。“和则两利、斗则俱伤”已成为中日两国的共识，历史问题、台湾问题曾经长期困扰中日关系发展，甚至一度造成双边关系停滞甚至倒退。因此，化解矛盾、维护双边关系发展，才是两国共同努力的方向。然而，此次日本民主党政府竟然不顾大局，甚至在敏感领域挑起新的冲突，显然有悖于历史发展的车轮，甚至会重新激化历史问题，使得中日之间的国民感情严重受挫。

最后，中日之间长期的外交努力成果将受到严重损害。小泉内阁时代(2001—2006)因其顽固推行“参拜政治”，曾导致中日关系严重恶化。中日的“和平与发展的友好合作伙伴关系”进程也被彻底打断。此后，历经安倍、福田以及麻生内阁的中日共同修复之后，陷入“冰点”的中日关系才终于逐步回归正轨，并确立了“战略互惠关系”。双方还组织专家共同研究历史问题，力图摆脱阻碍双边关系发展的长期阻碍。此次撞船事件，显然背离了上述发展方向，必然会损害中日之间长期努力的成果。

挑起领土争端必然有悖于中日关系的向前发展，日本政府的态度转变，显然也是认识到了问题的严重性。这既不利于日本的国家利益，也违背了长期以来日本的对华基本战略。正如日本学界所指出的，其结局是“日本在此次中日外交攻防战中必然完败”。①

日本民主党政权所以“导演”此次撞船事件、骤然打断中日之间“战略互惠”建设进程，主要缘于如下因素。其一，日本民主党政权上台不久，缺乏外交经验。上台一年多以来，民主党在外交领域几乎无任何建树，相反，却招致一系列问题缠身。诸如日美之间因普天间基地问题产生龃龉、日苏之间围绕北方四岛出现关系僵化趋势、中日之间则因“撞船事件”大有乍暖还寒之势。这些问题使日本外交陷入困境。

其二，民主党政权与中国之间缺少畅通的高层政治通道，这也与其上台不久相关。类似批评声音也在日本国内渐趋高涨，正是因为日本决策者根本不了解中方立场。所以，至今日本政府甚至仍执迷于所谓是否公开“录像带”一事，而忘记了该事件的严重性在于，它破坏了中日之间长期以来的外交默契。相比之下，谁撞谁并不重要。况且中方毕竟是民间渔船，而日本则属于官方巡逻艇。

其三，“美国因素”对于中日关系的影响。长期以来，美国仍是横亘在中日间的重要因素。显然，若无 1972 年中美之间的“越顶外交”，日本是难以实现与中国恢复邦交的外交突破。而且，钓鱼岛问题本身一开始就与美国密切相关。自将琉球归还日本以来，美国始终就钓鱼岛归属问题采取暧昧态度。而撞船事件发生后，虽然美国仍未就其归属明确表态，但其高层却多次表态将钓鱼岛纳入日美安保体系。显然，美国这种对华遏制战略也对日本产生了极大影响，致使其在中日关系上产生误

① 清水美和. 菅政権が見逃した中国「強気の中の脆さ」[J/OL].『中央公論』2010 年 11 月号：http://zasshi.news.yahoo.co.jp/article? a=20101012-00000303-chuokou-pol.

判，导致事态恶化。

不过，从日本整体发展形势以及民主党政权对该事件的“虎头蛇尾”式处理态势来看，短时期内，民主党政权料也不会改变自民党政权的“经济为纲”对华战略。也就是说，日本政府不会任由中日关系继续恶化下去，因为它难以承担中日经济关系受损所带来的局面。

钓鱼岛“国有化”带来剧烈冲击

“撞船事件”还仅仅是中日关系恶化的开始。2012 年 9 月，野田执政的日本政府悍然对钓鱼岛实施所谓“国有化”措施，这使得本已脆弱的中日关系再度骤然恶化，跌入所谓“建交以来历史谷底”。

此次事件对经济层面造成剧烈冲击，两国贸易已经连续两年下滑；日本对华投资 2012 年继续保持增长，但 2013 年出现同比下降 4.3%，2014 年 1—3 月份则大幅下降了 47%；2012 年 9 月份反日游行示威一度使在华日企受到冲击，汽车等日企商品大幅受挫，不过到 2013 年均已基本恢复。可见，中日关系的恶化对双方经济关系产生了影响。不过，经济互惠也可能对两国政治层面的进一步恶化发挥缓冲作用。

具体而言，“岛争”给中日经济带来影响可以概括为如下几点：

第一，双边贸易连续两年下滑，韩国取代日本成为中国最大进口国。根据中国海关总署统计显示，2012 年度中日贸易额为 3 294.5 亿美元，同比下降 3.9%，中国对日出口虽出现了 2.3%的增长，但进口则下降了 8.6%；2013 年度中日贸易额 3 125.5 亿美元，同比继续下降，下降幅度增加到 5.1%，虽然对日出口仅下降了 0.9%，但对日进口下降继续扩大，降幅达 8.7%。①

日方统计数据虽然与中方有所不同，但同样是连续两年下降。2012

① 中华人民共和国海关总署：2012 年 12 月、2013 年 12 月进出口商品主要国别(地区)总值表，参见：http://www.customs.gov.cn/publish/portal0/tab49666/module175903/page4.htm，2014 年 5 月 4 日登录。

年日中贸易额同比下降 3.3%，为 3 337 亿美元，对华出口大幅下降了 10.4%；2013 年度下滑趋势显著，同比下降 6.5%，收于 3 119.9 亿美元，对华出口继续保持了 10.2%的下降，对华进口也出现了 3.7%的降幅。①

尽管日本仍然维持着中国第二大贸易国的地位，但其长期作为中国最大进口国的地位却在 2013 年被韩国夺走，2013 年中国从日本进口 1 622.8 亿美元，从韩国进口 1 830.7 亿美元。另外，中国从台湾地区的进口也在 2013 年大幅增加，进口额达 1 566.4 亿美元，增幅高达 18.5%。②很显然，日本作为"世界工厂"零部件供给中心的地位正在被韩国和台湾取代，此举可能会带来东亚生产网络的结构性变化。

第二，日本对华投资开始下降，转而向东盟投资显著增加。中国商务部数据显示，在对华投资方面，2012 年日本为 73.8 亿美元，仍位居香港之后列第二位；但到 2013 年日本对华投资为 70.4 亿美元，下降了 4.3%，被新加坡赶超；2014 年第一季度日本对华投资仅为 12.09 亿美元，排名已经下滑至第五位。③

日本方面的统计数字显示，2012 年日本对华投资继续保持 7.1%的增长，投资额达 107.59 亿美元；但是，2013 年上半年则出现 15.5%的大幅下降，投资金额为 48.31 亿美元。与对华投资相反，日本对东盟投资 2013 年却出现大幅上升趋势，仅上半年投资已经超过 1 万亿日元，与 2012 年同比骤增 321.7%。在整个日本对外直接投资占比中，最近几年其对华投资占比约为 11%，但 2013 年上半年却降至 8.9%，相反，对东盟占比则骤然上升至 18.5%。④

---

① 日本財務省貿易統計：報道発表資料：http://www.customs.go.jp/toukei/shinbun/happyou.htm，2014 年 4 月 4 日登录。

② 中华人民共和国海关总署：2013 年 12 月进出口商品主要国别(地区)总值表 http://www.customs.gov.cn/publish/portal0/tab49666/module175903/page4.htm，2014 年 5 月 4 日登录。

③ 中华人民共和国商务部：商务数据中心，利用外资。http://data.mofcom.gov.cn/channel/wzsj/wzsj.shtml，2014 年 4 月 30 日登录查询。

④ 日本貿易振興機構：『2013 年上半期の対中直接投資動向』(2014 年 1 月)第 10 頁。

不断成长、容量巨大的中国市场，显然是日本企业难以割舍的重要原因。但是，面对持续僵持的中日关系，日本企业又举棋不定，这导致日本对华中长期投资的不明确性。如果中日政治关系迟迟得不到改善，必将推升日本产业界的所谓“中国风险论”，部分日企也许要加速实施所谓“中国＋1”战略。同时，日本安倍晋三内阁确定并积极推行“中国包围圈”经济外交战略，支持日企投资中国之外的东南亚、俄罗斯、南部非洲、中东地区等地区，必将使日本对外投资的方向和结构发生分化。

第三，部分在华日企的经营受影响，日企对华战略出现分化。中日关系恶化使以汽车为主的在华日企经营一度受到严重影响。2012 年 9 月，日系汽车在华销售骤降 42.2％、减产 28.4％。10 月，日本对华整车出口骤减 82％。[①] 据估算，包括进口在内日本汽车 2012 年在华销量减 20％，利润损失 1 300 亿日元。[②] 一直到 2013 年 5 月，日产、本田、丰田等主要企业才基本恢复生产。

不过，日本汽车厂商无意放弃中国市场，相反，还纷纷采取各种举措巩固和拓展中国市场。一是扩大产能。在华六大日本车企计划 2015 年将在华产能提升至 530 万辆；二是丰富产品类型、拓展销售渠道。除加大新车型投入之外，还计划开创独立品牌。整个日系汽车 2013 年在华 4S 店扩大 10％，达 3 300 家左右。[③] 三是进行产品升级，提高竞争力。丰田、本田宣布将在华拓展混合动力汽车销售，为此，丰田投资 156 亿日元建电池合资工厂。[④] 四是关联企业扩大在华投资，如新日铁住金将投 300 亿日元，增加高级钢板产能 40％[⑤]、捷特科将投资 80 亿日元提高变

① 桑原健「車大手、中国販売下方修正へ　日本製品の不買続く」、『日本経済新聞』2012 年 10 月 10 日。

② 「日本車 7 社、中国販売 2 割減へ　純利益 1 300 億円した押し」、『日本経済新聞』2012 年 11 月 10 日。

③ 「中国シェア挽回へ出店　日本車 1 割増の3 300 店に」、『日本経済新聞』2013 年 4 月 24 日。

④ 「トヨタ中国で電池合弁　156 億円投資 HV 現地生産用」、『日本経済新聞』2013 年 5 月 31 日。

⑤ 「高級鋼板中国に新工場—新日鉄住金日本車増産に的」、『日本経済新聞』2013 年 6 月 11 日。

速器产能、三菱重工和石川岛重工等提升在华涡轮增压器产能。①

第四,双边金融等领域合作停滞不前,多边谈判受到影响。在国家间关系严峻的背景下,中日经济界的交流并没有中断。近期较有代表性的往来包括2013年9月中信集团等十大中国企业经营者访问日本,同年11月日本日中经济协会派出近180名企业高管组成的超大型代表团访华,2014年4月由前众议院议长河野洋平任团长的日本国际贸易促进协会代表团访华,等等。但是,中日之间由政府推动的合作项目以及多边谈判等受影响最严重,如中日金融合作进程、中日韩自由贸易区以及区域全面经济伙伴关系(RCEP)谈判等。这些将对中长期中日双边经济合作以及中日韩、东亚经济合作的影响巨大。

重构中日战略互惠关系成为严峻课题

中日经济关系具有相互依存、互惠共赢的显著特征。任何打压或阻碍双边经济发展的做法,不仅不利于中日两国,甚至可能对亚洲经济乃至世界经济产生负面影响。中日政治关系遇冷以来,双边经济关系虽然也受到一定冲击,但同时也表现出其自身的分量,对两国关系发挥了“压舱石”的重要作用。

对于中日两国而言,长期对抗或兵戎相见显然违背两国的根本利益。改革开放以来,为了实现伟大复兴的梦想,中国早已确立和平发展的基本战略。第二次世界大战之后,走和平发展的道路也成为日本的战略选择。所以,今后应当进一步推进中日经济关系,充分夯实两国之间坚实的底层结构,使它成为两国关系发展的推进器。在一定程度上说,紧密的经济关系也可以防止日本政治右倾趋势可能导致的中日关系全面恶化,有效遏制从根本上损害中日关系发展的任何图谋。

第一,必须承认和尊重中日经济相互依存的客观事实。对于中国而

① 「変速機増産80億円投資—ジャトコ」、『日本経済新聞』2013年4月28日;「中国環境車ターボで開拓　三菱重　IHI」、『日本経済新聞』2013年5月8日。

言，日本是迄今为止的最大外资来源国，而且位列发达国家对华投资第一，技术进步意义重大。日本长期以来还是中国最大进口国，对稳定我国“世界工厂”运行具有重要意义。对于日本而言，中国是其第一大贸易伙伴，是重要的投资对象国，而且未来也具有广阔的市场空间和巨大潜力。不仅如此，中日两国还是整个东亚地区经济发展的“驱动双核”，对世界经济具有重要影响力。

第二，中日之间产业互补优势显著，未来合作空间广阔。尽管中日已建立起紧密的经济联系，但其质量与水平仍有待提升。目前，伴随着中国经济转型与产业升级，日本对华投资也呈现持续扩大趋势，并在技术层面出现升级换代趋势。而且，面对新的国际分工体系，作为全球产业链中下游和上游的中国和日本将面临更多合作机遇。当前，日本正试图通过“安倍经济学”等经济改革努力摆脱经济的长期低迷状态，中国也在同旧的粗放型经济发展模式告别，努力实现保障经济可持续增长的重大改革，这为两国更宽领域和更深层次的合作提供了机会。

第三，东亚区域一体化建设严重滞后于经济发展现状，中日合作推进潜力巨大。东亚经济区作为全球的主要经济中心之一，经济一体化进程步履艰难，远远落后于欧盟和北美自贸区。作为世界第二大和第三大经济体，中日合作推进一体化建设将释放出巨大能量。例如刚刚起步不久的中日金融合作，已为两国经济带来明显利好，货币直接兑换已为两国企业降低了交易成本。今后，在降低关税、推进投资、发展服务贸易等领域，中国与日本、韩国仍有很大合作空间。

第四，作为重要邻国和资源消费大国，中日两国面临着诸多亟待解决的共同课题，如环境保护、能源供应的保障、自然资源的短缺、国民老龄化问题等等。两国在这些领域的合作不仅能够有效推动两国经济的增长，促进各自经济结构的转型，也必将有利于全球经济的发展。以环境保护产业为例，日本的单位国内生产总值能耗稳居世界第一，拥有为数众多掌握先进环境技术的企业以及处理环境污染的丰富经验。中日环境科学与产业界的合作不仅能够造成双赢局面，也有利于整个世界。

第五，构筑中日关系坚实的底层结构，遏制上层机制的不稳定因素。近年来，日本政治领域出现了明显的右倾化趋势，如歪曲历史、否认战争罪行、宣扬军国主义，全力推动修改和平宪法，试图实现包括突破武器出口三原则、解禁“集体自卫权”等举措在内的“安保政策大转换”，甚至通过大力强化日美安全同盟和所谓“价值观外交”，构建对中国的“包围圈”。对此，中国政府除了从正面妥善应对之外，还应注意积极夯实中日关系坚实的底层结构——经济关系，使之从双边关系的稳定器发展为推进器，有效阻止或遏制上层机制出现的错误方针或错误行动。

（本章内容主要选自两篇论文，分别刊载在《南昌航空大学学报》2011 年第 3 期《“撞船事件”与日本对华战略》；《中国国际战略评论》（2014 年）总第 7 期《中日经济关系发展现状与未来趋势》）

第十三章　日本产业的国际竞争力与战略转型

20 世纪 80 年代，贸易立国是日本经济的突出特征。汽车和家电等凭借其强大的国际竞争力而成为日本出口的两大支柱。然而，到了世纪之交，日本家电却在国际市场遭遇滑铁卢，出现了集体败退的悲壮场景。但是，以占领美国市场为龙头，日本汽车产业一直领先于世界。在中国等新兴市场迅速崛起之后，日本产业机器人、机械产业以及零部件产品也随之悄然壮大，成长为日本出口的新动力。如今，在市场竞争越加激烈、技术进步不断加速的背景下，日本企业也开始顺应国际市场竞争环境的变化而实施战略转型，一些新特征也随之形成。

一、风口浪尖的日本汽车产业

日本汽车至少可领先世界五年——这是日本智库瑞穗银行产业调查部提出的观点，其依据是从整车、供应商、生产技术、研发以及全球化水平等综合指标判断得出的。20 世纪 80 年代以来，凭借质优而价廉的竞争优势，日本汽车便开始在世界大行其道。以美国为例，日本汽车大量出口美国曾招致这个老牌汽车强国的强烈抵制，最终，日本人被迫选择自主限制出口方式，才勉强平息了美国的怒气。如今，日本对美出口汽车虽已降至173万台,该数字仅是1986年343万台峰值的一半,但日本厂商在美国本土生产的汽车却已逼近385万台。由此可见,四十年之后的日本汽车依旧保持着强大竞争力,那么,在产业环境巨变过程中,其自身到底发生了怎样的变与不变呢?

日本对外出口的"擎天柱"

在制造大国的日本,汽车产业一直处于龙头老大的地位,堪称日本经济"擎天柱"。在对美贸易的700亿美元黑字中,汽车就占据着500亿美元的分量。因此,日本汽车也就成为特朗普总统的"眼中钉"了。

一是从工业产值来看,汽车占比超过20%,是当之无愧的龙头产业。2015年日本工业总产值为313万亿日元,其中,汽车产业约为57万亿规模,是排名第二的电气设备1.4倍,全制造业产值占比18%,遥遥领先于电气设备(13%)、一般设备(11.5%)、化学(9.1%)和钢铁(5.7%)、金属制品(4.6%)。① 二是从就业人数来看,2017年汽车产业相关从业人口为539万人,在日本6 530万的全部就业人口中占比8.3%,其中,汽车制造从业人员约为86.2万,货物运输等相关领域为269万,加油站及保险等35万,原材料相关将近46万人。② 三是从GDP占比来看,汽车制造业GDP占比约为2.4%,加上关联产业之后则将攀升至5%左右。其出口贡献度最为突出,2015年度日本汽车出口额超过18万亿日元,占出口总量的四分之一,出口盈余更是高达15万亿日元。

不仅如此,汽车还是日本产业未来发展的重要推力,这主要体现在研发投入和设备投资两大领域。日本的研发投入规模一直位居世界前列,GDP中占比始终在3%左右,特别是民间企业高度重视研发投入。2016年度日本主要制造业的研发经费投入总额为11.57万亿日元,其中

---

① JAMA.『2015年の主要製造業の製造品出荷額等』: http://www.jama.or.jp/industry/industry/industry_3g1.html[2018-10-16]。

② JAMA.『自動車関連産業と就業人口』(2017年): http://www.jama.or.jp/industry/industry/industry_1g1.html[2018-10-16]。

汽车及相关产品就达2.8万亿日元，总占比超过了整个制造业的1/4。① 再就是设备投资领域，汽车业也一直是日本制造业设备投资的领头羊。2017年度汽车业设备投资继续保持领先，总投资额在1.5万亿日元，在全部制造业中的占比约为23%，这还不包括海外设备投资。②

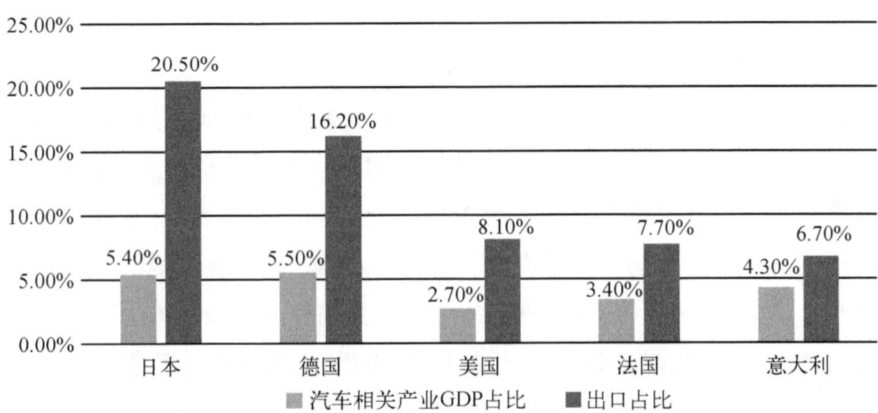

图13-1　主要发达国家的汽车产业经济占比(2014年)

资料来源：笔者根据相关资料整理制作。

与经济地位不同，日本汽车产业的需求结构可谓发生了巨变，对外严重依赖成为其突出特征。以2016年为例，国内汽车销售下探至497万台，同比上年减少1.5%，这是自2011年东日本大地震以来时隔五年再度跌破500万大关。与此相反，海外销售总量逼近2 300万台，外需几乎是内需的五倍！1990年，日本汽车内需曾高达777万台，同年出口量为583万台，加上326万台的海外产量，内外需基本处于平衡状态。③

需求结构巨变也导致全球生产布局的变化。2015年日本汽车的海外生产规模已经达到1 809万台，几乎是国内928万台的两倍，这导致汽

① JAMA.『主要製造業の研究費』(2016年度)：http://www.jama.or.jp/industry/industry/industry_2g3.html[2018-10-16]。

② JAMA.『主要製造業の設備投資額』(2017年度計画額)：http://www.jama.or.jp/industry/industry/industry_2g2.html[2018-10-16]。

③ JAMA.『四輪車新車販売台数の推移』：http://www.jama.or.jp/industry/four_wheeled/four_wheeled_2g2.html[2018-10-16]。

车产业的海外生产比率畸高,已经高达66%。这种产业全球布局也对日本对外经常收支产生重大影响,2014年反映企业海外投资盈利状况的"第一次所得收支"项目录得18万亿日元顺差。今后,包括专利费用在内,日本海外投资回报还会得到进一步提升。

日本汽车产业格局的调整

在传统汽车强国当中,日本汽车产业的集中度最低,形成了十一家车企"诸侯林立"的竞争格局。纵观美国、英国、法国等汽车工业强国,一般都形成了两三家汽车巨头并立的竞争格局,以1970年国内排名前两位汽车厂商所占市场份额来看,美国76%、英国75%、联邦德国66%、法国64%,而日本仅为61%。在日本汽车界素有所谓"1967体制"之说,当时,在资本自由化强大外部压力之下,日本政府推动了一场席卷整个汽车业的大规模产业重组。日产汽车兼并了王子汽车、还出资富士重工,丰田汽车则相继与日野和大发签署合作协议,形成了两大集团。此外,还形成了五十铃、铃木、本田、马自达(东洋工业)、三菱等五家独立企业,这11家厂商的竞争架构逐步演变为后来乘用车为主的"八大车企"格局。

从20世纪90年代开始,日本汽车产业竞争格局就开始步入调整阶段。受泡沫经济崩溃冲击,当时日本车企普遍陷入资本困境,引发了一场产业重组浪潮,而且,重组范围还不仅仅限于国内企业,欧美资本也乘虚而入。丰田公司相继于1998、2001年对大发和日野实施增资,实现控股的51.2%和50.1%,形成了大丰田集团。此外,除本田继续保持所谓纯粹"日本血统"之外,其他企业均接受了外国资本。1996年福特公司对马自达公司实现参股33.4%;通用公司则相继于1998、1999和2000年分别对五十铃、富士重工和铃木公司参股49%、21%和20%;法国雷诺于1999年购入日产36.8%股份,2002年再次增资实现对日产控股44.48%;戴姆勒·克莱斯勒则于2001年对三菱汽车参股37.3%。这场资本购并大潮之后,原11家日本车企中,仅有丰田集团3家和本田公司还属纯粹日企，其他 7 家都成为外资参股公司，最典型的就是日产。

重组之后的日本汽车逐步摆脱衰退，重新崛起。这既与美欧车企遭受金融危机冲击密切相关，但更重要的是世纪之交日本车企普遍进行的大规模深化改革，最具代表性案例就是日产汽车连续推出的 NRP（日产复兴计划）和 180 计划（即销量增加 100 万台、经营利润率达到 8%、净债务为 0）；产业老大的丰田也紧随其后实施了四大特征的“危机变革”——回归现场主义经营理念、六极体制全球战略、矩阵式组织转型以及产品战略“回归与突破”。2007 年丰田营业利润曾创下 2.27 万亿日元的历史记录。凭借雄厚的资本实力和技术实力，丰田开始构建庞大的汽车联盟，它向富士重工出资 16.48%，向五十铃出资 5.89%，向雅马哈出资 3.58%，之后，又向马自达提供了混动技术。

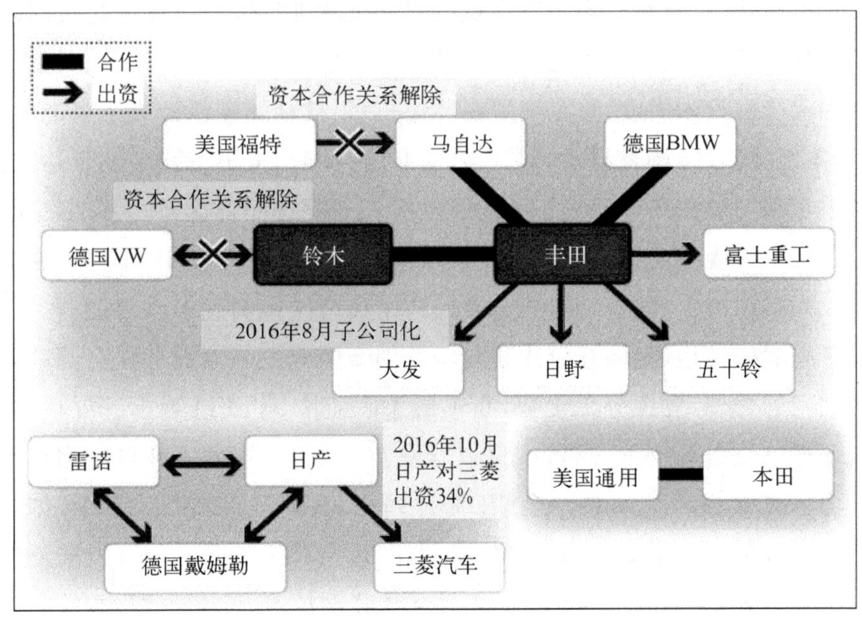

图 13－2　日本汽车产业变化与全球“三强并立”格局的形成

资料来源：笔者根据相关报道整理制作。

2017 年 2 月 6 日，丰田汽车公司宣布在环境技术等方面与铃木汽车缔结全面业务合作关系，尽管双方没有披露合作内容和方式等具体细节，但这对日本最大车企与最大的小型车厂商的牵手，将形成“1 800 万台”的车企大联盟。这标志着日本汽车产业世纪之变的产业大调整基本落幕。长达半个世纪之久的“八大车企”产业格局走向瓦解，初步形成了以丰田、日产和本田“三强并立”的新格局。

技术进步改变了整车厂与供应商关系

技术进步与产业革命将迅速改变汽车产业的竞争环境，伴随着该产业电动化、自动驾驶以及人工智能化等新趋势、新特征的迅速普及，全球汽车产业迎来各种新的严峻挑战。而在应对这些挑战及各种风险之际，过去那种整车厂商独当一面的模式正在改变，零部件厂商的地位越加重要，其创新能力不断提升、创新范畴也越加广泛。

毋庸置疑，整车厂商一直在积极应对技术进步以及市场变化等因素所带来的新挑战和风险，近年来的努力重点主要包括如下特征。一是不断加大研发投入力度，重点集中在环保技术、自动驾驶以及人工智能化。《日本经济新闻》调查显示，2016 年度丰田、日产、本田、铃木、马自达、富士重工和三菱汽车等七大车企的研发投入规模总计将达 2.8 万亿日元，这已经是雷曼冲击之后汽车研发投入连续 7 年增长。其中，丰田一家研发投入就超过 1 万亿日元，超过美国通用和德国戴姆勒等国外同行。二是实施战略转型，走向开放式联合研发创新模式。一方面加强与国内同行之间的合作，发挥分工优势，在丰田大联盟中，丰田继续推进混动、燃料电池以及电动技术，而铃木重点开发新兴市场环保车，马自达则集中精力解决燃效；与此同时，还携手海外同行，共同推进新技术革命，如丰田一边携手美国电动车“新秀”特斯拉，一边与德国宝马合作开发柴油发动机等。三是扩大设备投资，积极导入物联网技术（IOT）、建设智能化工厂。2016 年度上述七大日本车企设备投资总额将突破 3 万亿日元。四是统一零部件规格，继续推进平台化战略，降低生产成本。2014 年开始，丰田、日产等日本国内 14 家汽车及摩托车企业便开始着手统一规格，率先在通用性高的零部件以及车用半导体方面实现标准化。此外，大力推进模块化平台也是突出特征，如丰田 TNGA、雷诺日产的 CMF。

伴随着汽车产品的电子化、IT 化以及智能化趋势，零部件厂商以及关联产业企业的创新越来越成为汽车产业应对新挑战与风险的坚实后盾。伴随汽车 IT 化和智能化趋势，零部件厂商、半导体以及电子厂商的作用越加凸显。2014 年日立就把汽车 IT 化视作企业发展重要机遇，提出将把汽车零部件销售额提升至 2 万亿日元规模。本田已经宣布将携手日立，共同开发纯电动汽车的车载马达等产品。此外，松下和索尼等传统电子产业巨头也早已进入汽车零部件市场。再就是具有强大国际竞争优势的日本材料厂商，它们在汽车轻量化以及电动汽车领域跃跃欲试。如东丽公司已宣布将投资千亿日元提升碳纤维产能，生产汽车核心部件。包括三菱丽阳和帝人在内的日本碳纤维占据着全球 60%的市场。三菱化学、住友化学等电池材料领域具有压倒性优势的日企，也纷纷计划大幅提升产能，以迎接电动汽车时代的到来。

今后，汽车产业将迎来新的变革浪潮——不仅面临着更加严格的环保限制，人工智能（AI）技术也将广泛应用于自动驾驶，此外，共享型出行观念也在不断扩散，挑战和风险将更加严峻，而可以预见的是，未来汽车产业的主导权争夺将更加激烈。

二、高处不胜寒的日本机器人

2015 年初，日本政府公布了《机器人新战略》，计划在未来五年内将机器人市场规模提升 2.6 倍，从当时 6 600 亿日元骤增至 2020 年的 24 000亿日元。[①] 为实现这一宏伟战略，日本甚至重温“机器人立国”旧梦，把 2015 年称为“机器人革命元年”。早在 35 年之前，它曾通过确立所谓“机器人普及元年”而成功跻身于世界公认的机器人大国行列。

---

① 日本機械工業連合会.『平成 27 年度　ロボット産業・技術の振興に関する調査研究報告書』平成 28 年 3 月，p3。

工业机器人的半壁江山

20世纪60年代，世界第一台工业机器人诞生在美国。当时，日本的机器人形象还是未来梦幻般的“铁臂阿童木”。然而，从70年代初开始，日本便从美国引进这种工厂机器人，并广泛应用于涂装、焊接以及组装等生产环节。到80年代，日本的家电、汽车以及半导体等产业领域，纷纷实现了电子化专业生产设备，这些工业机器人成为其优秀产品与高生产效率的有效保障。1985年，日本机器人安装总量达9.3万台，全世界占比高达70%，成为世界公认的“机器人王国”。①

迄今为止，日本机器人产业发展可概括为三个阶段：一是90年代之前的国内需求主导阶段；二是几乎贯穿整个90年代的“失去的10年”阶段；三是2003年之后的外需主导阶段。

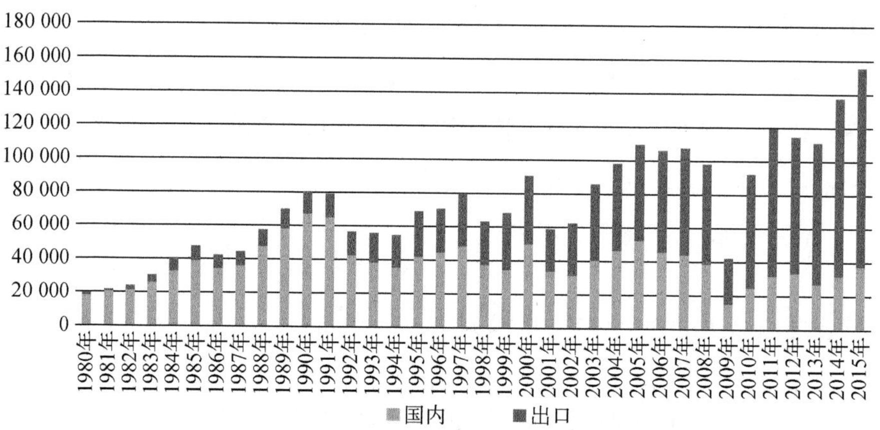

图13-3 日本机器人内外销比率(1980—2015年)

资料来源：笔者根据日本机器人工业会公布数据整理制作。

截止90年代之前，日本工业机器人呈现两大突出特征：一是市场规模稳步增长，出库量从1980年将近2万台，一路上扬至1990年的8万台，增长超过3倍以上；二是需求层主要是面向国内，出口仅是少量，最

① 上野裕子.『海外から見た日本のロボット産業・技術』GLOBAL Angle2016.7 No.124.p22。

高峰的1989年占比也只不过17%。然而，90年代初期的泡沫经济崩溃却重创了日本机器人产业。1991年机器人出库量掉头向下，跌破8万台大关；1992年更是收报于5.5万台，相比1990年骤降了2.4万，降幅超过30%。这种增长乏力的形势一直持续到2003年，之后，迅速扩大的海外需求开始替代不断萎缩的国内需求，让日本机器人产业再度焕发了生机。

2003年是日本机器人产业发展的新里程碑，这一年的出库量再次突破8万台。除2008年受金融危机强烈冲击之外，日本机器人海外销售一路飙升，从4.3万台猛增至2015年11.7万台，12年间增长了2.8倍。据国际机器人联盟(IFR)调查数据显示，2015年度全世界机器人销售达24.8万台，而日本的占比高达62.7%。

然而，作为机器人强国的日本却并没有鹤立鸡群式的机器人巨头，而是形成了群雄并立的格局。机器人企业中，既有专注以研发和制造机器人为主业的专门企业，如世界工业机器人产量第一的安川电机、多关节工业机器人领先世界的发那科、以汽车生产机器人为主的不二越等；也有很多综合型大企业积极从事机器人研发生产，例如拥有40多年生产半导体制造机器人的川崎重工、生产电子零部件机器人的松下和雅马哈发动机等。事实上，这种竞争激烈的产业环境极大推进了技术进步，特别是“客户参与”模式——如丰田、雅马哈、川崎重工、日立等综合企业参与机器人生产——让机器人生产更加适应了实际需求。

“高处不胜寒”的危机感?

然而，正值世界快速迈向机器人时代之际，全球领先的日本却危机感陡然大增，它忙不迭地推出“五年三倍速增长”的《机器人战略》，政府不仅要出台各种政策、大力改善制度环境，而且还拿出1 000亿日元的真金白银，切实推进机器人的研发。不仅如此，日本政府还宣称这仅仅是中期战略，今后还将制定“2025年再倍增计划”和“2045年超人思维机器人计划”。

令日本机器人感受到阵阵寒意、形成强烈危机感的因素主要包括以下几点：

首先，日本国内装机量的世界占比在不断下降，已从 1985 年 67%降至当前的不足 20%。2014 年全球机器人装机总量突破了 148 万台，虽说日本仍以 29.5 万台领先世界，但美国却从 2005 年 8 万台跃升至 21.9 万台、韩国和德国也都超过了 17 万台，尤其是中国增速最快，装机量已超过 18.9 万台①，2018 年或将达到 61 万台（IFR）。这些数字说明日本制造业竞争优势正在逐步下行，生产效率或将随之降低。

其次，在未来增长潜力巨大的服务机器人领域，日本却近乎空白状态。服务机器人主要包括专业服务机器人和个人家庭服务机器人，该领域虽仍处于起步阶段，但最近受劳动力不足以及人口老龄化等刚性因素需求驱动，加之物联网、大数据以及人机交互等技术进步因素影响，服务机器人呈现蓄势待发之势。2014 年全球专业服务机器人销量 2.4 万台、家庭个人服务机器人则超过 470 万台，两者销售总额也逼近 60 亿美元。欧美企业几乎垄断了服务机器人市场，在军用为主的专业服务机器人领域，欧美企业分别占据 60%和 27%的份额；在家庭个人服务机器人，美企占比高达 46%。

最关键因素是机器人产业环境正在发生巨变：一是美、德、韩等各国政府纷纷推出振兴机器人发展的国家战略；二是机器人自身的智能化、系统化、模块化新趋势；三是 IT 及互联网巨头纷纷进军该领域。这种结构性变化让日本极其担心其机器人产业也会走上家电式衰败之路。美国早在 2011 年就启动了"先进制造伙伴计划 1.0"，2014 年又启动该计划的 2.0 版本，抢占全球先进制造业制高点。德国工业 4.0 战略更是抢眼，它试图把物联网和信息技术融入制造业，打造出智能化生产模式。

最令日本担心的就是美国 IT 企业引领的人工智能计划。卡内基梅

---

① 国際ロボット連盟（IFR）.『世界の産業用ロボット稼働台数』（マニュピュレーティングロボットのみ）：https://www.jara.jp/data/dl/stock-of-robot-2015.pdf[2018-9-28]。

洛大学的马夏尔·赫伯特指出,“日本擅长机器人的物理特性开发,而美国擅长机器人思维开发……在人工智能领域遥遥领先”。最近,谷歌在机器人领域表现出咄咄逼人之势,这家自创业以来曾收购200多家企业的互联网巨头,2013年开始把矛头指向了机器人和人工智能。

“让机器人走出工厂”

为推动机器人产业彻底转型,日本政府主导成立了横跨产官学各界的“日本机器人革命促进会”,以此作为策划、协调此次战略转型的核心机构。在该机构的启动仪式上,安倍在致辞中首次提出了“让机器人走出工厂”的概念,强调了新战略的三大目标——让日本成为世界机器人创新基地、世界第一的机器人应用国家、引领全球机器人革命的先驱。

日本“机器人革命”概念包括三个核心:一是通过传感器和人工智能技术使所有物品都实现机器人化,如汽车、家电、手机甚至是住宅;二是让机器人走出工厂步入日常生活的每个环节;三是让机器人成为解决社会课题、强化制造与服务竞争力的有效手段。

日本政府还吸取以往产业政策的经验与教训,确立了六个努力方向。一是创建有利于创新的制度环境,修改相关法律、推进跨界合作和国际合作、设立特区形成创新基地。二是强化人才培养,由政府与市场相互协调培养基础和专业人才,确立由系统集成商(SIer)牵头的专业化人才模式。三是力争引领现金技术与国际标准,积极推进人工智能、模式识别、机构驱动控制等未来技术的同时,积极促进其国际标准化进程。四是制定分领域工程表,确立工业、服务业、医疗护理、基础设施及灾害应对、农业及食品等五大应用领域。五是推进全员参与式普及应用,实施系统集成商引导、全企业及用户参与的网络模式。六是数据平台化的机器人建设,让社会随处可见机器人,助推日本成大数据时代的引领者。

然而,新战略能否成功关键还要看这场变革的主角——日本企业如何实施战略转型。

其实,早在政府号召机器人“走出工厂”之前,日本企业就已先行实施了“走出日本”的战略。泡沫经济崩溃之后,不断增加的“外需”成为机器人企业的救命稻草。2000 年日本机器人出口突破 4 万台,2 年之后反超内需,到 2014 年内需额同比 1991 年下降了 2/3,出口额则是内需的 2.5倍。为适应需求结构的巨变,机器人企业也迈出了走出日本的步伐,被认为需求最旺盛的中国则成为目的地,当前,安川电机、川崎重工、不二越、OTC 以及精工爱普生等均在中国生产。

技术突破也是考验日企战略转型的关键。为了适应“自律化”“信息终端化”和“网络化”等新趋势,日本企业率先迈出从汽车和电机为主导转向食品、药品、化妆品等“三品产业”的步伐,与此同时大力导入 AI 技术开发新产品,拓展服务机器人,以差异化战略规避不断加剧的价格竞争。

总之,在新的机器人时代,能否成功实现竞争力构筑成为考验日企的试金石。

三、向价值链上游云集的日本企业

只有当潮水退去的时候,才知道是谁在裸泳。用巴菲特这句名言来看日本企业真实竞争力,特别是其在全球经济格局中的定位,恐怕将会发现很多与舆论相悖的事实。泡沫经济崩溃以来,“失落的 20 年”似乎已是日本经济的代名词,加之最近日本家电巨头前仆后继式的负面消息,更令人们认为日本企业与日本经济一起消沉。

然而,一些突发事件却成为反证。2015 年国际原油价格暴跌竟令日本综合商社几乎集体“躺枪”,三井物产出现 1947 年创业以来的首次亏损。再如,在日本爆发的大地震总会引发全球价值链的蝴蝶效应,2011 年“3・11”大地震不仅影响了苹果等国际电子巨头业绩,通用、标志等汽车巨头也被迫停产,刚刚发生的熊本地震也产生类似冲击力。事实证明,日本企业已是世界经济链条中不可或缺的重要环节,其影响力仍需重视和研究。

成为国际大宗商品"大鳄"的日本商社

2016年3月，拥有140年历史的日本综合商社三井物产公司宣布，受铜、液化天然气等大宗商品价格下跌影响，该公司2015财年将出现700亿日元（约40亿元）巨亏，这是1947年该公司重组以来的首亏。无独有偶，长期排名第一的三菱商事公司，也曝出1954年再创以来的首次亏损，而且是1 500亿日元巨亏，理由同是因"资源和能源价格下跌"。此外，排名第五的丸红公司，也在2015年财报中计入高达1 200亿日元的巨损。

日本商社利润"塌方"是因国际大宗商品价格暴跌。长期以来，石油、天然气、铁矿石和煤炭等资源型业务，已经成为日本商社的摇钱树。特别是中国等新兴市场经济迅速崛起极大拉升全球资源需求的背景下，它们更是赚得盆满钵满。以三菱商事为例，早在1980—1999年其平均年盈利就达367亿日元，到了2000—2013年，年均盈利规模跳升至2 953亿日元，2006年后一直维持在4 000亿日元以上。即便是排名靠后的丸红，年度盈利也在1 000亿日元以上。资源盈利占比特征极其显著，三菱商事2011年4 538亿日元的净利润中，资源超过6成；三井物产的资源盈利占比更是将近95%；伊藤忠商事和丸红也都超过50%，资源占比最低的住友商事也达43.5%（表13-1）。

表13-1　日本五大综合商社盈利状况及其资源占比（2011—2014年度）

（单位：亿日元/%）

	年度	年度净利润	资源型利润	非资源型利润	资源利润占比%
三菱商事	2011	4 538	2 927	1 631	64.2
	2012	3 600	1 701	1 943	46.7
	2013	4 448	1 716	2 590	39.9
	2014	4 006	854	3 145	21.4

续表

	年度	年度净利润	资源型利润	非资源型利润	资源利润占比%
三井物产	2011	4 345	3 894	211	94.9
	2012	3 079	2 561	294	89.7
	2013	4 222	2 926	846	77.6
	2014	3 065	2 101	844	71.3
伊藤忠	2011	3 005	1 622	1 466	52.5
	2012	2 803	755	1 912	28.3
	2013	3 103	536	2 469	17.8
	2014	3 006	−236	3 172	−8.0
丸红	2011	1 721	810	789	50.7
	2012	2 057	565	1 185	32.3
	2013	2 109	400	1 252	24.2
	2014	1 056	−421	1 049	−67.0
住友商事	2011	2 507	908	1 177	43.5
	2012	2 325	469	1 413	24.9
	2013	2 231	236	1 488	13.7
	2014	−732	−1 910	1 531	504.0

资料来源:笔者根据各商社公布业绩整理制作。

经营能源资源的综合商社迈出了日本企业全球化经营的第一步。截至2015年,三菱商事已在全世界90个国家创建了200多个据点。全球化经营也带来了利润来源的全球化,以住友商事为例,其2012年度基础收益中40%来自国内、25%来自发达国家、另有35%来自新兴市场国家。不仅赢得了丰厚利润,它们也凭借资金优势进行了战略投资,获得了全球各地的资源权益。如三菱商事在世界多地拥有煤炭、铁矿石、不锈钢原料、铜、铝和铀等资源权益。早在1968年,它就在澳大利亚创建了全资公司MDP(Mitsubishi Development Pty Ltd),2001年又通过MDP公司与国际资源大鳄必和必拓(BHP)联手,双方各出资1 000亿日元成立了BMA公司，控制了全球焦煤海上贸易量的23%份额。能源权益也是三菱商事的战略目标，60年代它就着手开发阿拉斯加的LNG，创建了全球最早的LNG海上航线。之后又相继开发了文莱、马来西亚、澳大利亚的LNG项目。日本已成LNG消费大国，全球占比40%。

其实，日本商社早就意识到严重依赖资源盈利的高风险。20世纪70年代两次石油危机曾令日本商社普受冲击，当时叱咤风云的安宅产业就是因投资加拿大石油企业失败而破产，被伊藤忠商事兼并。老道的三井物产也有过失手，其投资伊朗的合资公司IJPC因宗教革命及两伊战争而夭折。三菱商事2015财年大亏也正因为2011年投入53.9亿美元巨资收购智利铜矿企业所致。

“去资源依赖化”已成为综合商社改革的目标。伊藤忠商事发布《Brand-New Deal 2014》中专门设定了资源和非资源的投资比例为1∶2，还誓言要成为“非资源第一商社”。2015年它以6 000亿日元巨资，与中国中信(CITIC)和泰国正大集团(CPG)打造新的投资航母。业务多元化已成为今日日本商社的显著特征，其业务范围无所不包，从矿泉水到通信卫星、从拉面到导弹。日本商社成功融入了世界经济链条，成为世界价值链的全能企业。

占据全球产业链上游的日本供应商

一项拆解实验显示，美国苹果公司iPhone6的约1 300个电子部件中，有700个是日本制造，超过了半数。包括日本阿尔卑斯和三美电机所提供光学防抖修正用促动器、索尼公司的积层式CMOS图像传感器、日本显示器公司的液晶面板、美蓓亚公司的LED背光灯、村田制作所的滤波器等。另据报道，华为公司2014年从日本采购显示屏及通信光学部件等金额达2 088亿日元，2015年将同比增加30%。不仅电子产品如此，日本汽车零部件也早纳入全球汽车厂商的采购体系。

日本政府贸易统计数字也证明了这一事实。1994年以来，零部件出口已占日本出口第一，这首先是因为日本制造企业大举进军海外。2004年，日本零部件出口再创新高，出口规模接近2 000亿美元，这既有日企继续向海外扩张的因素，同时还因为日本零部件企业参与到全球产业分工体系，放弃传统的垂直一体化生产模式，接受了跨国企业巨头全球采购。到2011年，日本的两大中间产品——零部件和加工产品出口均达2 500亿美元，加上2 000亿美元的生产设备出口，三类项目合计超过7 000亿美元，成为日本出口的三大支柱。曾创造80年代日本出口辉煌业绩的最终消费品，此时已经降至不足1 500亿美元。

日本成长为世界最大的零部件供应商。当今世界的两大制造国——中国和美国恰恰正是日本最大的出口目的国。对美出口，日本仍以汽车、电子等终端消费品为主，但其比重随着对美投资而下降，相反，飞机零部件占比却逐年上升。中国则更是日本的“大客户”，其零部件、加工产品、生产设备以及原材料出口第一大对象国都是中国，很显然，这四大门类均与生产相关。统计显示，1990—2013年，日本对华出口加工品增长了15倍，从36亿美元增长至544亿美元；对华出口零部件增长了30倍，从16亿美元增长至492亿美元；对华出口生产设备增长了13倍，从28亿美元增至374亿美元。2013年日本对华出口1 518亿美元当中，1 410亿美元与生产相关，占比93%。毋庸置疑，若把中国比喻成世界工厂，那日本就是当之无愧的世界供应商。

此外，东盟、韩国也是日本中间品出口的重要目的国。2013年日本加工产品出口中，东盟和韩国分别超过400亿和300亿美元，这年出口东盟的零部件也都超过了400亿美元。很显然，来自日本的加工品和零部件已成为全球制造必不可少的“元素”。

以半导体为例，若仅从产值来看，20世纪80年代以来日本半导体呈现江河日下之势，其全球份额已从半壁江山跌落至2009年的四分之一，而且，颓势仍在继续。但换一个角度，从附加值更高的半导体生产装置及材料来看，日本“元素”的重要性则一目了然，它占据着37%装置和66%材料份额。

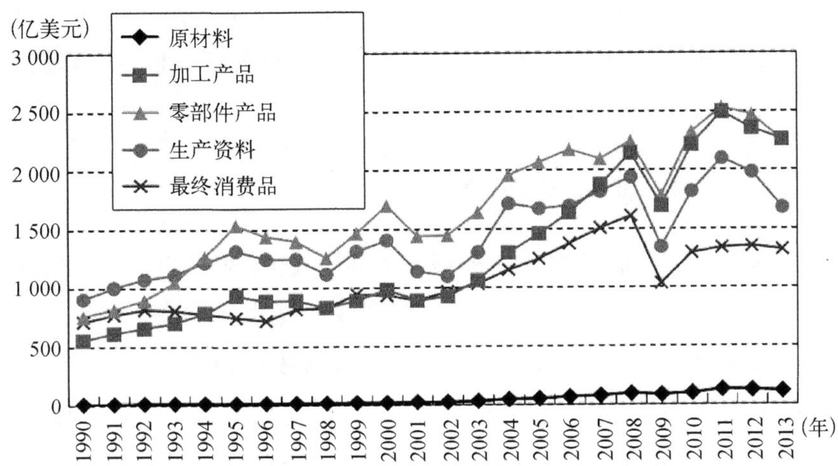

图 13－4　日本出口产品构成变迁(1990—2013 年)

资料来源：日本経済産業省.『通商白書』2014 年版。

表 13－2　日本占据领先的半导体装置(2009 年)

半导体制造装置	世界市场(100 万美元)	日本份额(%)
电子束描画装置	324	93
显影 Coat Develop	1 143	98
洗净/干燥	1 545	70
氧化/扩散炉	385	83
减压 CVD 装置	616	79
切割装置 Dicing	476	97
封装 Molding	377	54
存储检查	338	50
探针检查 Prober	394	94
处理器检查 Handler	350	56

资料来源：日本半導体製造装置協会(SEAJ)。

在半导体生产所需的 30 项重要生产装置中，日本拥有 10 项以上优势(表 13－2)，如洗净、减压 CVD、氧化扩散炉、封装等领域的份额超过 50%；在电子束描画、显影等领域甚至超过 90%，具备垄断性竞争优势。

半导体材料更是日本强项，其市场占有率超过66%，在全部19种主要材料中其占有率超过50%的品种多达14种，尤其是陶瓷基板、树脂基板以及半导体封装等材料方面。

全球化经营已从大企业走向中小企业

全球化经营已是日本企业的显著特征。截至2014年，日企海外生产比率已超过24%（图13-5），而汽车产业海外生产比率更高达47%。日企在海外设立公司已达24 011家，对外直接投资余额12 015亿美元。从投资区域来看，北美、亚洲和欧洲是三大重点地区，投资占比超过86%。其中，对美国投资余额最高，达3 836亿美元（32%）；其次是欧盟各国，投资余额2 743亿美元；亚洲则主要是东盟和中国，对东投资达1 594亿美元，对华投资也超过千亿美元。

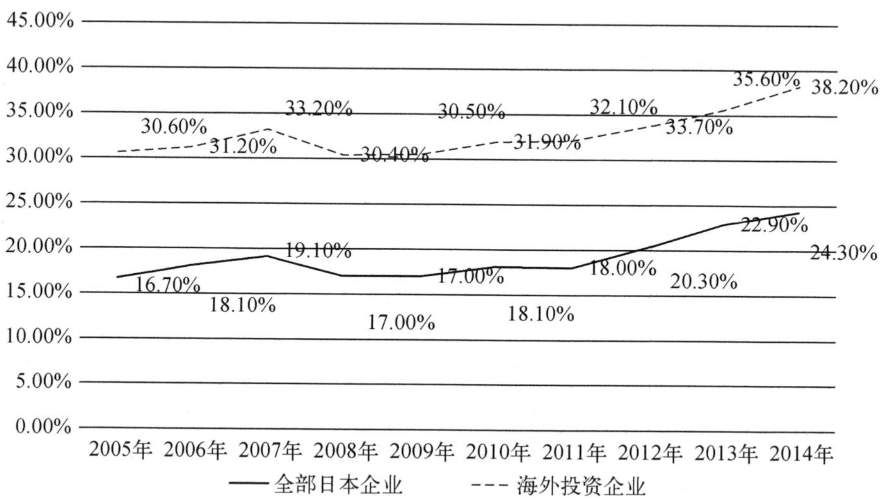

图13-5 日本企业海外生产比率（2005—2014年）

资料来源：日本経済産業省.『海外事業活動基本調査』。

日本企业走向海外起步于50年代，当时主要为响应政府确保资源稳定的国家战略。1961—1964年出现了以石油煤炭为重点的投资热潮。70年代，转移产能成为对外投资目标，劳动密集型的纺织企业大举向台湾地区，泰国、新加坡、马来西亚等转移。大规模向海外进军出现在1985年广场协议之后，有两大主因：一是日元大幅升值，二是日本与美欧国家掀起了贸易战。日企以直接投资为主，开始进军美欧。1991年泡沫经济崩溃之后，追求低成本成为日企核心目标，大举进入东南亚和东亚等新兴市场。中国加入WTO，成为日企对华投资契机，但最初仍是以构建新生产据点为目标。但2008年金融危机前后，日企实施了战略大调整：一是全球化经营成为日企普遍目标；二是中小企业也走向海外，实施全球化战略；三是投资方式多样化，并购成重要手段；四是“现产现销”的现地化战略更倾向于因地制宜。

最近，海外并购成为日企进军海外的重要手段。一是并购资金不断上涨。2011年日企海外并购资金规模创下670亿美元新纪录，2012年回落之后2013年又恢复增长，2015年创下878亿美元新纪录。二是大宗并购案件不断涌现。2009年以来每年10亿美元规模海外并购5件以上，超大宗并购案也不罕见，如2011年武田药品斥资136亿美元收购瑞士企业、2013年软银斥资216亿美元收购美国电信公司。三是中小企业也把并购作为核心战略。包括国内并购在内，2006年日企并购案件数创下2 800件纪录，大量中小企业参与其中。四是并购对象呈全球化趋势。如2015年，美国仍是日企瞄准的核心目标，并购金额占比超过45%，接下来是亚太和欧洲。

政府支持也是日企全球化经营的有力后盾。但为了规避干预市场的批评，日本政府在支持领域和手段上仍是非常慎重的。它主要以能源资源安全为借口，为该领域制定明确的政策指向，然后通过国际协力银行或产业革新机构等政府外围机构给予融资支持，或是通过石油天然气及金属矿物资源机构提供相关技术或服务等支援。“安倍经济学”将基础设施出口也作为支持对象，对相关企业进入亚洲及中南美市场提供融资和担保资金。

在日企大举实施全球化战略背景下，日本银行业海外融资规模也不断创新高。截至2015年6月，其海外融资余额已越过3.5万亿美元，赶超了英美金融大国。

诚然，日本企业国际化道路也并非一马平川，海外失利的例子比比皆是。据《东洋经济新报社》统计，截至 2012 年，日企海外设立现地法人 36 000 家中，已有 12 000 家因各种原因而撤废。特别是 2001 年以来，撤废率一直在 40%以上，最高年份甚至接近 80%（2009 年）。去年能源资源价格暴跌也重击了日本综合商社，其盈利严重依赖能源资源的弱点也暴露无遗。沉舟侧畔千帆过，病树前头万木春。总之，在经济全球化的大背景下实施全球化经营，日本企业这种战略选择无疑是正确的。

四、"不死鸟"的日本综合商社

早在 20 世纪 60 年代，"商社斜阳论"的观点就已经开始在日本蔓延，商社无用论一度成为坊间的主流声音。到了 80 年代，当日本经济步入历史巅峰之际，"商社寒冬论"也再度抬头，似乎发达的社会资本已经令商社无处容身。紧接着，90 年代日本泡沫经济崩溃之后，商社再度成为众矢之的，"商社不要论"风声鹤唳。然而，就是在这风风雨雨之中，日本商社却始终屹立不倒，2013 年 43 家商社销售额甚至高达 87 万亿日元，对 GDP 占比高达 18%。如今，日本政府已经宣布正式加盟 TPP，新一轮冲击对日本商社这只"不死鸟"而言，到底是利是弊？

传统特色的商业组织

综合商社堪称是日本最古老的企业组织，它诞生于日本近代化源头的明治维新时期，至今已有将近 150 年的历史。最初的商社是主要以物品搬运和贸易中介为核心业务，在明治维新提出"富国强兵、殖产兴业"口号之后，它们就充当了从外国获得资源、采购原材料、进口各种资材设备，以及为获取外汇而从事出口或海外市场开拓的任务。

直至二战之前，日本商社主要分为两大类：一是业务内容几乎无所不包的财阀系综合商社，这就是 1876 年成立的三井物产和 1918 年由九十九商会(1870年)更名的三菱商事;再就是集中在关西地区、以纺织品为核心业务的专门商社,如伊藤忠商事、丸红、日棉等。二战后初期,在美国对日推行“解散财阀”政策背景下,日本商社经历了从近代企业组织向现代化迈进的历程,以1954年新三菱商事的成立为标志,三井物产、伊藤忠商事、丸红、住友商事等一批新型的商社再度崛起。

1955年日本经济步入高速增长时期,提出“贸易立国”口号的日本对外贸易迅速增长,到1970年日本出口占全世界出口总额迅速从2.1%上升至6.2%。而且,这种产品出口扩大的背景恰恰是日本制造业企业积极实施设备投资的结果,于是,日本也同时在大量进口先进的机械设备以及引进先进技术。这“一出一进”都成为日本商社扩大业务、充实功能的重要契机,进入其发展的黄金期——“综合商社化时代”。

日本商社一方面着手应对国内企业对于高端设备和先进技术的强大需求,寻找海外相关领域巨头并力争获得其对日销售代理权;另一方面,也积极承揽国内制造企业产品的外销业务,利用自身在海外构建的各种渠道,帮助国内企业拓展海外市场。另外,在走向综合商社化进程中,形成了不同特征:一是关西地区出现所谓以“关西五锦”——伊藤忠商事、丸红、东棉、日棉和江商等五家商社——为核心的企业并购或合并;二是在原三井和三菱为中心的财阀系综合商社之间也掀起兼并、统合浪潮;三是钢铁产业领域的岩井产业、日商、安宅产业等专业化商社,也迈向了综合化旅途。总之,经济高增长时代,成为日本商社发展壮大的重要时期。

“寒冬”与批判声中战略转型

对于刚刚腾飞的日本经济而言,20世纪70年代可谓“多事之秋”:两次石油危机让能源匮乏的日本遭受了严峻考验,“尼克松冲击”美元突然贬值重创了贸易立国的日本经济,布雷顿森林体系崩塌令国际金融陷入动荡不安,羽翼未丰的日本经济也陷入风雨飘摇。对于日本商社而言,与辉煌发展的60年代比较,70年代中期开始便步入了寒冬期。寒流主要来自两大源头：一是经济动荡所带来的经营层面冲击；二是各界对于商社批判声音的高涨。

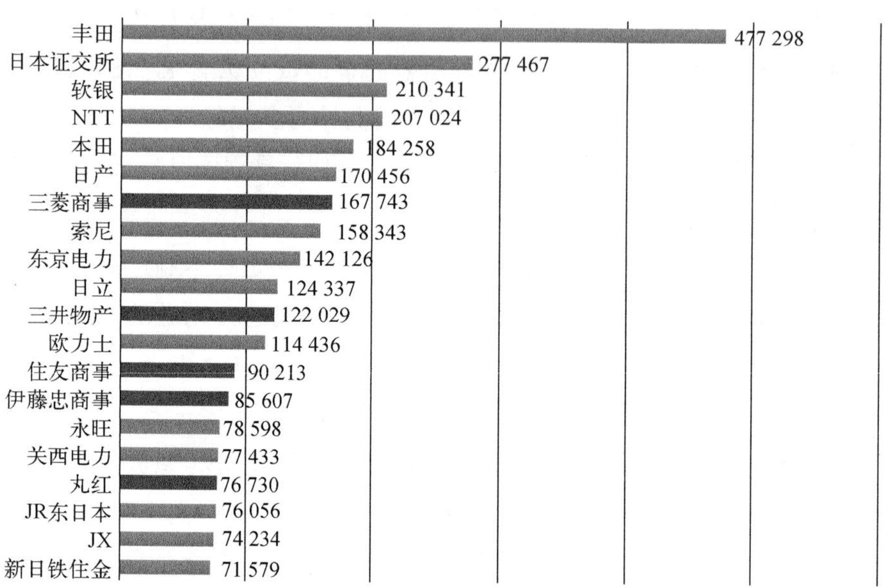

图 13－6　日本上市企业总资产前 20 位(2014 年)(单位:亿日元)

资料来源：笔者根据相关企业披露数据整理制作。

石油危机冲击之下，原本是利润源泉的石油业务却开始成为威胁商社的“定时炸弹”。最先倒下的就是安宅产业，这家综合商社由于同意其美国分公司向加拿大精炼企业（NRC）提供高额融资，而石油危机却致NRC陷入经营困境，最终波及日本总部。虽有住友银行出资救助，但最终还是以安宅被伊藤忠商事合并而告终。老牌商社的三井物产也没能幸免，它与伊朗国营石油化学公司共同出资成立的伊朗・日本石油化学公司（IJPC），在即将建成之际却遭遇伊朗宗教革命，紧接着又是两伊战争。在耗时 8 年的战争结束之后，由于设施受损严重，最终三井也不得不自吞苦果。

其实，日本商社经营不振原因并不能仅仅归罪于石油危机或汇率变动等外部原因，其自身应对战略与措施也出现重大问题：一是未能适应日本产业从“重厚长大”向“短小轻薄”转型而制定相应战略措施；二是未能找到新的高科技产业领域；三是核心业务仍然定位在收益率大幅降低的素材和原材料领域；四是任凭总销售利润率下降却未能及时转型。

各界对于商社批判声音也不断高涨。在汇率大幅波动的70年代初期，日本媒体以及在野党政治力量，均认为这是银行和商社的投机行为所致。连日本政府也开始质疑综合商社是否在投机土地、囤积商品、垄断市场，甚至开展了针对商社的“物价集中审议”。在这种千夫所指的环境中，日本贸易协会于1973年推出了《综合商社行动基准》，号召综合商社重视企业社会责任，树立和维护积极的企业形象。

大胆摆脱传统模式、积极实施战略转型，成为80年代中后期综合商社的典型特征。一是针对日本经济转向内需主导模式而重视进口业务，满足适应内需发展趋势；二是服务日本制造业大举走向海外潮流，积极利用海外网络与资源；三是高度重视进入新产业领域，投身新崛起的信息通信产业；四是发挥雄厚资金优势，强调商社的金融功能。

转型“常态化”与全能商社

经历80年代后期战略转型之后，日本综合商社再次步入上升期。日本七大综合商社（伊藤忠商事、住友商事、双日、丰田通商、丸红、三井物产和三菱商事）2013年度销售额总计达到81万亿日元，7家公司在全球各地的子公司多达4 000家，从业人数超过40万人。不仅如此，综合商社的业务范畴也在逐步扩大，从原来重在产业上游（原材料）和下游（终端商品），逐步蔓延到整个产业链，特别是重视各环节之间的“链接”点。

从盈利能力来看，日本综合商社也牢牢占据了一席之地。在2014年11月到2014年10月的10年长周期中，三菱商事、三井物产、住友商事、伊藤忠商事和丸红等五大综合商社累计纯利润排名均进入日本企业前20位，特别是三菱商事和三井物产更是以3.69万亿和2.76万亿日元排名第五和第八。综合商社主要有两大利润支柱——一是通过从事原料或商品交易而赚取手续费；二是投资最有希望业务领域或相关企业，通过投资分红或是待该业务或企业发展起来之后转让股权获得利润，即所谓“事业投资”。80 年代之前，日本综合商社主要是依靠前者获利，而实施战略转型之后，则越来越依靠后者盈利。而且，2003 年之后，持股收益又超过投资分红收益，成为日本综合商社最大利润源泉。

近年来，日本综合商社的投资业务或领域转型已经呈现显著常态化特征。以石油、天然气、铁矿石和煤炭为主的“资源型商务”曾是综合商社的摇钱树，特别是中国等新兴市场经济迅速崛起更是迅速拉升了世界资源需求。2011 年“3・11”大地震导致日本核电停运，迅速发展的火电导致日本大量进口 LNG，这也为综合商社带来巨额利润。当然，瞬息万变的市场也让日本综合商社难以成为常胜将军，2014 年度住友商事就因为投资美国页岩开发失利而曝出了 2 700 亿日元的巨额亏损。最近，世界经济全面低迷更让全球资源市场迅速降温，于是，日本综合商社又开始把投资重点转向“非资源领域”的食品、机械和金融领域。2015 年初，伊藤忠商事率先挥出惊人大手笔——携手泰国正大集团对中国中信集团出资 1.2 万亿日元，社长冈藤正广直白此举乃是“伊藤忠百年大计”。毋庸讳言，广阔的中国市场才是引起伊藤忠强烈关注并走出“桃园三结义”大棋局的关键。

“从矿泉水到通信卫星”，“从拉面到导弹”，日本综合商社的业务范围几乎无所不包。渗透于全产业价值链的日本综合商社俨然成为“全能”企业，它积极打造了八大企业功能：商品交易功能，即利用供需不同以及信息不对称而进行“物品”与“服务”的买卖交易功能，这也包括了新兴的互联网市场；物流功能，即利用 IT 技术而构建高效率的物流信息系统、仓储流通中心以及相关服务；市场开拓功能，利用全球网络与资源，引进技术、发现新的企业、开发全球市场；金融功能，利用庞大的资金资源以及信息等资源，为企业提供资信、金融服务；事业开发与经营功能，对于新产品和新服务开发的支持与培育；风险管理功能，利用全球化经营的经验与资源，通过分担等方式将企业风险降至最低；信息功能，利用全球网络提供和分析世界各地的政经信息、产业企业信息，提供服务；组

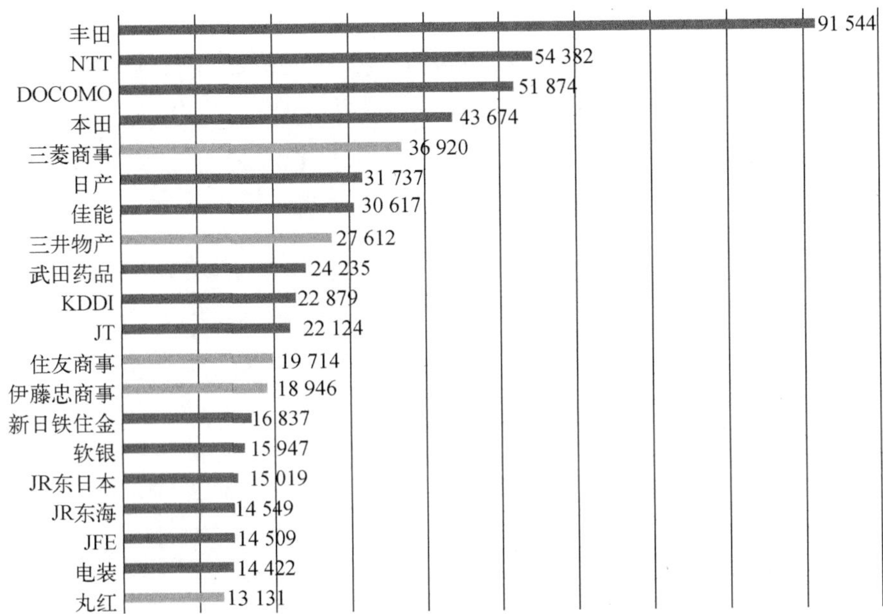

图 13－7　2004—2014 年日本企业累计纯利润排名前 20 位(亿日元)

资料来源:《东洋经济》在线编辑部,2015.3.23。

织功能,特别是构建全球化大型项目设计开发方面。

如今,日本综合商社又必须面对新的挑战了,那就是美日等 12 国刚刚达成基本框架协议的 TPP。一个全新的贸易与经济规则正在构建,有些领域甚至将处于摇摆不定的状态。不死鸟的日本综合商社能否又一次实现涅槃重生呢,再度转型以及重构竞争优势将是决定其命运的关键。

(本章内容主要选自四篇论文,分别刊载在《世界知识》2017 年 6 期《再被推到风口浪尖的日本汽车产业》;《世界知识》2017 年 1 期《日本机器人产业再出发》;《董事会》2016 年 5 期《上位世界经济链:日企国际化启示》;《董事会》2015 年 11 期《日本综合商社再转型》)